Андрей Константинов

ВЫДУМЩИК

Санкт-Петербург
«Издательский Дом "Нева"»
Москва
Издательство «ОЛМА-ПРЕСС»
2002

ББК 84. (2Рос-Рус) 6
    К65

 Издательство «Олма-Пресс» и

«Издательский Дом „Нева"» представляют книги А. Константинова о судьбе Андрея Обнорского-Серегина:

«Адвокат»
«Судья»
«Журналист»
«Вор»
«Сочинитель»
«Выдумщик»
«Арестант»
«Специалист»
«Ультиматум губернатору Петербурга»
«Агентство „Золотая пуля"».

Константинов А.
К65   Выдумщик: Роман. — СПб.: «Издательский Дом "НЕВА"»; М.: «ОЛМА-ПРЕСС», 2002. — 415 с. (Русский проект).

        ISBN 5-7654-0794-3
        ISBN 5-224-02620-2

Петля затягивается вокруг империи криминального авторитета Антибиотика. Журналист Андрей Обнорский-Серегин, стремящийся отомстить вору, и начальник отдела РУОПа Никита Кудасов, руководствующийся принципом «преступник должен сидеть в тюрьме», разрабатывают хитроумную операцию, в результате которой авторитет неминуемо окажется на скамье подсудимых... Но надолго ли? Книга входит в цикл произведений об Андрее Обнорском-Серегине («Адвокат», «Судья», «Журналист», «Вор», «Сочинитель», «Арестант», «Специалист», «Ультиматум губернатору Петербурга»), по мотивам которого снят знаменитый телесериал «Бандитский Петербург».

                                            ББК 84.(2Рос-Рус) 6

*Автор выражает огромную благодарность
Петру Ашотовичу Пирумову,
замечательному врачу и Человеку*

Пролог

Июнь 1994 года

Подполковник медицинской службы Александр Евгеньевич Лукашов давно уже научился по какому-то внутреннему наитию безошибочно угадывать: будут во время его дежурства «внеплановые поступления» или нет, — и чутье практически никогда не подводило хирурга, прошедшего Афган и парочку не менее веселых «точек» бывшего Советского Союза... Перед большой и нервной работой у Лукашова почему-то всегда слегка зудело левое запястье — словно к перемене погоды...

При заступлении на дежурство по клинике ВПХ* Александр Евгеньевич поинтересовался у ответственного дежурного полковника Вараксина — сколько поступлений дали в Центральную**? Вараксин благодушно улыбнулся:

— У нас и так все под завязку, так что от Центральной подарков быть не должно... Может, и проскочим по-тихому, а, Александр Евгеньевич?

Лукашов помассировал левую кисть и с сомнением покачал головой. Разнарядка разнарядкой, а если «тяжелого» доставят прямо к подъезду, минуя Центральную — его все равно придется брать, это любой врач знает...

И тем не менее день прошел спокойно — относительно, конечно... Работы в клинике, специализирую-

---

* Клиника военно-полевой хирургии Военно-медицинской академии.

** Центральная диспетчерская «скорой помощи», куда каждый день все клиники города сообщают, сколько больных по «скорой» они в состоянии принять.

4

щейся на боевой травме или на том, что может ее имитировать, хватает всегда. Подполковнику порой казалось, что Питер окончательно превратился в воюющий город — клиенты с «огнестрелами»* поступали в клинику с удручающей регулярностью и оптом, и в розницу... И это помимо жертв автокатастроф и несчастных случаев — пожаров, падений с большой высоты... Да еще «суицидники-неудачники»**... А такие клиенты ведь задерживались в клинике ВПХ не на день-два.

Как бы много работы ни было — Лукашов всегда старался раскидать ее так, чтобы успеть вечером посмотреть в ординаторской по телевизору новости. Просмотр новостей под чаек с бутербродами был для Александра Евгеньевича своеобразным ритуалом — подполковник любил, расслабленно развалившись в кресле, послушать, что расскажет по НТВ Танечка Миткова, потом переключал телевизор на «пятый» канал и внимал городским новостям от программы «Информ-TV». Самое любопытное заключалось в том, что в обычные дни, дома, Лукашов вообще не смотрел новости, а на дежурстве торопился к «ящику» точно так же, как домохозяйки, страшащиеся пропустить начало очередной серии очередной мыльной оперы...

Выпуск «Информ-TV» подходил к концу. Ведущая доверительно округлила глаза и сказала проникновенно:

— С каждым днем близится торжественное открытие Игр Доброй Воли, которые, несомненно, станут настоящим праздником для всех любителей спорта и в Петербурге, и далеко за его пределами. Однако, видимо, не всех устраивает то, что Игры пройдут именно в нашем городе. Некоторые круги нагнетают обстановку и распространяют слухи о том, что ситуация с преступностью в Петербурге может помешать достойному проведению спортивного форума. Мы попросили прокомментировать эти слухи начальника ГУВД генерала Локтионова...

В кадре появился насупленный милицейский генерал, который, глядя перед собой в одну точку, начал

---

* Огнестрельные ранения.
** Люди, пытавшиеся совершить самоубийство, но не сумевшие реализовать свои намерения до конца.

выталкивать из себя казенные фразы, делая между предложениями длинные паузы:

— Я бы не стал преувеличивать проблему с преступностью на сегодняшний день... Нами предприняты все меры, чтобы Игры Доброй Воли прошли без малейших инцидентов... Мы, так сказать, начали готовиться заранее и предприняли ряд усилий, направленных на выдавливание преступников из города... Это не могло не сказаться на оперативной обстановке — она существенно изменилась в лучшую сторону... В этой связи удивляет позиция американского консульства, которое распространило доклад, в котором, в частности, Петербург прямо называется опасным для иностранцев городом... Я с таким утверждением категорически не согласен... Наш город абсолютно не опасен для западных туристов — за исключением тех, которые сами ищут себе приключений... А панику вокруг преступности, и организованной в том числе, раздувают те, кто хотят любой факт сделать жареным — это касается и ряда журналистов, в том числе и наших, питерских... Я пока не хочу называть имена этих сочинителей, но подчеркиваю — журналисты должны чувствовать свою ответственность перед городом, страной, читателями, а не увлекаться «клубничкой»... Повторяю — организованная преступность в Петербурге, конечно, есть, но она на сегодняшний день просто не в состоянии помешать нормальному проведению Игр Доброй Воли... Правоохранительные органы полностью контролируют обстановку и добились существенного снижения количества тяжких преступлений в нашем городе...

Генерал говорил что-то еще — все так же насупленно и весомо, но Александр Евгеньевич уже его не слушал — противно стало. Кто-то, может быть, и поверит в «изменение к лучшему» оперативной обстановки, но Лукашов-то работал в клинике Военно-полевой хирургии, а не в богадельне. И по личным наблюдениям хирурга — криминальная обстановка была очень и очень далека от нормальной...

Александр Евгеньевич хмыкнул и повернулся к двум курсантам-третьекурсникам, которых курировал и которые специально пришли на его дежурство попрактиковаться:

— Ну, что пригорюнились, орлы? Мало ли что генерал сказал — у нас работы меньше не будет, я вам это гарантирую...

Курсанты вежливо промолчали, а Лукашов продолжил:

— И вообще — если хотите стать толковыми врачами, то должны уметь сами себе работу находить, даже если свежих поступлений нет... Вот, помню, лет пять назад у нас один немец учился, еще из ГДР. Так тот пришел один раз, покрутился, покрутился — взял да и побрил одного реанимационного... Нашим такое даже в голову не приходило... Тогда, правда, все немного по-другому было, и клиенты не такие беспокойные поступали... Про ЧП на прошлой неделе слышали?

«Курсачи» дружно кивнули — вся Академия несколько дней обсуждала неслыханный дотоле случай — в ВПХ привезли раненного в какой-то разборке бандита, реанимационная бригада всю ночь его вытягивала с того света, вытянула еле-еле... А через несколько дней, утречком, часов в восемь, как раз когда пересменка шла, к центральному входу клиники подъехала «Волга», из которой вышел человек в белом халате... «Доктор» дошел, никем не остановленный, до палаты, осмотрел внимательно прооперированного, вынул из кармана халата пистолет, два раза выстрелил бедолаге в голову и ушел...

— Так вот, — веско сказал Александр Евгеньевич. — Люди к нам попадают разные, поэтому без дела по отделениям не шарахаться, права не качать, излишнее любопытство не проявлять...

Лукашов посмотрел на молодых медсестер у стола, о чем-то оживленно шептавшихся, и добавил:

— Генерал Ерюхин официально заявил: «Пусть от киллеров клиентов защищают те, кому это положено, а медперсонал важнее...» Понятно? Мы за жизнь больного только на операционном столе боремся, а грудь под пули подставлять — не обязательно. И в разговоры доверительные с ранеными не лезьте — только по специальности... А кто и почему их на тот свет отправить хотел — пусть милиция выясняет... Мне тут Пинкертоны не нужны, мне больше Пироговы требуются. Ясно?

— Ясно, — закивали курсанты.

— Ну, а раз ясно — по коням и в бой. Слушайте задачу...

Через несколько минут Лукашов и курсанты ушли на обход, а вернулись они в ординаторскую лишь около двух часов ночи.

— Ну что, орлы... — хотел было начать предварительный «разбор полетов» подполковник, но закончить фразу ему помешал вбежавший в ординаторскую санитар:

— Александр Евгеньевич, там милиция какого-то «черного» привезла, плохой совсем, вроде доходит уже...

— Ну вот, — вздохнул Лукашов, быстро вставая. — А вы боялись...

Человек, доставленный в приемный покой, и впрямь был очень плох — волосы и лицо в запекающейся крови, открытый рот щерился обломками зубов, обрывки футболки почти не скрывали множественных кровоподтеков на теле... Александр Евгеньевич сразу отметил входное пулевое отверстие на левой стороне груди и стал очень серьезным.

— Вы его привезли? — обратился Лукашов к двум мрачным мужикам в штатском. Тот, который был постарше, кивнул, ссутулив широченные плечи, и провел пятерней по жесткому ежику седеющих волос:

— Да... Мы из РУОПа... Вам должны были звонить...

— Раз должны — значит, позвонят, — пожал плечами Лукашов. — Давайте пока карту на него заполним.

Раненый и впрямь был похож на южанина, поэтому когда старший руоповец сказал, что его фамилия Иванов, Лукашов удивился — впрочем, виду не показал и начал отдавать деловитые распоряжения курсантам и санитару:

— Так, давайте его быстро на каталку и срезайте одежду осторожно... Ух ты... Неплохо парня обработали...

— Он будет жить, доктор? — подвинулся к подполковнику руоповец помоложе — худощавый, с копной черных кучерявых волос.

Лукашов, занятый предварительным осмотром, вопрос проигнорировал. Александр Евгеньевич пальцами открыл веки «Иванову» и, убедившись в том, что зрачки разные, пробормотал себе под нос:

— Внутричерепная гематома...

Лукашов выпрямился и сказал курсантам:

— Так, ребятки, давайте-ка его быстренько в рентгенкабинет... Значит, делаем рентген грудной клетки — посмотрим, спались у него легкие или нет, потом рентген черепа, рентген левой голени и потом лапороцентез... Все ясно?

Курсанты толкнули каталку с неподвижным телом «Иванова» к выходу из приемного покоя, а Лукашов, не обращая внимания на руоповцев, порывавшихся у него что-то спросить, подошел к аппарату внутренней телефонной связи и набрал номер ответственного дежурного:

— Алло, Василий Викторович, Лукашов докладывает... У нас клиент поступил, тяжелый, РУОП привез... Ах, звонили уже? Интересно... Предварительный диагноз: проникающее сквозное пулевое ранение левой половины грудной клетки в третьем-четвертом межреберье, ушиб головного мозга, закрытый перелом левой голени, ожоги второй-третьей степени — два-три процента, травматический шок, множественные ушибы. Это на первый взгляд... Состояние крайне тяжелое, вы подойдете?.. Не знаю, какой-то Иванов... А кто звонил, если не секрет?.. Ах, даже так!.. Понятно...

Услышав от полковника Вараксина, что раненым, которого еще только втаскивали в приемный покой, уже интересовался начальник Академии генерал Шевченко, Лукашов несколько помрачнел... Стало быть, «Иванов» этот — из блатных. Генерал-то ведь, скорее всего, тоже не по своей инициативе интересовался — видимо, и ему позвонили... А значит — будут дергать, и если этот парень помрет, то вони будет много...

Александр Евгеньевич положил трубку и повернулся к руоповцам. Кучерявый шагнул к хирургу и спросил снова:

— Он выживет, доктор?

Лукашов неопределенно пожал плечами:

— Вы все сами слышали — состояние крайне тяжелое, какой-либо прогноз сейчас сделать сложно... Я не Господь Бог и даже не Ванга-прорицательница...

У старшего руоповца дернулась левая щека, он сглотнул с усилием и спросил тихо:

— Но хоть какая-то надежда есть?

Александр Евгеньевич вздохнул:

— Надежда всегда есть... Он что, из ваших?

Широкоплечий быстро взглянул на кучерявого и кивнул:

— Да, из наших... Он должен выжить, доктор, понимаете — должен...

Лукашов махнул рукой:

— Я все понимаю... Мы сделаем, что сможем... Мужики, вы бы шли домой... Водки выпейте... Помолитесь, если верите...

Кучерявый качнул головой:

— Мы тут подождем... Скажите, мы помочь чем-то можем?

— Можете, — кивнул хирург. — Если дергать нас не будете... Ну и хотелось бы, чтобы этого хлопца добивать в операционную не пришли... А то у нас тут, знаете ли, прецедент уже был...

— Не придут, — угрюмо сказал широкоплечий. — Работайте спокойно... Только, доктор, я очень вас прошу — когда что-то прояснится, вы пошлите кого-нибудь к нам... А мы тут посидим, подождем... Ладно?

— Договорились... Только это еще не скоро будет.

— Ничего, мы подождем, сколько нужно...

— Как знаете... — Лукашов кивнул руоповцам, ободряюще улыбнулся и быстрыми шагами вышел из приемного покоя.

Часть I
КОМИТЕТЧИК

> И если ты смотришь в бездну, знай, что
> и бездна пристально смотрит в глубину
> твоей души...
>
> Фридрих Ницше

Практически каждый рабочий день начинался для Аркадия Сергеевича Назарова одинаково: если его не дергали с утра в Управление на Литейный, то он добирался на своем уже порядком одряхлевшем «жигуленке» четвертой модели до Морского порта. Дело в том, что старший оперуполномоченный майор Назаров был сотрудником так называемого Водного отдела УФСК по Петербургу и области, а Морской порт, соответственно, являлся объектом оперативного обслуживания Аркадия Сергеевича*. А раз так, то само собой разумелось, что основное свое рабочее время майор Назаров и должен был проводить на «объекте».

Кабинет Аркадия Сергеевича находился в хорошо известном каждому работнику порта доме номер пять по Межевому каналу — там же, где располагалась Служба безопасности порта. Собственно говоря, у Назарова было несколько кабинетов в порту — для разных встреч и разговоров, однако «базовый офис», как он сам полушутя его называл, числился именно по Межевому, 5.

---

* УФСК — Управление федеральной службы контрразведки, когда-то называвшейся Комитетом государственной безопасности России, а еще позже получившей новое имя — Федеральная служба безопасности. Из-за постоянных переименований в первой половине девяностых годов сотрудники «конторы» мрачно шутили друг с другом по утрам: «Телевизор не смотрел вчера? Нас там снова не переименовали в какую-нибудь „абэвгэдэйку"? Нет? Странно. Неужто забыли?»

Приезжая с утра в порт, Аркадий Сергеевич, как правило, не шел сразу к себе в кабинет, а с полчасика прогуливался по территории, покуривая и настраиваясь на предстоящий рабочий день.

К своему объекту оперативного обслуживания Назаров относился двойственно — он и любил, и ненавидел порт одновременно.

Если бы Аркадия Сергеевича попросили охарактеризовать порт как человека, он бы сказал, что этот человек бесконечно интересен и бесконечно порочен, а еще — к нему лучше никогда не поворачиваться спиной... А вообще-то сам Назаров не стал бы ассоциировать порт с человеком — масштаб не тот. Аркадию Сергеевичу объект обслуживания представлялся скорее этаким государством в государстве — государством, отгороженным от рядового питерского обывателя плотной, хотя и невидимой подчас стеной... И было в этом «государстве» все, что положено — своя власть, свои законы и понятия, своя мораль, своя знать и свои смерды, своя экономика («черная» и «белая»), своя внутренняя и внешняя политика, а также силы для претворения обеих в жизнь... Даже воздух в порту был особенным, совсем не таким, как, скажем, в центре Петербурга или где-нибудь на Охте. Букет портовых запахов менялся каждый день, но две составляющие оставались неизменными — на гутуевском острове всегда пахло морем и деньгами. Большими деньгами... Так было всегда. Человек, попавший в это «государство» со стороны, либо переделывался портом «под себя» и становился его частичкой, либо безжалостно пережевывался и выплевывался — и хорошо если живым, потому что случались и другие исходы, которые констатировались замотанными дежурными следователями и сонными медиками как «несчастные случаи»...

Интересная закономерность: в годы великих потрясений и невзгод — и при царях-батюшках, и при генсеках, и при президентах — запах больших денег в порту резко усиливался... Не стали исключением и лихие девяностые годы...

Как-то раз, во время одной из своих утренних меланхолических прогулок, представился Аркадию Сергеевичу порт не «окном в Европу», а страшной «черной дырой», через которую высасывались на Запад, в чистую и сытую Европу, богатства России-матушки, верившей с одинаковым сонным энтузиазмом и царям, и вождям всех времен и народов, и инженерам перестройки, а также добрым заокеанским друзьям. А самого себя Назаров увидел в роли некоего смотрителя при этой дыре — кем-то вроде «ооновского наблюдателя» в зоне межнационального конфликта: вроде и полномочия какие-то есть, и уважение аборигенов, и даже их страх, а реально вмешиваться в процесс все равно нельзя, и заткнуть «дыру» невозможно...

Невозможно не из-за того, что сам Аркадий Сергеевич был плохим оперативником и не владел в достаточной мере обстановкой в порту — нет, совсем не из-за этого... Просто в последние годы Назаров все хуже понимал глобальную стратегическую задачу «конторы»... Его ведь как учили в свое время — каждый офицер всего лишь винтик или небольшой блок огромной машины, и задача этого блока-винтика заключается в том, чтобы выполнять необходимый и достаточный объем работ, способствующий в конечном итоге нормальному функционированию всей машины в целом... А что сейчас? Машина постоянно разбирается и переделывается теми, кто в ней ничего не понимает, вместо бензина в бак льют солярку или вообще ничего не льют, водители постоянно меняются, и никто толком не может сказать, куда, собственно говоря, надо ехать... При этом еще прохожие-пешеходы выскакивают на проезжую часть дружными толпами исключительно с целью поплевать па тарантас, который когда-то был мощной машиной, а то и пнуть ногой его под шумок...

Веселые настали времена, а потому Назаров все ассоциации, наводящие на мысли о «черной дыре» в порту, старался держать при себе — в Управлении его могли просто «не понять». Вернее, понять-то, может быть, и поняли, но сразу бы поинтересовались: «Черная дыра — это понятно, а где конкретика, мил человек?» А вот с конкретикой у Аркадия Сергеевича дела обстояли, мягко говоря, не очень... Да и могло ли быть по-другому, если как-то так интересно получалось в последние годы, что крупные партии стратегического сырья, например, уходили из России хоть и за бесценок, но легально — со всеми положенными крутыми печатями и подписями больших государственных людей... И что толку в том, что какой-то майор Назаров полагает: мол, некоторые разрешения на ввоз и вывоз идут вразрез с государственными интересами России? Кто такой Назаров и кто те, у кого есть право подписи таких бумаг? Как говорится — почувствуйте разницу... А почувствовав, сядьте на задницу ровно и не гундите про коррупцию, не мешайте людям работать...

Какая еще коррупция? И вообще, что это такое? Коррупция в нынешней России — миф, обсасываемый журналюгами, потому что юридического понятия такого не существует... Нет закона, а значит — и коррупции нет... Есть, правда, какой-то невнятный Указ аж самого Президента, декларирующий борьбу с этой самой коррупцией, но при этом само понятие-то, сам предмет борьбы — никак не определен... Так что — призрак это, миф, фантом, мираж... По-простому, по-неофициальному — блевотина неконкретная... И как, скажите на милость, бороться с коррупцией в порту, который из госучреждения уже превратился в коммерческую организацию? Не знаете? Вот и майор Назаров не знал, хотя дураком отродясь не был... Да и в конце-то концов, что ему, Назарову, больше всех надо? Когда-то, может, оно так и было, а сейчас, когда до двадцатилетней выслуги, дающей право на пенсию, осталось уже меньше года, — надо точно не больше всех.

Все чаще и чаще майор задумывался о том, что будет делать после увольнения.... Служить дальше у Аркадия Сергеевича желания не осталось (и не только из-за того, что положительных перемен в карьере не намечалось) — а поэтому нужно было начинать потихоньку подыскивать себе место, куда можно прийти после увольнения... Ведь только на пенсию-то, хоть и комитетовскую, нынче и одному не прожить, а за Назаровым еще были жена и дочь-школьница. Оно конечно, комитетовские семьи в основном неприхотливые, но опять же — смотря какие... Да и любил Аркадий Сергеевич жену и дочку... Дочь он воспитал правильно, она никогда ничего не просила, не жаловалась, но проскальзывали иногда в ее рассказах о школе грустные нотки, когда речь заходила о том, в чем некоторые одноклассники и одноклассницы «за знаниями» приходят, какие они плейеры слушают и в какие игры играют на домашних компьютерах...

От этих рассказов у Назарова ныло сердце — и не от зависти к папашкам дочкиных одноклассников, а от обиды, от явной несправедливости, торжествовавшей в последнее время в его стране. Почему все вдруг перевернулось, как в дурном сне? Отпрыски бывших фарцовщиков и вороватых чиновников чувствуют себя наследными принцами и принцессами, а дети служивых (вроде Аркадия Сергеевича), честно отдавших лучшие годы жизни государству, довольствуются положением Золушек — с той существенной поправкой, что им и доброй феи не дождаться... Оно понятно, такие, как он, Назаров, служили прогнившему и несправедливому коммунистическому строю, так что можно вроде бы посчитать все происходящее сейчас справедливым воздаянием... «Грехи отцов да падут на детей их...»

Но один существенный нюанс не давал Аркадию Сергеевичу покоя. Воздаяние — оно ведь должно быть справедливым и пропорциональным, если оно, конечно, Божье... Но тогда почему же процветают и отлично себя чувствуют все бывшие крупные партийные функционеры — у них-то явно грехов побольше, чем у него, Назарова? А бизнесмены эти, фарцовщики бывшие, которые теперь заявляют, что, дескать, занимаясь до девяносто первого года спекуляциями и воровством, они на самом деле «работали предтечами здорового рынка»?

«Буревестники капитализма», «благородные рыцари свободной торговли»... Кому-кому, а уж Назарову-то отлично было известно их благородство — чуть прихватишь раньше «мажора», и он охотно барабанит на своих же коллег-«буревестников», лишь бы его, шкурное, не затронули, лишь бы в камеру не слили... Интересно, как люди, которые всю жизнь были нечестными, могут вдруг заняться «честным бизнесом»? Конечно, сейчас они орут — мол, раньше мы нарушали законы, потому что они были плохими... Дайте нам хорошие законы, и мы их, дескать, нарушать не будем... Чушь все это... Люди, сформировавшиеся на постоянных нарушениях Закона, будут нарушать его и дальше, для них не важно — плох Закон или хорош, для них важно то, что они получат в результате нарушения... И если ставка достаточно высока, переступят через самый-самый суперкапиталистическо-демократический Закон... Не верил Назаров в «честный российский бизнес», потому что считал, что на плохом фундаменте хороший дом построить нельзя...

Но и в государство майор тоже больше не верил... Да, допустим, прошлый строй был гадким, аморальным, диктаторским и тоталитарным, преступным и вообще антинародным. Замечательно! Хорошо, что вовремя разобрались и повернули наконец-то к Добру, Справедливости и Демократии. Ура! Но почему же тогда новые лидеры ведут себя как-то странно — и это мягко говоря? Почему они стремительно богатеют — получают дачи, квартиры, машины, надевают умопомрачительной цены костюмы — и все это на фоне какого-то дикого, обвального обнищания народа, того самого, ради которого они работают?

Временные трудности? Но почему бы их не разделить вместе с народом? Нет, в самом деле — почему? Хороший командир поест только после того, как будут накормлены его солдаты — потому что он за них отвечает... А нынешние «отцы народа» торопятся нажраться раньше «детей»... Ничего себе «папашки»... И еще удивляются — чего это, мол, нас не все любят?.. А за что, собственно, любить, отцы? Таким командирам, которые больше и раньше солдат жрут, в атаке первая пуля и достается — от своих же...

Майор Назаров никогда не делился этими своими невеселыми мыслями ни с кем из коллег — он хотел спокойно дослужить до пенсии, а потом уйти в коммерческую структуру. Да и самому себе Аркадий Сергеевич позволял размышлять на эти крамольные темы только во время утренних прогулок по порту, ставших для него обязательным ритуалом.

Заканчивался апрель 1994 года. Старший оперуполномоченный Назаров прогуливался по подведомственной территории, щурился на набиравшем силу весеннем солнышке и вежливо кивал в ответ почтительно здоровавшимся с ним людям. Аркадий Сергеевич знал цену этой почтительности и не строил насчет нее необоснованных иллюзий. Да, его все знали в порту — все, без преувеличения. Знали и боялись, а потому — уважали... Конечно, сейчас не тридцать седьмой год, и малость чудаковатый чекист, любящий утренние прогулки, не законопатит в лагерь одним росчерком пера — но жизнь испортить может запросто. Шепнет кому-нибудь в Службе безопасности порта: я, дескать, видел, что во-от этот пидорок себе в машину что-то из контейнера перегружал — и начнется веселая жизнь... Хищения в порту — настоящий бич, не только большие, но и малые... А этому комитетчику поверят, он же чокнутый, он не берет — и это все знают...

Аркадий Сергеевич скрипнул зубами. Не берет... Он действительно ничего никогда не «брал» и служил честно — не за страх, а за совесть... Так было до марта 1994 года. А в марте... В марте майор Назаров через свою комитетовскую совесть перешагнул... Оно, конечно, жизнь довела и заставила, но... Плохо было на сердце у старшего оперуполномоченного. Плохо и муторно...

Аркадий Сергеевич родился в учительской семье. Его отец, Сергей Васильевич, работал после окончания университета учителем математики в средней школе на Выборгской стороне. Там же, в школе, работала и мать — Татьяна Александровна, она преподавала ботанику и зоологию. Собственно говоря, родители и познакомились в школе, и роман у них завязался именно на рабочем, так сказать, месте. Сергей Васильевич и Татьяна Александровна свою работу любили, любили детей, и ученики платили им взаимностью.

Сергей Васильевич мечтал, что его сын тоже станет математиком, но пойдет дальше отца, будет не обычным учителем, а научным сотрудником какого-нибудь крупного института... И, надо сказать, Аркадий оправдывал ожидания отца, который сумел привить сыну любовь к формулам, уравнениям и теоремам. Аркадий легко стал «математическим вундеркиндом» в школе — получил грамоты на районных и городских олимпиадах, ходил в университет заниматься на Малый матмех, а потому уже в девятом классе решал задачки не из школьной программы, а из программы высшей школы. В университет Аркадий, естественно, поступил легко...

В студенческое братство он вписался сразу — Аркадию нравилось учиться, нравился новый коллектив. Он умудрялся находить время на все — на занятия в СНО*, на спорт, на музеи, театры и кино, куда ребята иногда ходили чуть ли не всей группой. Все было как-то радостно и светло — и первый стройотряд в Коми АССР, и первые романы с надеждами и разочарованиями.

По своей натуре Аркадий был заводилой, поэтому уже на втором курсе ребята избрали его комсоргом, хотя — редкий случай — комитет комсомола факультета ведь выдвигал другую кандидатуру. Но против Аркадия тоже возражать не стали... На третьем курсе Назаров как-то неожиданно для самого себя вдруг увлекся историей Древней Руси — с трудом доставал книги Соловьева и Ключевского, бегал на открытые лекции на истфак... Так и летело время. Наверное, тот период был самым счастливым в жизни Аркадия...

Беда пришла в семью, когда Назаров-младший заканчивал четвертый курс... Это случилось в середине мая. Сергей Васильевич вел внеклассные занятия с десятиклассниками, изъявившими желание поступать в технические вузы. Надо сказать, что за свое репетиторство Назаров-старший не брал ни копейки — да он бы даже оскорбился, если бы кто-нибудь предложил оплатить ему сверхурочную работу. Сергей Васильевич просто очень любил своих учеников и хотел, чтобы все они поступили в те институты, которые выбрали...

В тот вечер пожилой учитель возвращался домой довольно поздно. Погода была хорошая, и Сергей Васильевич, видимо, решил пройтись до дома пешком по проспекту Карла Маркса... Что произошло у подворотни дома номер 43, впоследствии точно установить так и не удалось. Уже после полуночи тело Назарова-старшего с двумя ножевыми ранениями обнаружил наряд ППС**. В мертвых руках Сергей Васильевич крепко сжимал чей-то модный черный ботинок...

Когда милиционеры начали опрашивать жильцов дома, кто-то неохотно вспомнил, что слышал вроде бы

---

* СНО — студенческое научное общество.
** ППС — патрульно-постовая служба.

какие-то женские крики о помощи примерно в то самое время, когда учитель математики шел из школы домой... Аркадий хорошо знал своего отца. Сергей Васильевич совсем не умел драться, но он никогда бы не смог пройти мимо, если женщина умоляла о помощи. Видимо, он вмешался, за это его и убили в драке... Кроме ножевых ранений, на теле Сергея Васильевича судебно-медицинская экспертиза зафиксировала множественные ушибы — похоже, его били ногами, уже смертельно раненного, а он, умирая, успел схватить одного из негодяев за ногу и сорвать с него ботинок... Наверное, все было так — точно сказать не мог никто, потому что ни звавшую на помощь женщину, ни убийц Сергея Васильевича милиция найти так и не смогла. И не потому, что искала плохо. Искали-то как раз хорошо, но любой опер-«убойщик» знает: случайные, спонтанные убийства — они или раскрываются сразу, или зависают унылыми безнадежными глухарями...

Аркадий и сам долго ходил вечерами вокруг дома номер 43 по проспекту Карла Маркса, надеясь непонятно как найти и узнать тех подонков, которые убили отца, — но, как известно, чудеса случаются только в кино.

После похорон Сергея Васильевича мать Аркадия как-то резко постарела, совсем разболелась и даже немножко «тронулась» — она то проявляла кипучую энергию и строчила жалобы на милицию и прокуратуру во все мыслимые и немыслимые партийные инстанции, то, наоборот, впадала в полную депрессию, разговаривая с кем-то шепотом с закрытыми глазами. Аркадий однажды прислушался и понял, что Татьяна Александровна разговаривала с покойным отцом... Умерла мать тихо и легко — во сне. Назаров как раз заканчивал тогда дипломную работу...

Аркадий, надо сказать, перенес свалившиеся на него несчастья стойко, но не изменить его они не могли. Он как-то разом повзрослел, поугрюмел и уже не считал, что мир вокруг раскрашен только в яркие праздничные цвета... Неожиданно для многих после окончания университета Аркадий пошел работать учителем в ту же самую школу, в которой всю жизнь проработали Сергей Васильевич и Татьяна Александровна.

Аркадий Сергеевич жил один в оставшейся после смерти родителей квартире: видимо, слишком силен был горестный шок, не позволял он наладить какие-то более-менее серьезные отношения с девушками, — все ограничивалось лишь редкими и непродолжительными связями. Аркадий Сергеевич вообще начал немного сторониться людей — взрослых людей, а с детьми-то он как раз общался охотно и на занятиях, и после уроков... А дома Назаров окунался в доставаемые всеми правдами и неправдами книги по русской истории. Уходя в прошлое, Аркадий как-то расслаблялся, мягчал душой. Люди из былинных времен казались Назарову очень красивыми, мужественными и благородными — в общем, полной противоположностью тем его согражданам, которые даже не дернулись помочь Сергею Васильевичу, когда его убивали посреди Ленинграда какие-то хулиганы... Конечно, Аркадий Сергеевич идеализировал русскую историю, но эта идеализация помогала ему жить.

Впрочем, любая рана, кроме смертельной, когда-нибудь да рубцуется, и любое горе — затихает. «Все проходит», — подметил давным-давно царь Соломон, и в этом с ним трудно не согласиться.

Вот и Аркадий Сергеевич мало-помалу начал потихоньку отходить. Да тут еще и в жизни его серьезные перемены наметились. Назаров в школе еще и года не проработал — а ему предложили немного «сменить профиль». Во время районной комсомольской отчетно-выборной конференции Аркадию Сергеевичу намекнули, что его кандидатура рассматривается как одна из наиболее достойных для замещения вакантной должности инструктора в Выборгском райкоме комсомола... На это предложение Аркадий согласился сразу — и не потому, что жаждал номенклатурных благ, а потому, что ему было просто интересно. А еще Назаров тогда искренне верил во многие идеалы, верил в грядущий коммунизм и хотел воспитывать людей, молодежь — помогать ей увидеть путь в прекрасное будущее, где не будет горя и несправедливости...

Работа в райкоме комсомола по-настоящему увлекла Аркадия. Надо сказать, что он как-то не особенно сталкивался с тем безудержным комсомольским «разгуляевом», которое позднее было блестяще описано Юрием Поляковым в его «Апофигее». Назаров работал не за карьеру, а за идею — работал так, что времени на личную жизнь практически не оставалось... Хотя, конечно, некоторые вопросы во время комсомольской практики начали зарождаться в его душе, но оформиться окончательно они не успели... Через год его неожиданно вызвали в райком партии, и второй секретарь райкома товарищ Нефедов после набора дежурных фраз вдруг сообщил Аркадию, что его рекомендуют на работу в органы государственной безопасности — на «трудный, ответственный, но почетный участок работы, необходимый для дальнейшего процветания и укрепления могущества нашей великой Родины».

Не представившийся Назарову неулыбчивый мужчина средних лет, находившийся в том же кабинете, кашлянул и негромко добавил, глядя опешившему Аркадию прямо в глаза:

— Мы о вас все знаем, вы нам подходите. Уверен, что вы сможете оправдать надежды, которые возлагает на вас партия...

Назаров в ответ только и смог вымолвить:

— Высокое доверие партии оправдаю ударным трудом...

Шел 1975 год. В те времена образ сотрудника органов государственной безопасности был для непосвященных окутан романтическим ореолом таинственности... На самом-то деле все было далеко не так романтично, да и не так уж таинственно... Еще в Москве, куда Аркадия отправили на учебу, преподаватели честно предупреждали:

— Ребята, выкиньте романтические бредни из головы и настраивайтесь на монотонную будничную работу. При этом знайте заранее: максимум, до чего большинство из вас сумеет дослужиться, — это старший опер...

Преподаватели не врали — в те времена выше старшего оперуполномоченного уже начинались номенклатурные должности, занять одну из которым считалось просто счастьем.

Вернувшегося в Ленинград после учебы лейтенанта Назарова направили в райотдел КГБ, где он и «приступил к изучению складывающейся в районе оперативной обстановки». А она была не такой уж простой. Живых шпионов вроде бы не водилось, но «агонизирующий капитализм» старался воздействовать всеми имеющимися средствами на советскую молодежь — с целью морального разложения последней, естественно. Органы госбезопасности были призваны «решительнейшим образом дать отпор этим поползновениям».

Под оперативное обслуживание лейтенанта Назарова попали несколько институтов, в том числе и ЛЭТИ[*] — вот как раз оттуда и пришла в самом начале карьеры Аркадия Сергеевича интересная анонимка. Бумажка эта информировала органы госбезопасности, что шесть студентов ЛЭТИ создали «антисоветскую группу, увлекающуюся западной музыкой». Да и ладно бы они просто музыку слушали — так нет, эти деятели еще и некий «Устав» в своем рок-кружке приняли... А еще они периодически глумились над святыми для всех настоящих советских людей именами — в подтверждение автор анонимки приводил услышанный от одного из «рокеров» анекдот.

Петька Василия Ивановича спрашивает: «Василь Иваныч, ты за какую группу — за „Битлз" или за „Роллинг Стоунз"?»

А Василий Иванович ему и отвечает: «Я, Петька, за ту, в которой Джон Ленин играет...»

Кстати говоря, вся эта антисоветская рок-организация и носила имя Джона Леннона, известного на Западе наркомана и хиппаря, — по крайней мере так утверждал пожелавший остаться неизвестным автор письма.

«Чушь собачья, — искренне подумал Назаров, прочитав анонимку. — При чем тут антисоветчина?»

Мнение свое Аркадий Сергеевич доложил непосредственному начальнику — майору Шаврику. Шаврик с лейтенантом категорически не согласился:

— Ошибаешься, дорогой товарищ, никакая это не чушь, тут все гораздо серьезнее, чем на первый взгляд кажется... Тут не просто рок-кружок... Ты еще молодой, неопытный, а я тебе так скажу — вот из таких малень-

---

[*] ЛЭТИ — Ленинградский электротехнический институт им. В. И. Ульянова-Ленина.

ких ручейков нигилизма и выливается потом река неуважения к нашему обществу, к нашему строю, к нашим святыням и идеалам. Заметь — они ведь не просто музыку слушают, они еще и «Устав» создали... Ты понимаешь? Устав! Вопрос: для чего им нужен этот «Устав», а? Что в этом «Уставе» написано? С «Устава» любая организация тайная начинается, это азбука... И я так думаю, что для этих хиппарей идолопоклонничество перед Западом — лишь ширма, за которой они готовят совсем не безобидные акции, направленные на подрыв нашей Советской власти...

Шаврик так распалился, так побагровел и вспотел, что Назаров даже и не думал ему возражать... Достав платок и аккуратно промокнув лысину, Шаврик сказал уже более спокойно:

— Ладно, молодой, слушай сюда... Это дело надо раскрутить на полную... Вот что — я тебе передам на связь парня толкового, из этого же ЛЭТИ, он на третьем курсе учится... Можно сказать, золотой фонд нашей агентуры — общителен, легко в доверие входит, имеет авторитет среди студентов. Член ДНД*, кстати... Ты его к этой работе подключи, чтобы полная информация была... Ишь ты — «рокеры», «Устав», понимаешь, приняли... Сопляки, а туда же: с малых лет крутыми стать хотят... Мы им станем! Такая интеллигенция нам не нужна...

«Толковый парень», которого Шаврик отдал на связь Назарову, не очень понравился лейтенанту, но ведь Аркадия Сергеевича учили, что выполнение поставленной задачи не должно зависеть от эмоций, так что пришлось ему работать с тем, с кем выпало... Агент и впрямь оказался шустрым — через месяц у Назарова на руках были уже и копия так называемого «Устава» группы «рокеров», и подробный список их связей.

Но самым удивительным было то, что лейтенанту удалось получить неожиданную даже для него самого оперативную информацию, согласно которой за рок-кружком студентов ЛЭТИ стоял очень интересный человек — некто Борис Норочинский, преподаватель другого института — Политеха... Этот Норочинский, как

_____

* ДНД — добровольная народная дружина.

оказалось, был хорошо известен коллегам Аркадия из Управления — как активист НТС*, антисоветской организации, базировавшейся в ФРГ... Норочинского «пасли» уже давно, вот только прихватить на чем-то действительно серьезном пока не могли, хотя и имелась информация, согласно которой преподаватель Политеха достаточно регулярно получал из Германии деньги от руководства НТС — на «подпольную работу»... Советский строй гражданин Норочинский ненавидел, судя по всему, достаточно искренне, но вот начинать активную подпольную работу явно не торопился — боялся Комитета и очень не хотел идти в лагерь за свои убеждения... Но отчитываться за получаемые деньги ему как-то надо было, вот он и подтолкнул одного своего знакомого студента из ЛЭТИ к написанию «Устава» рок-кружка, даже, точнее, не подтолкнул, а так — слегка намекнул... Но намек попал в цель — и это дало возможность Норочинскому (по сообщениям агентуры из центрального аппарата НТС) «отрапортовать» о создании в Ленинграде «конспиративного антитоталитарного сообщества»... При таких раскладах дело принимало совсем другой оборот, и вопрос о рок-кружке решался уже не на уровне райотдела КГБ.

— Толково работаешь, далеко пойдешь, — похвалил Аркадия Шаврик.

Назаров все-таки не удержался и спросил майора о дальнейшей судьбе группы.

— А это уже не нам решать, — ответил Шаврик, благодушно улыбаясь. — Мы с тобой не в частной лавочке работаем, а государственные интересы блюдем...

Заметив, что лицо лейтенанта выражало сложную борьбу чувств, майор искренне расхохотался:

— Ты что, Назаров, жалеешь их, что ли? Зря, пидорасы они редкостные... Еще увидишь, как они друг друга наперегонки закладывать начнут!

И Назаров действительно увидел... «Антисоветская группа» была полностью ликвидирована через два месяца. Двух студентов отправили на «химию» (они, помимо всего прочего, еще и радиоаппаратуру собирали в лабораториях ЛЭТИ), двоих отправили в психушку

---

* НТС — Народно-Трудовой Союз.

на лечение (эти, как оказалось, анашой баловались), одного просто отчислили за неуспеваемость... А шестой — шестой остался учиться, потому что быстрее других сообразил, что спастись можно только «полным раскаянием и абсолютной откровенностью». Этот шестой, кстати говоря, выразив готовность к негласному сотрудничеству с органами госбезопасности, тут же выдал информацию, представлявшую «оперативный интерес» — показал, что один из членов их студенческого оперотряда частенько во время дежурств в ДНД обирает пьяных... Любопытно, что этим членом оперотряда оказался как раз тот самый «толковый парень», которого Шаврик передал Назарову... Шаврик, узнав об этом, искренне развеселился:

— Хорошо-хорошо, «барабан» и должен «барабаном» перекрываться... Толково работаешь, лейтенант!

Разгром «антисоветской группы» в ЛЭТИ был по достоинству оценен и в Управлении по городу, и в области — лейтенанта Назарова отметили в приказе, а на День чекиста он получил наручные именные часы... Казалось — радоваться надо было Аркадию, гордиться, но мешало ему что-то... Не испытывал Назаров того восторга победителя, которым и ценна любая схватка, любое противостояние.

Дело в том, что с чисто человеческой точки зрения история с рок-кружком закончилась не очень справедливо: Борис Норочинский — настоящий, а не липовый антисоветчик — никаким репрессиям (по крайней мере в тот год) не подвергся... Его «подтянуть» к рок-кружку не удалось, потому что преподавателя из Политеха лично знал только один студент — тот, который ушел на химию. Остальные о Норочинском и понятия не имели... А единственный знавший Норочинского рокер категорически отрицал какую-либо причастность энтээсовца к написанию рок-устава... Парня, видимо, мучила совесть — все члены кружка в большей или меньшей степени топили друг дружку, сломать-то мальчишек было делом нехитрым, — вот и хотел меломан-стиляга хотя бы «ни в чем не виновного» преподавателя не подставить... Откуда было знать студенту, что Норочинский выдавал его с приятелями за «идейных оппозиционеров советскому строю» перед руководством НТС? Руководство же Аркадия, когда пошло «официальное развитие ситуации» и стало ясно, что Норочинский «скрывает», приняло свое решение — показательно разгромить студенческий рок-кружок с последующим доведением информации об этом (должным образом поданной) через каналы ПГУ* до руководства НТС... Студенты-то оказались уголовниками, наркоманами и злостными прогульщиками, а не «идейными борцами»... То есть, попросту говоря, Бориса Норочинского решили скомпрометировать перед руководителями НТС таким вот достаточно жестоким для студентов-рокеров образом... И, надо признать, цель эта была достигнута, да и сама комбинация сыграна красиво, но вот чисто человеческий ее аспект не давал покоя лейтенанту Назарову... (Кстати говоря, Норочинского спустя пять лет все-таки посадили ненадолго за спекуляцию, но это было уже тогда, когда Аркадий Сергеевич перешел на «другую линию работы».)

Внутренняя ломка, проходившая в душе Аркадия, не осталась незамеченной майором Шавриком.

— Что закис, молодой товарищ? — улыбаясь, спросил он как-то раз Назарова под конец рабочего дня. Аркадий неопределенно пожал плечами, и Шаврик понимающе кивнул: — Трудно? А никто и не обещал, что будет легко. Не бзди, будет еще труднее... Знаешь, что я тебе скажу, парень, учись перешагивать через себя! Да-да, через себя и свои эмоции. Волю развивай! А эмоции... Они в нашей работе — плохие советчики...

Майор помолчал немного, вытащил из пачки болгарскую сигарету, задумчиво покатал ее между пальцами, вздохнул и добавил тихо:

— Не переживай, перемелется. Мы все прошли через это...

Шло время, и все действительно мало-помалу устаканивалось, Аркадий втянулся в работу, и его больше не коробило и не удивляло, что седовласые лощеные профессора и доценты, красиво рассказывавшие своим студентам о чести, достоинстве и благородстве, стучали друг на друга так, что «аж пиджак заворачивается», как любил говаривать Шаврик. Причем — что любопыт-

---

* Первое Главное управление КГБ СССР — внешняя разведка.

26

но — большинство из них «информировали» не за деньги и не из страха, а исключительно в силу таким вот образом понимаемого ими чувства долга...

Нет, нельзя, конечно, сказать, что Аркадий сталкивался исключительно с разными моральными уродами, но все же за два года работы в райотделе Назаров существенно подкорректировал свои представления о «благородном и сильном русском характере»... Много романтических бредней перегорело за эти два года в душе Аркадия Сергеевича, и он начал постепенно превращаться из интеллигента, терзаемого извечными русскими вопросами: «Что делать?» и «Как жить?», в нормального профессионала, способного «быстро и качественно решать задачи, поставленные руководством», — так по крайней мере было написано в его характеристике... Появилась у Назарова и семья — он женился на дочке профессора Матвеева, работавшего все в том же ЛЭТИ.

Вскоре Аркадия из райотдела перевели в Управление, в водный отдел... Служил Назаров исправно, и даже иллюзии у него сначала кое-какие были насчет карьеры — впрочем, иллюзии не беспочвенные, надо сказать: он ведь умудрился досрочно капитанское звание получить — на полгода, правда, всего раньше срока, но все же... Нет, настоящего шпиона Назаров, конечно, не словил, но так сумел поставить себя и работу свою в порту, что однажды заявился к нему с «чистосердечным признанием» некий помощник капитана дальнего плавания. Этого парня в Швеции как-то подловила на проститутке местная спецслужба, после чего моряку было сделано прямое вербовочное предложение... Помощник согласился для виду, а когда корабль пришел в порт — сразу прибежал к Назарову... В результате возникла перспективная комбинация, и была даже игра со спецслужбой Швеции — правда, недолгая, потому что скандинавы, видимо, быстро все поняли, и игра заглохла...

Карьерные иллюзии улетучились быстро — по мере того, как Аркадий Сергеевич наблюдал за ростом некоторых коллег в Управлении. Назаров точно понял, что генералом не станет никогда... Впрочем, майорское звание он получил в срок.

Жизнь шла своим чередом, жена родила Аркадию дочку, с помощью тестя-профессора семья обзавелась автомобилем — новенькой «четверкой». Аркадий пристрастился к рыбалке — очень любил в одиночестве посидеть на каком-нибудь озере с удочкой... Друзей особых в Управлении Назаров не приобрел, но выпивал с коллегами по работе часто — алкоголиком он не стал, но принять рюмку-другую на грудь любил.

Собственно говоря, из-за этих «нескольких рюмок» и случился однажды у Аркадия Сергеевича абсолютно дурацкий залет. Один парень в отделе «проставлялся» по случаю присвоения очередного звания — ну, ясное дело, выпили... А потом Аркадий поехал домой на своей «четверке» — и надо же, как назло, гаишники его стопорнули... В прежние времена одного взмаха комитетовской ксивой хватило бы, чтобы менты по стойке «смирно» встали, но на дворе стояло лето 1985 года — самый разгар знаменитой горбачевской антиалкогольной кампании, а от майора Назарова шел сильный выхлоп. Нет, задерживать Аркадия Сергеевича, конечно, не стали, но через несколько дней пришла на него в «управу» бумага. «Сигнал» проверили, он подтвердился, да и Назаров, собственно говоря, не отрицал, что находился за рулем «под мухой»... Сильно гнобить Аркадия Сергеевича не стали, все обошлось выговором, но пятно осталось — в «конторе» ведь никогда ничего не забывали...

Стоит ли говорить, что объявленную «сверху» перестройку Назаров, как и большинство его коллег, воспринял сначала настороженно, а потом и вовсе неприязненно. Аркадий Сергеевич к тому времени уже искренне считал, что народу нужны не демократия и свобода выбора, а кнут и пряник. Оно, конечно, ясно, что главный «прораб перестройки» надеялся на «пробуждение здравых сил в обществе», на то, что эти силы немедленно примутся за «созидательное строительство» чего-то там... Назаров же считал все эти прожекты самой настоящей маниловщиной. Кому было строить-то?

В деревнях люди хозяйствовать давно отвыкли, колхозники бежали от земли в города, где русский «народ-богоносец» угрюмо спивался, несмотря ни на какие указы и ограничения... Поскольку в порту Аркадий Сергеевич сталкивался с людьми из самых разных социальных групп, у него были возможности для проведения, так сказать, сравнительных анализов — так вот, с горечью констатировал комитетчик, в народе выработалась особая национальная черта — «халявщина». «Где бы ни работать — лишь бы не работать», — эта распространенная поговорка времен перестройки откровенно бесила Назарова, и он сам, по крайней мере, старался жить совсем по другому принципу. Тем более что работы по его линии в порту хватало с избытком.

Он ведь перед своим начальством отвечал в порту буквально за все, и это при том, что сам не входил в руководство порта и не обладал правом подписи... А случись какое ЧП — с кого спросят? С Назарова... Нет, с других тоже, конечно, спросят, но комитетчика-то не минуют, это уж точно... Поэтому помимо задач чисто контрразведывательного характера приходилось Аркадию Сергеевичу подключаться и к мероприятиям по борьбе с контрабандой, и к проблеме хищений грузов из контейнеров (а в порту хищения стали настоящим бедствием)... Много чем ему приходилось заниматься — совместно с другими службами, представленными на «объекте», он разрабатывал систему мер безопасности хранения грузов и их прохождения через порт, а в такой системе ведь все предусмотреть нужно, включая пожары и наводнения...

Конечно, Назаров был не единственным представителем «конторы» в порту, но далеко не всех коллег он без иронии мог считать соратниками. Скажем, присутствовали в порту товарищи из так называемого «действующего резерва» — их позже стали официально величать «офицерами, прикрепленными к объекту». Коллеги из «действующего резерва» были точно такими же офицерами КГБ, но они как бы откомандировывались на предприятия, становились их штатными сотрудниками и зарплату получали уже не от «управы», а на новом месте — в соответствии с занимаемой должностью. При этом у них шли, как положено, очередные звания и выслуга лет. А при том, что «резервы» занимали на тех предприятиях, куда их направляли, как правило, руководящие посты — то и зарплаты у них были очень приятными. И так получалось, что «резервисты» вскоре

уже отстаивали не столько интересы «конторы», сколько тех предприятий, где они трудились... Да что там
говорить — еще когда Назаров только-только попал в
Управление, он понял, что чуть ли не каждый сотрудник
просто мечтал об уходе в резерв. Но, как шутили комитетчики, резервами не становятся, резервами рождаются — брали на эти «хлебные места» очень даже не
всех... Скажем, у Назарова никаких шансов попасть
в действующий резерв не было...

К началу девяностых годов на комитет возложили
еще одну задачу — борьбу с набиравшей силу организованной преступностью. Естественно, и у Назарова на
его «объекте» появились дополнительные обязанности.
Правда, в те годы в КГБ возникла странная концеп-
ция — дескать, с оргпреступностью нужно бороться не
грубо, а умело, разваливая ее изнутри и как бы управ-
ляя ею... Функции Назарова по линии оргпреступности
были чисто «наблюдательскими», но Аркадий Сергеевич привык все делать добросовестно и потому даже
смог вскоре выдать кое-какие материалы на «реализацию» — именно с его подачи ушла в зону одна не очень
большая рэкетирская группа, примыкавшая к подни-
мавшим в то время в городе голову «тамбовцам»...

А потом был путч 1991 года, потом начались такие
перемены в государстве, по сравнению с которыми вся
прежняя перестройка казалась просто детской игрой...
Комитет постоянно перетряхивали и переименовывали,
целые службы не знали, что им, собственно говоря,
делать, законы менялись чуть ли не каждый день.

Начались большие перемены и в порту — он быстро
превратился в акционерное общество, то есть в организацию уже не государственную, но коммерческую...
Настала пора каких-то странных контрактов с Западом;
как грибы после дождя росли в порту все новые и
новые коммерческие структуры... Назаров только головой качал и удивлялся, как это еще никто не сумел
таможню приватизировать и не взял в аренду участок
границы...

Его коллега из «действующего резерва» — некто
Бессонов Анатолий Валентинович — занял должность
начальника Службы безопасности порта и получил просто неоценимые возможности для увеличения личного

благосостояния, Анатолий Валентинович ведь стал одним из руководителей порта — с правом подписи и с соответствующей зарплатой... Да и вообще от Бессонова, от его расположения зависели очень многие коммерческие структуры, закупавшие товар на Западе и получавшие его затем в порту. Что там говорить: именно начальник Службы безопасности подписывал пропуска на въезд и выезд из порта на автомобилях — знающие люди понимают, насколько это серьезно... Одно дело, когда ты к своим контейнерам спокойно на машине подъезжаешь, а другое — когда тебе до них километра два пешком шлепать... Бессонов мог распорядиться пропустить чей-то коммерческий груз без очереди, а мог наоборот — сделать так, что предпринимателя с его товаром мусолили бы в порту нещадно... Много в чем мог помочь Анатолий Валентинович людям — в «растаможке» иномарок, купленных на Западе, например... Ему ведь ничего не стоило позвонить на таможню и походатайствовать за «хорошего человека»:

— Ребята, там к вам очень уважаемый человек подъедет, так что вы уж...

А могла ситуация для кое-кого и по-другому повернуться — это если человек «плохим» был. Тогда на таможню совсем другой сигнал уходил:

— Мужики, вас на козе ну совсем гондон объехать хочет, а у него в багажнике, между прочим, может и наркота найтись, и взрывчатка, и оружие, так что вы уж...

В общем, с начальником Службы безопасности порта лучше было дружить, чем ссориться.

Понимал все это и майор Назаров, мудревший с каждым годом, приближавшим его к заветному пенсионному стажу. И неважно, что Аркадий Сергеевич на самом деле думал о Бессонове, важно, что конфликтов между ними никогда не было, и Назаров никогда в дела начальника Службы безопасности нос свой глубоко не засовывал, хотя мог бы... Ведь формально Аркадий Сергеевич имел право даже давать указания «резерву», но... Как уже было сказано выше, Назаров давно понял, что это сейчас ему все в рот смотрят, а вот когда он на пенсию уйдет — тогда все разом изменится, тогда он на хер никому не нужен будет... Если, конечно, не подсуетится вовремя, не найдет, где осесть после увольнения в запас...

Всерьез размышлять над этой проблемой Аркадий Сергеевич начал еще в 1993 году. Майор сразу понял, что, как бы он ни ненавидел всю портовскую «крутежку», оставаться надо где-то на «объекте» — потому что только здесь его все знают и он всех знает, он здесь, что называется, «землю чует» и тем ценен... Кому? Да мало ли коммерческих структур! Хотя, конечно, все совсем не так просто: коммерческих структур много, но далеко не все из них надежные и перспективные, многие — самые настоящие мыльные пузыри, которые того и гляди лопнут... Нет, Назарову нужна была солидная фирма, такая как «ТКК», например...

На акционерное общество закрытого типа «Транс Континентал Коммуникейшенз» Аркадий Сергеевич обратил внимание не случайно — эта фирма действительно была серьезной, и люди в ней подобрались оборотистые да хваткие.

А историю возникновения «ТКК» стоит, пожалуй, рассказать отдельно — чтобы яснее было, чем эта фирма занималась и какими-то возможностями обладала...

В конце 1992 года славная Ленинградская таможня развалилась на три самостоятельные организации, коими стали: Балтийская таможня (через которую шло все, что плыло по морю), Санкт-Петербургская (в ее компетенцию попадало все, что следовало по суше) и Пулковская (соответственно все, что прибывало воздушным путем).

Разделение такое было вызвано причинами объективными: начиная с 1991 года на Ленинградской таможне значительно возрос грузооборот, потому что Россия стала гораздо более открытой для Запада, а Запад — соответственно, стал ближе России. Грузы хлынули в страну таким потоком, что несколько сот человек, трудившихся на Ленинградской таможне, уже просто физически не могли пропустить этот поток через себя. Возникали дикие очереди, обстановка накалялась.

Проведенная реорганизация решила проблему только частично — людей все равно не хватало, и постепенно всем стало ясно, что таможням для нормального функционирования нужны некие «околотаможенные структуры». Например, в 1992 году таможня просто задыхалась, не справляясь с заполнением грузовых таможенных деклараций. Тем, кто никогда не сталкивался с этим документом, просто повезло, потому что он настолько сложный, что в нем любой нормальный человек сразу же запутается, а уж заполнить эту декларацию сможет только профессионал... И в 1993 году, после специального распоряжения правительства, начали возникать первые фирмы-«декларанты». В таких фирмах, обладавших специальными лицензиями, за деньги быстро и качественно заполняли эти самые грузовые таможенные декларации...

Дело было прибыльным, но проблемы таможни упирались далеко не в одни только декларации. Не менее остро стоял вопрос с так называемым внутренним транзитом — скажем, человек везет водку из Финляндии в Тамбов через Петербург. В этой ситуации таможенные платежи с него взимаются на тамбовской, то есть внутренней, таможне, а питерская — та же Балтийская, например — играет роль таможни внешней, которая лишь бумаги проверяет и отметки ставит... Возникает вопрос — как доставить груз от внешней таможни до внутренней? Кто за этот груз отвечать будет? Выход нашелся быстро, и в том же 1993 году возникают фирмы — таможенные перевозчики, действовавшие также на основании специальных лицензий.

Но до тех пор, пока груз не пройдет все положенные процедуры на внешней таможне, его тоже где-то держать надо. А где? Порт забивался разными контейнерами — и кто должен был платить за складирование, перевалку и хранение грузов? Таможня? Таможня платить не хотела... И вскоре возникла еще одна ступенька — склады временного хранения, так называемые «СВХ». Эти склады открывали фирмы, также обладавшие специальными разрешениями. Так вот — АОЗТ «ТКК» как раз и было предприятием, обладавшим лицензиями на декларирование грузов, на их временное хранение и доставку от внешней таможни к внутренним. Стоит ли объяснять, что кадровый состав «ТКК» формировался в основном из бывших таможенников и комитетчиков?

Кстати говоря, уволиться из Конторы относительно спокойно до достижения пенсионной выслуги стало возможно только в девяносто втором году — именно тогда в «управе» был пик увольнений. Офицеры уходили зарабатывать на жилье в коммерческие структуры. Некоторые пытались заняться производством, но у них быстро опускались руки — производственников душили налогами, выгодно было только торговать либо крутиться где-то поблизости от торговли. «ТКК» как раз и стала такой околоторговой фирмой... Между прочим, изначально руководство этого АОЗТ было не комитетовским, но пришедшие туда бывшие офицеры быстро освоились и легко «подвинули» первых хозяев. И начала фирма жить-поживать и добра наживать...

Работалось этой коммерческой организации спокойно и легко, и никакие «крышные» вопросы ее не волновали... Кто же рискнет связываться с бывшими комитетчиками, у них же связи-то остаются и после увольнения... А если кто-то и рискнет связаться, нарваться на конфликт, то такому отчаянному быстро растолкуют: «Ты что — не знаешь, кто в этой „ТКК" работает? Племянник самого Анатолия Валентиновича Бессонова, начальника службы безопасности порта!.. Парнишка, правда, говорят, говенный, и никто не знает, чем он в фирме занимается, но зарплату пацан получает исправно — угадай, за что?.. Угадал? Ну и молодец...»

Угадавший, естественно, понимал, что наехать на «ТКК» — все равно что на самого Бессонова катить, а это уже было чревато... По этим причинам и «трудившиеся» в порту бандитские группы предпочитали никогда с «ТКК» не связываться — в конце концов, порт большой, его всем хватит...

А у «ТКК» дела процветали — с подачи племянника любимого Бессонов разные возникавшие время от времени шероховатости в отношениях между фирмой и таможней легко улаживал... Ведь весь порт — это «зона таможенного контроля», таможенник в порту как дома себя чувствует, он где угодно в любой момент и таможенное обследование провести может, и таможенный досмотр... Таможня может какой-нибудь груз задержать и бесплатно его на склад поставить... В общем, нагадить таможенники могут качественно, но зачем гадить своим? Это же все равно, что рубить сук, на который, вполне возможно, еще самим сесть придется...

Доходы «ТКК» напрямую зависели от объемов проходивших через нее грузов. Стало быть, фирме нужны были постоянные, надежные партнеры — те, которые занимались торговлей по-крупному. И клиенты такие быстро нашлись — пусть не у всех у них было безупречное прошлое (да и настоящее иногда вызывало некоторые сомнения); но всем им хватило мозгов понять, какие выгоды сулит сотрудничество именно с «ТКК». И богатела фирма не по дням, а по часам, вызывая зависть у очень многих в порту. Бандюги только головами крутили:

— Вань-Вань, ты глянь, какие клоуны, они ж растут, как на дрожжах...

А чего бы и не расти фирме, если она все проблемы клиента решала быстро и хорошо... За быстроту решения вопросов и платили барыги денежки немалые. Торговцу ведь что — ему груз как можно быстрее из порта вытащить надо и в оборот пустить в бизнесе, известное дело, время — деньги... А в девяносто третьем году очереди в порту были такие, что просто мама дорогая... Без знакомств — полная труба! Без знакомств тебе таможенник скажет равнодушно:

— Чего суетишься, мил человек? Видишь — очередь из пятидесяти грузовиков стоит? Становись пятьдесят первым! Повезло тебе, мужик, на прошлой неделе ты бы сто пятьдесят первым был.

Надо сказать, что поначалу фирма «ТКК» работала почти честно в отношении государства. То есть если где-то в чем-то ребята и «химичили», то достаточно деликатно — они не нарушали впрямую Закон, они просто проскакивали сквозь многочисленные дыры в законодательстве, которое, естественно, знали неплохо...

Но время шло, люди, работавшие в фирме, мало-помалу развращались деньгами, и им хотелось большего... Так уж устроен человек — сколько ему ни дай, а все мало будет. Люди к хорошему привыкают быстрее, чем к плохому, а привыкнув, перестают считать хорошим то, что еще совсем недавно казалось им и вовсе раем... Да и глупее всех остальных тесному коллективу «ТКК» быть не хотелось — а времена наступали лихие, угарные, можно сказать, времена.

Оглядевшись, сотрудники фирмы поняли, что, работая с государством по чесноку[*], они будут выглядеть в глазах других коллективов просто белыми воронами какими-то... А белых ворон никто нигде не любит, нормальные вороны их всегда обидеть норовят... Зачем же людей на грех провоцировать? Да и насчет обязательной честности в отношениях с государством у мужиков давно уже серьезные сомнения были... Мол, государство может с нами нечестно обходиться, а мы с ним должны исключительно по правилам играть? Это как получается — нас трахать можно, а нам трахать нельзя? То есть мы вроде как все время в «пассиве» остаемся? Не-е, отцы, так самолет не летает...

И постепенно, примерно к концу девяносто третьего года, начала фирма бывших таможенников и комитетчиков «напаривать» родное государство... Отдадим им должное — откровенно голимым, то есть совсем черным криминалом «ТКК» не занималась, она нагревала государство, как бы это поделикатнее выразиться, по-серому...

Естественно, с налогами шел мухлеж — но это в те времена считалось просто детскими шалостями... А еще фирма разработала несколько красивых и эффектных схем, позволявших клиентам не платить бешеные таможенные пошлины и акцизные сборы.

Одной из таких схем стала так называемая «недоставка». Суть ее заключалась в следующем: приходит в Петербург пароходом груз из Дании, например. И по документам этот груз должен уйти куда-нибудь в Казахстан — то есть в суверенное государство, где и будут платиться все акцизные сборы и таможенные пошлины. Фирма «ТКК» оформляет все транзитные бумаги и, являясь лицензированным таможенным перевозчиком, доставляет груз к последней российской таможне на границе с Казахстаном. Свои люди на этой последней российской таможне ставят на бумагах все необходимые отметки — дескать, груз из России ушел... А груз на самом деле в Казахстан не уходит, он остается в России и в ней же реализуется — безакцизно и беспошлинно.

_____

[*] По чесноку — честно (*жарг.*).

Попробовав применить эту схему несколько раз на практике на границах с разными суверенными государствами СНГ, руководство «ТКК» вскоре поняло, что на самом-то деле вовсе нет необходимости и сам груз к границам тащить: если там надежные люди на таможнях сидят, то вполне достаточно, чтобы они за «долю малую» просто документы правильно отмечали...

Естественно, эту красивую и приятную во многих отношениях схему каждому клиенту предлагать было стремно — поэтому «недоставку» делали не очень часто и только для очень «своих».

Вторым «изобретением» достойной фирмы «ТКК» стало так называемое «декларирование не своим наименованием».

Скажем, поступает из Европы в Петербургский морской порт спирт «Рояль» — вполне питьевой спирт, то есть алкогольная продукция, за которую государству большие денежки должен отдать клиент... Но ведь это как посмотреть — алкогольная эта продукция или нет? В декларации ведь можно написать не «питьевой спирт», а, скажем, «жидкость для разжигания костров» или «вещество для снятия краски с заборов» — и все довольны, все гогочут... Груз-то приходит с теми коносаментами и спецификациями[*], которые морской агент составляет по указанию отправителя, а отправитель и получатель всегда договориться могут... Отправителю все равно, как свой товар, идущий в Россию, обозвать — хоть «огненной водой», хоть «антигрустином»... Важно, чтобы ребята с Балтийской таможни ни к чему не прицепились. Таможенники-то ведь далеко не все грузы проверяют, они, таможенники эти, обладают правом «выборочного контроля», что весьма существенно... Так что ежели заинтересовать таможенника, который у тебя на складе временного хранения сидит, — или даже не заинтересовать, а «убедить» в своей исключительной порядочности и благонадежности, — то он ведь все акты таможенного досмотра может просто под твою диктовку писать и не бегать на мороз, не ковырять эти несчастные контейнеры... И в данной ситуации таможенник, кстати говоря, вообще ничем не рискует — не

---

[*] Необходимые сопроводительные документы.

проверял груз, только декларации проверил? Да, а что? У него право выборочного контроля... И поди-ка ты, золотое мое сердце, докажи злой умысел... Не можешь? Тогда сядь на жопу ровно и рот закрой...

Вот такими интересными делами занималась фирма «ТКК» в Морском порту. К началу 1994 года предприятие уже уверенно стояло на ногах, а одним из крупнейших клиентов фирмы стали ребята, контролировавшие рынок на Апраксином дворе — полубандиты-полументы... «Апрашка», к слову-то сказать, в то время уже была одним из самых мощных в Питере центров по реализации и алкогольной, и иной-всякой продукции... Партнеры подобрались достойные — бывшие комитетчики из «ТКК» быстро договорились с бывшими ментами с «Апрашки», за которыми, между прочим, уже и откровенно бандитские морды проглядывали...

В начале 1994 года институт ментовских и комитетовских «крыш» — так называемых «красных шапочек» — находился еще в периоде своего становления, а потому бывшие сотрудники милиции, нашедшие себе новую стезю на Апраксином дворе, откровенным беспределом не баловались, то есть еще не «оборзели в дым»... Они, как и сотрудники «ТКК», лишь периодически залезали в криминал, но тут же старались быстро из него вылезти... Правда, поскольку у бывших ментов с «Апрашки» обороты были существенно выше, чем у «ТКК», то пришлось им озаботиться в свое время созданием специальной бригады отморозков, которые при необходимости могли и силовыми способами вопросы решать... На чужой-то кусок сладкий многие ведь свои рты поганые разевают... Ну а поскольку сотрудничество между «ТКК» и «Апрашкой» становилось все более и более тесным, то и отмороженная бригада привлекалась порой уже для решения общих вопросов... Правда, происходило это крайне редко.

Вот такая интересная фирма и привлекла внимание майора Назарова, когда он начал подумывать о месте, на которое можно было бы сесть после увольнения из Конторы. Аркадий Сергеевич внимательно наблюдал за деятельностью «ТКК», но при этом соблюдал деликатность — грубо «буром не пер», информаторов в интересующей его структуре даже не пытался приобрести:

понимал майор, что народ в фирме подобрался умный и опытный... Тем не менее «ТКК» ведь не в безвоздушном пространстве работала — вокруг нее всюду люди были, люди разные, в том числе и такие, которые по разным причинам регулярно Назарову свои тайны душевные поверяли... Так что кое-какой информацией о «ТКК» Аркадий Сергеевич все же располагал.

Нет, всего он, конечно, не знал, но поскольку был мужиком умным, то о многом догадывался... Но догадки-то, ведь, как известно, к делу не пришьешь, да и стоит ли вообще чего-то «шить» в таком интересном случае? Фирма «ТКК» была бы лучшим местом для Назарова после выхода на пенсию. Во-первых (и это очень важно), там собрались все «свои», а во-вторых, ребята все же если и мухлевали, то с тройной оглядкой, по крайней мере официально им предъявить было нечего... Да и вряд ли рискнул бы им кто-то что-нибудь предъявить...

При этом Аркадий Сергеевич отчетливо понимал — то, что ему нравится «ТКК» как оптимальное место будущей работы, еще вовсе не означает, что фирма заинтересована в нем как в будущем работнике. На хорошее место претендентов всегда много... Чем он, Назаров, может быть для «ТКК» интересен? Да, Аркадий Сергеевич обладал хорошей репутацией, слыл человеком умным, он много чего повидал и много чего знал... Опять же в старые времена в «конторе» закалку давали — ого-го какую... Но всего этого явно было недостаточно, потому что такие кадры, как Назаров, увольнялись из органов каждый год пачками.

Аркадий Сергеевич еще в самом начале 1994 года попробовал осторожно сблизиться с генеральным директором «ТКК» Дмитрием Максимовичем Бурцевым, который в свое время дослужился в Комитете до подполковника. Бурцев на контакт пошел легко — все-таки и Назаров был еще пока не последним человеком в порту... Однажды, когда два комитетчика — бывший и действующий — культурно выпивали в одной комнатке с дверью без таблички в «Шайбе»*, Аркадий Сергеевич

---

* «Шайба» — одно из административных зданий Морского порта; называется так за круглую форму.

попытался осторожно прозондировать почву: поинтересовался, словно бы невзначай, не ожидается ли в фирме Бурцева вакансий через годик... Дмитрий Максимович сразу все понял правильно и ответил честно:

— Как тебе сказать, Аркадий... Фирма-то наша, так что место всегда появиться может... Был бы человек хороший, под которого это место открывать стоило... У нас ведь как? Все, кто в фирме работают, каких-нибудь клиентов курируют, с этого и свой процент имеют... Процент хороший, на хлеб с маслом ребятам хватает... Сам понимаешь — даже ради самой хорошей кандидатуры никто «подвигаться» не захочет... Другое дело, если человек уже со своими предложениями придет, клиента хорошего приведет, зарекомендует себя как-то... Таким людям мы всегда рады...

Бурцев опрокинул в рот рюмку коньяка и лукаво взглянул на Назарова:

— А что, у тебя есть хорошая кандидатура на примете?

— Может быть, — устало пожал плечами Аркадий Сергеевич и перевел разговор на другую тему. Бурцев же настаивать на продолжении разговора не стал — они оба сказали друг другу, что хотели и что могли...

Что же, ответ Дмитрия Максимовича не удивил Назарова — за красивые глаза никто сейчас хлеб с маслом никому не предлагает... Да оно, наверное, и всегда так было — бесплатный сыр водится только в мышеловках. К тому же Аркадий Сергеевич и сам всегда не терпел халявщиков.

И начал Назаров ломать голову над тем, что бы такого хорошего сделать для «ТКК»... Идти на откровенное использование служебного положения или даже на должностное преступление Аркадию Сергеевичу, конечно, не хотелось. Он мечтал уйти на пенсию «чистым», поэтому предлагать прикрыть собой какие-то уже крутящиеся «стремные» дела в «ТКК» Назаров Бурцеву не стал. Аркадий Сергеевич начал перебирать все свои связи и контакты для того, чтобы найти фирме интересного клиента. Но, как на грех, не находил Назаров подходящей кандидатуры, несмотря на то что связи у него были обширные. Люди уже либо сами по себе «при деле» состояли, либо занимались таким бизнесом, который не заинтересовал бы «ТКК»...

Долго копался в своей памяти Аркадий Сергеевич, пока наконец не вспомнил нужного человека.

Это еще в самом начале восьмидесятых годов было, когда Аркадий только-только в водный отдел перешел и начал вникать в оперативную обстановку, складывающуюся вокруг Морского порта. Вот тогда и попал в поле зрения Назарова некий Костя по кличке «Сон» — мелкий фарцовщик, крутившийся у ворот порта. Кличку свою этот Костя заработал не потому, что спать любил, а от своей необычной фамилии — Олафсон. Первую часть фамилии отбросили, и получилось — Сон.

Назаров тогда поинтересовался, откуда у парня, без малейшего акцента говорившего по-русски, скандинавская фамилия: «Сон» — это ведь по-шведски «сын», так что «Олафсон» означает «сын Олафа».

Оказалось, что Костя по происхождению — самый натуральный швед, кстати, эта национальность у него и в советском паспорте записана была... Правда, по-шведски Костя объяснялся с трудом, хоть и учился на скандинавском отделении филологического факультета ЛГУ...

Дело в том, что предки Кости эмигрировали в Россию еще чуть ли не при Екатерине Великой, которая приманивала тогда иностранцев для освоения южных земель... В те далекие годы на Украине возникли сразу несколько шведских деревень, которые долго не утрачивали языка и связей с исторической родиной. Окончательно обрусели лишь в XX веке — после семнадцатого года. Лагеря, они сильно способствовали обрусению людей самых экзотических национальностей...

Дед Кости еще довольно молодым мужиком пошел в Ленинград, так что уже и папа Константина считался коренным питерцем. Кстати говоря, отец Кости был человеком достойным и добропорядочным — Олафсон-старший состоял членом КПСС, работал инженером на большом заводе и никогда ни о какой эмиграции обратно на историческую родину даже не помышлял. А вот комсомолец Костя, став студентом филфака, вдруг ощутил «зов предков». В немалой степени этому обстоятельству способствовало то, что на филфаке в то время учился известный городской валютчик и фар-цовщик Ваня Гвоздарев. Этот Ваня, лихо развернувший натуральный товарообмен с моряками-иностранцами, привлек к деятельности своей группы и Костю, который, вкусив некие крохи от «западной цивилизации», начал мечтать о том, чтобы уехать из Советского Союза навсегда.

Прямо скажем — была однажды у оперуполномоченного Назарова возможность помочь Косте уехать из Ленинграда, только не в милую его сердцу Швецию, а «на химию»... Но пожалел Аркадий парня, не стал губить, а вместо этого привлек к сотрудничеству — правда, официально оформлять его как агента не стал. Вместо Кости «на химию» вскоре отправился Ваня Гвоздарев...

Самое удивительное случилось потом: Костя Олафсон все-таки умудрился эмигрировать в Швецию — в восемьдесят четвертом году он надолго исчез из Ленинграда. Аркадий Сергеевич навел справки о том, как Косте удалось уйти за кордон, и еще раз поразился непобедимой пытливости ума советского человека... Оказалось, что Костя-Сон не только сам выехать сумел, но и любимую девушку с собой прихватил.

А дело было так. Избранница Олафсона училась в том же университете, только на восточном факультете. Звали девушку Ритой, и была она неописуемой красавицей. О романе между Ритой и Костей знали все студенты и филфака, и востфака. Казалось бы — дело к свадьбе шло, но тут как-то раз Рита возьми и объяви на факультете: дескать, я замуж за датчанина выхожу, уезжаю в Данию — давайте-ка, ребята, исключайте меня из комсомола по-быстрому... Все так и обалдели! А обалдев, задались вопросом — а как же Костя? Куда же он смотрел?

Костя, чувствуя к своей персоне пристальное внимание, ходил в университет черный от горя, а однажды даже не сдержался и ударил коварную изменницу в буфете по голове пустой фирменной сумкой... Впрочем, все это Риту не остановило, она все-таки расписалась с богатым датчанином и уехала в Копенгаген. Костю все жалели до тех пор, пока он (месяца через два после отъезда Риты) не женился на сорокапятилетней шведке, часто приезжавшей в Ленинград на какие-то научные конференции... Вот тут до всех и дошел гениальный Костин план, — да поздно было, Олафсон убыл в Стокгольм. Там он спустя некоторое время развелся со шведкой и воссоединился с Ритой, бросившей глупого доверчивого датчанина, которого ей сам Костя и сосватал...

Узнав обо всей этой истории, Назаров только хмыкнул и забыл про Костю до девяностого года, когда тот снова всплыл в Ленинграде, но уже как шведский гражданин... Господина Олафсона теперь было не узнать — исчез фарцовщик-шустрила, появился солидный бизнесмен в дорогом костюме с непонятно откуда прорезавшимся шведским акцентом. Оказалось, что Костя-Сон открыл в Стокгольме вместе с Ритой, ставшей его законной женой, маленькую торговую фирму, быстро превратившуюся в процветающее предприятие, поставлявшее продукты питания в разные страны мира, в том числе и в Советский Союз.

Да, меняет время людей... Надо отдать Косте должное: хоть и посолиднел он до невозможности, но «понты гонять» перед Назаровым не стал, наоборот, бросился к Аркадию Сергеевичу чуть ли не как к отцу родному — даже бутылку дорогущего виски подарил, которого майор отродясь не пробовал... Кто знает, может быть, Костя и искренне благодарен был Назарову за то, что тот его когда-то пожалел, а может, просто боялся комитетчика по старой памяти, понимая, что на своей земле Аркадий Сергеевич сумеет испортить жизнь кому угодно — пусть даже и новоиспеченному шведскому бизнесмену. Должен был Костя помнить со своих «мажорских университетов», что это только на следователя можно практически безнаказанно плюнуть, а на опера — нельзя... Опер, он ведь и обидеться может, а обидевшись — шепнет пару ласковых на таможне, и разденут там бедолагу до трусов, как птенчика, да еще три раза в заднем проходе пороются — вдруг там валюта и бриллианты упрятаны...

В общем, сложно сказать, что именно господином Олафсоном двигало, но стал он позванивать из Стокгольма Назарову на работу как минимум три раза в год — с днем рождения поздравлял, с Новым годом и Днем чекиста... И приезжал Костя в Питер по делам еще пару раз, а приезжая — обязательно к Аркадию Сергеевичу заскакивал, бутылки дорогие дарил и ностальгически прошлое вспоминал. Уходя, непременно приглашал в Стокгольм и телефон всякий раз свой напоминал:

— Вы бы, Сергеич, хоть позвонили когда-нибудь!

— Непременно, — отвечал, усмехаясь, Назаров. — Вот когда у меня такая зарплата, как у тебя, будет — тогда мы с тобой друг дружке навстречу номера набирать станем...

Костя понимающе вздыхал и откланивался. Кстати, шутку насчет своей зарплаты майор отпускал безо всяких «тонких намеков на толстые обстоятельства» — денег с Олафсона Назаров никогда в жизни не брал. Впрочем, комитетчик не брал их не только с Олафсона — он по жизни никогда и ни с кого не брал. Да ему и не предлагали особо...

Вспомнив Костю, владевшего в Стокгольме фирмой, торгующей продовольствием, Назаров обрадовался — такой клиент вполне мог заинтересовать ребят из «ТКК».

Отыскав в своей записной книжке стокгольмский телефон Олафсона, Аркадий Сергеевич позвонил (на всякий случай воспользовавшись услугами переговорного пункта) Косте в офис. Трубку на том конце сняла, видимо, секретарша и что-то нежно щебетнула по-шведски.

«Черт!» — выругался про себя ничего не понявший майор, а вслух сказал, с трудом подбирая полузабытые английские слова:

— Добрый день... Могу я говорить с господином Олафсоном?

— Да, конечно...

Через несколько секунд мембрана отозвалась Костиным голосом:

— Олафсон.

Назаров облегченно вздохнул:

— День добрый, Константин... Угадаешь, кто тебя решился из Питера потревожить?

— Н-нет... Кто это?

Аркадий Сергеевич усмехнулся — он мог поклясться, что абонент в Стокгольме вздрогнул: а что тут удивительного? Многие эмигранты еще долгие годы вздрагивают, когда им в новый дом звонят из России, откуда, по определению, хороших новостей приходит в десять раз меньше, чем откровенно паскудных.

— Аркадий Сергеевич Назаров это, — решил больше не интриговать майор. — Не забыл еще такого?

— Фу ты! — облегченно вздохнул Костя, но через секунду снова забеспокоился: — Вас, Сергеич, забудешь, как же... А что — случилось что-нибудь?

— Нет, все нормально, жизнь у нас своим чередом идет, — хмыкнул в трубку Назаров. — Вот, хотел полюбопытствовать, как там у вас, в мире наживы и чистогана?

— Да у нас нормально все, приезжайте — увидите... Встречу, как гостя дорогого.

— Спасибо тебе, Костя — добрая душа... Но пока что лучше уж ты к нам... Ты человек вольный, можешь по всему миру ездить, а меня может начальство неправильно понять. Я, кстати, чего звоню-то, как раз хотел узнать — когда ты снова в Питер собираешься?..

— А что? — снова встревожился Олафсон.

— Да ничего страшного — что ты, Константин, прямо какой-то запуганный стал! Просто хотел поговорить с тобой...

— Пуганая ворона, как известно, летает дальше и дольше, — вздохнул Костя. — А что за разговор-то, о чем поговорить хотели, Сергеич?

— Да про коммерцию, будь она неладна... Ты же с нами теперь торгуешь?

— Торгую, и что?

— Ничего. Могу по старой дружбе подсказать один интересный для тебя вариант...

— Какой?

— Ну-у, Константин, это уже не по телефону... Приедешь — поговорим, если ко мне заскочишь.

Олафсон долго молчал, и Аркадий Сергеевич, конечно, понял, какие сомнения одолевают бывшего фарцовщика. Назаров переложил трубку из правой руки в левую и сказал проникновенно:

— Да не стремайся ты так, Константин... Это раньше тебе дергаться надо было, когда ты у портовых ворот крутился... Сейчас, кстати, прежние твои занятия предосудительными не считаются. Да и к тому же ты — солидный бизнесмен теперь... Ну и, наконец, сам головой подумай: ежели бы я какую подлянку против тебя задумал — зачем мне тогда звонить? Просто дождался бы, пока ты сам приедешь... Нет, у меня к тебе просто интересный для твоего бизнеса разговор... Впрочем, неволить не буду...

— Хорошо, — решился наконец-таки Костя. — Я и по своим делам как раз в Ленинград собирался в середине февраля... Так что, думаю, через недельку буду, если ничего не изменится.

У Олафсона ничего не изменилось, и семнадцатого февраля 1994 года в отеле «Европа» состоялась историческая встреча бывшего фарцовщика Кости Сна и майора Назарова. После недолгого разговора на общие темы Назаров перешел к сути дела.

— Ну что, Константин, — спросил майор, отхлебнув джин с тоником из высокого стакана. — Как твой бизнес идет, как торгуется с Россией-матушкой?

— Да нормально, — пожал плечами Олафсон. — Средне... У вас на таможне столько заморочек, что просто караул... Пошлины опять же... Да и очереди в порту недельные, а то и месячные. А убыстрить процесс далеко не всегда получается.

— Это да, — согласился Аркадий Сергеевич. — Бюрократия у нас сильная, потому мы и непобедимы... Но я тебе, Костя, как раз и хочу такого делового партнера предложить, для которого убыстрение процесса — не проблема.

— И что же это за партнер? — поинтересовался Олафсон после короткой паузы.

— Есть такая фирма — «ТКК» называется... Таможенные перевозки, декларирование, СВХ... Слышал, может быть?

Костя наморщил лоб:

— Что-то такое ребята говорили... А что за люди там?

— Люди надежные, — кивнул Назаров. — Наши там люди.

— В каком смысле «наши»?

— Ну, — пожал плечами Аркадий Сергеевич, — сотрудники бывшие в основном, которые в коммерцию ушли... Сам понимаешь — возможности у них солидные. Завяжешься с ними — про очереди забудешь... И вообще, они ребята порядочные, с репутацией.

— Интересно, — сказал Олафсон и залпом допил свой джин. — Интересно...

— Интересно, — согласился Назаров. — Притом они не только вопросы с прохождением грузов решают, они тебе и клиента-реализатора подсказать смогут. Тоже надежного человека.

Костя закурил, пуская дым колечками, помолчал, а потом вдруг резко наклонился через низенький столик к Аркадию Сергеевичу:

— Интересно-то интересно, да только я что-то не пойму: а вам-то какой здесь интерес, товарищ майор? У нас, в бизнесе, люди без своего интереса (хоть какого-нибудь) ничего не делают... И никто решения не принимает, пока интерес партнера ясным не станет.

Назарова этот вопрос не смутил: он ведь знал, что Костя — человек неглупый... Предвидел «комитетчик», когда просчитывал предстоящий разговор, что спросит Олафсон о чем-то подобном. И решил Аркадий Сергеевич ответить честно:

— Видишь ли, Костя... Я ведь уже старый... Мне через год на пенсию пора, надо и о новой работе что-то думать... Я ответил на твой вопрос?

— Вполне, — кивнул бывший советский гражданин. — Вполне...

— Только, Константин, я надеюсь, ты понимаешь — пока-то я еще на службе, бизнесом не имею права заниматься... Просто я нашим бывшим сотрудникам помочь решил... Да и тебе — по старой памяти.

— Могила, товарищ майор, — клятвенно прижал руки к сердцу Олафсон. — Не сомневайтесь... А если все срастется — вы тоже во мне не разочаруетесь... Посреднический процент...

— Об этом и думать забудь! — не дал договорить Косте Аркадий Сергеевич. — Я пока человек государственный, а стало быть ни на какие проценты прав не имею... Вот уйду на пенсию — тогда другое дело.

Назаров говорил искренне, не мог он переломить себя и взять деньги из рук бывшего фарцовщика, бывшего своего барабана — пусть и не оформленного официально... Олафсон, видимо, понял или почувствовал, что настаивать бесполезно, и к вопросу о посредническом проценте больше не возвращался...

Через день Назаров свел Олафсона с Бурцевым, и Дмитрий Максимович развернул перед потрясенным шведом розовые перспективы и голубые дали. Назаров на встрече присутствовал, но в разговоре участия не принимал, сидел молча и пытался понять, о чем говорят собеседники, а понять их было трудно даже неплохо разбиравшемуся в жизни порта комитетчику — так бодро и один, и второй сыпали специальными терминами и непонятными цифрами, какими-то процентами и коэффициентами...

Расстались Бурцев и Олафсон чрезвычайно довольные друг другом, а еще через пару дней Дмитрий Максимович (уже без Назарова) представил Косте «торгового представителя» с Апраксина двора. Перед встречей Бурцев предупредил Олафсона:

— Вы только, Константин Александрович, на внешний вид этого человека внимания особого не обращайте... У нас сейчас в Питере мода такая своеобразная появилась... Ну, и специфика работы... А человек он нормальный, бывший капитан милиции, в угрозыске работал.

Когда Костя увидел представителя «Апрашки», то понял, почему Бурцев насчет его внешности предупреждал. Представленный Олафсону некий Петр Андреевич Карташов выглядел действительно импозантно — черная рубашка под черной кожаной курткой не скрывала толстенную золотую цепь на мощной шее, пальцы господина Карташова унизывали три перстня, а прическа навевала смутные догадки о недавнем условно-досрочном освобождении ее обладателя. Хорошо вписывались в общий облик перебитый нос и шрам на квадратном подбородке... Впрочем, Петр Андреевич действительно оказался милейшим и крайне интересным Косте человеком. Минут через десять после знакомства господин Карташов легко перешел на «ты» и, показав в обаятельной улыбке три золотых зуба, заявил прямо:

— Слышь, Константин, короче, нам ужасно хочется натурального продукта — «Абсолюта» вашего... Народ у нас знаешь какое говно сейчас пьет?

Представитель «Апрашки» не случайно заговорил о «натуральном продукте». Дело в том, что в начале 1994 года Питер буквально захлебывался фальсифицированной водкой — а употребляли-то ее разные люди, и далеко не всем самодельное пойло нравилось. У многих появились деньги, а за деньги клиенты хотели приобретать качественный алкоголь. Перед ребятами с Апраксина двора эта проблема встала во весь рост, потому что «левая» водка через их структуру прогонялась цистернами и составами. Надо было «разбавить» тему, чтобы не впасть в полный беспредел.

— А сколько «Абсолюта» вы сможете реализовать? — осторожно поинтересовался Костя.

Господин Карташов жизнерадостно гоготнул:

— А сколько ты нам поставить сможешь? Через наш толчок, Константин, всю вашу Швецию пропустить можно...

Олафсон понимающе покивал, а в конце разговора заявил:

— Господа, перспективы нашего сотрудничества представляются мне чрезвычайно интересными. Но для принятия окончательного решения и формулирования своих предложений мне необходимо время — посчитать кое-что надо, с компаньонами посоветоваться... Думаю, что через недельку мы встретимся вновь...

Бурцев молча кивнул, а господин Карташов, пожимая Косте руку, сердечно напутствовал его:

— Слышь, Константин, ты не тяни — добазаривайся там со своими, а мы всегда готовы, как юные пионеры. У нас все «бенч» будет, как в аптеке, без разводок и кидков... Я за базар в ответе, Максимыч подтвердит...

Бывший подполковник КГБ снова утвердительно наклонил голову:

— Да, словам Петра Андреевича можно верить, он абсолютно надежный партнер.

— Даешь «Абсолют» абсолютно надежным партнерам! — скаламбурил господин Карташов, и высокие переговаривающиеся стороны взяли тайм-аут на неделю...

Олафсон улетел к себе в Стокгольм и вернулся в Петербург только двадцать восьмого февраля. Перед решающим раундом переговоров с Бурцевым и Карташовым Костя повидался с Назаровым.

— Аркадий Сергеевич, я вам очень благодарен... Решение принято, положительное решение. Речь идет о больших деньгах... Конечно, если бы не ваши рекомендации, то я вряд ли решился бы... Но здесь — особый случай, все, как говорится, свои...

Назаров видел, что Олафсон волнуется, и поэтому отечески приободрил его:

— Не бзди, Костя, все пучком будет... Я бы тебе марамоев разных сватать не стал.

Воодушевленный и приободренный, Костя отправился на встречу с Бурцевым и Карташовым, где и огорошил сказочным предложением своих новых партнеров:

— Господа, мы с партнерами в Стокгольме посоветовались и решили, что можем предложить вам поставку тридцати контейнеров «Абсолюта»...

У обычно невозмутимого Бурцева округлилась глаза, а господин Карташов открыл рот.

— Это в смысле сороковок[*], что ли? — наконец спросил Петр Андреевич.

— Да, — просто ответил Олафсон.

Бурцев с Карташовым быстро переглянулись — при таких объемах общая сумма сделки переваливала за миллион долларов, а сколько при этом могла дать реализация «Абсолюта» в розницу, даже подумать было страшно... Озвученная Константином цифра так подействовала на представителя «Апрашки», что он даже снова перешел на «вы».

— Константин Александрович, а что с предоплатой, какие у вас предложения будут?

Вопрос был не праздным — обычно все западные поставщики алкоголя и продуктов требовали от российских партнеров стопроцентную предоплату и на уступки шли редко...

Костя понимающе кивнул и улыбнулся:

— Понимаю, такую сумму тяжело собрать сразу... И поскольку вы обладаете весьма надежными рекомендациями, я готов пойти на половинную предоплату... Остальное — скажем, через месяц после получения вами груза. Я думаю, реализуете за это время?.. Тогда и о следующей поставке договоримся. Устроит вас такой порядок?..

---

[*] Сороковка — сорокафутовый контейнер.

50

Господин Карташов подавился сигаретным дымом, что не помешало ему, однако, улыбнуться счастливой детской улыбкой:

— Нет, слышь, Константин, ты — молоток! Короче, ты не пожалеешь, это тебе я говорю...

Бурцев выражал свои эмоции не столь бурно, по лицу бывшего комитетчика было видно, что он лихорадочно прикидывает что-то в уме.

Наконец Дмитрий Максимович выразительно посмотрел на Карташова и, кашлянув, сказал вполголоса:

— Константин Александрович, то, что вы предлагаете — действительно очень интересно... Но мы тоже в состоянии вам кое-что предложить. Мы все можем заработать еще больше, если правильно поймем друг друга... При этом вы ничем дополнительно не рискуете...

Они проговорили еще четыре часа и ударили по рукам. Решено было, не откладывая дела в долгий ящик, поставить сначала — уже в марте — пробную партию в пять контейнеров для «апробации», так сказать, а затем, если все пройдет удачно, — запускать основной груз.

Бумаги оформили за несколько дней, и уже девятнадцатого марта первые пять контейнеров с «Абсолютом» прибыли в морской порт Санкт-Петербурга... Еще через неделю эти контейнеры порт покинули.

Бурцев тогда на радостях пригласил Назарова выпить немного и расслабиться в баньке. Майор приглашение принял, и после того как первая бутылка водки была допита, Дмитрий Максимович подал Назарову незапечатанный белый конверт:

— Держи, Сергеич, здесь две «штуки»...

Майор замотал было головой, но бывший подполковник почти насильно вложил конверт Аркадию Сергеевичу в руку:

— Бери, бери, я ж тебе не взятку предлагаю... Это — так, просто продержаться до увольнения тебе поможет. По справедливости ты гораздо больше заработал... Ну кто виноват, что у нас жизнь такая долбаная, когда ты честно заработанную долю получить не можешь? Ничего, Сергеич, дослуживай спокойно, место для тебя у нас всегда найдется... А две «штуки» этих — ты меня не обижай... Я ж тебе как своему говорю: это не взятка, не доля, не процент... Это просто от меня тебе маленькая матпомощь — даже не столько тебе, сколько твоей семье... В конце концов, должны же мы, чекисты, помогать друг другу?

И взял деньги Аркадий Сергеевич, взял, не удержался... Пробил его Бурцев напоминанием о семье — деньги действительно были очень нужны, потому что и жена, и дочка ходили уже просто Бог знает в чем, машина постоянно ломалась, квартира требовала ремонта... Да и в конце-то концов — а что такого он, Назаров, противозаконного сделал? Всего лишь свел одного человека с другим, и всем это оказалось выгодно...

Возможно, совесть и не начала бы терзать Аркадия Сергеевича, если бы не поинтересовался майор чуть подробнее, чем следовало, судьбой этих «пробных» пяти контейнеров с «Абсолютом»... А поинтересовался этим Назаров исходя из старого оперского правила, гласящего, что информация лишней не бывает... Свои источники информации на Балтийской таможне у Аркадия Сергеевича, конечно, были (да еще какие!), дату прибытия контейнеров он знал, так что навести справки не составило особого труда.

И вот что оказалось: ни таможенных пошлин, ни акцизов за «Абсолют» никто не платил, так как по документам шведская водка поставлялась не в Россию, а в Узбекистан, в торговый дом «Абдулаев и К». Стало быть, Россию «Абсолют» должен был миновать транзитом. Таможенным перевозчиком до последней российской таможни, естественно, выступала фирма «ТКК»...

В Ташкенте до сих пор в местном комитете служил один хороший парень, с которым Назаров когда-то учился вместе — ему-то Аркадий Сергеевич и позвонил с просьбой навести справки о фирме «Абдулаев и К». Через пять дней бывший однокашник с уверенностью сообщил, что такой фирмы ни в Ташкенте, ни вообще в суверенном Узбекистане просто не существует.

Вот тут Назаров и понял, что беспорочная служба его закончилась... Какая же она беспорочная, если он стал участником контрабандной махинации, в результате которой государству был нанесен значительный ущерб? И кого будет волновать то, что он, Назаров, сводя Олафсона с Бурцевым, не знал, как оно все потом обернется? Деньги-то Дмитрий Максимович ему передавал? Передавал... Может, еще и подстраховался, и отфиксировал на технику факт передачи денег — на всякий случай. Теперь Назаров даже если и раскроет пасть, ему ее помогут быстро закрыть.

А с другой стороны — стоит ли ее вообще открывать, пасть эту? Ну что он, Назаров, мальчик? Что он, не догадывался, какими делишками занимаются порой ребята из «ТКК»? Догадывался... И тем не менее все-таки хотел туда после выхода на пенсию устроиться. Так что — какая уж теперь разница...

Нет, все же есть разница: одно дело догадываться, а другое — знать наверняка... Одно дело пенсионером заслуженным в блудни вписываться, другое дело — должностным лицом, действующим сотрудником, государственным человеком... Но назад-то дороги все равно нет... И деньги уже, те, что Бурцев дал, почти все потрачены... И увольнение не за горами, а других мест, кроме как «ТКК», на примете нет... Так стоит ли кипеж поднимать, целку из себя разыгрывать? Грустно, конечно, хотелось на пенсию-то с чистой совестью уйти...

Муторно было на душе у Аркадия Сергеевича, грызла его тоска изнутри. За три апрельских недели он даже осунулся и постарел от переживаний... Бурцев же, словно понимая, что с майором творится, обхаживал его, как больного, вернее, как выздоравливавшего: все время выпить предлагал, разговоры о будущей совместной работе вел... Вроде как утешал... А Назаров — он умом сделал выбор (однозначный при таком раскладе), да сердце почему-то все никак не могло с этим выбором согласиться...

Заканчивался апрель 1994 года — до майских праздников оставалось всего пять дней. Старший оперуполномоченный майор Назаров прогуливался под теплым весенним солнышком по «поднадзорной территории», хмуро кивал встречным работникам порта и снова, как в молодости, терзался интеллигентским вопросом: «Что делать?»

«А ничего не делать! — решительно ответил сам себе Аркадий Сергеевич. — Все уже сделано... Все, хватит соплей, выбора нет!..»

До прихода в порт основной партии контейнеров с «Абсолютом» осталось всего один день.

«Ничего, Бог даст — проскочу как-нибудь, дотяну до пенсии, а там... Все будет нормально».

Назаров пытался как-то успокоить себя, расслабиться, но сердце почему-то сдавливала холодная тоска...

Аркадий Сергеевич резко развернулся и быстрым шагом пошел к зданию, в котором располагался его кабинет.

Как раз в то самое мгновение, когда Аркадий Сергеевич Назаров входил в свой кабинет, молодцеватый сержант-гаишник взмахом полосатого жезла остановил черный «БМВ», мчавшийся по Большому проспекту Васильевского острова в сторону Морвокзала. Автомобиль, взвизгнув покрышками, послушно замер у обочины, и из него выскочил мужичок лет пятидесяти — лысенький, очкастый, в старомодном однобортном костюме. Сержант, привыкший, что в «бээмвухах» ездят люди с совсем другой внешностью, даже головой дернул от удивления: «Ишь ты — интеллигент задроченный... Интересно, откуда у него такая тачка?»

«Интеллигент» между тем торопливо досеменил до сержанта и, искательно заглядывая хозяину дороги в глаза, спросил:

— А что случилось? Я что-нибудь нарушил?

— Ваши документы, — сурово проигнорировал вопрос очкарика гаишник. — Водительские права, техпаспорт...

— Да, да, конечно, — засуетился лысый и полез в карман за бумажником.

Сержант повертел в руках два заламинированных в плотный прозрачный пластик документа:

— Григорий Анатольевич Некрасов... Нарушаете, Григорий Анатольевич... Нехорошо это... Такой солидный человек, и фамилия звучная — а нарушаете...

— Извините, — беспомощно развел руками очкарик. — А что я нарушил?

— Ну как что? — усмехнулся гаишник. — А ремень безопасности почему не пристегнули? Я уж не говорю про скорость — она у вас явно была больше шестидесяти. Ваше счастье, что у меня техники с собой нет... Нарушаете...

— Ой, — вздохнул тяжело «интеллигент». — Действительно, забыл пристегнуться. Все время пристегнутым ехал, а тут остановился у ларька сигарет купить, сел потом, а пристегнуться забыл... Я на Морвокзал опаздываю.

Сержант непередаваемо дернул бровями и протянул безразличным тоном:

— Все опаздывают, которые разбиваются потом... Ремни, между прочим, для вашей же безопасности придуманы.

— Да-да, вы правы, — закивал лысый. — Я виноват... Прямо не знаю, как такое получилось...

«Очкарик» сунул руку в карман и вытащил оттуда пачку «Мальборо»:

— Угощайтесь, пожалуйста, вы же тут, наверное, целый день стоите...

Гаишник посмотрел на пачку и удовлетворенно хмыкнул — между прозрачной пленкой и картоном была засунута сложенная вчетверо десятидолларовая бумажка. Одним красивым движением кисти сержант умудрился и сигарету из пачки вытащить, и завладеть купюрой.

— Спасибо, — поблагодарил его «интеллигент». — Вы уж меня, пожалуйста, не наказывайте строго...

Гаишник, затягиваясь ароматным дымом, протянул лысому его документы:

— Всего вам доброго, Григорий Анатольевич. Счастливой дороги. Постарайтесь больше не нарушать.

— Спасибо, — очкарик кивнул и засеменил обратно к своей машине...

Миновав четыре перекрестка, черный «БМВ» плавно запарковался на площади перед Морвокзалом. Водитель выключил зажигание, достал из кармана платок и промокнул им вспотевшую лысину. Его пальцы чуть заметно подрагивали, когда он доставал сигарету из пачки.

«Нет, менять надо лошадку, — подумал очкарик, нервно закуривая. — А то как у мусорков рейд какой-нибудь — на каждом перекрестке стопорят, падлы...»

Григорий Анатольевич Некрасов не любил милиционеров. Более того — он их боялся, хотя страх этот тщательно скрывал ото всех, да и от самого себя тоже... Но каждый раз, когда приходилось ему показывать красноперым свои документы, — спину Некрасова обволакивала липкая испарина... А ведь был он человеком действительно солидным и по-своему значимым. Его очень многие знали в порту, где Григорий Анатольевич представлял интересы Виктора Палыча Говорова, известного в определенных кругах под кличкой Антибиотик. У Некрасова тоже было погоняло — свои называли его Плейшнером за внешнее сходство с актером Евстигнеевым... Плейшнера в порту знали действительно почти все, в том числе и старший оперуполномоченный УФСК Аркадий Назаров. Для правоохранительных органов не было секретом, что именно Некрасов контролирует большую группировку братвы, имевшую в Морском порту очень много прибыльных «тем». Другое дело, прихватить Плейшнера практически не представлялось возможным — он формально числился гендиректором одной коммерческой фирмы и никогда ничего не делал криминального собственными руками. В свое время Аркадий Сергеевич Назаров пытался повнимательнее присмотреться к личности Некрасова — комитетчику казалось, что он неплохо изучил Плейшнера, но никаких зацепок выявить не удалось, и в конце концов майор махнул на представителя Антибиотика рукой: авось проколется когда-нибудь сам... Назаров был бы очень удивлен, если бы узнал, что этот самый Плейшнер с таким же волнением и нетерпением ждет прибытия из Швеции контейнеров с «Абсолютом», что и сам Аркадий Сергеевич... А еще больше удивился бы майор, если бы кто-то сказал ему, что когда-то, много лет назад, Некрасова-Плейшнера знали совсем под другой кличкой и фамилией.

От родного папы досталась Плейшнеру фамилия Скрипник, звали его Михаилом, а по отчеству — Игоревичем. И родился он вовсе не в Вологде (как значилось в паспорте Некрасова), а в Челябинске. Давно все это было... Прошлая жизнь — под настоящей фамилией — теперь казалась Плейшнеру каким-то полузабытым фильмом...

В том далеком прошлом, в Челябинске, дружки звали его Мишуткой, и судьба у пацаненка была самой что ни на есть обычной для рано сбежавшего из дома сына родителей-алкоголиков... Первое свое крещение, первый заход в «тюремные университеты» Мишутка получил в шестнадцать лет. Дали ему тогда три года — и это было очень много для его возраста и для совершенного им преступления... В девяносто четвертом году и автоугонщикам-то «треху» не выписывали, а Мишутка получил три года за украденный велосипед. Возможно, судей поразило то, что Михаил Сергеевич Скрипник умудрился украсть велосипед с балкона на четвертом этаже... Но, скорее всего, на жесткость их решения повлияло поведение Мишутки в суде: не обращая внимания на отчаянные взгляды адвокатессы и чувствуя моральную поддержку челябинских дружбанов, Скрипник гордо заявил во всеуслышанье прямо в зале заседаний:

— Воровал, ворую и воровать буду!

Сказал — и ведь словно в воду глядел...

Садился Скрипник при Хрущеве, а на волю вышел уже при Брежневе... Впрочем, перемены в верхах мало интересовали Мишутку, занявшегося «щипанием» денег и карманов трудящихся... Да и на свободе он надолго не задержался — спалился через четыре месяца после первой отсидки и загремел за колючку вновь, теперь уже на «пятилетку». Весь свой «пятерик» Скрипник отмусолил от звонка до звонка... На свободу вышел поумневшим и работать начал по хатам — щелкал квартиры, как орехи...

Сначала все шло удачно — были и цветы, и девочки, и солнечный берег Крыма, и брюки-клеш, и восхищенно-подхалимские взгляды дружбанов-собутыльников... Однако — сколь веревочке ни виться... Через два года Мишутка снова засыпался — в Москве на этот раз, «забарабанил» его подельник, сука рваная... И поехал Михаил Игоревич в воркутинские лагеря мотать очередную «пятилетку». Но поехал уже не пацаненком-недорослем, а солидным опытным уголовником... На вора его, правда, не короновали, но в авторитетах Скрипник ходил... Мишутка — это вам не фунт изюма, это всегда место подальше от параши и уважение от братвы... И снова он свой срок от звонка до звонка отбарабанил, а потом рванул подальше от Белокаменной с ее вездесущим

МУРом — в Крым. Там Мишутка, правда, надолго не задержался — сорвался с одним корешком в «гастроль» по России-матушке... Погуляли красиво — брызги шампанского и огни кабаков, и длинный шлейф грабежей и разбоев...

А в 1979 году фортуна, девка капризная, снова от Скрипника отвернулась. Дело было в Мурманске. Уходил Мишутка с одной хаты от ментовской облавы, и — надо же! — сел ему на хвост один тщедушный такой с виду мусоренок... Упертым, гнида, оказался — два квартала сзади бежал, не отставал... Скрипник, задыхаясь, за угол свернул — увидев подвал открытый, туда и нырнул, думая отсидеться... А этот мусоренок то ли увидел, то ли догадался — короче, он тоже в подвал сунулся... И тут Мишутку бес попутал — в том подвале возле стенки ломик ржавый валялся, вот тем ломиком мент настырный по голове и получил. Скрипник через упавшего перепрыгнул — и снова бежать, да тут другие мусора подоспели... Ох, и били же они Мишутку ногами!.. Хорошо еще, что тот мусоренок жив остался, — шапка удар ломиком смягчила...

Отвесили Скрипнику полные пятнадцать лет — будь здоров, не кашляй... Тюрьма урке — дом родной, может быть, и отмучил бы как-нибудь Мишутка свою «пятнаху», но за девять лет до конца срока навесили ему еще «трешку» за неповиновение администрации. И невмоготу стало Скрипнику, испугался, что так и сгниет он в лагерях родной Коми АССР. Не выдержал Мишутка, ушел еще с двумя кентами в побег из-под Ухты, схоронившись в штабелях бревен...

Летом из «комятских» лагерей бегут десятками, а вот убегают — редко... Одних ловят, других вертухаи с автоматов достают, а большинство в парме* с голоду сами подыхают...

Вот так и Мишутка с корешками — сплавившись по Печоре-реке на несколько десятков километров от лагеря, поняли беглецы, что деваться-то им и некуда... В поселках — везде кордоны, жратвы нет, из оружия — только «перья» самодельные... Лето к закату шло, ночами уже холодать стало. Сгинули бы урки, все трое упокои-

---

* Парма — тайга (*жарг.*).

лись бы в болотах гнусных, если бы не сделали Мишутка с кентом поздоровее третьего беглеца коровкой*.

Две недели, оставшись вдвоем, зеки беглые кое-как продержались, наконец к Ухте вышли... Правда, напарничка-то пришлось Мишутке все же упокоить — слабым в стержне этот кент оказался, все скулил чего-то, ныл, вроде как рассудком повредился. Короче, достал совсем Скрипника, у которого тоже нервы вразнос пошли.

А у самой Ухты — словно подарок халявный Мишутке выпал — пьяненького капитана-артиллериста, видать, не в ту сторону занесло, и попал он на перо зековское. В отпуск этот капитан ехал к родителям, да вот не доехал... Вещи и документы зарезанного офицера позволили Скрипнику до Питера добраться.

В Ленинграде (а точнее, в Колпино) залег Мишутка в хату одного дружбана старого и на улицу даже нос высунуть боялся — за хибу возьмут, тогда довесные срока счастьем покажутся, потому что скорее всего вломили бы Скрипнику «вышака»... Больше полугода хоронился в хате Мишутка, лишь изредка, по ночам, во двор выходя, чтобы воздуху свежего глотнуть...

В конце концов корешку старому, видать, поднадоел не вылезавший из его хаты гость, и сказал он как-то Скрипнику:

— Слышь, Миша, век в подвале не прохуваешься, надо как-то дальше об жизни кумекать... Я тут прикинул фуфел к носу — надо тебя Виктору Палычу показать, он человек правильный, поможет... А мне тебя содержать тяжко стало — ты на меня сердца за эти слова не держи — старый я уже, чтобы воровать...

Мишутка ничего на это не ответил, только кивнул — к Палычу так к Палычу... Выбора-то ведь все равно не было... Может, и повезет, может, и не подставит его дружбан, за которым давние должки остались неоплаченными, под гнилой расклад... Ишь ты, падла — старым стал, воровать не может... Воровать только мертвый не может, а в России — вор на воре и вором погоняет, богатая она, Рассеюшка, воруй — не переворуешь, на всех хватит...

---

* Корова — беглец, которого в побег берут специально на убой, как пищу (*жарг.*).

Не верил Мишутка ни в Бога, ни в черта, ни в дружбу, ни в слово честное или лукавое... Верил Скрипник в одно — пока зубы острые, надо кусать. Понимал Мишутка и то, что волки должны стаей ходить, загрызая ослабевших своих собратьев... А в стае вожак нужен. Потому и прислушался Скрипник к словам дружбана об Антибиотике — именно под этим погонялом был известен на всю Коми АССР коронованный вор Виктор Зуев... Многие и фамилию-то его никогда не слышали, а вот скажи Витька-Антибиотик — и все сразу понимают, о ком речь... И вот — на тебе, уже не Витька, а Виктор Палыч... Растут люди, растут... Так растут, что и понятия воровские им тесными становятся... Не любил Мишутка Питер, в этом городе все всегда не как у людей было, все не по понятиям, и воров здесь никогда особо не признавали. От «спортсменов» пошло все это, мало их во все щели на зонах дрючат... Да еще мусора к этим «спортсменам» пристегнулись, в спайку вошли — вместе начали вопросы решать, и поди, предъявись им... Не зря братва говорит, что Москва — город воровской, а Петербург — ментовский... Вот только интересно — как в таком сучьем городе может честный вор Витька-Антибиотик главарить? Не то здесь что-то, парево какое-то...

Впрочем, мысли эти Скрипник держал при себе, когда корешок повез его в Пушкин, где Витька-Антибиотик (неслыханное для вора дело!) числился заместителем директора мебельного магазина. Оказалось, что Антибиотик не только теперь велит всем его по отчеству называть, — он еще и фамилию сменил... Был Зуевым — стал Говоровым... Нет, кучеряво все же живется людям на берегах невских!..

А когда Мишутка Виктора Палыча вживую увидел — так и вовсе обомлел: ничего воровского во внешности Антибиотика не осталось, ну, может, только взгляд волчий время от времени из-под век резался... А так, по прикиду — чистый начальник, секретарь партийный и передовик...

Впрочем, Виктор Палыч, несмотря на всю свою внешнюю вальяжность, встретил гостя хорошо — будто давно лично его знал. Мишутка был усажен за стол и попотчеван красным винишком сухим — «Хванчкарой», кажется... Да, совсем забарствовал Антибиотик, водярой брезгует, вместо нее компот бабский употребляет... Здоровье бережет, видать, сто лет себе отмерил, не иначе...

Виктор же Палыч, словно не замечая растерянной насупленности Скрипника, предлагал ему роскошные фрукты из огромной хрустальной вазы, приговаривая при этом:

— Мне, Миша, очень люди нужны опытные, так сказать, проверенные кадры, надежные... Золотые горы не обещаю, но сыт будешь... Как ты?

Покоробило Мишутку то, что и базарил Антибиотик не на фене, а словно интеллигентный какой, но — куда деваться? Жить очень хотелось, и по возможности сытно. Кашлянул Скрипник и выдавил из себя:

— Я вам, Виктор Палыч, благодарен буду...

Антибиотик аж весь расплылся в улыбке:

— Да что ты, Мишаня, какие там счеты между своими-то! Я тебе «грядку» дам — работу чистую... У нас в порту коллектив есть, но ребята молодые, за ними пригляд нужен. Ну, там, кого наказать, кого пожурить, кому кость бросить... Сам знаешь — дело молодое, оно бестолковое... Только жить тебе, Миша, придется по-новому... Не робей, сдюжишь... Слыхал — Горбачев-то, тезка твой, перестройку объявил, ну а мы что, дурнее партейных? Не дурнее... В порту по третьему району в основном работать будешь, бригаду пока возьмешь, что дадим, потом сам пацанов в коллектив подбирай... Все, что наживешь — твое, за вычетом общаковского, конечно... Ежели с мусорами проблемы возникнут — скажешь, решать будем, улаживать... Да, Миша, да — и не смотри так на меня. Тут тебе не Коми... Новое время пришло — выживает тот, кто делиться умеет. А кто норовит все в одиночку заглотить, тот ведь и подавиться может... М-да... Только вот Мишутка-Скрипник исчезнуть должен — мокрое за ним, к чему гусей дразнить... Пусть мусорки для спокойствия своего в твоем деле точку поставят. Ты здесь кому-нибудь кроме Циркуля объявлялся?.. Нет? Ну и ладушки...

Циркулем кликали как раз того самого Мишуткина корешка, который Скрипника у себя на хате прятал... Занятно, что через недельку после знакомства Мишутки с Антибиотиком Циркуль отравился газом в своей квартирке — что же, он сам говорил, что старым стал: забыл, видно, вентиль закрыть, земля ему пухом...

Виктор Палыч слов своих на ветер не бросал — Циркуля еще и зарыть не успели, а Скрипник уже держал в руках паспорт на имя Григория Анатольевича Некрасова, не судимого, русского, беспартийного, проживающего в собственной кооперативной квартире на Ленинском проспекте... А еще через неделю по всем газетам питерским проскочила информация про то, что недалеко от Пскова, в лесу, натолкнулись охотники на останки человеческие в кострище, и по ряду признаков правоохранительным органам удалось идентифицировать покойника — некого беглого урку-рецидивиста Скрипника по кличке Мишутка...

Начал Григорий Анатольевич Некрасов к новой жизни привыкать, и постепенно старые страхи уходили, вот только по ночам иногда еще вздрагивал бывший Мишутка от случайных гулких шагов на лестнице — чудилось, мусора за ним топают.

Бригада, которую выделили Скрипнику-Некрасову, состояла из четырех молодых бычков, выглядевших так, будто они только что из спортзала выскочили. По ним сразу видно было — ни жизни, ни зоны они не нюхали, баклануги... Впрочем, самый старший из быков, двадцатипятилетний бывший гребец Женя Травкин, произвел на Мишутку (а точнее — уже не Мишутку, а Плейшнера) самое благоприятное впечатление. Был Женя от природы молчаливым и несуетным. Благоприятное впечатление Некрасова еще больше усилилось, когда однажды Травкин молча, но быстро сломал шейные позвонки некоему цыгану Роме, пойманному на утаивании святого — «крысятил» Рома долю, которую обязан был в общак отстегивать... Плейшнер сразу решил, что Женя — он хоть и спортсмен, но, пожалуй, на этого парня положиться можно...

А вот самый младший в бригаде, двадцатилетний Витя Духов, был жидковат, за ним всегда пригляд требовался, особенно с учетом того, что раньше Витя крепко на игле сидел... Никто бы Лухова в коллективе терпеть не стал, но пацаненок был асом своего дела — классно владел любым стрелковым оружием, даже с арбалетом управляться умел, здесь ему вообще равных не наблюдалось...

Но надежности Вите, бывшему «тамбовцу», явно недоставало, вот и «работал» с ним Плейшнер отдельно — выбивал, как он говорил, «тамбовский душок»...

Еще двое бычков были братьями-близнецами, одного, соответственно, звали Антошей, а второго — Кирюшей, а по фамилии — Севрюковы. Их так и звали в городе — братья Севрюковы... Эти близняшки с малолетства каратэ занимались, потом даже у самого Цоя курс специальной подготовки прошли.

Братья Севрюковы были ребятами серьезными, но безынициативными, впрочем, это-то как раз Плейшнера не очень расстраивало: учась на ходу азам «руководящей» работы, Некрасов быстро понял, что безынициативность гораздо лучше, чем чересчур большая самостоятельность... Когда у исполнителя в голове масла маловато — оно даже лучше для дела, такой исполнитель не будет над приказом задумываться...

Впрочем, бригада, состоявшая из этой «великолепной четверки», использовалась Плейшнером не часто, только для выполнения «специальных заданий по наведению порядка» — и только в отношении тех, кто никогда бы не побежал в мусарню жаловаться.

А когда на «грядке» было все более-менее спокойно и хорошо, Плейшнер контачил в основном с Моисеем Лазаревичем Гутманом, отвечавшим за всю «черную бухгалтерию» коллектива. Этого старого прохиндея Некрасов даже побаивался, потому что ни черта не понимал в его расчетах и прогнозах. Но старик ошибался редко и выдумывал одну прибыльную тему за другой... Вскоре Плейшнер начал даже неосознанно копировать поведение Моисея Лазаревича, державшегося этаким запуганным интеллигентом, в котором никто бы никогда не заподозрил жесткого дельца, ворочающего огромными суммами,

Шло время. Плейшнер давно уже сменил престижную в восьмидесятых «девятку» на «бээмвушку» и квартирку купил на Московском проспекте (в доме «Русский пряник») взамен той, что на Ленинском была. Пообтерся Плейшнер, даже лоск какой-то приобрел, старался говорить чисто, без блатных выражений — по крайней мере на людях тщательно «фильтровал базар». Да только правду все-таки говорят, что черного кобеля не отмыть добела — проглядывала все же порой сквозь маску благообразного Плейшнера жуткая тюремная харя блатаря Мишутки: была у Некрасова слабость — отрывался он на опекаемых «коллективом» портовых проститутках... Справедливо кто-то заметил, что суть мужчины проявляется всегда в его отношении к женщине, особенно если эта женщина — падшая...

Бригада Плейшнера, естественно, впрямую шлюхами не торговала — братве это было впадло и не по понятиям, однако «налог» с сутенеров взимался исправно, в твердой конвертируемой валюте. Взамен проституткам предоставлялась «крыша» — на случай возникновения проблем с клиентами, ментами или бандитами из других «коллективов». Такая опека, с точки зрения Некрасова-Скрипника, позволяла считать более десятка девочек «своими» — а своим в России, как известно, принято пользоваться бесплатно... Вот Плейшнер и пользовался от души, устраивая подопечным барышням «субботники» если и не каждый день, то уж по крайней мере — несколько раз в неделю... То, что у проституток при этом отнималось «рабочее время», никого не интересовало, сумма взыскиваемого ежемесячно «налога» никак не зависела от «человекочасов», потраченных на «барщину».

В общем, Некрасов поступал по нормальному советскому принципу: «Что охраняю — то и имею», понимая его в данном случае буквально. Да и ладно бы он просто трахал девочек — им, конечно, все равно обидно было «за так» ноги раздвигать, но, с другой стороны, и ничего страшного, свои ведь бандиты пользуются, защитнички, так сказать... Но Плейшнер любил секс нестандартный, очень он уважал групповуху с элементами садизма... Девушки после «субботников» у Некрасова по несколько дней «работать» потом не могли — мало того, что Григорий Анатольевич с коллегами «жарили» их во все буквально щели, девчонок еще и били порой, и щипали до синяков, и сигареты, бывало, в голые задницы тушили, и бутылки водочные как «членоимитаторы» использовали... Особым же «расположением» Плейшнера пользовалась красивая проститутка по кличке Милка Медалистка — этой барышне, которая, по слухам, действительно когда-то закончила школу с золотой медалью, пришлось на практике убедиться в справедливости изречения классика: «Минуй нас пуще всех печалей и барский гнев, и барская любовь».

Милку Медалистку Некрасов регулярно доводил до истерик и чуть ли не до попыток самоубийства, и именно поэтому она... Впрочем, пожалуй, стоит сначала поподробнее ознакомиться с биографией Медалистки — потому что она сыграла в рассказываемой истории далеко не последнюю роль...

Людмила Карасева приехала в Питер в июне 1990 года с самыми серьезными намерениями. Окончив в Череповце среднюю школу с золотой медалью, девушка собиралась поступать в Первый Медицинский институт. Была Людочка в ту пору совсем молоденькой, наивной и очень хорошенькой, но, как свойственно большинству молодых и красивых, весьма уверенной в своих силах и в своем праве на счастье и на красивую, приятную жизнь... Может быть, ее самоуверенность объяснялась еще и тем, что выросла Людочка не где-нибудь, а в Череповце, городе металлургов — людей уверенных, основательных и знавших себе цену...

Отца своего Людмила совсем не помнила — он бросил семью, когда дочери было всего полтора года, так что жила Мила с одной матерью, известным в Череповце стоматологом. Мама Людочки, Алевтина Васильевна Карасева, души в дочке не чаяла и работала как ломовая лошадь (если это сравнение применимо к зубным врачам), чтобы дать Миле все, чтобы «рыбонька», «солнышко» и «детонька» ни в чем не нуждалась, чтобы у нее было все, что нужно для счастья...

И Людочка действительно жила счастливо, настолько безмятежно, что единственной, пожалуй, проблемой, всерьез волновавшей ее в старших классах школы, была неблагозвучная («рыбья», как считала Мила) фамилия — Карасева... Людочка даже плакала несколько раз в подушку по этому поводу, потому что ребята из ее района часто пели ей вслед:

> Где маленькая рыбка — золотой карась,
> Где твоя улыбка, что была вчерась...

В то время Люда еще не понимала, что такой припевочкой парни вовсе не обидеть ее хотели, а заигрывали с ней — как умели, по-череповецки.

Впрочем, к окончанию школы Людочка расцвела настолько, что даже и по поводу «рыбьей» своей фамилии не расстраивалась — привыкла чувствовать себя девочка если и не королевой, то уж по крайней мере — принцессой...

Училась Мила легко, золотую медаль получила по окончании школы заслуженно... Вопрос о том, что делать потом, не стоял, Людочка с мамой все давно уже решили: учиться, конечно же, учиться дальше — и непременно в Ленинграде... Ну, не оставаться же в Череповце такой умнице и красавице?!

Что касается того, где именно учиться, — здесь мама с дочкой немного поспорили в свое время. Алевтина Васильевна считала, что Людочка должна пойти по ее стопам и стать стоматологом, а Люда поначалу хотела попробовать поступить в театральный... Но тут уж Алевтина Васильевна встала, как говорится, насмерть — и не потому, что считала, будто у ее доченьки нет шансов поступить в ЛГИТМиК* (как это шансов нет, если Милочка просто блистала в школьной самодеятельности), а исключительно из-за распущенных нравов, царивших в актерской и вообще богемной среде... Непонятно, правда, почему Алевтина Васильевна полагала, что в среде студентов-медиков, издавна живших по принципу: «Что естественно, то не безобразно», — нравы существенно более пуританские, ну да не в этом дело...

В общем, убедила мама свою Людочку поступать в Первый Медицинский... Алевтина Васильевна сначала хотела было взять отпуск за свой счет и поехать в Питер вместе с дочкой, но тут уж Люда встала на дыбы — кричала, обливаясь слезами, что она уже взрослая, что все абитуриенты приезжают поступать сами, что ее будут дразнить потом «маменькиной дочкой»... Хоть и ныло материнское сердце от тревоги, а все-таки отпустила Алевтина Васильевна доченьку свою в Ленинград одну: может, и впрямь надо ей с самого начала начинать жить самостоятельно?

Через три дня после того, как Людочка уехала, она позвонила матери из Питера, сообщила, что все нор-

---

* ЛГИТМиК — Ленинградский Государственный институт театра, музыки и кинематографии.

мально: документы в институт подала, с жильем определилась — не стала селиться с другими абитуриентами в общежитии, а сняла хорошую чистенькую комнатку на улице Пестеля, правда, без телефона, но зато недорого совсем... Обещала Люда звонить хотя бы раз в неделю, чаще не получалось — и очереди большие на переговорном пункте, да и дорогое это удовольствие, междугородные звонки...

Рассказала дочка Алевтине Васильевне, что конкурс в институт огромный, но она, Людочка, все равно в своих силах уверена... Ей ведь, как медалистке, нужно было всего один экзамен на «отлично» сдать, чтобы ее приняли... В день этого экзамена Алевтина Васильевна даже в церковь ходила, хоть и некрещеной была, просила Бога помочь доченьке...

Ни в тот день, ни в два последующих Люда домой так и не позвонила. Алевтина Васильевна чуть с ума не сошла, хотела уже было все бросить и ехать искать доченьку в Питер... Но тут долгожданный звонок все-таки раздался — Людочка извинялась, что не позвонила сразу, хотела, дескать, уже наверняка результатов дождаться, нервничала она очень, а теперь может сообщить, что все хорошо, ее приняли и она теперь студентка-медичка.

Обрадовалась Алевтина Васильевна несказанно, потому и не обратила внимания на странные нотки в голосе дочки... Подвело на этот раз материнское чутье — поверила Алевтина Васильевна в то, во что ей очень хотелось поверить... А Людочка между тем объяснила маме, что домой пока приехать не сможет, потому что всех поступивших сразу определили на практику в больницу, так что в Череповец она сможет вернуться уже только после первой зимней сессии — на каникулы.

Удивилась Алевтина Васильевна новой институтской практике — раньше-то новоиспеченных студентов все больше в колхозы на картошку посылали, — но, с другой стороны, времена-то изменились... Может, и правильно, что будущих врачей приучают к работе в медучреждениях с самых «низов», пусть узнают и тяжелый труд санитарок — это все только на пользу пойдет... Да к тому же Алевтина Васильевна, облегченно вздохнувшая после стольких дней тяжелых переживаний, торопилась обсудить с дочкой еще одну тему — сугубо личную...

Запинаясь и смущаясь, призналась мама Людочке, что уже достаточно давно за ней ухаживает один человек, — Людочка должна его помнить, он приходил к ним домой пару раз — Юрий Сергеевич Мищенко, майор-связист... Юрий Сергеевич сделал Алевтине Васильевне предложение, вот и спрашивала мама дочку — не будет ли Люда против, если она выйдет замуж и устроит свою судьбу?

— Ну что ты, мамочка, конечно, я — за! — донесся из Питера задрожавший голос Людочки. — Юрий Сергеевич замечательный человек, и я вам желаю счастья от всей души!

— Правда? — облегченно вздохнула Алевтина Васильевна. — А что ты плачешь, доченька? Что с тобой? Доченька?!

— Нет, нет, все нормально, мама... Это я от радости... За тебя... И за себя... Все хорошо, мама... Я правда очень рада...

Не расслышала мать боли в голосе дочки — за радостью своей двойной не расслышала, да и связь между Питером и Череповцом была преотвратная, каждую фразу в трубку буквально выкрикивать приходилось.

А Людочка-то в далеком Ленинграде действительно попала в беду, и не та уверенная в себе красавица, которая из Череповца уезжала, звонила матери, а надломленная, несчастная девчонка.

Приключилась с Людой Карасевой банальная, в общем-то, история. Не успела она приехать в Питер, подать документы в институт и снять комнату, как влюбилась. Даже не то чтобы влюбилась, а «втрескалась» по самые уши, так, что совсем голову потеряла. Такое случается довольно часто с девчонками-провинциалками, впервые попадающими в столичные города...

Устроившись и сдав документы, Люда пошла бродить по Питеру, восторгаясь архитектурой города и какой-то особой, аристократичной (как ей казалось) атмосферой, царившей в нем. Людочка привыкла к тому, что ее все любят, поэтому не сомневалась в том, что этот немного холодный, но все же удивительно прекрасный город тоже полюбит ее и примет — а разве может быть иначе? Люда совсем не знала и не чувствовала Питера, не понимала его необычной, противоречивой сущности... Она восторгалась красивыми фасадами и не подозревала даже, что за этими фасадами живет очень странный, надменный и совсем не добрый (по крайней мере к чужакам) дух...

Да и как мог этот город быть другим? Петербург строился на болотах, в месте гиблом и страшном; и сколько десятков тысяч человек вымостили его своими костями — про то никому не известно... Да и потом много мрачного и даже мистического в этом городе происходило — одна Блокада чего стоит... Так что не с чего было Питеру стать добрым и приветливым — город терпел только «своих», тех горожан, которые были его порождением... А чужаков бывшая столица Российской империи незаметно давила, мучила своей странной аурой... На гостей это, впрочем, не распространялось — с гостями Петербург всегда умел быть учтивым и любезным, как это полагалось по правилам хорошего тона. А вот что касается тех, кто приезжал на берега Невы «за счастьем» — тем, как правило, доставалось, и доставалось крепко... Впрочем, исключения бывали — разве не может город иметь свои капризы? Но Людочка в число этих счастливых исключений не попала...

Она шла по Аничкову мосту, вертела головой во все стороны и столкнулась с флотским лейтенантом — румяным синеглазым красавцем, выпускником училища имени Фрунзе... Слово за слово, познакомились. Говорил лейтенант красиво, а у Люды душа и так была на романтическую волну настроена... Игорь (так представился лейтенант) начал показывать Людочке город, рассказывая питерские легенды, которые знал во множестве, — короче, задурил девчонке голову напрочь. Она и сама не поняла, как в постели с ним оказалась — этот Игорь, видать, был опытным сердцеедом...

Женщиной Люда стала красиво и легко, не испытав практически никаких неприятных ощущений от прощания с девичеством. А потом завертелся бешеный роман, который длился целых две недели, — все то время, которое Карасева должна была потратить на подготовку к экзамену по биологии... Игорь говорил, что его оставили служить в Ленинграде, что скоро должны выделить квартиру, в которой они будут жить после того, как Людмила в институт поступит... Людочка всему верила, верила настолько, что даже фамилией Игоря както забыла поинтересоваться. А про то, где он обитал, она и знать не знала: лейтенант сказал только, что пока вынужден держать вещи на территории в/ч* за какимто пятизначным номером, куда гражданским лицам проходить запрещается...

Врал все ей Игорь: на самом деле он готовился к убытию в Мурманск и просто «красиво гулял» напоследок... Однажды он просто не пришел на свидание и все — исчез навсегда из жизни Люды Карасевой. Роман кончился, но несколько дней Мила никак не могла поверить в то, что ее бросили, — она металась по городу, пыталась даже спрашивать об Игоре у офицеров, выходивших из училища имени Фрунзе... Офицеры только сочувственно улыбались, а потом один капитан третьего ранга посоветовал Людочке Игоря не ждать и объяснил, что такие истории случаются часто; он предложил даже заменить лейтенанта, но Мила шарахнулась от «кап-три», как от зачумленного...

Экзамен она, конечно, провалила с треском — и это было вторым нестерпимо болезненным ударом для ее самолюбия... Людочка, привыкшая быть всегда первой, всегда победительницей, даже представить себе не могла, как ей возвращаться в Череповец, — не хотела она там появляться раздавленной и униженной неудачницей. Да и маму было жалко расстраивать... Прорыдав сутки напролет, она решила не сдаваться. Не получилось в этом году поступить — поступит в следующем, а этот год поработает санитаркой в больнице... А маму — маму расстраивать она не будет. Потом, когда поступит, когда все снова будет хорошо — вот тогда и расскажет все... А пока — пока придется пойти на «ложь во спасение».

Людочка устроилась на работу в больницу, в так называемую «Мариинку» — сутки через трое, свободного времени много, так ведь и посмотреть в Питере столько всего надо... Постепенно Людочка втянулась

---

* В/ч — воинская часть.

в работу и в новую жизнь, привыкла врать по телефону маме об учебе в институте... Все бы ничего, да тут новая напасть с Милой приключилась — познакомилась она случайно в больнице с Алексеем Владимировичем, молодым коммерсантом из Москвы, — он чем-то напоминал внешне лейтенанта Игоря.

Зря говорят, что снаряд в одну воронку дважды не попадает — попадает, да еще как... Этот Алексей Владимирович еще большим подонком, чем Игорь, оказался — лейтенант просто попользовался Людой и бросил ее, а «московский коммерсант» еще и обокрал девушку: все деньги, что Алевтина Васильевна дочке с собой в Питер дала, утащил, и даже магнитофон «Панасоник» — подарок к окончанию школы — забрал...

Совсем бы сломалась Людочка, если бы ее одна новая подружка не поддержала — Жанна, работавшая медсестрой все в той же больнице. Жанна была старше, опытнее, она взяла своеобразное шефство над Милой.

— Мужики — они все сволочи! — убежденно говорила Жанна Люде. — Но без них тоже никак. Значит, нужно быть хитрее их... С одной стороны, не будь такой доверчивой, а с другой — не теряйся и не комплексуй... Меньше бери в голову, чаще бери в рот — но разборчиво, и о своей пользе не забывай... Сама о себе не подумаешь — никто о тебе не подумает... Здесь, в Питере, такой закон: человек человеку друг, товарищ и волк...

Жанна жила в Ленинграде уже пять лет, имела опыт двух абортов и одного лечения от гонореи, поэтому она знала, что говорила... И хотя ее слова коробили немного Люду поначалу, все же она потянулась к Жанне — с ней было легко и просто, и будущее представлялось не таким мрачным.

— Ничего, — утешала Жанна Милу, — мы тебе где-нибудь приличного жениха сыщем, они тут тоже попадаются, только зевать нельзя. Ну и дома, опять же, сиднем не сиди — под лежачий камень вода-то не потечет...

Жанна начала таскать с собой молоденькую подружку по разным вечеринкам, и однажды — это было уже в ноябре — счастье, казалось, снова улыбнулось Людочке. На какой-то весело гулявшей квартире с ней познакомился худощавый бородатый скульптор, которого звали Валерием... Валерий совсем не был похож ни на лейтенанта Игоря, ни на «коммерсанта» Алексея Владимировича — не обладал он такой смазливостью, но все же Миле понравился... С Валерием было интересно — он часами мог рассказывать о судьбах разных великих художников прошлого, знал кучу сплетен из жизни современных корифеев... О себе Валерий рассказал, что раньше он ваял «Ильичей в кепках и без» для колхозов, а теперь перешел на надгробия для кооператоров, поскольку на «Ильичей» спрос упал.

— А надгробия — их даже выгоднее делать, — серьезно объяснил Валерий Миле, которая не понимала, шутит скульптор или серьезно говорит.

— Ильичи и надгробия, — пожала плечами девушка. — Это же скучно.

— Зато вплотную приближено к народным массам, как и положено настоящему искусству! — хмыкнул скульптор, и Людочка поняла, что у этого парня все в порядке с чувством юмора.

Не в порядке у него было с другим... А с чем именно, Людочка поняла, уже когда переехала к Валерию, жившему в небольшом старом домике в Парголово. Половина дома была жилой, а во второй половине Валерий оборудовал свою мастерскую... Милочка начала сразу прибирать холостяцкий бардак и была поражена, когда нашла в какой-то старой коробке из-под обуви несколько дипломов за победы в престижных конкурсах, свидетельства с солидных выставок... Оказывается, Валерий был когда-то очень и очень модным и перспективным скульптором... Что же произошло потом?

Людмила набросилась на Валерия с расспросами, но тот только морщился, хмурился и пытался отшучиваться... Впрочем, довольно скоро Мила и сама догадалась о причинах творческого падения Валерия. Однажды Люда не вовремя вошла в мастерскую и застигла скульптора со шприцем в одной руке и резиновым жгутом на другой. Наркотики... Мила хоть и была совсем молодой, но работала-то все-таки в больнице, поэтому она все сразу поняла... Так вот, оказывается, почему Валерий, работавший много и плодотворно на ниве ваяния надгробий богатым кооператорам, жил очень скромно, без всяких излишеств... Допинг съедал все его заработки... Вот тут бы и бежать Людочке, как минимум — от Валерия, а как максимум — вообще домой в Череповец из Питера, но не поняла она последнего, третьего предупреждения, не почувствовала, что город на Неве категорически не принимает ее...

Стыдно было Милочке домой возвращаться, да и Валерия стало жалко — он так плакал, так клялся бросить это свое пагубное пристрастие ради нее, Людочки... Она же не знала, что чаще бывает наоборот, — тот, кто живет с наркоманом, как правило, сам однажды попробует наркотики, а попробовав, втянется.

Вот и Мила как-то раз попробовала — хоть и страшно было, но уж больно интересно ей Валерий рассказывал о своих ощущениях, да и, как известно — запретный плод манит...

А кайф поначалу действительно был очень приятным, и все проблемы Людочки отступили куда-то на задний план, и стало легко и весело, и жизнь перестала ей казаться такой серой и несправедливой.

— Смысл жизни — в красоте жизни, — любил философствовать после принятой дозы Валерий. — Жить нужно красиво, но не гоняясь за мишурой, а пытаясь постичь все внутренние противоречия жизни через красоту этих противоречий... Именно в противоречиях красоты и скрывается вся сущность гармонии... Познание же гармонии — это удел избранных... Человек рожден не для того, чтобы пить, есть и плодить себе подобных, потребляя окружающую среду, его же создавшую, а для того, чтобы постигать гармонию и получать наслаждение от этого процесса...

Слова Валерия звучали для Людочки словно музыка, они казались ей не бредом эстетствующего наркомана, а каким-то откровением, вершинами человеческой мысли... Хорошо, очень хорошо было ей в часы забытья, но — за все приходится платить... Постепенно пробуждения от кайфа становились все более тяжелыми — все вокруг казалось серым и мерзким, но потом словно лучик надежды прорезал мрачную пелену, когда Валерий молча протягивал ей шприц и жгут...

Иногда Людочке казалось, будто все, что происходит — происходит не с ней, не с Людмилой Карасевой, отличницей, красавицей и хорошей девочкой... На нее словно морок какой-то опустился, да и как иначе можно было объяснить все случившееся? За те полгода, что Мила уехала из Череповца, она сменила трех любовников, научилась постоянно врать матери и пристрастилась к наркотикам... А ведь она действительно была хорошей девочкой — способной, с добрым характером... Может быть, внутренний стержень ее слишком хрупким, слишком непрочным оказался? Кто знает... У каждого ведь свой запас прочности, сильных людей не так уж и много... Слабых — гораздо больше, только далеко не всех их жизнь на изломе пробует, многие так и живут до старости спокойно и правильно, даже не понимая, что судьба просто пощадила их, не подвергнув серьезным испытаниям.

А Милочка... Наверное, судьба решила, что этой девушке слишком много счастья и радости уже было отмерено в той, череповецкой жизни...

Сразу после Нового года Люда, позвонив маме на работу в зубную поликлинику и лихорадочно придумывая причину, по которой можно было бы не ехать в Череповец на «каникулы», услышала страшное известие — Алевтина Васильевна трагически погибла в автокатастрофе вместе с новым мужем, Юрием Сергеевичем... Смерть их была нелепой и жуткой — они возвращались на стареньком «жигуленке» домой из гостей, Юрий Сергеевич выпил там несколько рюмок, реакция его притупилась, а навстречу по дороге попался «МАЗ» с абсолютно пьяным водителем. Лобовое столкновение — и тела погибших пришлось извлекать, разрезая автогеном искореженный кузов...

Как она добиралась до Череповца — Людочка помнила смутно. Хорошо еще Валерий был все время рядом, пытался разговаривать с ней, как-то тормошить.

— Ты поплачь, поплачь, Людочка, легче будет, — убеждал ее скульптор. — Ты покричи, повой в голос, дуреха, только не молчи...

Но Мила словно закаменела и даже на похоронах не проронила ни одной слезинки.

И лишь после возвращения в Питер ее прорвало. Она рыдала отчаянно и страшно, потому что поняла — со смертью мамы сгорел последний мостик в ту хорошую, прежнюю жизнь, в которую она подсознательно еще хотела вернуться...

Валерий утешал ее, как умел:

— Смерть, наверное, лучшее, что есть в этой жизни... Смерть заставляет человеческую особь воздержаться от проявления всей мерзости и гнусности, которые в ней, в этой особи, сокрыты... Тем же людям, в которых мерзости мало, — даруется случайная мгновенная смерть, как легкий переход к иной субстанции...

Людочка плохо понимала, что он говорит, но была благодарна ему за простое человеческое сочувствие, которое скульптор выражал уж как умел.

Шок, вызванный гибелью мамы, не смог заставить Людочку совсем бросить наркотики, но по крайней мере она стала стараться «ширяться» реже — только тогда, когда уж совсем тоска к горлу подступала... Старалась Мила ограничивать и Валерия — она даже с работы уволилась, чтобы быть все время рядом с ним. Денег, оставшихся от мамы в наследство, могло хватить еще на несколько лет той жизни, которой Людочка жила с Валерием... Скульптор начал понемногу обучать Милу азам своего ремесла, она стала помогать ему в работе — а работы хватало, коммерсантам и кооператорам почему-то все чаще и чаще требовались надгробия.

Незаметно пролетел год (летом Людочка, конечно, ни в какой институт документы не подала). Год этот очень изменил Милу, очень... Одноклассники бы ее теперь, наверное, не сразу даже и узнали... Кто знает, может быть, так и сожгла бы себя Милочка наркотиками, и ее история закончилась бы гораздо раньше, но судьбе было угодно помучить ее подольше...

Однажды февральской ночью в парголовский домик, где по-прежнему жили Валерий и Люда, ворвались четверо в масках:

— К стенке, падлы, к стенке!

Людочка спросонок не могла ничего понять, Валерий дернулся было к тяжелой кочерге, стоявшей у печки, но резкий удар ногой опрокинул его на пол.

— Ишь ты, наркот, а шустрый... Где деньги, пидор?! Где бабки? Сожгу падлу!

Человек в маске схватил Валерия за волосы и ткнул лицом в раскаленную еще дверцу печки... Скульптор страшно замычал, в комнате запахло паленым волосом. Мила закричала, бросилась было к окну, чтобы, выбив его, позвать на помощь, но другой верзила в маске перехватил ее на бегу, сбил лицом в пол, завернул руку за спину и задрал до пояса фланелевую ночную рубашку, под которой ничего больше не было...

— А бабеха-то — ничего, — сказал грабитель, поглаживая Людочку по голому заду. — Может, вдуем ей шершавеньких?

— Заткнись! — оборвал его тот, что возился с Валерием.

Он связал руки скульптору, засунул ему в рот грязную тряпку и рявкнул двум остальным парням в масках:

— Чего встали-то, как в зоопарке! В коробках пошебуршите, баксы должны быть здесь, эта сучка только вчера меняла...

Эти двое неумело обыскивали домик минут тридцать, и все это время сидевший на Миле верзила тискал ее груди, бедра, живот, не обращая внимания на стоны и извивания.

— Слышь, кончай жамкаться, — остановил его тот, кто, видимо, был в шайке за старшего. — Давай-ка лучше, поспрошай ее поплотнее насчет «бабулек»...

Сам же главарь начал избивать ногами Валерия, который сначала стонал под ударами, а потом замолк.

— Надоест, падла, скажешь, где бабки, — хрипел бандит, не замечая, что скульптор уже без сознания. — Скажешь, тварь, куда денешься...

Между тем тот, который держал Милу, перекрутил ей руки веревкой и подвесил девушку к потолочной перекладине:

— Где баксы, сука?!

Людочка, конечно, знала, где лежали деньги, но если грабители заберут их — на что тогда жить? Мила замотала головой:

— У нас ничего нет, правда!

Главарь шагнул к ней и ударил кулаком в живот:

— Порву заразу!

Людочка заплакала. Бандит взглянул ей в лицо и снова подошел к неподвижно лежащему на полу Валерию:

— Слышь, сучка, либо ты говоришь, где деньги, либо твоему коблу — пиздец!

В руке бандита сверкнуло лезвие ножа, которое уперлось в горло скульптору. Подвесивший Милу к потолку налетчик резко дернул девушку за волосы на лобке:

— Колись, соска ебаная!!

Мила забилась от боли и закричала:

— Отпустите, отпустите, я скажу...

Ее мучитель отпустил веревку, и Людмила упала на пол.

— Ну!.. — налетчик ногой перевернул ее на спину и наклонился к ее лицу. — Давай, рожай, прошмандовка!

— Деньги под половицей, у входной двери, — еле слышно прошептала Мила.

— Давно бы так...

Грабители быстро вскрыли пол и извлекли из тайника пакет с долларами. Их там было четыре тысячи триста восемьдесят семь — мамино наследство и последний гонорар Валерия за законченное надгробие.

— Все, уходим!

— Этих кончить?

— Да на хуй они нужны, мараться о них... Наркоты — сами сдохнут...

— Может, бабу распишем? Пердальник-то у нее смачный...

— Уходить пора, после расслабимся...

Когда налетчики ушли, Людочка кое-как распутала веревку на руках и подползла к Валерию — он по-прежнему был без сознания... Мила дотащила его до постели, а потом побежала к телефону-автомату. Милицию вызывать она не решилась, позвонила знакомой врачихе из Мариинской больницы. Знакомая пообещала приехать утром и действительно приехала, вот только ко Валерий до утра не дотянул...

Допросы в милиции, хлопоты с похоронами Валерия, полное отсутствие денег и некоторая помощь со стороны этой самой врачихи из Мариинки помогли Людочке пережить «абстинентную ломку» — ей было очень худо, но она держалась, твердо решив слезть с иглы.

Надо было куда-то устраиваться на работу. Но куда? Снова идти в санитарки Милочке не хотелось — слишком уж эта работа была грязной и унылой. Да и платили за нее сущие гроши...

Помогла ей снова Жанна, оставившая к тому времени медицину ради, как она выражалась, «коммерции». По рекомендации Жанны Людочку взял продавщицей в ларек азербайджанец Мамед — маленький и круглый, словно мячик. Ларек, снабжавший трудящихся пивом, сигаретами и разной другой мелочью, располагался на месте бойком — у станции метро «Ломоносовская», наторговывать дневную норму выручки было не очень сложно, и два месяца все шло нормально, можно даже сказать — хорошо... Но в начале мая 1992 года судьба снова пнула девчонку — однажды вечером к Людмиле в ларек влез Мамед, от которого явственно тянуло анашой.

— Ты чего? — удивленно спросила Мила, у которой до того никаких конфликтов с маленьким азербайджанцем не было.

Мамед молча расстегнул ширинку, извлек оттуда член, схватил Люду левой рукой за волосы и дернул на себя:

— Луби!

А у Милы в руке был столовый нож, которым она собиралась хлеб резать, чтобы вечерний бутерброд себе смастерить... Вот этим ножом она инстинктивно и махнула по мужскому достоинству Мамеда. Хлынула кровь...

— Ай, билядь, что сделала?! — охнул разом побелевший азербайджанец и обессиленно опрокинулся в угол на упаковки с пивом и кока-колой.

Увидев, что дверь ларька больше никто не загораживает, Людмила, не помня себя, выскочила на улицу и бросилась к метро...

Ей хватило ума не бежать домой — спустя час после инцидента с Мамедом Мила позвонила Жанне. Несмотря на позднее время, подружка не спала:

— Ну ты даешь, Милка, наломала дров! Все азеры на ушах, тебя ищут... Домой не возвращайся, ко мне — тоже не надо, они уже приезжали. Злые, как собаки... Из-за тебя и на меня еще наехали... Я тебя, конечно, понимаю, но — могла бы и отсосать, не отравилась... Что ты за девка такая непутевая, одни проблемы и у тебя, и у тех, кто с тобой рядом... Ладно, не переживай, подружка... Вот что: ты перекантуйся эту ночь где-нибудь, а завтра мне позвони, я тебя попробую с одним человеком познакомить — он сможет помочь... Только раньше часа дня мне не звони — меня все равно дома не будет...

Ночь Люда провела в аэропорту, пытаясь заснуть в неудобном кресле. Сон, конечно, не приходил... У нее болела голова, сердце бухало, как после долгого бега, тело все время покрывалось испариной... Несмотря на то, что два месяца Мила не притрагивалась к наркотикам, ей вдруг снова очень захотелось забыться, расслабиться... Деньги у нее с собой кое-какие были — Мамед как раз накануне с ней за второй месяц расплатился... У стойки бара крутился некий тип в кепке с рыскающими глазами, а Мила давно уже научилась по повадкам распознавать торговцев кайфом.

«Может, подойти к нему?.. Нет, нет, нет!!!»

Она решительно стиснула коленки руками и начала уговаривать себя, как уговаривала ее когда-то мама, если Людочка разбивала себе ножку или ручку: «Потерпи, маленькая, потерпи, все пройдет...»

Задремать она смогла только под утро.

Вечером следующего дня Людмила встретилась с Жанной в баре гостиницы «Астория». Старшая подружка была по-деловому оживлена, а Мила, наоборот, казалась вялой и разбитой — ей хотелось помыться, переодеться, а главное, выспаться...

— В общем, так, Милка, — сказала Жанна, прихлебывая кофе из крошечной чашечки. — Сейчас сюда подойдет один человек, его зовут Александром Александровичем... Какую работу он тебе предложит — это он сам расскажет. Я тебе только одно посоветую: не ломайся и целку из себя не строй — Сан Саныч твой последний, можно сказать, шанс... Упустишь — пеняй на себя, но я тебе тогда больше не помощница... Поняла? А вот и Александр Александрович...

«Последний шанс» Людмилы оказался вполне благообразным мужичком лет пятидесяти — худощавым, с безукоризненным пробором в седой шевелюре, в хорошем костюме. Жанна вскоре после окончания церемонии знакомства упорхнула, а Сан Саныч, не желая впустую тратить время, сразу взял быка за рога:

— Не буду говорить много... Я предлагаю работу — хорошую работу, с хорошими деньгами... У тебя как с языками дела обстоят?

— Английский немного помню — в рамках школьной программы, — пожала плечами Люда.

Александр Александрович вздохнул:

— Ясно, считай — не знаешь... Ну да ладно, освоишься как-нибудь. Дело нехитрое... Значит, о работе... Мы работаем в Европе, в настоящее время, в частности, в Венгрии — на озере Балатон. Слыхала про такой курорт?

Мила покачала головой:

— Нет... А в чем суть работы, Александр Александрович?

Седовласый удивленно повел головой:

— Жанна разве не объяснила?

— Нет...

— Понятно... Работать придется в массажном кабинете...

— В массажном? — Мила удивленно распахнула глаза. — Но я не умею массаж делать...

— Ничего, — усмехнулся Сан Саныч, — научишься. Была бы охота... Но учти, в нашем предприятии правила простые: желание клиента — закон... Нам этот рынок удается держать только благодаря высококачественному обслуживанию клиентов...

— Подождите, — начала понимать кое-что Люда. — Вы что, предлагаете мне с клиентами трахаться? За деньги? Это же... Это же — проституция...

— Фу, как грубо, — укоризненно покачал головой Александр Александрович. — Зачем же так... Это просто бизнес — ничем, кстати говоря, не хуже любого другого... Есть, конечно, кое-какие издержки, но, Милочка, у каждого бизнеса существуют теневые стороны, подчас очень неприятные... Деньги в белых печатках не делаются, так, кажется, сказал великий экономист Карл Маркс... Наверное, ты газеток каких-то начиталась со страшилками и ужастиками... Вот, кстати — думаешь, журналистика чище нашего дела, думаешь, там грязи меньше? Больше! Они-то душой торгуют, а мы только телом... А это — не самый тяжкий грех, поверь мне, не самый... И потом — тебя же никто не неволит всю жизнь этим делом заниматься... Такой бизнес возможен лишь в молодости, а молодость быстро проходит... Зато есть реальная возможность стать на ноги, заработать на дальнейшую жизнь. Молодость надо прожить так, чтобы потом не было больно за бесцельные годы — это еще писатель Горький говорил...

— Островский, — машинально поправила Сан Саныча Мила, не забывшая еще книги, обязательные для прочтения по школьной программе.

— Да? — удивился Александр Александрович. — Ну, Островский так Островский, главное, что мысль он подметил правильную... Подумай: поработаешь немного, а потом — у тебя все впереди. Если есть какие-то идеалы, желание послужить Отечеству — кто же мешать будет? У нас таких примеров много... В нашем бизнесе, между прочим, даже Боря Норочинский крутился — видела его, наверное, по телевизору? Он теперь депутат, уважаемый человек, правами человека занимается и тем, что заботится о процветании Державы нашей... Родина-то у нас у всех одна, и каждый о ней думать обязан, здесь я с тобой полностью согласен... Или вон Люба — фамилию называть не буду — поработала у нас годик, потом доучилась, теперь большой человек в престижном милицейском управлении, дела расследует против разных негодяев и бандитов... Мы, слава Богу, теперь живем в обществе равных возможностей...

Александр Александрович вдруг умолк и как-то недоуменно посмотрел на Людмилу:

— Слушай, а чего это я тебя уговариваю? Прямо разошелся весь... Никто тебя не неволит, колхоз, как известно, дело сугубо добровольное... Внешние данные у тебя есть, работу я тебе предложил, а выбор уж за тобой... Да, кстати... Ты наркотой не балуешься?

— Нет! — торопливо затрясла головой Мила. — Пробовала, но... Бросила...

— Молодец! — похвалил ее Сан Саныч. — У нас с этим делом строго... А наркотики умные люди предпочитают не употреблять, а продавать... Впрочем, это совсем другая тема. Не забивай себе голову... Ну, так как?

Людочка вздохнула. Может, и впрямь не так страшен черт, как его малюют? Она, вон, пыталась жить честно — и ничего хорошего из этого не вышло... И потом, выбора-то на самом деле нет, этот Сан Саныч — действительно ее последний шанс...

Мила вздохнула еще раз:

— Александр Александрович... Я не знаю, рассказывала вам Жанна или нет, но... У меня есть проблема... По прежнему месту работы...

— Мамед, что ли? — сощурился Сан Саныч. — Так это не проблема, это так — проблемка... Мы все уладим, не беспокойся... У нас организация сильная, нас сам Бабуин защищает... Слыхала про такого?

— Тамбовский? — неуверенно переспросила Люда.

— Он самый, так что вопросы мы решаем... И с милицией живем дружно... Ну, так что? Давай, решайся: либо туда, либо сюда, время — ты извини — деньги...

— Я согласна, — вздохнула Мила, словно бросилась в омут головой.

— Ну, вот и славно! — расцвел улыбкой Сан Саныч. — И не надо трагических нот, я тебя уверяю — ты сделала правильный выбор, девочка... На вот, возьми пятьсот долларов — это тебе как аванс для поднятия тонуса... Теперь дальше — сейчас я отвезу тебя на квартиру, где ты поживешь, пока мы все необходимые документы оформим... Да, скажи адрес, я пошлю людей, чтобы твои вещи забрали...

Вот так Мила вписалась в очередной крутой жизненный поворот. Ну что поделаешь, если не умела она бороться с течением, умела только плыть по нему, лишь изредка пытаясь барахтаться? Видно, мама ее покойная, Алевтина Васильевна, в детстве очень баловала Людочку, ограждала от тяжелой и не очень доброй реальной жизни... И не понимала мама, что если ребенок растет как цветок в оранжерее — это очень опасно для самого ребенка... Разобьет град хрупкое оранжерейное стекло — и погибнет цветок... А если не погибнет, то выродится в уродца сломанного...

Через полтора месяца после разговора с Александром Александровичем Люда Карасева уехала в Венгрию, где и «проработала» до глубокой осени... Самое удивительное заключалось в том, что адаптация к новой профессии прошла очень легко — и вообще, новые впечатления помогли Миле забыть о всех своих горестях последних двух лет... Девчонки, в коллектив которых она попала в Венгрии, встретили ее достаточно доброжелательно. Единственное — после того, как Люда проболталась, что когда-то закончила школу с золотой медалью, ее сразу окрестили Медалисткой, и кличка эта намертво прилипла к Миле. Впрочем, клички были у каждой из ее «коллег».

Как ни странно, новая «работа» избавила Людмилу от гнусного чувства одиночества, да и в материальном плане дела пошли намного лучше. Она приоделась, много занималась на тренажерах, снова начала интересоваться музыкой, фильмами — и вообще жизнью... Попадались ей, конечно, и совсем противные клиенты — но что делать, издержки есть в любой работе...

Ни с кем из девчонок, «трудившихся» в Венгрии, Мила очень близко не сошлась, но приятельские отношения поддерживала со всеми. Или — почти со всеми... Она уже не была той наивной простушкой, приехавшей в Ленинград летом 1990 года, которая готова открыть душу каждому встречному... Девчонки-путанки из «коллектива» Сан Саныча скорее играли в подружек, чем были ими на самом деле, — каждая держала с другими ухо востро... Закон был простым: расслабишься — подставишься, поимеют тебя за «спасибо» — клиента денежного перебьют, а то и «обнесут» при удобном случае...

В Питер она вернулась в самом конце 1992 года, заработанные в Венгрии деньги позволили Миле снять неплохую двухкомнатную квартиру в Московском районе, а «трудиться» Людочка стала по «центровым» гостиницам под кураторством все того же Александра Александровича. Мила считалась уже опытной и квалифицированной «работницей» — на нее «западали» и бандиты, и бизнесмены, и иностранные гости... Она уже начала было подумывать о том, что действительно, поднакопив деньжат, можно через пару лет купить себе квартиру, поступить наконец в институт и зажить нормальной жизнью... Тешила себя Люда такими мечтами, но... в глубине души до конца в них не верила, потому что, как в одной бандитской песне поется: «Воровка никогда не станет прачкой, а шпа не замарает руки тачкой...» На тот маршрут, которым двигалась Мила, билеты продавались, за редким исключением, только в один конец...

Она познакомилась (и не только познакомилась, но и переспала) с очень многими известными и по-своему интересными людьми, среди которых были и крупные чиновники, и известные актеры, и певцы. Даже один милицейский генерал значился на ее «боевом счету»... Но ко всем им Мила относилась лишь как к клиентам. Душой же она потянулась только к одному парню, с которым — вот ведь как интересно жизнь устроена — ни разу не переспала... Этого парня звали Андреем Обнорским, он был журналистом, писал в молодежной газете на всякие криминальные темы под псевдонимом Серегин. Познакомилась с ним Люда случайно — она скучала как-то вечером в баре «Астории», перспективных клиентов как-то не наблюдалось, а за столиком в углу сидели два мужика и о чем-то тихо, но довольно эмоционально говорили по-английски.

Мила, значительно улучшившая за последний год свой разговорный английский, прислушалась — речь шла об организованной преступности, коррупции, то и дело мелькало словосочетание «русская мафия». Один из двух собеседников — черноволосый кареглазый парень — что-то пытался втолковать своему визави, веснушчатому рыжему американцу, смотревшему на кареглазого с выражением здорового фермерского недоверия на круглом лице... Когда их разговор закончился и американец важно распрощался с собеседником, черноволосый посмотрел ему вслед с такой иронией и жалостью, что Мила, перехватившая его взгляд, не выдержала и улыбнулась... Парень заметил ее улыбку и улыбнулся в ответ:

— Достал меня этот янки совсем... Придурок конченый... Ничего не понимает и понимать не хочет... У него в башке уже есть какой-то стереотип — и все, что ему не соответствует, его мозг отторгает... Дикие люди!

— Штатники почти все такие, — кивнула Люда со знанием дела. — Душные до невозможности... А у вас с ним бизнес какой-то намечается?

— Нет, — усмехнулся черноволосый. — Какой там бизнес... Журналист я... Да и этот рыжий — тоже журналист... Приехал делать аналитический материал о нашей новой российской действительности... Я ему пытался кое-что растолковать, но, по-моему, без толку... Хотите кофе? Подсаживайтесь ко мне, поболтаем. Мне после этого зануды надо с кем-то нормальным поговорить, чтобы «башню расклинило».

Вот так Мила и познакомилась с Серегиным — он оказался приятным собеседником и, главное, умел слушать... А еще — он не сделал ни малейшей попытки «снять» Люду, он просто говорил с ней по-человечески... Вроде бы, подумаешь — разговор, пусть даже и человеческий... Пустяк какой! А Люда испытала к Андрею чувство благодарности... Мужики редко разговаривали с ней без дальнего прицела на коечное продолжение...

Потом Людмила еще несколько раз пересекалась случайно с Обнорским на своих «рабочих» местах — и всякий раз они легко трепались за жизнь или, во всяком случае (если он или она были заняты), обменивались дружескими улыбками... А потом Серегин оставил ей как-то свой рабочий телефон и предложил позвонить, если возникнет охота потрепаться... Мила этим предложением не злоупотребляла, но несколько раз — когда на сердце совсем тоскливо делалось — оставленный номер набирала, и Обнорский обязательно находил для нее время...

Она понимала, что он знает о ее профессии, но журналист ни разу не выказал по отношению к ней какой-то брезгливости — он общался с ней почти как с сестренкой, но морали не читал и добрыми советами не душил... Просто высказывал свое мнение по жизни, но никогда не навязывал его. А Мила, в свою очередь, зная, что Андрей специализируется на теме организованной преступности, рассказывала ему иногда разные интересные факты про знакомых ей бандитов — нет, ничего по-настоящему серьезного она, конечно, не знала, но о характере и привычках некоторых свои клиентов была осведомлена достаточно... Она видела, что Андрею нужна эта информация, и искренне пыталась ему помочь — ей даже нравилось играть в такую игру, где она как бы была разведчицей в интересовавшей Серегина среде... Пару раз бандюги, «снимавшие»

Людмилу с другими девчонками для банных утех, обсуждали какие-то статьи Обнорского и матерились, гадая, «что за тварь этому уроду сливает». Мила улыбалась про себя и предвкушала, как она со смехом расскажет об этом Андрею.

В чем-то этот парень был для нее загадкой, как-то раз она не удержалась и спросила его — зачем он занимается таким стремным делом, башку ведь пробить могут однажды.

Андрей только пожал плечами:

— Я этим на хлеб зарабатываю, это моя профессия... Ну и интересно это мне... Азарт, понимаешь? И потом... Знаешь, может быть, я ошибаюсь, но мне кажется, что то, что я делаю, — нужно людям. Им это тоже интересно.

«Фанатик», — поняла Серегина по-своему Мила, и это понимание дало ей возможность относиться к Андрею с тщательно скрываемой сестринской жалостью. Впрочем, наверное, не только с сестринской... Журналист нравился ей и просто как мужик, но... Обнорский даже намека на возможность коечных отношений не делал, а Мила... Мила подтолкнуть его к этому просто стеснялась — с Серегиным она словно вновь превращалась в девчонку-десятиклассницу... Да и спугнуть она боялась Андрея такими намеками — он ведь иллюзий в отношении ее профессии не имел... Для Люды встречи и разговоры с Обнорским вскоре стали просто необходимыми, особенно после лета 1993 года, когда в ее жизни начался очередной период проблем — и проблем серьезных...

Это было в сентябре — Мила обедала в ресторане гостиницы «Европа» с каким-то французским бизнесменом (то ли Жаном, то ли Жаком), вдруг к их столику подошел официант и передал ей записку. Мила развернула мятую бумажку — там корявым почерком было накарябано, что ее через полчаса будут ждать напротив входа в гостиницу в черном «БМВ». Подпись отсутствовала. Людмила пожала плечами, улыбнулась то ли Жану, то ли Жаку и выбросила записку в пепельницу. Уже через час она об этом пожалела...

После обеда Люда заскочила в туалетную комнату, но вслед за ней туда же молча вошли двое стриженых бычков. Один, все так же не говоря ни слова, ударил костяшками пальцев остолбеневшую Милу под дых, потом ее подхватили за руки, вывели из отеля и чуть ли не забросили в шикарный черный автомобиль, за рулем которого сидел плешивый, немолодой уже мужик.

Мужик обшарил Люду немигающими глазами, потом сказал без улыбки (и даже без малейшего намека на нее):

— Я — Плейшнер... Сейчас мы поедем ко мне... Я хочу отдохнуть... И вообще — с сегодняшнего дня будешь подо мной.

Мила, стараясь унять противную дрожь в руках, сказала, запинаясь:

— Я... Я с Сан Санычем работаю... Вы с ним решите...

— Уже решили, — перебил ее Плейшнер. — Он мне задолжал — тобой расплатился... Бери «трубу», звони — он подтвердит, что все честно.

Люда замотала головой, не веря своим ушам, потом схватила лежавшую на заднем сиденье черную трубку «Дельты» и начала лихорадочно тыкать в кнопки трясущимися пальцами.

— Да? — послышался наконец в мембране вальяжный голос.

— Сан Саныч! — закричала Люда. — Это я. Мила... Сан Саныч, я...

— А, это ты... — сразу поскучнел голос Александра Александровича. — Ты с Плейшнером?

— Да... Но, Сан Саныч...

— Работай с ним! — жестко перебил ее бывший куратор. — Так надо...

— Но...

— Все! Мне можешь больше не звонить...

Запикавшая гудками отбоя трубка выпала из руки Милы.

— Ну, убедилась? — хмыкнул Плейшнер. — Да не стремайся ты так, дурында, не обижу...

Однако он обидел ее, да еще как... Всю ночь Плейшнер драл ее, как с цепи сорвавшийся, так мало того, что во все дыры отпользовал — он еще заставлял ее на коленях ползать, бил по заду, выкручивал соски... О том, чтобы заплатить, конечно, и речи не велось...

Утром Плейшнер объяснил ей условия нового «контракта» — в свободное время работать можно и на старых местах, но когда понадобится — ложиться придется, с кем скажу. А вообще, поскольку он, Плейшнер, в порту сидит, то лучше бы и ей, Миле, поближе к «объекту» перебраться — работы там много, а его, Плейшнера, еще будет интересовать информация о клиентах, особенно о барыгах разных... Да, она, Люда, должна будет каждый месяц с заработков полторы «тонны» отстегивать, но не ему, Плейшнеру, — потому что ему вподляк с проституток получать, — а будет человек подходить, Вадик...

И начался для Милы новый виток кошмара. Этот Плейшнер, которого, как потом выяснилось, звали Григорием Анатольевичем Некрасовым, запал на Люду и практически каждую неделю выдергивал ее на день, а то и на два. Плейшнеру жутко нравилось то обстоятельство, что Мила была в школе отличницей, — видимо, когда-то давно Плейшнер, еще в бытность свою Мишуткой, имел какие-то неразделенные чувства к примерной однокласснице, чувства эти со временем трансформировались в комплекс, а теперь Скрипник-Некрасов нашел, на ком этот комплекс выместить.

Плейшнер любил наряжать Людочку в школьную форму (и чтобы бант белый в волосах был обязательно!), а потом трахал — когда один, а когда и с дружбанами...

При этом он все время Милу сволочил, обзывал грязно да еще требовал постоянно хорошей информации о ее клиентах из среды предпринимателей.... А что Мила могла ему сообщить? Клиенты-то сокровенным с ней практически никогда не делились и домой к себе не возили. Она понимала, что Некрасов требует от нее «наводок», но была просто не в состоянии их выдать... Жалобы Люды на высокий «налог» только еще больше распаляли Плейшнера, он и знать не желал, что Миле просто не потянуть установленную таксу — с учетом того, что чуть ли не половина «рабочего времени» у нее уходила на бесплатное обслуживание самого Некрасова, его друзей и «деловых партнеров».

Плейшнеру нравилось пугать Милу, заставлять ее дрожать от страха.

— Крутиться больше надо, мандюшка дешевая! — любил орать на нее Некрасов. — Тогда и заработок будет! Ты хоть одну приличную «тему» выдала, а?! Вот и закрой вафельник! Это тебе не пятерки из школы таскать... Мы тебе, сучке, работать даем, от мусоров закрываем, а ты только ноешь... Толку от тебя... Не будешь крутиться — азербонам отдам!

Миле многие сочувствовали, но реально заступиться за нее никто не решался — своя рубашка к телу ближе, как известно.

Лишь один раз, когда Люда «обслуживала» в сауне переговоры Плейшнера с Бабуином (тем самым, о котором Сан Саныч говорил когда-то как о своей «крыше»), Валера Ледогоров, посмотрев, как Некрасов гоняет Милу, не выдержал и сказал вполголоса, когда девушка ушла мыться в душ:

— Слышь, Григорий — чего ты на нее так насел? Прессуешь в полный рост, задрочил совсем. Она ж нормальная девка...

Плейшнер расплылся в улыбке:

— Баб, Валера, нужно в строгости держать, они, бабы, другого не понимают... Чуть слабинку почуют — и сами на шею прыгнут, повиснут, как ярмо...

Бабуин покачал кучерявой головой:

— Ты ее так до блевотины запугаешь...

— Так это — опять же хорошо, Валера, — хлопнул Ледогорова по колену Плейшнер. — Баба, она, когда боится, у нее очко играть начинает... Сечешь? Жим-жим, — ма-аленькое очко становится, плотненькое... Приятнее засаживать.

И Некрасов заржал, довольный собственным остроумием. А Бабуин промолчал, потому что — не его баба, не ему и «вписываться» в нее... Да и была бы баба, а то ведь — проститутка.

Обнорскому Мила долго не рассказывала о возникших у нее проблемах, да и времени у нее совсем не было, чтобы с Андреем встречаться... А если честно — дело было даже не столько в отсутствии времени, сколько в том, что Миле было просто стыдно рассказывать журналисту всю эту грязь, которая совсем не вязалась с придуманной ей игрой в «разведчицу»... Да и Обнорский сам стал куда-то уезжать надолго.

Но однажды — это было уже в начале 1994 года — Мила все-таки дозвонилась до Серегина, договорилась о встрече, во время которой разревелась и выложила журналисту все... Она совсем не рассчитывала на его помощь, ей просто хотелось выплакаться, ей нужно было всего лишь немножко человеческого участия...

Обнорский обалдел от ее исповеди, разозлился страшно, а потом — потом предложил реальную помощь:

— Бросать тебе это дело надо, Мила, пока совсем плохим не кончилось... Хочешь, я поговорю с кем-нибудь, чтобы тебе работу подыскать?

— Да ты что?! — испугалась Люда. — Думаешь, они меня так просто отпустят? Здесь, в Питере, они меня обязательно найдут...

Андрей покачал головой:

— У меня в ментовке знакомых много и...

Люда махнула рукой и даже улыбнулась, перебивая журналиста:

— Да брось ты... Что твои менты смогут? Они же не будут меня круглосуточно охранять! Да и кому я нужна на работу — я же ничего не умею... Если только в офис кто возьмет, чтобы на столе потом раскладывать... Я же ни компьютера не знаю, ни печатать не умею... И потом — сколько за работу, на которую ты мне можешь помочь устроиться, платят? Гроши ведь... Как на них прожить? Я уже не смогу...

— Ну, а если в другой город уехать? — не сдавался Обнорский. — Можно ведь попробовать все сначала начать... Ты же молодая еще совсем, красивая — тебе детей рожать надо...

Людочка вздохнула и обтерла слезы со щек:

— В другой город?.. Были у меня мысли попробовать в Москву перебраться... В провинции-то я уже не смогу — от тоски там сопьюсь или умом двинусь... Но чтобы в Москву соскочить, «бабки» нужны, Москва-то ведь город еще более дорогой, чем Питер... Надо поднакопить немножко, чтобы хотя бы на однокомнатную квартиру хватило, ну и на жизнь — на первое время... Но с Плейшнером накопишь, как же... Скорее все, что до этого отложить удалось, спустишь... Хоть бы замочили его, что ли... Вон, все бандиты в городе друг в дружку стреляют, а этого — никто не трогает почему-то... Я бы и сама его траванула, но отдачи боюсь. Вычислят и на ленты распушат...

Обнорский странно посмотрел на совсем молодую еще девушку, которая уже так искренне и просто могла говорить совсем страшные вещи:

— Да, положеньице у тебя, конечно, хреновое... Я тебя воспитывать не буду, понимаю, что вот так вот вдруг — тебе все ремесло и образ жизни не бросить... Знаешь, я тебе ничего не буду обещать, но... Может быть, и получится тебе как-то помочь материально, чтобы ты смогла попробовать новую жизнь начать.

Мила недоверчиво и горько усмехнулась:

— Ты что, миллионером стал?

Андрей мотнул головой:

— Пока вроде нет... Да тут не во мне дело... Знаешь, есть разные благотворительные фонды...

— У-у-у! — протянула Мила. — Благотворительные фонды, это я знаю. Это, Андрюша, сплошной кидок. Там только деньги отмывают, а потом между своими их и дербанят. Меня в том году председатель попечительского совета одного такого фонда в Крым на неделю вывозил, так он мне все про эти фонды доходчиво объяснил...

— Да я не про наши благотворительные фонды говорю! — досадливо сморщился Обнорский. — Про наши я и сам все знаю... Я про западные благотворительные фонды говорю...

— Западные?

— Ну да... Знаешь, я в последнее время стал в Швецию часто ездить, а там как цепная реакция пошла — начали и в другие страны приглашать: в Норвегию, Голландию, во Францию... Лекции там всякие почитать, на вопросы поотвечать, в семинарах разных поучаствовать... Ну, дело не в этом. Короче говоря, там, на Западе, этих разных благотворительных фондов — тьма-тьмущая... Бог знает на что люди готовы бабки жертвовать... Иногда мне даже кажется, что у них там с мозгами не все в порядке... Есть, например, фонд помощи бездомным кошкам и собакам в Восточной Европе... Есть целые программы по защите нашей экологии... И они не просто есть, эти фонды, — они реально нам сюда деньги перечисляют... И очень удивляются, что сдвигов не происходит. Я там им пообъяснял кое-что... Неважно... Короче, я знаю председателя одного такого фонда — он мне немножко должен по жизни, я его от очень глупого шага предостерег... В общем, обещать твердо не могу, но поговорить с ним попробую... Чем деньги на ветер выкидывать — пусть лучше попробует реальное и конкретное доброе дело сделать...

Мила тогда не очень поверила в реальность помощи от какого-то благотворительного фонда, но все равно — она была благодарна журналисту хотя бы просто за сочувствие.

Неизвестно, как бы сложилась дальнейшая судьба Милы (скорее всего, рано или поздно Плейшнер все-таки добавил бы девушку своими издевательствами и попреками), если бы двадцатого апреля 1994 года она не принесла Некрасову-Скрипнику настоящую тему...

Плейшнер ее тогда к себе на квартиру дернул — передал через быков, чтобы явилась к вечеру. Люда и подъехала к нему, а Некрасов не один был, у него Моисей Лазаревич Гутман сидел, что-то объяснял с какими-то бумажками в руках тоскливо кивавшему невпопад Плейшнеру, который в разных экономических и административных тонкостях разбирался слабо.

Мила, можно сказать, своим приходом просто спасла Скрипника от наседавшего на него «главбуха» — Плейшнер обрадовался, как ребенок, что появилась возможность «сменить пластинку» на более понятную и знакомую:

— О! Явилась — не запылилась, тунеядка мокрощелистая. Слышь, Моисей — ты глянь на нее! Нафуфырена так, что аж в зенках рябит, а работать при этом не желает... Раньше таких, как она, граждане начальнички за сто первый высылали, а теперь их совсем воспитывать некому... Я вот только иногда пытаюсь ей мозгов в башку вложить — все без толку... И что за молодежь такая пошла, лишь бы жрать и ебаться, а рогом в стену пусть за них дядя упирается... Слышь, Моисей, не желаешь запустить ей под шкурку шершавенького? В воспитательных, так сказать, целях?

Гутман поправил золотое пенсне на переносице, внимательно осмотрел Милины колени, потом вздохнул и сказал с раздражением:

— Нет-с, Григорий, уволь... Я бы хотел все же договорить свой вопрос, потому что потом с кого будут спрашивать — с Моисея, а Моисей предупреждал заранее, что чудес с деньгами быть не может, потому что они не мыши и сами не размножаются...

— Ладно, — обреченно кивнул Плейшнер. — Давай добазарим.

Он раздраженно зыркнул на Люду и рявкнул:

— Чего лупалы выкатила? Скидывай клифт!

Мила торопливо кивнула, но перед тем, как начать раздеваться, вдруг вытащила из кармана жилета ксерокопии каких-то бумаг:

— Григорий Анатольевич... Я... Вот, посмотрите, может, вам интересно будет...

Она протянула бумаги Некрасову, тот машинально взял их в руки, глянул тупо, а потом с сердцем швырнул на стол:

— Ты че, девка, совсем от безделья башкой склинилась? Малявы какие-то сортирные мне впариваешь... Мне че — с ними на очко сходить?!

Люда вся съежилась и торопливо начала раздеваться, а Моисей Лазаревич, которому бумаги, брошенные Плейшнером, упали под нос, вдруг сказал:

— Минуточку, Гриша, минуточку...

Плейшнер удивленно посмотрел на «главбуха» — Гутман перебирал бумажки с явным интересом, что-то шепча себе под нос... Чутью Моисея Лазаревича Некрасов доверял почти безгранично, потому что считал Гутмана чуть ли не гением по части разного рода «разводок» и «напарок»... Ежели старик начинал водить носом — значит, нос этот чувствовал запах денег...

Наконец Гутман поднял глаза на Милу, оставшуюся к тому моменту уже в одних только туфлях и чулках:

— Ты где это взяла, деточка?

Люда, глотая слова, начала объяснять, что у нее накануне был клиент, который потащил ее в гостиницу «Москва», — паренек этот вроде как из коммерсантов, в порту где-то шустрит... В фирме, которая то ли «ТКК», то ли «ДТК» называется... Парнишка, когда ее подснял, уже был прилично «нарытый», а в «Москве» — совсем набухался, смочь ничего не смог, тогда хвастаться начал, бумажками тряс... Говорил, что скоро фирма его

93

шикарное дельце со шведской водкой «Абсолют» провернет, которая по документам в Узбекистан должна пойти, а на самом деле в Питере продаваться будет... А пареньку этому после того, как все прокрутится, ровно три коробки этого «Абсолюта» обещали, потому как он в фирме человек не последний... Скорее всего, парнишка этот просто бахвалился с пьяных глаз, но Мила, помня наставления Григория Анатольевича, отксерила на всякий случай бумажки прямо в гостинице, пока клиент придремнул...

Моисей Лазаревич удовлетворенно кивнул сбивчивым пояснением Карасевой, потому как, еще только мельком глянув на документы (а это были ксерокопии факсов о предстоявшей отправке крупной партии «Абсолюта» узбекской фирме «Абдулаев и К» через Балтийскую таможню транзитом), понял, что поставка-то, скорее всего — левая.

— Спасибо, деточка, — ласково улыбнулся Людмиле Гутман и повернулся к Плейшнеру, добавив негромко: — Ты бы отпустил пока девочку, Гриша, нам есть о чем серьезно говорить... Это «тема», Гриша... У меня кой-какие мысли пришли, так давай мы их обсудим, чтобы время не терять, и с этого что-то может получиться.

Плейшнер досадливо цыкнул зубом, но все же махнул Люде рукой:

— Вали давай... Завтра придешь... Стахановка ты наша...

Мила, тщательно пытаясь скрыть радость, торопливо оделась и убежала, оставив Некрасова тосковать с Моисеем Лазаревичем, чьи обсуждения разных «проектов» с Плейшнером обычно сводились к тому, что Гутман неторопливо рассуждал вслух — словно сам с собой разговаривал, а Скрипник время от времени тупо кивал плешивой головой. Впрочем, каждому свое, зато Плейшнер был незаменим, когда дело подходило к практической реализации задуманного...

Вот таким вот интересным образом информация о партии «Абсолюта», которую бывший советский фарцовщик, а ныне шведский бизнесмен Костя Олафсон должен был поставить представителям рынка на Апраксином дворе, попала к Плейшнеру и его «главбуху».

Моисей Лазаревич, вновь оставшись с Некрасовым наедине, быстро растолковал, что ежели навести справки про узбекскую фирму «Абдулаев и К» и если фирма эта окажется липовой, — то расклад может получиться очень даже интересный.

— Ты пойми меня правильно, Гриша, — бубнил Гутман, довольно чмокая губами, — я старый человек и не так уж радуюсь деньгам, зато я радуюсь, когда вижу возможность, чтоб сделать бизнес красиво... А мы тут можем сделать красиво, это я тебе говорю, ты знаешь, Моисея редко подводит его чутье, иначе я бы тут с тобой здесь уже не разговаривал... Я про эту фирму «ТКК» знаю, и ты про нее слышал — так там отставные энкавэдэшники свой гешефт делают, и с ними мы сталкивались раньше, они у нас несколько раз клиентов уводили, но кто бы захотел ссориться с чекистами, даже если они уже оттуда ушли? Но что мы здесь имеем — мы имеем, что мальчики явно захотели больше денег, чем это бывает честно... И нам надо понять, раз мы это знаем, как теперь с этим жить? Послушай старого еврея, Гриша, мы тут имеем два варианта, ну, может, больше, но я пока вижу только два. Мы можем сдать их с их «левизной» таможне, и пусть у них там будут проблемы, которые они будут долго решать... Но что нам с этого будет, кроме радости, что у людей случилось горе? И проблемы они свои, наверное, решат — ты знаешь, что на таможне у них все схвачено и они там «стоят» хорошо. Так давай посмотрим второй вариант — а он мне кажется совсем интересным. Если люди имеют на руках левый товар, то что они будут делать, когда этот товар у них красиво уведут?.. Правильно, Гриша, я тоже так думаю, что жаловаться в органы они не побегут, а если что и захотят сделать, так только сами понять — кто их так «сделал»... Но ты мне много раз говорил, что когда люди хотят уже играть с криминалом — то здесь «кидок» не предъявляется... Даже если поймут, кто их кинул и куда... Но можно подумать — а я бы даже так сказал, что подумать нужно — и увести эту водку у них красиво, вчистую... Чтоб было без налетов и этой дикой стрельбы... Это не совсем просто, но и чтобы совсем невозможно было, так я бы тоже не сказал... Здесь надо все как следует подумать, но что-то видно уже прямо сейчас... Я бы сделал так, на первый взгляд: что тут у них в коносаменте? Отправитель — шведская фирма, получатель — узбекская... Мы что, не можем сделать свой коносамент? Где отправителем будет бельгийская фирма, а получателем латвийская? И чтобы номера контейнеров остались теми же самыми? Эти мальчики из «ТКК» свою водку со склада в порту вывозить не сразу будут, они захотят подождать несколько дней, чтобы им казалось, что все вокруг спокойно и тихо... А мы в ТЭЦ порта — ты знаешь, там наши есть — выпишем разнарядку на выдачу груза со склада. А разнарядку ту дадим человеку с доверенностью от латвийской фирмы — пусть его потом ищут, если у него был паспорт покойника... Он загрузит контейнеры на грузовики — пусть машины будут какого-нибудь официального таможенного перевозчика, только чтобы у них не было латвийских виз... Так, так... Пусть он все погрузит вечером, когда народу меньше... Потом покажут бумажки на воротах, и уже поехали... Доедут до Пыталова[*], въедут в зону контроля... Там у нас человек в таможне есть... Тот мальчонка, у него доверенность от прибалтов будет, соберет все бумаги, зайдет в таможню, выйдет с отметками... Потом кран перекидает все на грузовики с латышскими номерами... И пусть шоферы наши едут в Питер, их даже если спросят потом — так что они скажут? Что видели, как все было нормально и контейнеры перегрузили латышам? А как наши питерские перевозчики уедут — грузовики с латышскими номерами пусть тоже уходят, но не в Балтию, а в Россию обратно... И груз наш, Гриша... Что б ты сказал на такой гешефт? Здесь надо думать над нюансáми, но в принципе — это реальная «тема», или не моя фамилия Гутман уже шестьдесят три года...

Плейшнер очень мало что понял сразу из бормотания Моисея Лазаревича, но знал — когда «главбух» начинает вот так вот бормотать с резко усиливающимся еврейским акцентом, значит, на старика снисходит что-то типа вдохновения, значит, он мусолит в мозгах какую-то очередную красивую напарку — и тут глав-

---

[*] В Пыталове расположена российская таможня.

ное Гутману не мешать, мысль не перебить... Моисей, даром что старый, а жучара еще тот — молодым три форы даст, но на фуках свое возьмет... Поэт, можно сказать, своего дела...

Когда же до Некрасова дошло наконец, какие большие деньги можно попытаться с помощью мозгов Лазаревича и его, Плейшнера, «братков» вчистую стырить — у него даже голова кру́гом пошла... Нет, вовремя эта шкурка Милка-Медалистка прогнулась, недаром, видать, ее воспитывал.

Дело в том, что на следующий день Скрипника выдергивал к себе Антибиотик — как подозревал Плейшнер, для серьезного разговора об увеличении доходов с «грядки» в порту. И в этой ситуации наводка Медалистки на «левые» контейнеры с водярой была как нельзя более кстати — будет чем Палычу ответить, когда он опять начнет понты гонять и жизни учить...

Насчет разговора с Антибиотиком в его загородной резиденции Плейшнер не ошибся, толковище протекало в заранее предугаданном Скрипником русле...

Странное дело — Плейшнер постоянно ловил себя на мысли, что он в присутствии Палыча становится как бы глупее, чем был на самом деле, словно Антибиотик давил на него чем-то или гипнотизировал... И если с другими людьми Некрасов еще мог как-то «держать фасон», то с Виктором Палычем будто вновь превращался в одичалого беглого блатаря, которому повезло из-под «вышивки» дуриком выскочить.

Антибиотик принял Плейшнера в кабинете, сидя за огромным письменным столом в халате и с неизменным бокалом «Хванчкары» в левой руке. Старик предложил вина и Скрипнику, тот с готовностью хлобыстнул фужер залпом, но от дурной реплики все же не удержался:

— Хорошее у вас вино, Виктор Палыч, а все-таки по мне — водяра лучше, она организм согревает.

Антибиотик фыркнул брюзгливо:

— Водка старит — это наукой доказано... А вино — жизнь продлевает. Вон, итальяшек с французами возьми — посасывают себе красненькое и до ста лет живут, не жужжат. А это вино — особое, его сам Сталин любил, небось плохое было бы — не пил...

— Так я ж не спорю, — виновато дернул плечами Плейшнер. — Просто водяра как-то привычнее.

— А привычки старые нужно в угол отбрасывать, — назидательно сказал Виктор Палыч, воздев вверх указательный палец. — Ты, Мишутка, иногда — прямо словно вчера из лагеря... Сколько лет-то уже прошло, пора бы и обкататься, не в деревне, чай, живем... Мне вот некоторые пытались как-то предъявить, что я от понятий старых отказывался... И того понять не могли, что не я от понятий отходил — жизнь вперед пошла. Не мы меняем правила — жизнь их меняет... Раньше можно было жизнь прожигать без жалости, а теперь работы столько, что хорошее здоровье требуется, чтобы со всеми делами управиться-то... Глупо вафельником щелкать, ежели в такую пору жить выпало, когда год работы может потом лет десять кормить. Не все это понимают... А я тебе скажу — такого времени, как сейчас в России, никогда больше не будет... Да... Вот только мозгами шурупить надо по-новому... Я тебя сюда чего позвал — не то чтобы предъявить тебе хочу, но жду от тебя большего, пора, Мишутка, пора... Спору нет, ты кореш надежный и блудни не мутишь, вроде и коллектив свой в руках держишь, а все-таки не хочешь до конца с дремучестью своей распрощаться... Помнишь, фильм был такой, где один фраерок дельную мысль сказал: «Можно мелочь по карманам тырить, а можно и „лимон" сразу взять»?

Плейшнер не помнил, из какого фильма эта фраза, но на всякий случай кивнул:

— Хорошая картина...

— Да не в картине суть! — досадливо перебил его Антибиотик. — Ты в суть вникай, в суть... А то ведь — молодые-то подпирают, сменить всегда есть на кого...

У Некрасова пересохло в горле, он кашлянул и попытался было что-то сказать, но Виктор Палыч оборвал его взмахом руки:

— Ты не киксуй, я же сказал — никто тебе пока ничего не предъявляет, ты лучше меня, старика, послушай, может, чего полезного узнаешь... Я вон сколь живу, столько и учусь, и у молодых бывает чему поучиться, и ежели человек дельный, то ему это не в западло будет... У меня вон ребята — «тамбовцы» — приятно

98

на них посмотреть... Какие «темы» поднимают! Недавно вон — взяли, пятнадцать «лимонов» зеленью в Германию на черный день переправили. И все чисто сработали, исключительно на мозгах. Ну, там, конечно, мусоркам немножко заслали, чтобы прокрутилась тема легче...

Антибиотик прервался на мгновение, чтобы отхлебнуть вина, и Плейшнер, воспользовавшись паузой, тут же вставил фразу — и снова неудачно:

— Да за такие деньги-то всю питерскую мусарню скупить можно!

Виктор Палыч, прополоскав рот вином, вздохнул — как почудилось Некрасову, с какой-то нехорошей безнадежностью:

— Да зачем она вся нам сдалась? Всю покупать не надо... Главных нужно к рукам прибрать — оно дешевле выйдет... А на остальных, которые помельче, эти главные цыкнут при надобности. Соберут свое мусорское собрание и вставят самым шустрым: так, мол, и так, пиздите много, а процент по своим обязанностям не выполняете!

Скрипник при слове «процент» всегда вспоминал почему-то намертво въевшееся ему в мозг словосочетание «процент лесосдачи», — но на этот раз он умудрился промолчать.

— И пока цветные свои проценты считают, мы дело делать будем. А чтобы мусоркам скучно не стало, мы им — раз! — идейку подбросим... Пустим, к примеру, слушок, что, приехал в Питер какой-нибудь Гога Тбилисский, вор самый что ни на есть главный, будет теперь над всеми банками контроль устанавливать — и пускай этого Гогу ловят и обезвреживают самые шустрые мусорята. А ежели не выловят — их опять на каргалыку: чего Гогу не ловите, почему процент не повышаете? И все при деле, все довольны... Учиться надо, Мишутка, учиться... Среди молодежи такие артисты есть, прямо хоть в кино снимай. Вон Вадик Пучик, давно ли пиздюшатиной торговал — а смотри, как раскрутился! По его запуткам чуть не весь РУОП бегает, ноги до жопы стирает — а все потому, что Вадик к большому руповскому начальнику, к товарищу полковнику Лейкину приблизился, ключики нашел — за ручку с ним теперь прилюдно здоровается... И все в городе видят: «тамбовцы» в городе — не хуй собачий, а сила... А Пучик Лейкину-то заодно в уши вливает — что, почем и как... Надо Вадика в депутаты двигать, способный малец, по жизни правильно рассуждает, хотя и начинал с малого... Вот и тебе, Мишутка, перестраиваться пора — по ходу пьесы, как говорится. Работа, она не ждет.

Виктор Палыч строго посмотрел на притихшего Скрипника, пожевал губами, кивнул каким-то своим мыслям и продолжил:

— Я вот тебе начал рассказывать про пятнадцать «лимонов», которые ребятки-«тамбовцы» в Германию отправили... Схема-то вроде бы и простая, но красивая, а главное — необычная, новая совсем... Смотри, как все красиво завертели: есть в Питере заводик — неважно, как называется, тебе лишняя конкретика ни к чему... Мы на заводике этом своих людей поставили, акции выкупили — теперь мы там хозяева... Ну вот... И есть у нас в городе банк — солидный, все как положено... Дальше: у рыбоедов, где-нибудь в Латвии, появляется фирма — «Шминтарс-Дзинтарс» какой-нибудь, неважно... Латвия страна тихая, к Европе близкая.

— Ага, — невпопад кивнул Плейшнер. — У меня там в восемьдесят третьем подельника завалили.

— Да не о том сейчас речь! — нахмурился Антибиотик. — Ты в суть вникай... Короче, эта фирма «Шминтарс» берет через нашу фирму в нашенском же банке кредит на программу закупки товаров народного потребления, а гарантом кредита выступает наш же заводик... Смекаешь? «Шминтарс» разоряется — это понимай, что денежки уже за границей в нужном месте, а наш банк снимает «бабки» с заводика — поскольку тот был гарантом. Понял? Завод-то все равно нерентабельный, весь на дотациях бюджетных... А мы бюджетные денежки — не работягам, которые их все равно проебут-пробухают, а себе...

— Постойте, Виктор Палыч, — сморщил лоб от чудовищного напряжения мысли Плейшнер. — Так, а... А работяги-то эти могут шум поднять — мусора набегут, кипеж начнется.

Антибиотик снисходительно улыбнулся:

— А что работяги? Они привычные, потерпят... Ну, пошумят, портреты Сталина и Ленина поносят вокруг Казанского собора, президента поругают, призовут к ответу преступную власть... Впервой, что ли? А мусора — мусора хуй чего поймут, а которые посмекалистее окажутся, тех на их же мусорской сходняк направят, чтобы не дурью маялись, а неуклонно процент повышали... Нам мусора — до сраки, лишь бы они финансы наши не трогали, в экономику не лезли... Там есть умники малахольные, типа Никитки-Директора... Понимают, суки, что в финансах — основа... И все норовят нам по экономике ударить, финансы нам подорвать... Только скорее им самим яйца поотрывают... Ты смотри глубже, Мишутка, — сейчас в России собственность делится, а зачем? Чтоб новый класс народился — класс собственников. Таких, как мы с тобой. А собственность — это власть... Поэтому и нашему коллективу нужно ближе к собственности держаться... Наша организация должна сейчас во все перспективные проекты вписываться, а иначе — кто не успеет, тот опоздает, а паровоз — он ждать не будет... Упустим время — собственность потеряем, а потом нас подвинут — и кранты... Понял?

Скрипник кивнул, а Виктор Палыч закончил со вздохом:

— Оно хорошо, что понял... Я, Мишутка, когда «грядку» тебе в порту давал — уже тогда в перспективу смотрел... Порт в Питере — это не просто порт. Это огромное влияние... И кто в порту сильнее стоять будет, тот во многих будущих раскладах банковать начнет... Потому я и хочу, чтобы ты со своими ребятками пошустрее поворачивался, чтобы не о водяре думали, а о будущем, чтобы сочиняли, придумывали больше разных «тем» — нам сейчас на месте стоять нельзя, только вперед идти, как юным пионерам... С оглядкой, конечно, но — вперед. А мусоров в Питере бояться не надо... Не зря умные люди сказали: бессильный враг, он — лучший друг. Так-то вот...

Антибиотик закончил лекцию-правилку и, удовлетворенный демонстрацией собственной мудрости и красноречия, откинулся на спинку кресла, чуть прикрыв глаза. Старик в последнее время сам не своим стал в плане поучать кого-нибудь, как жить. Спору нет, вещи Виктор Палыч говорил толковые, но уж больно занудным он становился порой. Правда, смельчаков, способных высказать ему это в лицо, как-то не находилось... Антибиотик хоть и любил читать «лекции», но в случае чего мог разобраться со «студентами» совсем не «по-профессорски». Где-нибудь на выездном «семинаре» в районе Коркинских озер...

Плейшнер нервно дернул кадыком, откашлялся, а потом сказал, стараясь придать голосу солидность и уверенность:

— Я у вас, Виктор Палыч, с тех пор как вы меня приняли, учиться не перестаю... Вы все правильно говорите, и нам тоже надо... как это... Ну, короче, с новыми «темами» начинать... И тут у меня есть одна идейка — я как раз перетереть ее хотел, с вами посоветоваться... Она, конечно, на пятнадцать «лимонов» не потянет, но на полтора — вполне... А то и на два... И тема интересная, в общем — беспредъявная...

Виктор Палыч открыл глаза, сразу же блеснувшие остро:

— Ну-ка, ну-ка... Чего там накумекали?

Сбиваясь порой, но, в общем и целом, довольно связно и бойко Плейшнер изложил Антибиотику план возможной предстоящей аферы с вывозом из порта «левой» партии шведской водки. Виктор Палыч не перебивал, слушал внимательно, время от времени отпивая маленькими глотками вино из хрустального фужера.

— Ну вот, — закончил, наконец, свой доклад Некрасов. — Короче, получается, что если все нормально загодя подготовить, если там у этих шведов и наших чекистов шухер какой-нибудь не случится — тогда можно попробовать груз вчистую снять. А мусорята чалые из «ТКК» этой — все копья обломают и зубы в порошок сотрут, но не найдут ничего... А даже если найдут — кидок им нам не предъявить... Вот... Что скажете, Виктор Палыч? Хотелось бы совета вашего...

И Плейшнер скромно потупил глазки, ожидая похвалы: он видел, что Антибиотик «тему» уже «закусил», что она ему понравилась.

Виктор Палыч поиграл бровями, поморщил лоб, наконец, хмыкнув, сказал:

— Ну, что же... Так-то оно, на словах, вроде как все складно выходит... А откуда наводка пришла? Кто тему слил?

Плейшнеру нужно было набирать очки перед Антибиотиком, поэтому, конечно, не могло быть и речи, чтобы назвать в качестве источника информации Милку Медалистку — несолидно бы это прозвучало как-то... Поэтому Некрасов ответил так:

— Мои люди в порту пацаненка одного зацепили из этой самой «ТКК»... Фраерок, но налепушничал, большим начальником себя в мечтах увидел... Ну, короче, он и не понял, как весь расклад забарабанил... И опаски у него никакой не возникало, я думаю...

— Угу, — кивнул Виктор Палыч, помолчал, а потом снова спросил: — А потом, схему-то, поди, Моисей умыслил, а? По почерку узнаю... Вот ведь жидяра толковый — даром что не молоденький.

Отдавать все заслуги Гутману Плейшнер, естественно, не хотел:

— Там как получилось: мне когда тему доложили, я туда-сюда прикинул, говорю Лазаревичу — посмотри, мол, вдруг вкусное сложится... Он-то все же пограмотнее меня в этих вопросах... Ну, Моисей сразу на «тему» сел, мозгой пошурупил — да, говорит, реально выйти может.

— Ну что же, — покивал Антибиотик. — Вполне, вполне... Молодец, Мишутка, хвалю... Хотя хвалить пока еще не за что — дело-то не сделано, но уже за то хвалю, что головой думаешь, в перспективу смотришь... А тема эта — она сейчас как раз кстати придется... Мы водяру реализуем — наличка появится свободная, а она сейчас нужна, очень нужна... Ты вот что... Я тебе нашего коммерсанта дам — как контейнера из Пыталово уже вывезешь, к нему на складик их и сгрузишь... Они там отстоятся малость, чтобы шухер улегся, а потом уж можно и реализовывать будет... Ладушки?

«Вот ведь глот!» — подумал с досадой Скрипник об Антибиотике, потому что сразу понял: раз старик реализацию водки под себя берет, стало быть и его, Плейшнера, доля со всей темы существенно уменьшается... Ведь если бы он, Некрасов, всю тему целиком прокрутил — от хищения до реализации и получения денег, —

тогда только в общак отстегнуть пришлось, а остальное коллективу плейшнеровскому осталось бы... А теперь — теперь Антибиотик вроде как в долю входит, сам и свое возьмет, и общаковское, а тому, кто всю эту тему нашел и разработал — кроху бросят... Плейшнер уже забыл, что, в общем-то, его личная заслуга в появлении темы с «Абсолютом» — более чем скромная...

Вслух же, однако, Некрасов, конечно, никак своей досады выказывать не стал, наоборот, начал благодарить Виктора Палыча, ласково щурившегося на него сквозь бокал «Хванчкары».

Таким образом, после получения официального благословения Антибиотика, Плейшнер и Гутман в обстановке строжайшей секретности начали подготовку к тому, чтобы схитить вчистую партию шведской водки — той самой, мечты о которой не давали покоя старшему оперуполномоченному УФСК майору Назарову...

День, когда контейнеры с «Абсолютом» должны были прибыть, наконец, в Санкт-Петербургский морской порт, начался для Аркадия Сергеевича препоганейшим образом — утром обнаружилось, что какие-то сволочи вытащили из его неосторожно оставленной на ночь под окнами квартиры «четверки» аккумулятор — чуть ли не единственную ценную вещь в старееньком «жигуленке». Да еще колеса ножами попротыкали, уроды! «Кооперативная» сигнализация, конечно, не сработала...

Пока Назаров бегал вокруг своей разоренной машины — времени, чтобы прибыть на Литейный, 4 (Аркадию Сергеевичу нужно было с самого утра в «управу» заскочить на совещание), осталось в обрез. Пришлось такси ловить, а денег, чтобы расплатиться, как назло, не хватило. Таксист сволочной попался, разорался: мол, если денег нет, то и не хер на такси разъезжать — и уехал, хлопнув дверцей, не дожидаясь, пока Назаров сбегает и займет деньги у сослуживцев... В общем, в Большой дом майор входил как оплеванный...

Когда день так начинается — трудно ожидать от него чего-то хорошего...

После совещания в отделе Кирилл Симаков, давний приятель и сослуживец Назарова, шепнул на ухо еще одно «приятное» известие: мол, в «управе» работают парни из Москвы, из собственной безопасности, приехали якобы под легендой проверки режима секретности, но на самом деле — роют под кого-то.

От этой новости у Аркадия Сергеевича неприятно засосало под ложечкой, и он сразу почему-то вспомнил те две тысячи долларов, что получил от Бурцева... Не по его ли, Назарова, душу москвичи приехали? Да нет, чушь все это, ерунда, быть такого не может...

Чушь-то чушь, но... Аркадий Сергеевич вдруг отчетливо вспомнил, что, когда он часть полученных от Бурцева долларов в один маленький неприметный обменник понес, рядом какой-то неприметный парнишка с сумкой через плечо крутился... Ох уж эти неприметные парни с сумками через плечо! Еще тогда мысль мелькнула: фиксирует, сука... Но потом парень убежал куда-то по своим делам, и Аркадий Сергеевич подумал, что просто нервишки у него расшалились, — видно, и впрямь на пенсию пора... А теперь вот — эта информация от Симакова... А Кирюша зря языком болтать не будет: если говорит, что роют под кого-то, значит, так оно и есть, Кирюша парень не простой, а с «лапкой», да не с одной — и все мохнатенькие.

Короче говоря, в свой кабинет на Межевом, 5, в порту, после обеда Назаров вошел в очень нехорошем настроении. Войдя, сел за стол, обхватил голову руками и долго сидел так, пытаясь собраться с мыслями... Даже задремывать начал, но тут телефонный звонок раздался. Майор вздрогнул, очнулся от своих невеселых размышлений, снял трубку с аппарата:

— Слушаю вас.

— Аркадий Сергеевич?

— Да... Кто это?

Голос в трубке — спокойный и достаточно приятный — не обратил внимания на его вопрос:

— Аркадий Сергеевич, у меня для вас любопытная информация есть...

Назаров плотнее сжал трубку:

— Я слушаю, слушаю вас... Кто вы? Представьтесь, пожалуйста...

Аркадий Сергеевич тихо включил автоматическую запись телефонного разговора — на всякий случай, мало ли, вдруг что-то любопытное этот аноним скажет.

— Мне чрезвычайно, может быть, даже бесконечно жаль, — с легкой иронией продолжил голос в трубке, — но представиться вам я пока не имею возможности. Да это и неважно. Гораздо важнее то, что я вам сообщу... Так вот. Как вы знаете, сегодня в порт прибывает некий груз с «трудной судьбой», так? Натурально чистый продукт... У меня есть основания полагать, что об этом грузе знают некоторые ваши коллеги, которым намечающийся маршрут кажется весьма любопытным... Вы, я думаю, понимаете, о чем идет речь? Такое понятие, как контролируемая поставка, вам знакомо?

У Назарова разом словно спеклось горло — спазмом перехватило, даже дыхание сбилось. С усилием сглотнув, майор сказал хрипло, но стараясь держать спокойную интонацию:

— Какой груз? Ничего не понимаю... Кто вы?

На другом конце провода неизвестный усмехнулся:

— Если не понимаете — значит, не судьба. А меня вы не знаете, вернее, не помните. Считайте, что я — человек, который искренне желает вам добра... Когда-то вы мне оказали маленькую любезность...

— Постойте, постойте, — Аркадий Сергеевич обтер рукой пот со лба. — Давайте встретимся, давайте...

— Прощайте, Аркадий Сергеевич, желаю вам удачи...

Голос исчез, вместо него в трубке послышались короткие гудки отбоя.

Несколько секунд еще Назаров сидел оцепенело, продолжая прижимать трубку к уху, потом аккуратно положил ее на стол и остановил магнитофонную запись...

В голове у него крутилось только одно слово — «катастрофа», но он не позволял себе впадать в панику и машинально сделал то, что и положено было делать профессионалу в такой ситуации, — прошел в соседний кабинет, извинился, попросил разрешения позвонить на станцию... Повезло — засечка сработала, номер телефона, с которого звонил аноним, удалось установить. К сожалению, к личности звонившего этот номер приближал мало, поскольку принадлежал он таксофону, установленному на улице Садовой...

Аркадий Сергеевич вернулся к себе в кабинет, нервно закурил, уставившись неподвижными глазами в стенку.

«Все, сгорел... Перед самой пенсией сгорел... Надо же так... Подожди, подожди, не психуй... Давай-ка кумекать — кто ж это мог звонить, кому я любезность оказал и кого я не помню... Людей-то за эти годы прошло — всех и не переберешь... Да, может, и врал этот аноним... Может, наши пробивают? Нет... Странная пробивка... Если это „собственная безопасность" — то зачем тогда предупреждать, не лучше ли с поличным взять? Контролируемая поставка — этот парень знает, что это такое... С другой стороны, сейчас столько детективов пишут, что... Но тот, кто звонил, явно в курсе поставки „Абсолюта"... Зачем он звонил? Доброжелатель... Знаем мы таких доброжелателей... Может, меня провоцируют? На что? Спугивают, как утку, а полетит — можно стрелять... Спокойно, спокойно... Кто мог знать о грузе... Где-то утекло... А если это кто-то из тех, кто с самого начала был в курсе? Может, это из „ТКК" меня пробивают? Хотят посмотреть, как я себя поведу... Зачем? Проверяют будущего сотрудника? Возможно... Да нет, глупости все это... Не будут они так проверять, пока груз еще из порта не ушел, они же деньгами рискуют — вдруг я каяться побегу... Нет, это не Бурцев и не „апрашечники" — если они, конечно, не сошли с ума внезапно... Но тогда кто? Наши?..»

Поняв, что мысленно начинает ходить по замкнутому кругу, Назаров вскочил со стула. Внезапно ему пришла в голову мысль — попробовать установить хотя бы описание звонившего ему мужчины.

«А что? Шансы, конечно, слабые, но иногда чудеса случаются... Таксофон известен, время звонка — тоже... Надо съездить на Садовую, попробовать свидетелей найти... Заодно проверюсь насчет хвоста... Хотя, если меня наши держат — один хрен, не срубишь...»

Назаров выскочил из кабинета, на ходу натягивая куртку. На улице только рукой махнул — машина с каким-то знакомым мужиком сразу затормозила. Все-таки есть кое-какие плюсы, когда тебя все знают в порту...

Назаров доехал до станции метро «Василеостровская», но вниз спускаться сразу не стал — сначала покрутился в проходных дворах, проверяясь. Вроде наблюдения не было...

Войдя в метро, Аркадий Сергеевич тоже не поехал сразу до нужной ему станции «Площадь Мира» — кружил, пересаживался из вагона в вагон и из поезда в поезд, но никаких признаков «хвоста» не заметил.

Выйдя из метро на Сенную площадь, майор повернул направо и быстро пошел по Садовой.

Ага, вот и искомый телефон-автомат... А с ним рядом киоск газетный, где бабушка, божий одуванчик, газетками-сигаретками торгует... Может, видела звонившего? Хотя тут, наверное, разных звонивших за полтора часа — батальон прошел... Но попытка не пытка, как говаривал когда-то товарищ Лаврентий...

Назаров подошел к киоску, огляделся, потом сунул раскрытое удостоверение в окошечко, за которым скучала сварливого вида бабка:

— Добрый день, как работается?

Старушка в явной тревоге поджала губы, завороженно глядя на удостоверение, и ничего не отвечала. Да, люди старшего поколения еще по привычке впадают в ступор, когда видят комитетовскую «ксиву», а вот молодежь уже реагирует совсем иначе — непуганые, им все до фонаря... Видя, что старушенция близка к прострации, Аркадий Сергеевич вздохнул и как мог мягко начал спрашивать:

— Гм... Сударыня, вы бы не могли вспомнить, кто звонил из этого таксофона за последние полтора-два часа, а? У нас тут дело такое — хулиганы, понимаете ли, звонят, говорят, что метро заминировали... На самом-то деле, конечно, ничего они не минируют, но проверять приходится...

Старушка-Шапокляк вздохнула облегченно, пожевала губами и доверительно наклонилась к окошку:

— Был, был здесь один такой — сразу мне подозрительным показался... Чучмек какой-то, прости Господи... Рожа кавказская, бандитская такая, волосы черные, глазищи черные, злющие, он ими — зырк-зырк... Он у меня перед тем, как звонить, сигареты покупал, «Кэмел»... В куртке зеленой был вроде... Но самое главное, глаза — прямо злющие такие, ехидные... Такому что барана зарезать, что живого человека... И бомбу мог

108

подложить... Я ему сдачу отсчитываю, а он: «Спасибо, бабуля!» Я ему: какая я тебе бабуля? А он как зарегочет: ну, не девушка же, говорит... Рожа бесстыжая, понаехало всяких чернозадых...

Аркадий Сергеевич терпеливо выслушал до конца стенания старушки по поводу бесстыжего кавказца с ехидными черными глазами и снова спросил:

— Ну а кроме него — никого больше не заметили? Никто больше к телефону не подходил?

Старушка обиженно фыркнула. Вместо того чтобы начать подробнее расспрашивать про бандитомордого кавказца — а ясное дело, это он бомбу и подложил, — ее просят вспомнить зачем-то про нормальных людей!

— Как мне не заметить? Я, молодой человек, не такая старая еще, чтобы не заметить. Я, можно сказать, за этим телефоном слежу, чтобы его не испортили. Если испортят хулиганы какие, то мне далеко самой ходить придется, если позвонить нужда возникнет... Так что я поглядываю, особенно если стрекулисты какие подходят... Нет, таких, чтобы подозрительных — не было больше. Кто подходил?.. Ребятишек-школьников двое было, потом военный какой-то — он несколько раз номер набирал, но, похоже, занято там было, потом мамаша какая-то с коляской болтала долго... Петрович приходил, пенсионер из дома напротив, — у него телефона нет, так он всегда сюда звонить ходит. Как его супруге плохо станет — неотложку вызывает... Ну и все, кажется...

— Спасибо, — задумчиво кивнул Назаров. — А не заметить кого-нибудь могли? Ну, там, отвлечься, пока покупатели — тюда-сюда.

— Покупатели! — хмыкнула старушка. — Где они, эти покупатели? Утром еще газеты берут, а после обеда — никакой торговли почти нет.

— Понятно, — Аркадий Сергеевич доброжелательно улыбнулся. — Спасибо вам большое... А этот кавказец — не помните, он на какой машине подъезжал?

Бабка покачала головой:

— Нет, не подъезжал он... Пешком приходил, это точно.

— Спасибо, вы нам очень помогли...

Отойдя от киоска с бдительной старушкой, Назаров закурил сигарету и задумался... Скорее всего, бабка проморгала звонившего ему человека. Аноним-то разговаривал по-русски чисто, без акцента, с хорошим питерским выговором. Так что «лицо кавказской национальности» отпадает... Петрович-пенсионер тоже не «катит», голос был достаточно молодым...

Назаров бросил окурок в урну и медленно побрел обратно к метро, пытаясь выстроить в мозгу хоть какую-то версию случившегося.

«Черт, кто же все-таки мог звонить? Кому это было нужно? И зачем? Так, давай по порядку... Во-первых, звонивший совершенно точно знает о поставке „Абсолюта", причем знает о том, что груз пойдет по-левому... Во-вторых, этот человек, предположительно, знает меня... Ну, получил же он каким-то образом мой телефон... Хотя номер телефона получить не проблема... Может, и не знает, может, просто „след сбрасывает". Так, давай плясать от того, что известно точно: звонивший в курсе сделки с водкой... Значит, откуда могла информация протечь? Связи Кости Олафсона — это раз, ребята из „ТКК" — это два, „апрашечники" — это три... Ну и четыре — это если я сам где-то прокололся, но наша „собственная безопасность" тоже могла... Нет, четвертая версия все-таки маловероятна... Если наши на самом деле что-то срубили — они бы действовали по-другому... Связи со стороны Кости? Маловероятно... Костя в Стокгольме сидит, в Питере почти ни с кем не общается... Да и не стал бы он с кем ни попадя трепаться о теме, из которой деньги вынуть хочет... Костя, наоборот, заинтересован в быстрейшем и эффективнейшем результате так же, как „апрашечники" и как мужики из „ТКК"... Но где-то ведь протекло? Откуда звонивший узнал про груз? И про комиссию из Москвы в управе? Стоп — это ты уже фантазируешь, он про комиссию ничего не говорил, ты это уже сам срастил с информацией от Симакова... А звонивший просто сказал, что информация есть у моих коллег — и они якобы готовят контролируемую поставку... То есть дадут грузу пройти по всей цепочке, а потом нахватают всех, кто к сделке был причастен... И тогда меня сольют в один момент... Что же делать-то, что же делать?!

Может, предупредить Бурцева? Ведь пока груз будет лежать на складе в порту, еще никакого преступления нет, всегда можно сказать, что путаница с бумагами произошла, все переиграть и пустить водку через таможню не „контрабасом", а легально, со всеми проплатами... Но если я приду со всем этим говном к Максимычу, то что он скажет? Скажет: да, Аркадий, хорошую же ты нам тему сосватал — паленую да стремную, спасибо тебе, дорогой, низкий тебе земной поклон... Может и вовсе не поверить, что какой-то звонок был, решит, что я просто застремался, хочу на пенсию чистым уйти и таким вот способом от криминала все отодвигаю... И тогда — плакало мое место горькими слезами... А вдруг тот, кто звонил, на самом деле предупредить меня хотел? Редко, но бывают и такие чудеса... В любом случае — рисковать нельзя... Есть кто-то, кто знает о левой схеме, — кто-то посторонний... Этот посторонний ничего не просил, не требовал, не шантажировал — просто предупреждал... Значит, нельзя ни в коем случае позволить грузу пойти по намеченному маршруту... Но как это сделать? Идти к Бурцеву — это не вариант... В то, что он меня пробивает, — я не верю. Если я ему этот бизнес своим предупреждением поломаю — тогда псу под хвост все, из-за чего я во всю эту блевотину залез... Но что же делать? Господи, да хоть бы она исчезла из порта, эта проклятая... Исчезла... Погоди-ка...»

Осененный внезапно пришедшей к нему в голову мыслью, Аркадий Сергеевич быстро вбежал на станцию метро и через минут сорок был уже снова у ворот порта... Через час Назаров «случайно» пересекся с Бурцевым — отставной подполковник уже получил информацию о том, что корабль с «Абсолютом» прибыл. Дмитрий Максимович находился в несколько возбужденном состоянии, точнее — радостно-возбужденном... Из разговора с ним Назаров понял, что контейнеры с водкой должны пролежать в порту как минимум недели полторы... Ну что же — грамотно... Если слишком быстро вывозить, тоже могут подозрения возникнуть — у тех же таможенников... А так обычная поставка, никакой особой суеты вокруг нее... Так... Стало быть, у него, Назарова, есть как минимум дней девять, чтобы попробовать что-то сделать с грузом... Точнее — сделать должен, конечно, не он сам... Но это неважно... Важен конечный результат — груз должен пропасть, исчезнуть из порта... Нет, Аркадий Сергеевич, конечно, не собирался красть водку с целью ее последующей реализации, да он бы просто и не смог это сделать, на реализации его обязательно бы прихватили... Назаров придумал план, который представлялся ему оптимальным выходом из поганой ситуации, в которой он оказался. Партию «Абсолюта» нужно просто переместить из порта в какое-нибудь другое надежное место, где водка спокойно отстоится. Если в конторе действительно плетут какие-то замыслы насчет контролируемой поставки, то в этом случае коллеги потеряют след, — нет водки, нечего и контролировать... И предъявить ничего никому нельзя будет, если водка исчезнет до того момента, как она пройдет таможню... В «ТКК» и на Апраксином дворе, конечно, начнут с ума сходить, если партия водки вдруг исчезнет, — начнут искать, землю буквально рыть будут... Ничего, им тоже полезно иной раз поволноваться, чтобы не жирели, чтобы совсем крутыми себя не считали... Крутыми-то только горы бывают, а люди — они люди и есть... Как говорил один покойный уже ныне коллега Назарова (инфаркт прямо на рабочем месте с ним приключился), «степень крутости никак не влияет на начальную скорость полета пули». Если ребята из «ТКК» и с «Апрашки» поносятся-помечутся по городу и ничего не найдут, а он, Назаров, потом сумеет груз «отыскать» — тогда его акции в «ТКК» просто на небывалую, на немыслимую высоту подскочат... А первые переживания — они забудутся скоро, перебьются огромным облегчением...

Стало быть, всего-то и дел: надо по-тихому, красиво, чисто и очень быстро вывезти груз из порта, свалить где-нибудь за городом на каком-нибудь военном складе — так, чтобы часовой все хозяйство охранял, и спокойно ждать, пока страсти у одних полностью улягутся, а у других, наоборот, до предела накалятся... Да, всего-то и дел, чтоб Маня за сына Рокфеллера вышла... Маня-то уже согласна, осталось Рокфеллера с сынишкой уговорить.

Впрочем, у Аркадия Сергеевича, чей мозг после злополучного звонка работал просто как запущенный на полную мощность компьютер, появились уже и некоторые конкретные мысли относительно реализации придуманного плана... Двадцать пять «сорокафутовок» за «сетку» вытащить — это ведь не контейнер вскрыть и натырить оттуда... Двадцать пять «коробочек» — это серьезно, тут грузовики нужны... И не просто грузовики, а машины, принадлежащие фирме, обладающей лицензией на таможенные перевозки... «Таможенных перевозчиков» в порту крутилось достаточно много, но далеко не к каждому можно было обратиться с такой деликатной проблемой, какая возникла у Назарова... Не к каждому... Но к каждому и не надо... Обращаться нужно к тому, кто отказать не сможет. А такая кандидатура у Аркадия Сергеевича, к счастью, имелась, и звали этого человека Геннадием Петровичем Ващановым...

Геннадия Петровича Назаров, в принципе, знал давно — да и как его было не знать, если он долгое довольно время ходил в первых заместителях начальника сначала ОРБ, а потом — РУОПа. Правда, в милицейский еще период жизни Ващанова Аркадию Сергеевичу не приходилось лично с ним сталкиваться, но Петербург, как известно, город маленький, слухами полнится... Да и не только слухами... У Геннадия Петровича на таможне работал шурин — ничего выдающегося этот человек из себя не представлял, но в поле зрения Назарова попадал неоднократно. Аркадий Сергеевич несколько раз, в принципе, мог к нему «реализоваться» — родственник Ващанова порой «закрывал глаза» на беспошлинный вывоз некоторых товаров у некоторых фирмачей... Понимая, что с таким родственником, как первый заместитель начальника РУОПа, нечистого на руку таможенника «раскрутить на полную» будет проблемно, Назаров трогать его не стал — до поры. Оставил на «запас».

А в конце 1993 года полковник милиции Ващанов внезапно уволился из органов по собственному желанию, но до Аркадия Сергеевича дошел-таки слушок, что на самом-то деле не собственное это было желание Геннадия Петровича, ох не собственное... Поговаривали, что поймали Ващанова на контактах с Антибиотиком — небескорыстных контактах, естественно... Шум поднимать не стали, потому что в скандале никто не был заинтересован... А может быть, и еще кое-какие деликатные обстоятельства имелись: Гена-то, надо понимать, к тому моменту, как «спалился», уже совсем небедным человеком был... Как бы то ни было, а на пенсию Ващанова проводили если и не с почетом, то уж, по крайней мере, и не по компрометирующим обстоятельствам.

На вольных хлебах Геннадий Петрович не растерялся — возглавил словно в один день родившуюся охранную фирму с трогательным названием «ОРБ-сервис». Контора, помимо прочих разных дел, могла заниматься и таможенными перевозками. Могла, но на самом деле занималась этим достаточно редко, когда случаи подходящие подворачивались... Но в порту Геннадий Петрович стал появляться довольно часто.

Аркадий Сергеевич присмотрелся к деятельности отставного полковника повнимательнее и вскоре выяснил, что Ващанов с помощью своего шурина занялся очень прибыльным бизнесом — протаскиванием в Россию дорогих автомобилей престижных марок с решением всех проблем по так называемой растаможке. Ведь ввозимые иномарки мудрое российское правительство обложило такими пошлинами, что и богатому человеку они стали не по карману... Это если честно все заплатить, как положено, — тогда не по карману, а если есть возможность решить вопрос на таможне «по-людски» — тогда вполне можно и на приличный автомобиль сесть... Вот Ващанов с родственником и «помогали» приличным людям, которые, естественно, за эту помощь неплохо платили — наличными и без расписок. Причем Геннадий Петрович с шурином так увлеклись своим бизнесом, что совсем осторожность потеряли, — Аркадий Сергеевич, получив оперативным путем интересующую его информацию, даже растерялся: ну, нельзя же так явно подставляться, честное слово... Видимо, Ващанов еще по инерции продолжал ощущать себя большим начальником, которому позволено если не все, то очень многое.

В принципе, можно было бы передать материалы о растаможенных «по-левому» автомобилях в соответствующие инстанции, и ушли бы эти иномарочки в конфискат — это как минимум. А по максимуму могла для родственничков и уголовная ответственность наступить... Но даже если бы машины просто отобрали у их новых владельцев — и в этом случае лично у Геннадия Петровича возникли бы очень большие проблемы, потому что клиенты начали бы ему «предъявлять», отставной полковник ведь обещал, что растаможка будет «чистой» и окончательной, с гарантией от «попадалова»... Грех было в такой ситуации не пригласить Ващанова на «доверительный» разговор — что майор Назаров и сделал еще в середине марта 1994 года... Во время этого разговора Геннадий Петрович пытался было сначала держаться по отношению к Аркадию Сергеевичу покровительственно, потом даже поорать чуть-чуть себе позволил, но в конце концов, оценив ситуацию адекватно, сник — ведь майор-комитетчик имел на руках конкретику, причем достаточно убойную...

Назаров реализовывать свою информацию не стал — лишь урезонил Геннадия Петровича да объяснил, что рассчитывает на сотрудничество и помощь, если таковая понадобится в будущем... Вот она и понадобилась... Правда, тогда, в марте, Аркадий Сергеевич понимал под «сотрудничеством и помощью» совсем не то, с чем собирался обратиться к Ващанову в конце апреля. Но, как известно, мы меняемся вместе со временами, которые тоже меняются, к сожалению или к счастью — это уж как посмотреть...

Так вот, собираясь подключить Геннадия Петровича к операции по хищению контейнеров с «Абсолютом», Назаров, конечно, понимал, что рискует. Но, с другой стороны, никакого иного выхода в сложившейся ситуации он не видел. Потому что, если коллеги из «собственной безопасности» и впрямь решили «пропасти» груз — тогда вдребезги разобьются все мечты о спокойной и достойной старости.

И потом, если все по-умному сделать, тщательно и аккуратно — риск не такой уж и большой. Тем более что делать-то все будет Гена. Будет, никуда не денется — у него альтернативы невеселые совсем... А если пообещать Ващанову еще и деньжат потом подбросить («ТКК» ведь наверняка премию за обнаружение пропавших контейнеров установит), то отставной полковник вообще начнет землю копытом рыть...

Прикинув все возможные расклады и нюансы, Аркадий Сергеевич не стал откладывать дело в долгий ящик, а договорился о конфиденциальной встрече с Геннадием Петровичем уже на следующий же день после того, как контейнеры с «Абсолютом» прибыли в порт... За эти сутки Назаров посерел лицом и осунулся, ночью он не спал ни минуточки, сидел на кухне и расписывал на листках бумаги графическими фигурками все мельчайшие детали операции «Абсолют» — так он с горькой иронией окрестил предстоящую кражу.

Плохо было на душе у Аркадия Сергеевича, очень плохо. Видать, права пословица: «Коготок увяз — всей птичке пропасть»... Еще несколько месяцев назад он, майор Назаров, был честным офицером, который мог спокойно смотреть в глаза кому угодно. А теперь он разрабатывает план хищения партии водки... Господи, стыдно-то как, стыдно и противно... Но ведь еще более стыдно и противно будет, если коллеги «отдокументируются» и «реализуются»... Тогда — все... Такой позор не пережить... И никому дела не будет до того, сколько лет он, майор Назаров, отслужил верой и правдой.

Аркадий Сергеевич стискивал зубы от душевной боли и продолжал разрабатывать план, который по иронии судьбы очень напоминал схему, придуманную Моисеем Лазаревичем Гутманом, — только в некоторых деталях расходились два красивых, оригинальных замысла по хищению одной партии «Абсолюта»... Не случайно, видимо, говорят, что гениальные идеи витают в воздухе...

Двадцать восьмого апреля около восьми часов вечера Назаров ждал Ващанова в уютном номере бани на улице Ольги Форш. Геннадий Петрович прибыл на встречу вовремя — на новенькой «бээмвушке» цвета морской волны, в добротном синем костюме. Бывший полковник производил бы совсем респектабельное впечатление, если бы впереди него не шел стойкий перегарный «выхлоп». Геннадий Петрович всегда любил выпить, а в последний год начал «керосинить» просто не просыхая — напивался до полной отключки, правда, не так уж и часто, в основном ходил, что называется, «вдетым».

Аркадий Сергеевич, приветствуя Ващанова, невольно повел носом и хмыкнул:

— Ого! Ну ты даешь, Петрович... Как только гаишников не боишься?

— Да что мне эти щеглы, — махнул рукой бывший первый заместитель начальника РУОПа. — Ксива-то при мне осталась. Так что они только каблуками щелкают... Ну что, выпьем за встречу?

Назаров капнул себе полрюмки коньяку, Ващанов же набулькал сразу полстакана:

— Ну, будем здоровы! Как говорится — за нас с вами и за хуй с ними!

Аркадий Сергеевич даже свою маленькую дозу до конца не допил, поставил рюмку на стол, когда Ващанов, заглотив коньяк, сморщился, застонал экстазно, замотал своим чубиком:

— Ой, ой, бля... Хорошо пошло, ой... У-уф...

Геннадий Петрович деликатно рыгнул в ладошку и вопросительно посмотрел на Назарова:

— Какие проблемы, Сергеич? Чем могу помочь? Я так понимаю — что-то срочное стряслось?

Майор неопределенно пожал плечами:

— Да не то чтобы совсем уж срочное, но кое-какая твоя помощь, Петрович, понадобится... Скажи-ка... У тебя есть куда поставить груз... Большой груз... Контейнеров двадцать пять «сороковок»? Желательно бы ведомственный склад под это дело — чтобы люди понимающими были, без излишнего любопытства...

Ващанов осторожно кивнул:

— Ну, в принципе... А что в контейнерах-то?.. Ты меня только пойми правильно, Сергеич...

— В контейнерах? — переспросил Назаров. — Да ничего такого страшного, ты не переживай... Водка там. Хорошая шведская водка...

— А-а, — облегченно протянул Геннадий Петрович. — Ну, так это вообще без проблем. Надолго поставить-то надо?

— Недели на три.

— На три — нормально! — загоготал Ващанов. — За три недели всю водяру выхлебать не успеют... Шучу,

шучу... Есть у меня парень один — хороший знакомый, прапорщик армейский, складом заведует в Сертолово... К нему — хоть бронепоезда загоняй... Отчаянный матрос. Мы его в свое время чуть было не посадили — он бандюшатам гранаты толкал... Но потом решили ограничиться профилактикой — чего так уж сразу мужику жизнь-то ломать? Короче, кадр надежный, проверенный... Дай-ка я ему прямо сейчас брякну по «трубе»... А когда надо будет завоз организовать?

— В течение недели, — спокойно ответил Назаров, глядя на Геннадия Петровича с очень странным выражением лица. Впрочем, Ващанов ничего не замечал, суетливо тыкал дрожащими пальцами в кнопки радиотелефона:

— Алло... Алло, Саня?.. Приветствую тебя, дорогой... Как сам-то, а? Ясно, ясно... Я — нормально, а что мне сделается? Кручусь помаленьку... Скумекай, я чего звоню-то — дельце у меня к тебе есть небольшое. Надо бы партию товара на твой склад определить... Ха-ха-ха... Да нет, не бомбы, на хер они мне сдались... Песенку знаешь — лучше водку пить, чем воевать... Вот... Ага, угадал, водяра... Да «сороковок» двадцать—двадцать пять... Осилишь?.. Ха-ха-ха-ха, все не выпьешь, говоришь? Ну и ладушки... Я тебе потом перезвоню, скажу поконкретнее... А?.. Ладно, встретимся, посидим... Ну, бывай...

Геннадий Петрович выключил «трубку» и довольно погладил свой животик:

— Без проблем! Я же говорил — кадр проверенный. Говорит: «Надежнее меня матроса не найдете!» Так... А когда и где, Сергеич, твою водку забирать?

Назаров медленно покачал головой:

— Это не моя водка.

— В смысле? — не понял Ващанов.

Аркадий Сергеевич глубоко вздохнул и закурил сигарету.

— В смысле — я тебе сейчас все объясняю, Геннадий Петрович. Тут ситуация не такая простая... Но и не такая, чтобы совсем сложная... Короче говоря — пришла к нам в порт партия шведской водки «Абсолют», поставили ее на склад «ТКК»...

— Знаю такую организацию, — солидно кивнул Ващанов. — Серьезные люди, бывшие сотрудники в основном...

— Так вот. — Назаров совсем понизил голос, заговорил очень тихо: — Имеется у меня оперативный интерес, чтобы водка эта на некоторое время со склада их исчезла.

— Как исчезла? — помотал головой бывший полковник. — Куда исчезла?

— Да на склад к твоему Сане... И чтобы недельки три она там постояла... А потом ее можно будет вернуть владельцам... Они еще и спасибо за это скажут... А как ее по-тихому, аккуратно и легально со склада забрать — я тебе сейчас объясню...

Улыбка с румянцем вместе медленно сползли с лица Ващанова — он тупо уставился на майора, открыл рот, хотел что-то сказать, но в горле запершило... Только откашлявшись, Геннадий Петрович смог спросить:

— Сергеич, так ведь... Ты в какой блудняк меня вписываешь? Двадцать пять «сороковок» водки — это же деньги-то какие огромные! За такие деньги ведь и грохнуть могут запросто...

— Могут, — согласился Аркадий Сергеевич. — Если по-глупому все сделать, неаккуратно... А если по-умному, четко и грамотно, то риск совсем небольшой... Кстати, насчет «грохнуть могут» — не хотел тебе лишний раз напоминать, но... Если у твоих клиентов, которым ты автомобили гонял и растаможку делал — если у них тачки в конфискат забрать, вот тут гораздо больше нюансов, что кто-нибудь из них совсем обидеться может... До смерти обидеться... Смекаешь, Гена? Решать, конечно, тебе...

Ващанов задышал шумно, как корова перед дойкой... Прав, прав чекист проклятый, дурканули они с шурином с машинами этими, перебор получился... Но уж больно легко все складывалось, деньги сами в руки прыгали... А теперь — если, не дай Бог, клиентов «душить» начнут? Тогда — все, тогда и его, Ващанова, и мудака-шурина мигом на ответку поставят... А есть такие нервные, что и впрямь завалят, — наймут пэтэушников каких-нибудь баксов за пятьсот... Вот ведь, сука комитетовская, прижал как! Самым паскудным было то, что и Антибиотику в этой ситуации Геннадий Петрович пожаловаться не мог, потому что впарил свои иномарки трем людям из близкого окружения старика... Да и вообще, Виктор Палыч теперь совсем не столько внимания ему, Ващанову, уделяет, как раньше... Надобность, видать, отпала...

Назаров, усмехаясь про себя, наблюдал за борьбой чувств и мыслей на потном лице Геннадия Петровича. В конечном результате майор почти не сомневался. Наконец Ващанов махнул рукой, но вместо того, чтобы сказать что-нибудь, молча напузырил себе больше полстакана коньяку и выпил его жадно, дергая кадыком шумно, будто не выпил, а съел золотистую жидкость... Обтерев мокрые губы тыльной стороной левой ладони, Геннадий Петрович подался к Назарову:

— А как ты мыслишь забрать водку? Там же охрана, таможня — хуй чего и сбоку бантик...

Аркадий Сергеевич успокаивающе покачал головой:

— Я же сказал — все надо по-умному сделать, ни у кого никаких вопросов не будет... У тебя есть куда записать?

Геннадий Петрович кивнул и вытащил из пиджака пухлый ежедневник в дорогой кожаной обложке.

— Не пойдет, — сказал Назаров. — Запиши на отдельном листке, потом, когда запомнишь, сожжешь... На, держи... А в ежедневнике незачем такую информацию оставлять. Мало ли что... Значит так, слушай внимательно. Вот тебе образец факса от отправителя... Верхнюю часть ксеришь, а в середину — свой текст загонишь... Задача — сделать переадресовку груза... Тут тебе поможет мой человек — морской агент, он в Совмортрансе работает... Ты к нему с «левым», то есть уже со своим факсом придешь, — что груз не узбекам предназначен, а брянской торговой фирме «Эко-плюс». Фирма эта реально существует, вот образцы ее печати, — тебе, чтобы документы подтверждающие от «Эко-плюс» сделать, всего ничего надо, печати по образцу сварганить — это сейчас копейки стоит, вон, у «Гостинки» мужик каждый день стоит, какой хочешь штамп тебе вырежет... К морскому агенту придешь, скажешь, что от Василя Палыча. Не от Василия, а от Василя... Записывай координаты парня...

Аркадий Сергеевич диктовал размеренно, убежденно, спокойно, словно все, что предстояло провернуть Ващанову с его людьми из могучей фирмы «ОРБ-сервис», было сущей пустяковиной, словно план Назарова уже неоднократно опробовался на практике.

— Так... Теперь, значит, по документам груз якобы пойдет в Брянск... Почему именно Брянск? Потому что у нас на Пулковской таможне парень сидит — он легко достанет гарантийное обязательство от Брянской таможни насчет того, что все — тип-топ с «Эко-плюс»... К этому пареньку тоже тебе подъехать придется... Да, гарантийное обязательство его надо будет отблагодарить — долларов двести ему сунешь, я думаю, для тебя это все равно не деньги, а потом мы сочтемся... Пареньку скажешь, что Константин Захарыч посоветовал к нему обратиться. Записывай координаты...

Геннадий Петрович царапал ручкой лист бумаги как в бреду, с усилием сдерживая трясущиеся руки. В конце концов он не выдержал и засадил еще одну, конечную дозу. Назаров обеспокоенно глянул на Ващанова, но отставной полковник успокаивающе махнул рукой, мол, все в порядке, просто волнуюсь — понимать же надо...

— Теперь давай с машинами прикинем и с человеком, который конкретно на склад пойдет груз получать... Есть у тебя хлопец надежный? По глазам вижу, что есть... Значит, у него должны быть на руках следующие документы...

Чем подробнее рассказывал свой план майор Назаров, тем страшнее становилось Геннадию Петровичу — внутри у него все дрожало, словно какая-то падла засунула в желудок маленький вибратор... Складно-то вроде складно эта сволочь комитетовская все придумала, да только, известное дело, складно на бумаге, а в жизни сплошь овраги, по которым ходить... Да еще и расходы предстоят немалые — на те же грузовики, на водил... Надо же, так влететь... А если где-то прокол случится, если нестыковка какая? Тогда — вилы: либо ребята из «ТКК» начнут глаза на жопу натягивать, либо, если «официалом» все пойдет — статья уголовная, Нижний Тагил... А голос Назарова все гудел и гудел... Сволочь, все нервы уже с жилами вместе вытянул!

— Так, — вздохнул Аркадий Сергеевич. — Вроде все оговорили? Видишь, не так уж и стремно...

И Назаров улыбнулся — от улыбочки этой Ващанова нервная икота прошибла.

— Да уж... ик... Ой, Господи... Если бы все... ик... ой... так просто было... так... ик... почему же до сих пор... ик... с порта колоннами... ик... никто не вывозил? А, Сергеич?

Аркадий Сергеевич хмыкнул:

— Кто же сказал, что не вывозили? То, что заяв не было — это еще не значит, что грузовиками не тырили, поверь мне, Петрович, я в порту давно, такого навидался... Есть у нас, например, один таможенный брокер — так он вообще гений. Такие дела проворачивал — и не прихватить гаденыша... Я один раз с ним потолковать сел — он мне в лицо лыбится и говорит: «Я, Аркадий Сергеевич, в любой кабинет дверь ногой открываю... И все мне верят. А знаете почему? Потому что я — лучший!»

Чтобы не пугать еще больше Ващанова, майор не стал добавлять, что «гений», правда, вот уже больше месяца числится пропавшим без вести... Вместо этого Назаров продолжал скармливать Геннадию Петровичу успокаивающую информацию:

— Или того же Плейшнера взять с Гутманом — тоже пряники еще те... Была информация, как они контейнеры внагляк вывозили, а пацаны на воротах стояли, только пальцами крутили... Так что — не переживай, полковник. Все у тебя получится. Тем более что и интерес у тебя прямой есть постараться... Сделаешь дело — и я твои автомобильные темы навсегда забуду, слово офицера... Да плюс — когда время пройдет и груз к «ТКК» вернется, я гарантирую, премия будет немалая, еще и в плюсе останешься...

— А как груз-то возвращать? — чуть не всхлипнул Геннадий Петрович. — Ежели прямо со склада, так они ведь на Саню моего даванут, он и потечет, на меня укажет...

— Не о том ты сейчас думаешь, Петрович, — сморщился Назаров. — Как груз красиво вернуть — придумаем... Саня твой, в конце концов, может и веником прикинуться, мол, знать ничего не знаю, какие-то пацаны приезжали, просили за три коробки водки контейнеры подержать — я их и видел-то один раз в жизни всего... Или перед возвраткой можно «сороковки» вообще в другое место перекинуть. Там уж видно будет...

Ващанов тоскливо посмотрел на комитетчика:

— Сергеич... А зачем тебе это все? Забирать груз, отдавать его потом, а?

Лицо Назарова затвердело:

— Надо, Геннадий Петрович, надо... Серьезный оперативный интерес в этом всем имеется... Рассказать, сам понимаешь, всего не могу, но... Ты не только себе поможешь, но и для Державы большое дело сделаешь... Тут комбинация долгая, не один год готовилась... Здесь серьезные государственные интересы... Поэтому не стремайся — все получится. Тебя еще и наши люди подстрахуют для надежности...

Насчет «государственных интересов» Аркадий Сергеевич врал не случайно — знал он, как убедительно такие слова действуют. Правда, и у самого майора силы уже были на исходе, трудно ему было разыгрывать спокойствие и уверенность перед ссученным ментом... Да еще слово ему давать свое офицерское... Хотя — какое уж теперь слово... Чем он, Назаров, лучше Ващанова? Тем, что Ващанов ссучился пораньше? Противно-то как. Господи Боже...

— Все, Петрович, — подвел итог беседе майор и встал из-за стола. — Вроде все оговорили, все расписали... Времени у тебя на все про все дней пять-шесть, не больше... Ну и на всякий случай хочу предупредить — если по собственной дури на чем-нибудь сгоришь, тут уж не обессудь, как говорится... Вспоминать этот разговор я тебе искренне не советую... Но — ничего такого быть не должно, это я так, на всякий случай говорю... Ладно — удачи тебе. Как коробочки у Сани твоего окажутся, звони мне, приглашай на чаек. Все. Надеюсь на тебя!

Назаров быстро пожал вялую и влажную ладонь Геннадия Петровича и быстро выскочил из банного «кабинета», оставив Ващанова наедине с недопитой бутылкой коньяку... Зря ее майор оставил, зря... Хотя — и не в бутылке конкретной дело было... Не эта, так другая... Назаров хорошо провел беседу с Ващановым, но поскольку самому майору было стыдно и муторно, — он допустил одну существенную ошибку. Аркадий Сергеевич не обратил внимания на нервное состояние Ващанова, а если и обратил, то необходимых выводов не сделал... Геннадию Петровичу с самого начала нельзя было давать пить, а потом, когда совсем серьезный разговор пошел, — тем более... Дело в том, что Ващанов уже явился на встречу в предзапойном настроении, а сильное нервное потрясение, испытанное отставным полковником в ходе общения с комитетчиком, сделало этот грядущий запой неизбежным... Назаров-то, когда давил на Геннадия Петровича, исходил из нормальной человеческой логики, а у алкоголиков она — своя, незапойным непонятная.

В общем, когда Ващанов остался один, он вдруг испытал такой ужас, такую жалость к самому себе, такой «синдром тревоги», что чуть «кондратий» его не хватил... Геннадий Петрович жадно сцапал бутылку с остатками коньяка и остервенело высосал ее до капли, но стресс был слишком сильным, а коньяка в бутылке оставалось совсем мало... Тут еще сердце с места соскочило, показалось, что вот-вот — вообще остановится, замрет и никогда больше не запустится...

Геннадий Петрович продышался со всхлипами, кое-как собрался — вылез бочком из кабинетика, поминутно озираясь... Ему захотелось стать маленьким совсем, чтобы можно было забиться, спрятаться в какую-нибудь нору от этой подлой, страшной и чудовищно несправедливой жизни.

Плюхнувшись на сиденье своей «бээмвушки», Ващанов запустил мотор и погнал к ближайшему «ночнику», где затарился разной выпивкой под завязку. Отъехав от магазина, Геннадий Петрович быстро выхлебал залпом две бутылки датского пива, торопясь успеть, пока сердце не отказало окончательно...

Ощутив временное облегчение и легкую пьяную эйфорию, Ващанов мгновенно перешел от состояния паники и ужаса к надежде на то, что все еще как-нибудь устроится — и не из таких, мол, передряг вылезали... Одновременно с надеждой явилось и сексуальное возбуждение — конкретно так явилось, осязаемо вполне. Геннадий Петрович быстро принял «волевое решение» — заехать к давней любовнице Светочке, танцовщице из варьете в ресторане «Тройка».

Упредив Светика, по счастью оказавшуюся дома, телефонным звонком, Ващанов погнал к ней... По дороге он дважды останавливался для того, чтобы облегчиться, — один раз по маленькому, а второй раз уже по большому. Ну что поделать, если страдал Ващанов «медвежьей болезнью»? Бывший полковник не дотянул до дома Светочки всего три перекрестка — остановил машину, присел за кустами... К этому моменту его уже развезло окончательно, мысли в голове путались, память отключалась — в работу вступал «автопилот»... Геннадий Петрович даже не осознал, что, испражнившись, он подтерся тем самым листком, вытащенным из кармана пиджака, на котором помечал конспективно детали назаровского плана — порядок действий, координаты людей... Не до того уже было Ващанову, чтобы разбираться — какой листок под руку подвернулся. Подвернулся — и хорошо, и спасибо...

Ввалившись в квартиру к Светочке, Геннадий Петрович сначала принялся командовать, даже потребовал показать ему стриптиз, но потом сник, как-то расстроился, начал жаловаться на жизнь, затем вообще заплакал и забухал уже вовсе по-черному, отдаваясь во власть Его Величества Запоя...

Между тем, пока Ващанов, «сев на кочергу», с каждым днем все больше и больше утрачивал ощущение времени и пространства, в Морском порту, а если точнее, в третьем (самом «криминальном», кстати, по мнению многих экспертов) районе порта, где как раз располагались склады временного хранения фирмы «ТКК», начали разворачиваться достаточно интересные события. Во второй половине дня 30 апреля двадцать пять контейнеров с «Абсолютом» были погружены на автомашины одного из таможенных перевозчиков. После всех положенных формальностей колонну выпустили за пределы порта, и она ушла к границе с Прибалтикой...

Стоит ли объяснять, что таким образом произошло блестящее практическое воплощение в жизнь красивого плана, разработанного «бухгалтером» Плейшнера — Моисеем Лазаревичем Гутманом? На самом деле вся операция прошла еще более легко, чем ожидалось, — накануне майских праздников все торопились побыстрее закончить дела, и поэтому процедуры получения груза и последующего контроля на таможне заняли даже меньше времени, чем обычно... Самым «узким» местом во всей схеме было, разумеется, непосредственное получение контейнеров со склада «ТКК», но и там накладок не произошло — кладовщик, разумеется, не входивший в руководство «ТКК», ничего о поставке партии «Абсолюта» от Кости Олафсона не знал, а «бдить особо внимательно» именно за шведскими контейнерами его никто не уполномочивал. Руководству «ТКК» просто в голову не могло прийти, что вот так вот просто — внагляк — прямо со склада, находящегося в зоне таможенного контроля, у них кто-то может «помылить» груз... Ну а кладовщику-то что, больше всех надо? По бумагам все было чисто, имелся даже один листок с подписью самого Бурцева — кто же знал, что она потом окажется поддельной?

В общем, все произошло по нормальному российскому правилу: если хочешь схитить что-то суперкрупное — хитить надо «втупую», и именно в этой ситуации никто ничего не заподозрит...

Надо сказать, что в Петербурге похожие ситуации имели место не только в порту с его вечной неразберихой и бардаком, но и в гораздо более почтенных и с виду абсолютно неприступных организациях. Например, как-то раз из одного из самых известных в стране и в мире музеев была вообще без каких бы то ни было документов вынесена «стопочка» старинных икон. Никто даже не обернулся поинтересоваться, куда их, собственно, несут? Только одна бабушка-вахтерша проявила бдительность и спросила незнакомых ей людей — на реставрацию, что ли? В ответ ей без улыбки было сказано, что вовсе, мол, и не на реставрацию, а к себе домой — что им тут пылиться, иконам этим, все равно никому до них дела нет... Старушка оценила юмор и вызывать милицию не стала. Слава Богу, что иконы на самом деле забирали для реставрационных работ... Самое смешное началось потом, когда отреставрированные иконы понесли обратно. Их сперва не желали пропускать в музей, потом несколько часов проводилось дознание — отдавали ли вообще из музея что-либо на реставрацию... В результате художникиреставраторы, которые непосредственно участвовали во всей этой невероятной истории, живут по сию пору с непоколебимой уверенностью в душе: в день выноса икон из музея судьба им шанс подарила украсть быстро и много, а они, дураки, этим шансом не воспользовались... Правда, настоящий художник — он ведь и должен быть бескорыстным... И потом — пусть богатыми реставраторы так и не стали, но зато они получили столько положительных эмоций от всего этого приключения. Смешно ведь, правда? Почти до слез смешно...

Дальше были майские праздники, давшие Плейшнеру и Гутману хорошую временную фору... Короче говоря, когда в «ТКК», наконец, обнаружили исчезновение двадцати пяти «сорокафутовок» с «Абсолютом» — эти контейнеры уже спокойно стояли себе на совсем другом складе, принадлежавшем некоему коммерсанту, вплотную «работавшему» с Антибиотиком... Сам коммерсант, кстати, о трудной судьбе этих «сороковок» ничего не знал, он получил прямое указание от Виктора Палыча принять контейнеры — ну и принял, без вопросов... Бизнесмен давно уже научился не задавать лишних вопросов — тем более самому Говорову... Меньше знаешь — крепче спишь.

Кстати говоря, утром 3 мая факт хищения партии «Абсолюта» вскрылся достаточно случайно — просто удивительно, что это произошло так быстро. А получилось так: заместитель генерального директора «ТКК» Дмитрий Николаевич Гришин (в прошлом майор Комитета) курировал еще одну поставку груза — другого, совсем не связанного с шведской темой — и ломал голову, куда бы поставить контейнеры, которые должны были прийти через пару дней? По представлениям Гришина, места на складе временного хранения могло не хватить, вот и пошел Дмитрий Николаевич, привыкший все делать добросовестно, непосредственно на объект, где кладовщик простодушно обрадовал его — зря, мол, волнуетесь, Дмитрий Николаевич, места-то полно, после тех двадцати пяти «сорокафутовок» вон сколько освободилось...

Поскольку Гришин являлся одним из руководителей «ТКК» (хоть и не первым заместителем, но все-таки), то он был в курсе того, когда намечалась вывозка контейнеров с «Абсолютом». В общем, кладовщик долго не мог понять, почему Дмитрию Николаевичу стало как-то нехорошо... Потом, правда — и очень скоро, надо отметить — нехорошо стало и самому кладовщику, да что толку-то... Шухер в фирме «ТКК», конечно, поднялся ужасный — бывшие офицеры вспомнили прежние свои навыки (а их, заметим, утратить до конца невозможно, настолько они входят в кровь) и в течение суток сделали то, на что официальным правоохранительным органам потребовалось бы несколько дней: они нашли и опросили всех, кого только можно было найти и опросить.

В частности, неимоверно быстро из пяти крановщиков, работавших 30 апреля, был установлен один, осуществлявший непосредственно погрузку контейнеров на грузовики таможенного перевозчика. Ничего вразумительного из крановщика, которого некий чувак нанял на хорошо проплаченную «сверхурочную», вытрясти не удалось, потому что работяга действительно ничего не знал и не понимал, что от него хотят... Шоферы «таможенного перевозчика», нанятого неким представителем латвийской фирмы «Дана», тоже только плечами пожимали: «А то что? Нам сказали — мы поехали... А бумаги все у того парня-латыша были, этот урод и банковал... Мы предупреждали, что у нас латвийских виз нет... Так он в Пыталово уже, в зоне контроля, в таможню сбегал, документы с отметками принес — и все... Коробочки на грузовики с латышскими номерами перекидали краном — мы и поехали назад...»

Само собой, вывернули наизнанку и кладовщика — с тем же примерно результатом... Неофициальный опрос таможенной смены также ничего не прояснил. Груз исчез бесследно — остались только фальшивые бумажки... Нет, представитель латвийской фирмы «Дана», конечно, был отфиксирован — у него же все-таки и паспорт смотрели, и все такое... Беда в том, что, как оказалось, паспорт тот на самом деле принадлежал гражданину, мирно скончавшемуся еще полгода назад... А что касается фирмы «Дана», о которой бывшие чекисты, используя старые связи, сумели навести справки довольно быстро, — выяснилось, что такая фирма действительно была зарегистрирована в Риге в июне 1992 года, но довольно быстро обанкротилась и прекратила свое существование еще в 1993 году...

Тем не менее бывшие комитетчики не сдавались и продолжали поиски, к которым сразу же подключилась и Служба безопасности порта — по личному указанию ее начальника, Анатолия Валентиновича Бессонова, офицера действующего резерва ФСК.

Правда, официального заявления в милицию руководство «ТКК» после короткого совещания решило пока не делать — по вполне понятным причинам... Ведь в этом случае пришлось бы называть конечного получателя — многострадальный узбекский торговый дом «Абдулаев и К», который был такой же липой, как и злодейская латышская фирма «Дана»... Но через неофициальные контакты местную милицию к оперативно-розыскному процессу все-таки привлекли, сотрудникам (надежным и проверенным) даже для стимуляции тысячу долларов на руки раздали, и они ретивость проявили... Но не сыскался проклятый «Абсолют» и все, хоть ты тресни!

Но еще до того, как поиски пропавшей (а точнее, похищенной) партии водки были развернуты «в полном объеме», вечером 3 мая генеральный директор «ТКК» Дмитрий Максимович Бурцев позвонил майору Назарову и попросил о срочной встрече. До Аркадия Сергеевича слух о пропаже двадцати пяти контейнеров еще не докатился, поэтому майор, не имевший никаких известий от Ващанова, удивился и встревожился — в речи Бурцева явно присутствовали нервозные интонации, не характерные для этого обычно спокойного и выдержанного человека.

Назаров, разумеется, на встречу согласился, но перед тем, как отправиться на нее, начал названивать бывшему первому заместителю начальника РУОПа. Отыскать Геннадия Петровича не удалось — в офисе «ОРБ-сервиса» отвечали, что руководитель заболел, дома у Ващанова трубку сняла, видимо, жена, сказавшая нервно, что супруг в отъезде, а «Дельта» отставного полковника откликалась равнодушным женским голосом, сообщавшим, что «телефон вызываемого абонента выключен или находится вне зоны обслуживания». Безуспешные поиски Ващанова вкупе с явной обеспокоенностью в голосе Бурцева, естественно, оптимизма Назарову не прибавили — и на встречу с генеральным директором «ТКК» майор отправился, снедаемый самыми дурными предчувствиями.

И они, надо сказать, Аркадия Сергеевича не обманули. Правда, в самом начале встречи, проходившей все в той же «Шайбе», Назаров испытал некоторое чувство облегчения, когда Бурцев без особых предисловий сообщил, что они в дерьме по уши и что какие-то пидоры похитили весь объем поставки «Абсолюта». Аркадию Сергеевичу стоило большого труда сдержать свои эмоции — ведь он, как уже объяснялось, опасался прежде всего «контроля» за этой партией водки со стороны своих же коллег... А теперь, когда водки в порту больше нет, когда его план удался — теперь совсем другое дело... Непонятно, правда, почему Ващанов не отзвонился до сих пор, если он организовал вывоз уже 30 апреля... Минуточку... Как это тридцатого?! Никак Ващанов не мог этого сделать — ведь он, Назаров, его только двадцать седьмого «зарядил»... И каким бы шустрилой Гена ни был, но за двое суток просто невозможно подготовить и осуществить такую операцию... Или все-таки возможно? Но почему же он тогда не позвонил?

Все этим мысли вихрем закружились в голове майора, остававшегося внешне спокойным и невозмутимым, в отличие от какого-то помятого и дерганого Бурцева, бесцветным голосом рассказывавшего о мудаках-шоферах, доставивших груз в Пыталово, о непонятной латвийской фирме «Дана» и о других прискорбных подробностях «похищения века»... Вот тут чувство первоначального облегчения и вовсе покинуло Назарова, потому что по его-то плану водка должна была идти как бы в Брянск, а не в Латвию... И при чем здесь фирма «Дана», если задумывалось изобразить получателем «Эко-плюс»? Майор так растерялся, что даже не удержался и переспросил:

— Пыталово? Почему Пыталово? — Удивления в его голосе, пожалуй, было чуть больше, чем следовало, но Бурцев не обратил на это внимания — мужик и сам удивлялся не переставая.

— Откуда я знаю, почему, — устало ответил Дмитрий Максимович, ослабляя душивший его узел галстука. — Наверное, у них там завязки свои на таможне, у этих сук... Мы ребят туда уже отправили, они там, конечно, попробуют поковыряться, но ты же понимаешь...

Назаров кивнул. Шансов выяснить что-то на Пыталовской таможне у людей Бурцева действительно практически не было — бывшие сотрудники, они и есть бывшие сотрудники: с ними могут вообще не захотеть разговаривать. При таком раскладе и действующие-то, скорее всего, в стенку уперлись бы... Дмитрий Максимович закурил, а потом, тяжело вздохнув, поднял глаза на Назарова:

— В общем, такие вот говенные дела, Аркадий... Я перед тобой щеки надувать не буду — ты мужик грамотный, сам все прекрасно понимаешь... На этом этапе за партию «Абсолюта» отвечаю я... Точнее, фирма... Если мы пропажу не отыщем — то и долг на нас ляжет, как на не обеспечивших сохранность... Такие деньги платить — это если и не полный крах для нас, то почти полный... Я знаю, у тебя были виды на нас... Как и у нас на тебя... Я все договоренности помню... Так вот — чтобы они не потеряли смысл... Я тебя просто по-товарищески прошу — помоги, чем можешь... Подключи все свои оперативные возможности — дело-то, в конце концов, почти общее... Я тебя знаю — ты никогда раньше на такое не шел, я бы и просить не стал... Но ведь тут-то случай, можно сказать, особый... А? Мы сейчас любой помощи рады будем...

Назаров тоже закурил и спросил негромко:

— Официальную заявку младшим скинули уже?[*]

Бурцев вздохнул и отвел взгляд:

— Нет...

— Почему?

Дмитрий Максимович долго мялся, а потом махнул рукой — чего уж тут целку-то из себя строить, тем более перед своим. Или — почти своим.

— Понимаешь... Тут хуйня такая... В общем... У нас с получателем не все до конца чисто... Мы... Короче

---

[*] Жаргон, сегодня уже не употребляющийся: когда-то милиция называла КГБ старшими братьями, а комитет милицию — соответственно, младшими.

говоря, лучше бы нам без заявы из этой запутки вылезти... Ну, ты понимаешь...

Назаров зло усмехнулся. И кто знает, на кого в этой усмешке было больше злости — на Бурцева, на себя самого или вообще, на так погано и непонятно складывавшуюся в последние годы жизнь в стране... Майор вздохнул и спросил утвердительно — хотя и так все прекрасно знал:

— Недоставка?..

Бурцев, не глядя ему в глаза, кивнул:

— Она самая. Будь неладна... Аркадий, ты пойми — нам нужно было раскручиваться побыстрее... Не мы же эти идиотские пошлины устанавливали... А у нас получается — кому все, а кому хрен на блюде... «Льготникам» всяким — афганцам, спортсменам, слепым с глухими — пожалуйста, беспошлинный ввоз... Через них все и гонят... Я себя не оправдываю, нет — жадность губит фраеров, но... Не я этот ебаный бизнес в стране запускал, не я его законы устанавливал... Но ты же знаешь, с волками жить — по-волчьи выть... А не хочешь выть — и жить не будешь... Ты видишь — я перед тобой, как на духу...

Бурцев бормотал еще что-то, Назаров кивал... Конечно, майор не строил иллюзий насчет внезапной откровенности Дмитрия Максимовича — только потому и разоткровенничался, что прижало... Да еще потому, что уверен — его, Назарова, можно не стесняться: он и две «тонны» взял, не поморщился, и вообще — кто клиента-шведа изначально в «ТКК» привел? Так что никуда этот Назаров не денется — в той же лодке сидит.

Майор снова вздохнул — сейчас его мысли были заняты не столько нравственными аспектами деятельности «ТКК», сколько абсолютно непонятными обстоятельствами вывоза конкретной партии водки... Что же все-таки произошло? Может быть, все же Ващанов успел, а изменения в плане по ходу дела возникли? Но почему тогда Гена молчит, не звонит? А если не Ващанов — тогда кто? И почему именно сейчас? Конечно, то, что может сочинить один человек, под силу выдумать и другому... Но... Такие совпадения во времени и пространстве случайными быть не могут... Нет, наверное, все-таки Ващанов успел... Назаров не старался уверить себя в том, что все нормально: просто он принадлежал к той категории людей, которые умеют владеть собой и не впадают сразу в полное отчаяние, даже когда есть от чего.

— Ладно, Максимыч, — сказал наконец Аркадий Сергеевич. — Чего попусту пар гонять. Есть проблема, есть ситуация... Надо работать. Чудес, естественно, не обещаю, но что смогу — сделаю. Но и ты уже, какая информация у вас появится — передавай мне сразу. Но только лично, с другими твоими архаровцами я говорить не буду. Ты мужик не менее моего грамотный — тоже все понимаешь. Мне до пенсии все-таки доработать хочется. Хотел, чтобы спокойно доработалось, да, видно, не судьба.

Бурцев невесело усмехнулся:

— Полный покой — он только в могиле... Спасибо, Аркадий.

— Шуточки у тебя, Максимыч... — передернул плечами Назаров. — Зачем же так мрачно? Не скисай, двадцать пять контейнеров — это все же не иголка.

Бурцев пожал плечами — и видно было, что оптимизм не переполнял отставного подполковника. А может быть, грустно пошутив насчет покоя и могилы, Дмитрий Максимович смог на мгновение предощутить свою собственную судьбу? Да и не только свою...

Они проговорили еще минут тридцать, а потом попрощались. Назаров, несмотря на позднее уже время, свернул в свой кабинет и снова, взявшись за телефон, начал разыскивать Ващанова. Радиотрубка Геннадия Петровича по-прежнему была отключена. Тогда Аркадий Сергеевич, выругавшись сквозь зубы, позвонил бывшему руоповцу домой. Трубку опять сняла супруга Геннадия Петровича:

— Алло?

— Извините, будьте добры Геннадия Петровича...

— Его нет...

Назарову показалось, что голос женщины звучит как-то странно — словно она изо всех сил сдерживает рыдания. «Что за черт?» — подумал майор и постарался придать следующей своей фразе максимальную убедительность:

— Простите еще раз, это с его прежней работы беспокоят... У нас тут одно срочное дело, нам необходимо как можно быстрее с Геннадием Петровичем проконсультироваться... Вы не подскажете, когда он будет? Или — как нам его найти? Понимаете, радиотелефон у него выключен, а мы...

Аркадий Сергеевич говорил очень мягко и вежливо, но у женщины на другом конце провода, видно, сдали нервы, потому что она чуть ли не закричала:

— Да оставьте вы все меня в покое! Откуда я знаю, когда он будет! Он мне не докладывается! Сказал — в гараж пошел... И... и не звоните сюда больше, я телефон выключу, я...

— Подождите, подождите, — попытался Назаров остановить ее начинающуюся истерику, но женщина уже бросила трубку, и майор услышал лишь короткие гудки отбоя.

«Интересная херня, — подумал майор, закуривая сигарету. За день он выкурил их уже столько, что даже не чувствовал вкуса. — Что там у Гены происходит?»

Докурив, Назаров принял решение съездить к Ващанову в гараж, попробовать найти его там. А если не найдет — что же, тогда придется нанести визит супруге и деликатно с ней поговорить: отчего слезы, куда муж делся...

Где находился гараж Ващанова, Аркадий Сергеевич знал, хотя никогда там, естественно, не был и в глаза его не видел. Просто, когда еще майор только-только решил поподробнее поинтересоваться Геннадием Петровичем, когда начал через свои источники собирать информацию о растаможках иномарок, которыми баловались родственники, — вот тогда один человек, перед которым отставной полковник очень любил хвастаться разными своими материальными приобретениями, и рассказал Назарову, что гараж себе Ващанов построил прямо во дворе дома, «согласовав по сходной цене все вопросы с районной администрацией». По словам источника, бывавшего в этом гараже неоднократно, — ничего подобного он в жизни просто не видел... Гараж якобы был уже вовсе и не гараж, а чуть ли не целый дом — каменный, отапливаемый изнутри и такой огромный, что в него влезли бы легко как

134

минимум две «бээмвушки» — и даже при этом не надо было вдоль стенок протискиваться.

А еще в этом дворце для автомобиля был предусмотрен личный кабинетик для самого Геннадия Петровича — со столиком и диванчиком, холодильником и телевизором. Самое интересное — вся эта радость обошлась Ващанову в сущие копейки, по крайней мере он сам так говорил, дескать, заместитель главы районной администрации этим гаражом с Геннадием Петровичем за старый должок рассчитался... В свое время Назаров, получив эту информацию, только вздохнул — его собственный гараж находился в четырех автобусных остановках от дома (плюс минут пятнадцать — пешком), дверь в железную будку для «четверки» все время заклинивало и перекашивало, так что ее было то не открыть, то не закрыть, — поэтому-то Аркадий Сергеевич часто и бросал свою развалюшку под окнами, хоть и боялся, что однажды машину угонят...

Зная адрес Ващанова, местоположение гаража было вычислить несложно — ведь Геннадий Петрович хвастался, что туда даже зимой можно «в тапочках бегать».

Проклиная все на свете, Назаров пересчитал деньги в кошельке. На такси должно было хватить — собственная-то «лошадка» майора так и стояла пока без аккумулятора и с пробитыми колесами... Правда, обидно будет, если Ващанова ни в гараже, ни дома не окажется... Мало ли что он сказал жене... У Аркадия Сергеевича, вон, был один сослуживец, так он однажды в субботу утром сообщил супруге, что поедет в библиотеку позаниматься, а потом домой явился только в воскресенье вечером — весь в засосах... Это еще в старые времена было — супруга сослуживца тогда мигом «телегу» в партком настрочила, и парню всыпали по первое число, заставили в лоно семьи вернуться... А теперь женам куда жаловаться? Особенно женам коммерсантов и бизнесменов... Если только мужниной крыше — по отдельному тарифу... Назаров невольно улыбнулся своим мыслям, спрятал бумажник во внутренний карман пиджака, надел плащ и вышел из своего кабинета.

Ему повезло — машину Аркадий Сергеевич сумел поймать довольно быстро, и это был частник, с которым Назаров договорился о цене ровно в два раза меньшей, чем у таксистов. Усаживаясь на заднее сиденье, майор внимательно посмотрел на лицо водителя — сейчас время такое, можно и на кого-нибудь из знакомых нарваться, и вообще даже из своих... Вон, из службы «Т»[*] два месяца назад помели одного капитана, старшего опера — бомбил[**] по ночам... Так этому парню такую накачку устроили, будто он Родину продал... А то, что у него жена с маленьким ребенком, то, что зарплаты не хватает и пайковые не платят — это «личные трудности»...

Но водитель, подрядившийся везти Назарова на учуханной «шестерке», был явно незнакомым. Когда майор сел в машину, частник поправил очки, сморщился, словно извиняясь, и запинаясь пробормотал:

— Простите... Если вам не трудно — давайте заранее рассчитаемся...

Аркадий Сергеевич хмыкнул и полез в карман за бумажником:

— Что, часто кидают?

— Не то чтобы часто, — пожал плечами водитель. — Но случается... Я вообще-то стараюсь только приличных людей брать, но все равно...

— Понятно, — кивнул майор. — Вы кто по основной специальности?

— Я? Я музыкант, — явно стесняясь, ответил водитель. — Духовик... Из военного оркестра...

— Понятно.

Аркадий Сергеевич привалился виском к холодному стеклу и устало прикрыл глаза...

Через полчаса он уже стоял во дворе дома Ващанова — длинной панельной «девятиэтажки». Дождавшись, пока духовик-извозчик уедет, Назаров огляделся — и сразу понял, что гаражом своим бывший первый заместитель начальника РУОПа хвастался обоснованно. Строение с глухими стенами из добротного красного кирпича действительно поражало воображение — оно казалось инородным телом во дворе обычной советской

---

[*] Служба «Т» — одно из подразделений ФСК, профилированное на борьбе с терроризмом.

[**] Бомбить — сленговое выражение, означающее «заниматься частным извозом».

девятиэтажки. Спутать этот гараж с каким-либо другим было просто невозможно, поскольку он был один во дворе дома.

Назаров покрутил головой, сплюнул, не удержавшись, и решительно зашагал к строению.

Толстая металлическая дверь была прикрыта, но не закрыта снаружи, — стало быть, внутри кто-то находился. Прежде чем постучать, Аркадий Сергеевич приложил к воротам ухо — в гараже слышались характерные женские стоны и приглушенная музыка...

«Во дает! Ну, Гена, ну, артист! Неужели — трахается там, прямо под окнами собственной квартиры?! Ну, орел... Теперь понятно, почему супруга его в расстройстве пребывала... Ладно — извини, Петрович, придется тебе кайф порушить маленько, ввиду чрезвычайных обстоятельств...»

Назаров решительно заколотил кулаком в ворота — потом прислушался: женские повизгивания не прекратились, но в гараже послышался еще какой-то шорох, потом звон бьющегося стекла, потом какое-то невнятное бормотанье... Выждав с минуту, Аркадий Сергеевич снова постучал — на этот раз уже ногой. Бормотание с той стороны двери стало более отчетливым, но распахивать ворота пока явно не торопились. Майор выругался матерно и заколотил одновременно кулаком и ногой:

— Гена! Геннадий Петрович, слышишь? Открой! Это я — Назаров! Слышишь?! Нам поговорить надо!

За дверью раздались какие-то стоны, потом послышался шум падающего тела — и все это на фоне не прекращавшихся ни на секунду предоргазменных женских вскрикиваний... Не на шутку встревожившийся Аркадий Сергеевич уже стучал в дверь, не переставая, и чуть не во весь голос кричал:

— Гена! Петрович, открой! Гена, с тобой все в порядке?! Открой дверь — это я, Назаров!

Наконец с той стороны ворот кто-то спросил сипло — майор с трудом узнал голос Ващанова:

— Какой Назаров? Чего... Зачем?! Пошли все на хуй...

Аркадий Сергеевич опешил, а потом закричал через дверь снова, уже понимая, что Ващанов как минимум сильно выпил:

— Гена, слышишь, Гена — открой... Это я, Аркадий Сергеевич Назаров, из порта... Ну, вспомнил? Я к тебе заехал, понимаешь, с прошедшими поздравить, посидеть, выпить, покалякать, а ты меня за порогом держишь... Нехорошо... Открывай, Петрович... Выпьем, посидим...

Геннадий Петрович, видимо, соображал уже совсем плохо, но магически-ключевое слово «выпьем» свою роль сыграло — минут через пять напряженных уговоров ворота гаража все-таки распахнулись... На Аркадия Сергеевича пахнуло таким сортирным смрадом, что он даже покачнулся, — из каменных хором для ващановской «бээмвушки» несло мочой, блевотиной и густым, как студень, перегарным запахом.

Сам хозяин предстал перед Назаровым в крайне экзотическом виде — его трудно было узнать: костюм Геннадия Петровича (тот самый, в котором он приезжал на встречу 27 апреля) превратился в засаленную, смятую и опаскуженную робу — а чему тут было удивляться, если Ващанов не снимал его пять суток? Щеки отставного полковника покрылись сизой щетиной, знаменитый чубчик свалялся в какой-то панковский кок, глаза заплыли и превратились в слезящиеся щелки, в уголке рта прилип фрагмент того, что Геннадий Петрович периодически изрыгал из усталого организма... Этот достойный внешний вид дополнялся кокетливо расстегнутой ширинкой, из которой выглядывал уголок некогда голубой рубашки, и отсутствием ботинка на правой ноге...

Ващанов покачнулся, держась за створку ворот, и, мученически вглядываясь куда-то за плечо Назарова, просипел:

— Чего? М-м-м? Зачем, на хер?..

Аркадий Сергеевич даже оглянулся, но за его спиной никого не было, просто Геннадий Петрович не смог сфокусировать взгляд на госте.

— Господи ты Боже мой. Гена!.. — Назаров в полном обалдении сначала отшатнулся, но потом быстро втолкнул Ващанова в гараж, вошел сам и закрыл за собой дверь — закрыл и тотчас же пожалел об этом, потому что запахи в замкнутом пространстве многократно усилились.

Внутри гаража горел неяркий свет, падавший на криво поставленную «бээмвушку» с поцарапанным крылом — видимо, загонял внутрь ее хозяин с нескольких попыток. За автомобилем виднелась приоткрытая дверь в стене — Назаров догадался, что там и находился личный «кабинетик» Геннадия Петровича — оттуда по-прежнему доносились ритмичные женские вздохи...

Назаров недоуменно потряс головой:

— Гена... Гена, сконцентрируйся! Ты один?

Ващанов неопределенно покрутил правой кистью, привалился к стене и сочно рыгнул.

— Ну, урод!..

Аркадий Сергеевич, чувствуя, как закипает в нем злость, ухватил отставного полковника за шкирку и поволок к «кабинету», не обращая внимания на вялое сопротивление.

«Кабинет» выглядел под стать хозяину. На полу, словно на палубе пиратской шхуны, в живописном беспорядке валялись пустые и полупустые бутылки, остатки еды и непонятно откуда взявшаяся подзорная труба. Небольшой диван был чем-то залит, гостевое кресло лежало на боку. Живых душ не наблюдалось, а женские вздохи объяснялись просто: на столике у стены стояла маленькая цветная «двойка», в которой крутилась кассета с жизнерадостной немецкой порнухой — там два здоровенных негра как раз одновременно овладели довольно взвизгнувшей блондинкой и хором заявили:

— О-ля-ля! Дас ист гут, дас ист фантастиш!

Назаров швырнул Геннадия Петровича на диванчик и выключил телевизор. Ващанов что-то протестующе замычал, но Аркадий Сергеевич тут же отвесил ему пощечину:

— Очухивайся, скотина! Ты с чего запил?.. Гена! Ты меня слышишь?! Когда ты начал бухать? Ты делал что-нибудь с грузом? Мерзота ты паскудная... Гена! Контейнеры с «Абсолютом»... Ты забирал их?!

В душе у Назарова еще теплилась сумасшедшая надежда, что, может быть, это все-таки Ващанов сумел провернуть всю операцию, а потом, на радостях, так сказать, решил расслабиться...

При слове «Абсолют» Ващанов кивнул и предпринял попытку заглянуть куда-то за диван, но Аркадий Сергеевич не дал ему этого сделать — схватил Геннадия Петровича за грудки и начал трясти так, что голова страдальца безвольно качалась из стороны в сторону:

— Гена!.. Сволочь какая! Трезвей, уебок, очухивайся!

Возвратиться на грешную землю из своего далекого алкогольного «астрала» Ващанов упорно не желал, тогда Назаров, преодолевая брезгливость, приступил к операции по очистке организма Геннадия Петровича. Пометавшись по гаражу, Аркадий Сергеевич обнаружил канистру с водой и начал поливать ею бывшего руоповца. Водные процедуры майор перемежал пощечинами и надавливанием пальцами на заплывшие глазки полковника:

— Трезвей, сволочь, трезвей!..

Справедливо говорят, что терпение и труд в конце концов все перетрут — минут через сорок интенсивной «терапии» Геннадий Петрович начал что-то соображать. Он узнал Назарова и удивленно поинтересовался:

— С-с-сергеич?! А ты откуда?

— От верблюда! — зло ответил ему Назаров и в изнеможении опустился в «гостевое» кресло, поставив его предварительно на ножки. — Очухался?

— П-почти, — честно ответил Ващанов и тут же начал деловито оглядываться.

Заметив на полу у стенки недопитую бутылку красного вина, Геннадий Петрович дернулся было к ней, чтобы снова уйти в мир сладких грез, но Назаров среагировал раньше — он пнул бывшего руоповца ногой в животик, вернув его тело в первоначальное положение.

— Т-ты что, Сер... ик... геич?

Майор встал и наклонился к Ващанову:

— Ты сколько дней пьешь, скотина? Давай, вспоминай, вспоминай!.. Ты по тем контейнерам, о которых мы с тобой говорили, что-нибудь делал? Ну, вспоминай!

— К-к-какие... ик... контейнеры?

— С «Абсолютом»! Ты что, всю память уже пропил?! Ну, вспоминай!

Геннадий Петрович посмотрел на Назарова горестно, потом сморщил лоб и спросил:

— А... Арка... ик... дий, как... какое сейчас число?

— Третье!.. С праздниками тебя прошедшими!

— Т-третье?! Ой-е... Ба-ля... Че-то меня как сильно с-снесло... Ч-че-го я... П-прости, Серг... ик... ич!..

Из дальнейшего полувнятного бормотания Назаров, внутренне холодея, уяснил более-менее следующее: когда они расстались вечером 27 апреля, на Ващанова что-то, как он выразился, «нашло», он крепко забухал и отправился к своей любовнице, некой Светочке, «твари неблагодарной»... Эта Светочка, видимо, терпела художества Геннадия Петровича дня два, а потом выставила своего кавалера за дверь... Ващанов с горя запил еще шибче, заявился домой, но там тоже не сложилось, потому что супруга оказалась такой же «тварью». В результате Геннадий Петрович, всеми брошенный и покинутый, оказался в гараже, откуда два раза совершил героические партизанские вылазки за кончавшимся очень быстро горючим... Никаким «Абсолютом» он, естественно, не занимался, потому что чувствовал себя «т-так плохо, С-серг-еич, так п-плохо...». Назарову и самому стало очень плохо: хоть и слабой была надежда на то, что исчезновение водки со склада «ТКК» дело рук Ващанова, но все-таки... А теперь эта надежда умерла окончательно и бесповоротно... Но кто же тогда схитил груз? Причем схитил практически по его, Назарова, схеме... Кто?!

Между тем Геннадий Петрович, вдруг осознавший свою вину, начал проявлять активное стремление эту вину загладить — он извлек из бокового кармана пиджака радиотелефон, зачем-то протер его рукавом, включил и начал набирать какой-то номер, бормоча при этом:

— П-прости, Сергеич, с-с-снесло меня, ик!.. Я щас Сашке позвоню, он на с-складе в Сертолово... М-мы... Щас все в два-три дня п-провернем быстро. У меня ребята... Эт-ти к-контейнеры — легко!..

Было ясно, что Ващанов совершенно ничего не знает об исчезновении этих самых контейнеров... Знать не знает, но, может быть, он кому-то слил информацию, полученную от него, от Назарова?

Аркадий Сергеевич, долго смотревший на Ващанова невидящими глазами, вдруг заметил, что тот пытается кому-то позвонить. Майор выхватил из рук Геннадия Петровича телефон, в котором уже пошел гудок вызова, и нажал на кнопку отключения. Ващанов хотел было что-то сказать, но Назаров оборвал его:

— Заткнись, придурок!

Аркадий Сергеевич наклонился к бывшему руоповцу и тихо, но очень страшно спросил:

— Гена... Ты кому-нибудь говорил о нашем разговоре, а? Ты кому-нибудь еще о контейнерах с «Абсолютом» рассказывал?

Геннадий Петрович преданно выкатил глаза и затряс головой:

— Т-ты что, Серге-еич? Я же... п-пони... ик... маю... Я же... ик... м-могила... Я — н-нико-ому...

Назаров снова опустился в кресло. Закурив, он устало прикрыл глаза и начал массировать надбровье большим и указательным пальцами левой руки. Судя по всему, Ващанов не врал... Не могли похитители получить информацию от него, просто физически не могли... Ващанов сам обо всем узнал вечером двадцать седьмого — меньше чем за сорок восемь часов до кражи контейнеров... Даже если Геннадий Петрович и мог проболтаться кому-то в пьяном угаре об интересном грузе — у нового носителя информации не оставалось времени для подготовки операции... В два дня такую аферу не запустишь — при самом гениальном плане. Надо ведь все осмыслить, согласовать, изготовить подложные документы... Подумав о документах, Назаров открыл глаза и посмотрел на Ващанова в упор:

— Гена, я тебе образцы документов давал... Где они?

— А? — Геннадий Петрович начал оглядываться, словно надеялся увидеть спрашиваемые комитетчиком бумаги развешанными по стенкам своего кабинетика.

Аркадий Сергеевич сплюнул с досады, встал и быстро обшарил пиджак Ващанова. Образцы коносаментов и разнарядки на выдачу груза со склада обнаружились в сложенном виде в правом внутреннем кармане — судя по всему, отставной полковник и не вынимал их оттуда со времени предыдущей встречи с Назаровым. Так, хоть это — хорошо... А где листок, на котором Ващанов записывал инструкции Аркадия Сергеевича? Его нигде не было...

— Гена, листок, на котором ты пометки делал — где он?

— П-пометки?

— Да, пометки... Мы говорили — точнее, я говорил, а ты записывал... Ну?! Вспоминай!

— Н-не помню...

— Мудак!

Назаров скрипнул зубами. Скорее всего, этот алкаш просто выронил где-то ту бумажку... Да и Бог с ней — ничего такого суперопасного Ващанов на ней не нацарапал. Да, там значились телефоны двух людей Аркадия Сергеевича да конспективно излагался план вывоза груза. Но поскольку пометки были все-таки конспективными, понять оттуда что-либо человеку постороннему будет очень сложно, скорее — просто невозможно. И уж никак эту бумажку не привязать к самому Назарову... Если бы Аркадий Сергеевич знал, как использовал Ващанов этот листок, — он бы и вовсе успокоился, но знать этого майор, естественно, не мог...

Геннадий Петрович вдруг подал голос:

— С-сергеич... Ты п-прости... Мы эти к-контейнеры — мигом...

— Не надо! — сухо ответил майор. — Забудь про них, и лучше — навсегда.

— П-почему?

— Потому! — невесело усмехнулся Аркадий Сергеевич. — Легенда меняется...

Ващанов юмора не понял, потому что анекдота, который вспомнил Назаров, никогда не слышал — но на всякий случай отставной полковник подхихикнул*.

---

* Популярный в свое время среди сотрудников ПГУ КГБ анекдот. Молодого лейтенанта, умудрившегося понравиться дочке одного из больших начальников, вызывают к руководству и сообщают: «Вас решено откомандировать в Париж. Цель задания — медленное, постепенное вхождение в среду миллионеров с последующей длительной консервацией. Выходить на связь первые пять лет с вами вообще не будут. Легенда: вы молодой миллионер, владелец особняков и яхт, прожигатель жизни...» Лейтенант, естественно, от радости начинает крепко бухать, проставляется сослуживцам, но во время пьянки называет неосторожно начальника управления «старым мудаком». Через день его снова вызывают к руководству и сообщают: «Легенда меняется — бухгалтерия смету не утвердила. Вы — нищий одноглазый педераст, ночующий под мостом. Цель задания прежняя — медленное, постепенное вхождение в среду и адаптация на новом месте...»

Назаров снова закрыл глаза и попытался проанализировать сложившуюся ситуацию. А так ли все плохо? Ведь опасный груз все-таки ушел из порта — этого, собственно, и хотел Аркадий Сергеевич... Теперь хвосты обрублены, и коллегам из собственной безопасности «отдокументироваться» будет просто невозможно... Кто-то помог решить майору его проблему и сделал это, возможно, еще более грамотно, чем сумел бы Ващанов, — если он вообще сумел бы что-то сделать.

«Нет, — сказал сам себе мысленно Назаров. — Не обманывай себя... Ты хочешь видеть только положительные моменты в очень хреновом раскладе... Все не так просто: кто вообще мог знать о грузе? С чего я занервничал, почему комбинацию с Геной решил выстроить? Потому что был звонок от анонима, который знал про поставку водки и про мою роль в этой поставке... Этот „кто-то" либо сам похитил груз, либо зачем-то слил информацию похитителям... Возможно, здесь идет какая-то тонкая игра, о смысле которой мне ничего не известно... А раз неизвестно, то предположить можно что угодно, и — самое главное — невозможно предугадать, как события будут разворачиваться дальше... Ситуация вышла из-под контроля — значит, я в пассиве... Значит, меня могут трахнуть, а я даже не знаю, с какого направления хреновина вылетит... И потом — одно дело, если бы груз взял Гена, мы бы потом вернули контейнеры „ТКК", навели бы на них по-тихому, и все... А сейчас? Если груз пропадет — фирма развалится, и весь огород, стало быть, городился напрасно... Но Бурцев просто так лапки не сложит — он будет рыть... Стало быть, похитителям нужно придумать, как защититься... Поскольку груз был с самого начала „левым", они могут в крайнем случае использовать это обстоятельство и скинуть эту „компру" нашим... Могут начать шантажировать, в том числе и меня... За такие куски, как двадцать пять „сороковок" водки — высококачественной водки! — драка может пойти серьезная, такая, что в ней сгорит кто угодно... И все же — зачем аноним предупредил меня?.. Зачем? Ладно, с этим надо разбираться... С этим надо обязательно разбираться: если я не пойму мотивов действия этого человека, спокойной жизни все равно не будет... А для того, чтобы понять мотивы, нужно знать — кто этот аноним... Как на него выйти? Спокойно... Значит, что известно точно? Он обладал информацией о контракте, причем информацией достаточно полной. Если предположить, что звонивший мне аноним действовал заодно с похитителями (а это, скорее всего, так и есть, иначе откуда бы у них взялась такая шикарная наводка?) — то у него имелась не просто информация, а суть коммерческой тайны... Он знал сроки, объем поставки — и, самое главное, номера контейнеров... Так... Уже теплее... В нашей цепочке где-то произошла утечка, в каком-то звене... И звено это надо высчитать... Итак, кто знал всю информацию в полном объеме — с номерами, деталями и прочими подробностями? Во-первых, Олафсон, это естественно... Может, с него утечка? Маловероятно... Костя сидит в Швеции, сам по себе он человек осторожный и крайне заинтересован в реализации контракта... Во-вторых, тему знал я, потому что специально интересовался и потому что Костя, подстраховываясь, сливал мне лишнее... Но я — не в счет, это понятно... Кто остается? „ТКК“ — да, но сколько человек там имели доступ к информации? Как минимум, несколько... „Апрашечники“ могли знать. Хотя нет, номера контейнеров они как раз знать не могли — поставка же не им предназначалась, а узбекскому торговому дому „Абдулаев и К“... Значит, утечка шла из „ТКК“? Скорее всего... Блин... Надо срочно ее вычислять, срочно, иначе запалимся все! Можем запалиться... Найдем утечку — выйдем на моего анонима. Найдем анонима — поймем, чего ему надо... И, скорее всего — сможем отыскать груз... Если его не реализуют к тому времени...»

Пока Назаров сидел с закрытыми глазами и думал, напрягая уставшие, измученные мозги, Геннадий Петрович неотрывно смотрел на недопитую бутылку вина у стены. Ващанова снова стало поколачивать, потому что при таком долгом запое синдром похмелья приходит очень быстро — человек еще и протрезветь-то не успел, а его уже прихватывает вовсю, и надо срочно выпить, иначе кажется, что сердце откажет... Геннадий Петрович покосился на Назарова — комитетчик, казалось, впал в транс, чуть ли не уснул... Ващанов плавно-плавно встал (с осторожностью, на которую способны только стимулируемые «синдромом тревоги» алкоголики) и, шагнув к стенке, сцапал бутылку с вином — жидкость только булькнула в горле бывшего руоповца, как вода в раковине...

— Уф! — сказал Геннадий Петрович, мгновенно добрея лицом. — Ой, хорошо...

Ващанов погладил животик и оглядел свои владения уже более внимательно и спокойно. Неужели выпивки больше не осталось? Сердце страдальца на мгновение сбилось с ритма от ужаса, но под столом Геннадий Петрович обнаружил лишь чуть початую бутылку армянского коньяка. Воровато оглянувшись на грезившего о чем-то с закрытыми глазами комитетчика, Ващанов на цыпочках подобрался к столу, неслышно взял бутылку, сделал два глотка из горлышка... И стало тут Геннадию Петровичу совсем хорошо. Душевно так стало — любовь к жизни проснулась, к людям. Поговорить с кем-нибудь захотелось, пообщаться — о хорошем о чем-то поговорить, о светлом... Вон с Сергеичем хотя бы, надо ему только выпить дать, а то мужик чего-то совсем засмурнел — сидит, аж черный весь... Проблемы у него какие-то... Так у всех — проблемы... Нет, надо ему стаканчик накатить, чтобы полегчало сразу...

Движимый такими добрыми мыслями, Геннадий Петрович набулькал почти на две трети коньяку в несвежий, многократно использованный стакан, бережно взял его и направился к комитетчику. А там идти-то было — всего ничего, три шага.

— Серге-ич! — голосом доброй бабушки из популярной радиопередачи позвал Назарова полковник. — Сергеич, прими, как говорится, в рот, чтобы из головы дурное все вышло. Гы-гы...

— Что? — Аркадий Сергеевич встрепенулся, открыл глаза, увидел склонившегося к нему Ващанова со стаканом в руке.

— Прими, друг,— убедительно сказал Геннадий Петрович и дыхнул на комитетчика, словно Змей Горыныч. Назаров дернулся — бывшего руоповца качнуло, и коньяк из стакана пролился Аркадию Сергеевичу на плащ.

— Да пошел ты, тварь пропойная! — Назаров, у которого нервы были совсем на пределе, сорвался на крик и, не вставая из кресла, пнул Ващанова ногой в брюшко.

Геннадий Петрович ойкнул и, пукнув на ходу, отлетел к верстаку, приделанному к противоположной стене. Голова Ващанова с сухим бильярдным стуком ударилась о железные тиски, и Геннадий Петрович упал на пол. Ноги его несколько раз дернулись, а потом полковник в отставке замер.

Аркадий Сергеевич встал из кресла и отряхнул с плаща капли коньяка:

— Скотина...

Геннадий Петрович на это определение никак не прореагировал — он лежал неподвижно, продолжая сжимать в правой руке стакан, из которого, как ни странно, даже не весь коньяк вылился... Назаров некоторое время молча смотрел на замершее тело, а потом забеспокоился:

— Ладно, Гена... Кончай дурковать! Ты уже и так надурковал — дальше некуда... Тебе лечиться надо срочно...

Геннадий Петрович молчал.

Майор, почувствовав неладное, шагнул к Ващанову и, наклонившись, потянул его за рукав:

— Гена, вставай!

Голова Геннадия Петровича катнулась по полу, и Назаров, похолодев, увидел на левом виске бывшего первого заместителя начальника РУОПа глубокую, заплывающую кровью вмятину... Ващанов был мертв.

— Гена...

Аркадия Сергеевича затрясло, он попытался нащупать пульс у Геннадия Петровича — пульса не было.

Что было дальше, Назаров помнил неотчетливо, не до конца. Кажется, он даже зачем-то попытался сделать Ващанову массаж сердца, тряс мертвое тело, снова и снова искал пульс... Все было напрасно — Геннадий Петрович умер насовсем.

Аркадию Сергеевичу захотелось завыть в голос. Ну почему, за что такая непруха?! Ведь один только раз майор изменил своим принципам, влез в эту паскудную историю с «Абсолютом» — не удержался, деньги взял у Бурцева — и как снежный ком понесся... Ну почему другие всю жизнь могут ловчить, химичить чего-то, «дела делать», новые хорошие машины себе покупать, дачи строить и молодых любовниц заводить — и с них как с гуся вода? А тут...

Назаров стиснул зубы и постарался сосредоточиться. Ладно, плакаться не время, надо что-то делать, надо как-то из дерьма выбираться... Аркадий Сергеевич попытался вспомнить, видел ли его кто-то во дворе, когда он подходил к гаражу? Вроде никто не видел. Но это только так кажется, а потом, если грамотно «убойщики» будут жилмассивы отрабатывать, свидетелей может столько отыскаться — кто-то в окно смотрел, кто-то с собакой гулял... Но «убойщики» начнут работу, только если обнаружат явные признаки насильственной смерти... У них сейчас криминальных трупов как грязи, причем половина — «глухие»... Так что если ребята увидят возможность квалифицировать смерть Ващанова как несчастный случай — они эту возможность не упустят. Тем более что это и в самом деле несчастный случай...

Надо отдать должное Аркадию Сергеевичу — в его голове все же мелькнула мысль о явке с повинной, но мысль эта тут же ушла. Ващанова все равно не оживить, да он и так бы загнулся вскорости от пьянства. А из-за такого дерьма брать на себя неосторожное убийство? Нет... Тем более заяви он, Назаров, — тут же и комитетовская служба «собственной безопасности» нарисовалась, ментов-«убойщиков» сразу подвинули бы. А «собственная безопасность», конечно, начала бы допытываться — почему встречались, зачем встречались... И — не дай Бог — нарыли бы... Тогда — все... Тогда — Нижний Тагил, и никто в случайность убийства уже не поверил бы... А если потом информация о мотивах встреч Назарова и Ващанова дошла бы до Бурцева? Он ведь тогда решил бы, что исчезновение «Абсолюта» — это его, Назарова, рук дело... И тогда — просто кранты... И в Нижнем Тагиле бы достали — наизнанку вывернули, требуя отдать груз... Нет... Надо вылезать из дерьма...

Аркадий Сергеевич огляделся — так, откуда мог свалиться Ващанов, чтобы так удариться головой о тиски?

Взгляд майора уперся в лампочку на потолке. В кабинетике было всего три источника света — торшер у диванчика, светильник над верстаком и лампочка на потолке, укрытая красным модным абажуром...

«Так... Допустим, Гена набухался, полез перегоревшую лампочку менять... Поставил стремянку — вон ту, которая в углу, — залез на нее, лампочку вывернул, а потом равновесия не удержал и грохнулся — пьяный же был... И так неудачно свалился — головой о тиски как раз... Ну что поделать, пить меньше надо...»

Аркадий Сергеевич походил по гаражу, нашел хорошие финские перчатки для мойки машины, надел их, потом взял какую-то тряпку и протер все поверхности, к которым прикасался, — не забыл и радиотелефон Ващанова... Покончив с этим делом, Назаров подвинул стремянку, вывернул потолочную лампочку, осторожно вложил ее в правую руку Ващанову, предварительно вынув из нее стакан. Стремянку Аркадий Сергеевич хотел сначала уронить, но потом передумал...

Картина получилась достаточно убедительной. Любому, кто войдет в этот гараж, станет ясно — у покойного был крутой запой, который закончился трагически. Опасное дело — менять лампочки в состоянии сильного алкогольного опьянения.

Перед тем как уйти из гаража, Назаров еще раз посмотрел на труп Геннадия Петровича... Нет, есть, наверное, все-таки какая-то Высшая Справедливость! Ващанов, конечно, был законченным подонком — своих же предал, коррумпировался полностью, начал на одного из самых одиозных криминальных авторитетов — на Антибиотика — работать... И все хапал, хапал — не лезло уже, а он хапал... Ну что же, как говорится: «Собаке — собачью колбасу». Свою смерть — в грязи, мерзости, в собственной блевотине и моче — Геннадий Петрович заработал честно, хоть и была она, конечно, случайной. Но случайность — это ведь только непознанная закономерность... Да, все это было так, но сердце Аркадия Сергеевича не хотело слушать голос оправдательной логики. Оно очень болело, его сердце...

Покачиваясь, словно это он сам пил несколько дней, Назаров вышел из кабинета, подошел к воротам во двор, прислушался, потом тихонько приоткрыл дверь и выскользнул из гаража... Никого не встретив, майор зашагал по улице и, пройдя несколько кварталов, начал ловить машину... Самое печальное — Назаров кожей чувствовал, что смертью Ващанова цепочка неприятностей не оборвется. Он не понимал, откуда появилось это ощущение, но был в нем почти стопроцентно уверен.

А тело бывшего первого заместителя начальника РУОПа полковника милиции в отставке, кавалера ордена «За личное мужество» Геннадия Петровича Ващанова пролежало в гараже еще сутки, пока его не обнаружила там начавшая розыски супруга. Вдова Геннадия Петровича тут же вызвала милицию — пришел участковый, молоденький совсем, недавно назначенный.

Обнаружив в пиджаке покойного не сданное при увольнении служебное удостоверение, участковый впал в панику, немедленно отзвонился в РУОП. В РУОПе отреагировали — прислали «оценить обстановку» Владимира Колбасова, перспективного заместителя начальника отдела, которого Ващанов как раз в свое время и выдвигал. Владимир Николаевич, прибыв на место происшествия, обстановку оценил грамотно: перво-наперво забрал у участкового якобы потерянную перед увольнением ксиву Ващанова.

— Не ссы, он отставник уже давно! — ободрил представитель РУОПа паренька, серьезно опасавшегося, что его за что-нибудь да сделают крайним, — когда такие большие люди из жизни уходят, очень нужен козел отпущения.

Участковый с явным облегчением вздохнул, а Колбасов зашел в гараж, сморщил нос от вони, потом быстро оглядел мертвое тело бывшего начальника. Пользуясь тем, что участковый охранял объект до приезда дежурного следователя и экспертов около гаража, Владимир Николаевич быстро «смылил» с руки покойника золотой «Ролекс».

— Извини, Генуля, — сказал Колбасов, никогда не отличавшийся особой брезгливостью. — Они тебе без надобности, а мне — пригодятся... Опять же память о тебе будет... Да, бля... Земля тебе пухом, Гена, — надо же так нажраться было...

Правоохранительные органы никаких криминальных обстоятельств в смерти Геннадия Петровича Ващанова не обнаружили, и его гибель вошла в статистические отчеты по графе «несчастные случаи». Они случались в Питере очень часто...

Несколько более тщательно занимался расследованием смерти Ващанова некто Череп — начальник «личной контрразведки» Антибиотика, бывший офицер КГБ, кстати... Череп проверял все досконально не из-за того, что изначально имел какие-то подозрения, а просто потому, что все привык делать тщательно и качественно. Гена Ващанов, после его достаточно скандального (в узких кругах) увольнения из органов, конечно, уже не представлял особого интереса для империи Антибиотика, да и человеком-то он, честно говоря, был сильно пьющим, вороватым и трусливым. Но все-таки он знал очень много — в том числе и о Викторе Палыче, да и с самим Черепом Ващанов встречался. В общем, какой ни засранец, а свой, так что пришлось Черепу напрягать своих людей.

И вот тут интересная информация пошла — совсем неожиданная... На радиотрубке покойного отфиксирован телефонный номер, по которому Ващанов, судя по всему, пытался позвонить перед самой смертью. Номер пробили — опять же, не надеясь особо ни на что интересное — и вышли на прапорщика Сашу, заведовавшего складом. На Сашу маленько «давануали», он и «потек», рассказал, что звонил ему Геннадий Петрович, но только не в мае, а еще в апреле — в самом конце, двадцать седьмого вечером. Хотел покойник на Сашином складе двадцать пять контейнеров водки на несколько недель спрятать... Поскольку Череп был в курсе «водочной аферы» Плейшнера (Антибиотик вообще от своего начальника «контрразведки» имел не очень много секретов) — такое совпадение показалось бывшему комитетчику странным.

Для прояснения ситуации люди Черепа побеседовали очень подробно и с женой, и с любовницей Ващанова. Вдова Геннадия Петровича ничего интересного не выдала, а вот танцовщица Светочка вспомнила, что бывший руоповец в последний свой приезд раза два поминал какого-то комитетчика, наехавшего на него с какой-то «стремной водочной темой»... В свете этих вновь открывшихся обстоятельств смерть Ващанова начинала выглядеть уже несколько по-другому, правда, даже сам Череп — человек очень умный — не мог понять, с какого боку Геннадий Петрович оказался замешанным в «водочный кидок»...

Начальник «контрразведки», естественно, доложил обо всем Виктору Палычу, который тоже ничего не понял, но сильно встревожился, как и всегда, когда сталкивался с чем-то необъяснимым и загадочным. Тем более что раскопанная Черепом информация на тот момент была уже далеко не единственным поводом для беспокойства Антибиотика... Выдернутый для разговора к Виктору Палычу Моисей Лазаревич Гутман на вопросы о Ващанове только плечами пожимал — «бухгалтер» по своему плану никак не предусматривал какого-либо участия Геннадия Петровича в операции, и уж тем более никто не уполномочивал его вести переговоры насчет склада для контейнеров с водкой, — Антибиотик это должен был знать лучше, чем кто-либо, ведь он взял реализацию «Абсолюта» на себя... Правда, практическим воплощением плана Гутмана занимался Плейшнер — возможно, он и привлек каким-то образом Ващанова, знакомы-то они были.

Однако к тому времени задать вопросы Плейшнеру уже не представлялось возможным...

Майор Назаров в своем кругу не слыл натурой нервной и супервпечатлительной, как, впрочем, и большинство его коллег. Сама служба в органах достаточно сильно деформировала человеческую личность, превращая даже романтиков в прагматиков. За годы работы Аркадий Сергеевич навидался столько всякого-разного, что давно уже научился сдержанности в эмоциях и нервных затратах...

Но инцидент с Ващановым серьезно выбил Назарова из колеи. Майору постоянно мерещилась мертвая улыбка отставного полковника и откинувшийся назад слипшийся чубчик... И ведь Аркадий Сергеевич хорошо знал, что представлял из себя покойный в жизни, и нельзя сказать, что комитетчик так уж жалел Геннадия Петровича... И не сказать, чтобы Назаров сильно опасался официального расследования обстоятельств гибели Ващанова — майор был на сто процентов убежден, что никакого «дела» не будет... Стало быть, не это беспокоило Аркадия Сергеевича, но что именно — он понять не мог. Назаров стал очень плохо спать, просыпался по нескольку раз за ночь с колотящимся сердцем и долго не засыпал потом... А еще ему приснился очень странный сон — на третью ночь после смерти Геннадия Петровича. Приснилось Назарову, что он, как в детстве, гуляет по осеннему лесу с отцом, тот берет его на руки и начинает подбрасывать вверх, а потом где-то далеко, на берегу озера, появляется мать в своем вишневом платке — она смотрит на них, качает головой и улыбается... Покойные родители очень давно не снились Аркадию Сергеевичу, и почему-то этот сон — светлый и чистый — вогнал майора в состояние очень сильного нервного напряжения... За трое суток, последовавших после смерти Ващанова, Назаров настолько изменился даже внешне, что коллеги сочувственно спрашивали — уж не заболел ли он?..

Вечером 6 мая Аркадий Сергеевич встретился с Бурцевым — для обмена информацией по неофициальному расследованию обстоятельств пропажи партии «Абсолюта». Дмитрий Максимович выглядел не лучше Назарова — мешки под глазами, нездоровый цвет лица... Людям Бурцева ничего принципиально перспективного «нарыть» пока не удалось, но в начале разговора у Назарова сложилось впечатление, что руководитель «ТКК» все же обладает какой-то новой информацией... Аркадий Сергеевич также не мог похвастаться особыми успехами, он лишь убежденно сказал отставному подполковнику:

— Максимыч, мы не дети... У тех, кто груз взял, все реквизиты ваши были, они «тему» досконально знали. Значит — где-то произошла утечка. Где-то у тебя — больше негде... Я в твой огород не лезу, но...

— Это исключено,— покачал головой Бурцев.— Все, кто имел доступ, абсолютно проверенные и надежные люди.

Назаров вздохнул:

— Дима, чудес не бывает... Предают всегда только свои... Протечь могло только либо от Олафсона, либо

153

от вас... Олафсону смысла нет играть в такие дурацкие игры, рискуя своими деньгами. Значит...

— А если все-таки Олафсон? Если он слил что-то кому-то на «добросовестном заблуждении»? Я, Аркадий, конечно, у себя посмотрю повнимательнее... Но и Константина было бы неплохо отработать...

— Как? — пожал плечами Назаров. — В Стокгольм к нему слетать на майские? Руководство порадовать?

— Он сам сюда на пару дней приедет, к родителям... — Бурцев устало потер глаза. — Ты понимаешь, мне сейчас с ним не с руки встречаться... А ты, как старый знакомый... Как, Аркадий, сможешь? Он же наверняка спрашивать про реализацию водки начнет — что я ему отвечу? А ты вроде как и не должен быть в курсе бизнес-подробностей... Скажешь, что все нормально идет... А заодно и его пощупаешь... А?

— Хорошо, — кивнул Назаров. — Это-то без проблем... Но ты все-таки к своим присмотрись... Где-то течет, причем течет здорово! Очень как-то непонятно все складывается...

Бурцев ничего не ответил, закурил, долго молчал, наконец, решившись, посмотрел майору прямо в глаза:

— Аркадий... Все действительно складывается непонятно... Мне сегодня звонили в офис... Человек не представился — сказал, что пока не имеет такой возможности...

— Как? — быстро переспросил Назаров, мгновенно вспомнив своего анонима — тот на просьбу представиться ответил точно такой же фразой.

— Сказал, что ему очень жаль, но пока он не имеет возможности представиться, — дернул плечом Дмитрий Максимович. — Так вот... Этот человек сказал, что он в курсе наших проблем и знает, кто взял груз...

— И кто же? — Аркадий Сергеевич нервно закурил, внимательно глядя на Бурцева.

— Плейшнер. Он сказал — Плейшнер, он же Некрасов Григорий Анатольевич... Ну, наш Плейшнер, портовский... Якобы он операцию всю разработал вместе с неким Моисеем Лазаревичем Гутманом... Вот такие дела...

— Это все? — переспросил Назаров. — Это вся информация?

— В общем, да, — кивнул Дмитрий Максимович. — Я попытался было его раскрутить, спросил, почему я должен ему верить... Он хмыкнул в трубку, сказал, что я ему ничего не должен: верить или не верить — мое право. Но посоветовал проверить информацию...

— Как?

— Он сразу же попрощался и повесил трубку... Вот такие пироги, Аркадий...

Назаров потер ладонью затылок:

— Да, пироги действительно... Ты разговор записал?

— Нет, не успел... Я снял трубку с аппарата, где нет автозаписи, а разговор очень коротким был.

— Понятно, — кивнул Аркадий Сергеевич. — Но номер-то, с которого звонили, — его-то хоть пробил?

— Автомат на Рубинштейна, — развел руками Бурцев. — Я туда, конечно, людей послал — но, сам понимаешь... Зацепок — ноль... Ребята составили, правда, словесные описания трех якобы звонивших в интересующий отрезок времени из этого таксофона мужиков, но это все химера... По таким приметам никого не сыщешь.

— Описания у тебя с собой? — спросил Назаров. — Дай взглянуть на всякий случай...

— Пожалуйста, — пожал плечами Дмитрий Максимович. — Но там действительно дохлый номер...

Составленные людьми Бурцева словесные портреты и впрямь не баловали особыми приметами и детальным описанием лиц, но Аркадий Сергеевич все равно почувствовал, как его словно жаркой волной окатило: под номером два в списке значился широкоплечий, чуть сутуловатый мужчина в зеленой куртке, волосы — черные, тип лица скорее восточный или кавказский.

Собственно говоря, Назаров с самого начала предположил, что ему и Бурцеву звонил один и тот же человек... Но теперь есть хотя бы примерное описание его внешности. Потому что бабка-киоскерша на Садовой тоже вспоминала наглого кавказца в зеленой куртке и со злющими глазами.

«Так... Это уже кое-что... Надо будет подъехать на Садовую и попросить подробнее бабку описать того „кавказца". Если она не забыла его, конечно...»

Назаров пытался отрешиться от эмоций и мыслить профессионально сухо, но это удавалось ему с трудом — мешало растущее чувство безотчетной тревоги...

«Этот аноним — он возникает уже второй раз... И второй раз демонстрирует свою непонятную осведомленность... Насчет Плейшнера с Гутманом — это все, конечно, надо проверять, но в принципе им действительно, при наличии исходной информации, было бы по силам провернуть кражу такого масштаба. Кто же этот человек? В какую игру он играет? Он о партии водки знал много еще до ее похищения... Не он ли и слил всю информацию об „Абсолюте" похитителям? Но зачем тогда он отдает Плейшнера? А кто сказал, что это все-таки Плейшнер водку схитил? Может, аноним бросает ложный след? Хотя — не похоже... „Отвлекушку" можно было бы запустить намного тоньше... Но чего он добивается? Что это за доброжелатель такой? Сначала меня предупреждает — и тем самым, кстати, толкает на определенные действия... Потом выдает информацию Бурцеву... У него есть какая-то цель... Какая? Может быть, он рассчитывает на хорошее вознаграждение, если водка будет найдена с его помощью? А что? Сначала сам способствует похищению, потом дает наводку настоящим хозяевам... И получает деньги. Может быть, сам-то он утащить груз не мог — возможностями не располагал...»

Все эти мысли пронеслись в голове Аркадия Сергеевича мгновенно, но делиться ими с Бурцевым майор, конечно, не стал. Не мог он рассказать Дмитрию Максимовичу о первом звонке анонима. Бурцев ведь сразу бы поинтересовался — отчего же он, Назаров, не предупредил о тревожном сигнале?.. И что отвечать? Что он, Назаров, с одной стороны испугался своих коллег из «собственной безопасности», а с другой — побоялся потерять в будущем место в «ТКК»? Ладно — испугался, это понятно, а чего, собственно, ждал после такого сигнала, на что надеялся? Уж не на то ли, что «левый груз» вдруг исчезнет из порта? Интересные совпадения получаются, Аркадий, странные даже, можно сказать... Поэтому вслух Назаров лишь спросил:

— Ну, и что ты собираешься с этой наводкой делать?

Бурцев закурил очередную сигарету:

— А что делать? Проверять надо... У нас-то самих — вообще голяк, гадание на кофейной гуще... Я на это направление Диму Гришина уже зарядил, зама своего... Парень всего шесть месяцев как уволился, он еще опыт не подрастерял... Аркадий... Ты ему помоги, чем сможешь, ладно? Ну, у тебя же должно что-то по Плейшнеру быть? У нас тоже есть, но маловато... Лады?

— Лады, — кивнул Назаров. — Что смогу — отдам. Только... Давай уж лучше мы с тобой все это протрем... А Диме ты без ссылок на источник передашь, как раньше договаривались... Потому что — я все понимаю, все свои, все проверенные... Но где-то все-таки течет...

— Хорошо, — кивнул Бурцев. — Когда встречаемся?

— Да можно и завтра, часа в три...

На следующий день Назаров действительно встретился с Бурцевым и передал ему кое-какую информацию о Плейшнере, Гутмане и их связях. Бурцев, в свою очередь, отдал это все Гришину, который с помощью полученных данных надеялся оперативным путем осуществить проверку сообщения анонима, позвонившего руководителю «ТКК».

Что он успел сделать в этом направлении, так и осталось для всех загадкой, потому что в ночь с восьмого на девятое мая бывшего майора ФСК обнаружили убитым недалеко от подъезда его дома... Несмотря на то, что у Гришина был похищен бумажник с деньгами и документами, ни Бурцев, ни Назаров не поверили в обычное разбойное нападение. Оба сочли, что смерть Дмитрия Николаевича однозначно связана с отработкой им «версии Плейшнера» — а стало быть, погибший двигался в верном направлении.

Между тем и Бурцев, и Аркадий Сергеевич ошибались... Если разработка Плейшнера с Гутманом и стала в какой-то мере причиной гибели Гришина, то, по крайней мере, причиной весьма и весьма косвенной. Просто Дмитрий Николаевич, понимая чрезвычайную важность отработки его направления для своей фирмы, в тот день «пахал, как трактор», и в результате домой возвращался очень поздно, вымотанный и раздраженный. Машину на платную стоянку Дмитрий Николаевич поставил где-то около часа ночи, а потом пошел домой — пройти ему нужно было всего три квартала...

По дороге Гришин решил купить сигарет в ларьке.

Леха Толстиков в своей команде считался заводилой или, как сейчас принято говорить — авторитетом. Много новых словечек вошло в повседневный обиход даже добропорядочных граждан, да и не то чтобы совсем уж новых, они вроде и раньше известны были, но приобрели новый смысл, новый оттенок...

Авторитет — вроде бы и слово хорошее, а вот — приобрело оно в середине девяностых годов явный такой уголовный душок... Впрочем, Леху Толстикова всякие семантические нюансы не волновали, он знал одно — без авторитета нельзя, его нужно заработать.

Из армии Леха дембельнулся в декабре 1992 года, вернулся в Питер, сразу просек фишку — понял, что время наступило новое, когда уважают только силу... В Лехином дворе только-только начинала группироваться команда мелких рэкетиров — вот им-то, старым своим корешкам, Толстиков сразу и продемонстрировал, что он, Леха, ни обид не прощает никому, ни силу проявить не боится... Отловил Леха с дружками сослуживца своего, сержанта Васильева, и отдал ему сполна то, что полтора года копилось... Били Васильева страшно — он потом три месяца в больнице лежал, а ментам указать на того, кто его так уделал, побоялся...

В результате Толстикова сразу признали лидером, даже сам Федя Уточкин, молодой еще пацан, но уже успевший дважды за колючкой побывать, — Леху очень уважал. И боялся. А бояться (считал Толстиков) — это и значит уважать. Леху боялась вся его команда — хоть и небольшая (пять рыл всего), но сплоченная... В родном Лехином Кировском районе с этим «коллективом» считались — скажи где-нибудь: «Леха Толстый» — и знающий человек сразу уважительно головой кивнет. По крайней мере, так представлялось самому Толстикову.

Леха жил просто — любил бокс с детства, с малых лет колотил грушу в подвале на проспекте Стачек, а еще он давно понял: если нет денег, то их нужно найти и взять. Вот и начал Толстиков со своими пацанами мелких спекулянтов и торговцев трясти.

Все сначала очень хорошо шло, платили, уроды, как миленькие... Навар Леха распределял сам — по справедливости, а не поровну. «По справедливости» — это когда каждому по заслугам, а свои заслуги Леха считал самыми большими. Правда, независимость команда Толстикова утратила довольно быстро — уже в марте девяносто третьего подъехали серьезные пацаны с очень коротким разговором: хочешь работать — работай, «получай»*, но в общак, будь любезен, каждый месяц половину отдай — для твоей же пользы, дурень, пацанам помогать, которые у хозяина парятся, ментам опять же отмусоливать надо... Выбор Лехе предоставили небогатый — либо под «тамбовцев» становиться (под Валеру Бабуина, парня головастого, у которого и связи в Москве, и вся мусарня прикуплена), либо ехать в лес по грибы, по ягоды — и неважно, что в марте, важно, что из того леса многие дорогу назад забывают...

Леха Толстый выбор сделал правильный... И надо сказать, работать легче стало. С ментами, например, все вопросы утрясались просто моментально, недаром поговаривали, что многие мусора в «тамбовском коллективе» вторую зарплату получают. Вернее — первую, ежели по количеству купюр считать... Старшие мигом Леху понятиям своим обучили, растолковали, например, что когда с барыги получаешь, надо, чтобы он, барыга, деньги из рук в руки передавал, а не клал их, скажем, на стол, потому что если из рук в руки — тогда барыга уже «по жизни должен»...

Так и шло время — легко и приятно, в основном. Нет, случались, конечно, и проблемы — всякие разборки гнилые, терки стремные... Ну так ведь в любой работе свои издержки есть.

В число опекаемых Лехой объектов входили и несколько ларьков на проспекте Стачек.

В ночь на девятое мая 1994 года Толстиков как раз стоял у одного такого ларька и заигрывал с Ниночкой,

---

* Получать — снимать свой процент с контролируемых бизнесменов (*жарг.*).

новенькой продавщицей. Ниночка эта была козой не так чтобы уж очень, но на пару пистонов под настроение тянула, вот Леха ее и окучивал. Ниночка уже как раз закрываться собиралась и сбегать к Толстикову «магнитофон послушать», как вдруг мужик какой-то подвалил, Леху локтем от окошечка подвинул:

— Пачку «Кэмела», пожалуйста...

— Извините, «Кэмела» нет, — ответила Ниночка, а мужик раздраженно плечами повел:

— Ну, тогда «Мальборо»... «Мальборо»-то у вас есть?

Очень не понравился этот мужик Лехе — гонором своим не понравился. Толстиков развернулся к нему, сплюнул и сказал внушительно:

— Слышь, дядя, ты че, не видишь, я тут в очереди стою, а ты прешь, как на буфет...

Мужик коротко глянул на Леху:

— Да я вижу, что у тебя «стоячее» настроение...

Толстиков завелся мгновенно:

— А че ты грубишь-то, дядя?

Мужик, судя по всему, чувствовал себя уверенно — ростом и плечами его Бог не обидел, так что пугаться он не стал:

— Ух ты, какие мы грозные... Ладно, парень, кончай заводиться, у меня своих проблем по горло. Я сигареты возьму и уйду — любезничай дальше со своей барышней на здоровье...

Ну мог ли Леха стерпеть, когда этот урод начал такие «понты гнать», когда перед Ниночкой его в таком свете выставил?

Толстиков наклонил вперед стриженую голову:

— Топай отсюда, тебе говорят!

Ниночка, даже в ларьке почувствовавшая возникшее напряжение, попыталась его разрядить:

— Хватит вам, ребята, — вот сигатеры...

Мужик взял пачку, оставив сдачу на блюдце:

— Это вам — купите своему молодому человеку шоколадку, чтобы он успокоился.

И зашагал прочь, не оглядываясь... Ясное дело, за такой «базар» отвечать надо.

— Нинок, я сейчас! — Девушка что-то пыталась сказать, но Леху ее слушать не стал — бросился вслед этому фраеру.

Толстиков хотел его только попугать — ну, может, пару раз, для науки, и съездить по вафельнику, но не более... Чувствовал себя Леха уверенно — и не таких на четыре кости ставил, да и выкидуха* приятно карман оттягивала. Догнав мужика, Толстиков одной рукой схватил его за плечо, а другой извлек нож из кармана.

— Ну что, дядя, помолишься перед смертью? Козел дырявый...

Мужик, однако, совсем не испугался, он перехватил Лехину руку с «выкидухой» и начал ее выкручивать:

— Ах ты, поганец...

Все дальнейшее произошло мгновенно — Леха, остервенев, ударил головой мужика в переносицу, а потом ножом в грудь... Лезвие вошло между ребер до самой рукоятки... Мужик дернулся, потом обмяк и упал. Нож остался у Толстикова в руке... Лихорадочно оглядевшись, Леха вдруг наклонился и с силой ударил еще два раза ножом неподвижное тело:

— На, падла, на!..

Потом Толстиков, уже плохо понимая, что делает, вытащил из кармана пиджака убитого портмоне и бросился бежать... Пропетляв по дворам, он блеванул в садике, протер какой-то бумажкой нож и выкинул его в канализационный люк.

Потом Леха вернулся к ларьку — в мозгу его колотилась единственная мысль: «Нинка, сука, видела, как мы цапнулись... Ментам заложит... Надо и ее...»

Ниночка, увидев лицо и руки Толстикова, сразу все поняла, затряслась и упала на колени:

— Лешенька, не надо, Лешенька! Я ничего не видела, я ничего никому... Лешенька, миленький, не надо! Я никогда!..

Леха шумно дышал, пытаясь найти правильное решение. Заводка у него кончилась, остался только липкий страх, трясись руки.

— Ладно, сучка, — наконец принял Толстиков решение. — Из-за тебя, бля, в такую блудню влез... Если вякнешь кому хоть слово — пиздарики тебе... Это я

---

* Выкидуха — самодельный нож с выкидывающимся лезвием (*жарг.*).

конкретно говорю... Ладно, запирай лабаз, возьми водки — к тебе поедем, надо отсюда сваливать... Но — смотри... Не я, так пацаны тебя где хошь достанут...

Через пять минут Толстиков подогнал к ларьку свою припаркованную невдалеке «восьмерку», забрал девушку и быстро уехал прочь от проклятого места.

Днем девятого мая майор Назаров еще ничего не знал о смерти Дмитрия Николаевича Гришина. В этот день Аркадий Сергеевич договорился о встрече с Костей Олафсоном — бывший фарцовщик прилетел в Петербург накануне и, как и предполагал Бурцев, стал сразу же звонить руководителю «ТКК», а не дозвонившись — разыскал Назарова.

Для Аркадия Сергеевича День Победы был особым праздником, потому что оба его деда погибли на фронтах Великой Отечественной — могила одного осталась в Польше, второй сложил голову в Венгрии. Назаров хоть никогда в жизни и не видел своих дедов, но чтил их память — к этому приучили его отец и мать... День Победы был для Аркадия Сергеевича днем, когда он старался отрешиться от всего суетного, когда можно было (если очень постараться) мысленно разговаривать с погибшими в боях за Родину предками...

В этот святой день Назарову очень не хотелось встречаться с Олафсоном, спекулянтом, фарцовщиком и стукачом. Да — бывшим спекулянтом, бывшим фарцовщиком, бывшим стукачом... Только для Аркадия Сергеевича это ничего не меняло. Конечно, он не стал бы пакостить этот день душевными разговорами с Костей, — но... Десятого мая Олафсон уже улетал в Стокгольм, поэтому, учитывая сложившиеся вокруг «Абсолюта» особые обстоятельства, выбирать не приходилось.

Они встретились у гостиницы «Невский палас» и сразу пошли в кафе «Вена» — Костя был в сентиментальном настроении и предложил выпить за Победу. Назарова немного покоробило внутренне, однако возражать он не стал — действительно, за Победу грех не выпить. Пусть даже и с бывшим советским фарцовщиком, а ныне шведским бизнесменом...

Олафсон сразу же посетовал, что не смог дозвониться до Бурцева, — Аркадий Сергеевич равнодушно пожал плечами и ответил, что у Дмитрия Максимовича очень много дел, что он вроде бы уехал в Москву утрясать какие-то вопросы. Костя кивнул и спросил:

— А как там с моей водочкой дела обстоят?

Назаров неопределенно повел бровями:

— Не знаю, я же еще не бизнесмен, в эти дела пока не лезу... Наверное, все в порядке, по крайней мере я ни о каких проблемах от Бурцева не слышал... А ты что — волнуешься?

— Да не то чтобы... — хмыкнул Олафсон. — Вроде все оговорили. Но... Деньги-то большие вложены...

— Да, — кивнул Назаров. — Большие... А потом пойдут еще бóльшие — партнерство на месте стоять не должно, оно должно развиваться... Слушай, Костя, кстати о перспективном партнерстве: Дмитрий Максимович просил меня деликатно прояснить при случае у тебя кое-какие вопросы... Но ты же меня знаешь — я деликатно не умею, я все в лоб норовлю...

— Какие вопросы? Что прояснить? — встревожился на всякий случай Олафсон, но Аркадий Сергеевич успокаивающе махнул рукой:

— Да я же говорю, по поводу перспективного партнерства... Понимаешь, если все нормально пойдет, «ТКК» хотела бы, в принципе, на постоянной основе с твоей фирмой работать... Но...

— Что «но»?

— Но ведь, как мы поняли, — ты не один в своей фирме все решаешь, у тебя какие-то компаньоны есть, с которыми, видимо, все согласовывать надо, они в курсе всех дел, так? Ну, сам посуди — если хочешь постоянно работать с какой-то организацией, нужно же знать, что за люди в ней банкуют, кто они, что из себя представляют... Понимаешь?

— Понимаю, — вздохнул Костя. — А что же Дмитрий Максимович сам эти вопросы мне не задал?

— Постеснялся он, — подкупающе-искренне улыбнулся Назаров. — Не хотел обижать тебя недоверием и излишней подозрительностью... Он и меня просил, чтобы я с тобой на эту тему как можно более деликатно поговорил... А я подумал — какая, в жопу, деликатность, если мы с Костей столько лет друг друга знаем? Спрошу прямо, и все дела... Но — для Максимыча —

я беседовал с тобой деликатно, ладно, Костя? Ну, так что у тебя там за компаньоны?

Олафсон, казалось, был даже немного тронут откровенностью Аркадия Сергеевича. Костя почесал затылок, задумчиво посмотрел в глаза Назарову и наконец ответил:

— Мои компаньоны... Точнее — компаньон... А еще точнее — компаньонша... Она у меня одна... Раньше еще один был — ее муж, но он помер... Да, так вот, компаньонша эта... Боюсь, что она вам и Дмитрию Максимовичу не очень понравится.

— Это почему же? — удивился Назаров. — Она что, по совместительству «полевой агент» Скандинавского бюро ЦРУ?

— Почти, — усмехнулся Олафсон. — Она, Аркадий Сергеевич, еврейка. И муж ее евреем был. Они из Союза вроде как «отказники» уезжали...

— Ну, — сказал Аркадий Сергеевич. — А почему мадам должна мне не понравиться?

— Ну как же? — удивился теперь уже Костя. — Она же еврейка, отказница. Почти что... изменница Родины.

— Ты даешь, Костя!.. Мыслишь прошлыми категориями... Подумаешь, отказница... А что еврейка — так это, по-моему, даже хорошо: еврейские бабы, они головастые, но осторожные, в бизнесе должны хорошо разбираться... Мы теперь, Костя, на многое по-новому смотрим. Изживаем, так сказать, «синдром врага». У нас теперь, вон, Клин Блинтон... тьфу ты — Билл Клинтон — лучший друг, товарищ и брат. А уж наши родные советские евреи... А как ее зовут, «отказницу»-то эту? Откуда она сама? Как ты с ней познакомился, если не секрет?

Костя заерзал на стуле, забегал глазами:

— Понимаешь, Аркадий Сергеевич... Тут такое дело... Я ее до прошлого года вообще не знал.

— Это как?

— Ну, так вот получилось... Я, когда в Швецию-то уехал, у меня дела шли не так чтобы уж совсем хорошо... На Западе без стартового капитала раскрутиться сложно... Ну, мыкался я, мыкался — и случайно, в общем-то, познакомился с этим мужиком, Аароном Дал-

164

летом... У него деньги были и — ничего не скажу — голова варила будьте-нате... Он, по-моему, еще тем жучарой был — из серьезных «цеховиков» или что-то в этом роде... Я толком-то не знаю, просто по манере поведения так показалось. Лишние вопросы ему не с руки задавать было — этот Аарон мне деньги на раскрутку дал, мы с ним фирму совместную зарегистрировали... И все — потом он уехал, я его и не видел больше, а время от времени позванивал, интересовался, как дела... А в восемьдесят восьмом и звонить перестал — он предупреждал, что такое может быть... Ну, мне-то что — я его долю от прибыли в цюрихский банк перечислял, адвокат там один от его имени контроль осуществлял... Я про этого Даллета уже и забывать начал — что ему наша фирма, с его-то деньгами... Вот... А в прошлом году, в самом начале октября, вдруг заявляется жена Аарона, Рахиль Даллет, вся такая из себя навороченная, «фик-фок на один бок» и все такое, а денег у нее, судя по всему — как у дуры фантиков... Аарон, оказывается, «ласты склеил», а эта Рахиль его наследницей стала... Ну, думаю, здрасьте, просрамшись! Сейчас эта коза как начнет всех строить... Мы с моей фру даже приуныли совсем... У нас ведь в фирме сложная система распределения акций — у Рахиль этой шестнадцать процентов и у меня — шестнадцать, а еще тридцать два процента как бы в совместном управлении и владении... Так что, если бы мадам Даллет начала во что-нибудь рогом упираться, — мне бы с ней спорить было тяжело... Но она оказалась бабой абсолютно нормальной, безо всяких закидонов — ничего ломать не стала, к штурвалу не полезла... Я вообще думаю, что она к нам от скуки заявилась...

— Откуда, из Израиля? — переспросил Назаров.

— Нет, — покачал головой Олафсон. — Из Австрии... У нее особняк в Вене. А сама-то она, по-моему, питерская... Так вот — последние полгода Рахиль эта у нас в Стокгольме торчит, я все же думаю, что от скуки... Ну и — бизнесом интересуется... Голова у нее действительно варит, не так, как у Аарона покойного, но — тоже ничего... По «водочному контракту» я, естественно, обязан был ее в курс дела ввести... Ну, она... возражать не стала. И... я думаю, если все нормально пройдет — и дальше никаких препятствий с ее стороны не возникнет...

Аркадий Сергеевич как раз закуривал, поэтому не заметил, как на последней фразе Олафсон почему-то воровато стрельнул глазами. Выдохнув облако дыма, Назаров откинулся на спинку стула и, задумчиво побарабанив пальцами по столу, спросил:

— Слушай, Костя... Я так понял, что ты эту Рахиль не очень хорошо знаешь... А с чего ты тогда решил, что она — питерская?

Олафсон хмыкнул:

— Так что же я, питерский выговор не узнаю, что ли? Его же ни с каким другим не спутаешь, а потом — я ведь все-таки филолог, как-никак... Рахиль-то о себе действительно рассказывать особо не любит, да я ей в душу и не лезу, у нас это не принято... Но все равно, разговоры бывают — то там что-нибудь промелькнет, то здесь... Питерская она, это точно, хотя жизнь ее, конечно, покидала... И потом — я ее однажды у нас в Стокгольме с парнем питерским видел, с журналистом вашим известным, Андреем Серегиным... Они в ресторанчике «Капри» сидели — есть у нас такой на Нибругаттен. Меня не заметили, а сидели тесно очень, интимно, можно сказать — как старые и близкие знакомые...

— Серегин? — переспросил Назаров удивленно. — Серегин, Серегин... Что-то знакомое... Ты говоришь, он журналист?

Олафсон вскинул брови:

— Ну да... А я думал — у вас его все знают... У нас есть один швед знаменитый — Ларс Тингсон, он долго в Москве сидел, репортажи оттуда делал... Потом в Швецию вернулся, у него передача была типа «Международной программы». Короче говоря, этот Тингсон у нас телезвезда, его все знают... Ну и он тут — в прошлом, что ли, году — поехал снова в Россию, фильм делать про русскую мафию... А получилось так, что фильм этот они вместе с Серегиным и делали... В апреле у нас премьера была по телевидению — такой фурор, куда там... Всех шведов запугали... И Серегин этот приезжал, они вместе с Тингсоном кучу интервью надавали — и на телевидении, и на радио, и в газетах... Я, собственно,

Серегина первый раз как раз по нашему первому каналу и увидел... А я думал — в Питере его все знают, раз он с нашей звездой работал... Звезды — они же обычно только со звездами... Да ну, Сергеич, должны вы его знать — он про бандитов все время пишет, даже мне давали что-то почитать, когда я приезжал как-то...

Аркадий Сергеевич не был большим поклонником современной прессы, а из питерских газет читал только консервативное и респектабельное издание «Санкт-Петербургские ведомости» — бывшую «Ленинградскую правду». Поэтому фамилия Серегин хоть и была откуда-то смутно знакома майору, но ничего такого особенного не говорила... Вроде он действительно что-то такое об организованной преступности писал, кто-то из коллег даже рекомендовал Назарову почитать, но Аркадий Сергеевич отмахнулся — не верил он, что газеты способны напечатать на эту тему хоть что-то умное и честное... Потому что, если писать об оргпреступности умно и честно, то невозможно пройти мимо таких неприятных нынешним властям вопросов, как, например, — что именно способствовало расцвету современной организованной преступности и почему государство никак не озаботилось выработкой адекватных мер противодействия? Серегин, Серегин...

— Ну, — сказал Назаров. — И что этот Серегин?

— Да ничего, — пожал плечами Олафсон. — Просто, когда я его с Рахилью увидел, то подумал, что они друг друга давно знают...

Аркадий Сергеевич лукаво прищурился:

— Да с чего ты решил, что давно? Может, этот журналюга ее в Стокгольме случайно «подклеил» где-то, и все? Она как, Рахиль эта — ничего из себя?

— Очень даже ничего, — одобрительно чмокнул губами Костя. — Только ее знать надо, вариант «подклеил» здесь не прокатит. Рахиль — баба одинокая и замкнутая, ни с кем не общается, вся в себе... К ней так просто на кривой козе не подъедешь — она не блядовитая совсем.

— Понятно... — протянул майор. — А кроме нее ты с кем-нибудь еще по делам советуешься?

— Нет, — покачал головой Олафсон. — Разве что с моей фру, с Риткой... И то — она бизнесом не очень интересуется, все больше домом.

— Ясно. — Назаров погасил в пепельнице сигарету и задумчиво спросил, словно сам себя: — Рахиль Даллет... Имя-то какое-то странное для советской еврейки...

Костя махнул рукой:

— Так они же, евреи наши, когда в Израиль переезжают, как правило, меняют имена и фамилии... Вы разве не знали?

— Нет, — ответил Назаров. — Не знал...

Они просидели в кафе еще часок, болтая уже о разных пустяках, Аркадий Сергеевич при этом, однако, напряженно думал — не могла ли утечка информации о контейнерах с «Абсолютом» пойти через эту Рахиль Даллет... Вряд ли, конечно... Зачем ей это? Если только случайно... Но ведь Олафсон сказал, что мадам Даллет почти ни с кем не общается... Хорошо бы о ней справки навести, может, она и впрямь питерская... Но как их наведешь, если она в Израиле имя поменяла?.. А вдруг не поменяла? Надо все-таки попробовать пробить... Серегин, Серегин... А что, если прокачать компаньонку Олафсона через Серегина?..

Примерно в то самое время, когда Назаров сидел в «Невском паласе» с Олафсоном, у руководителя фирмы «ТКК» Дмитрия Максимовича Бурцева также состоялась весьма важная и серьезная встреча... Пойти на нее Бурцева вынудила полученная еще утром информация об убийстве Гришина. Дмитрий Максимович не сомневался, что его заместитель погиб из-за где-то допущенной им ошибки в ходе отработки версии участия Плейшнера в похищении контейнеров с водкой. В случайное разбойное нападение Бурцев не верил — он считал, что какие-то гопники просто не смогли бы легко и просто зарезать хорошо подготовленного сотрудника у самого его дома... А раз так — значит, Гришин шел в верном направлении, значит, в этом раскладе действительно замешан Плейшнер.

Теперь дело уже было не только в похищении груза — погиб один из своих. И не просто погиб, а был ликвидирован на заказ. Такое прощать было нельзя, люди бы не поняли... В результате после недолгих размышлений Дмитрий Максимович принял решение обратиться к руководителю одной охранной фирмы, в которой работали в основном бывшие сотрудники Комитета.

Комитетчики всегда стояли особняком от других охранных структур, где на работу принимали кого попало. Комитетчики брали только своих — за редкими исключениями... Такая сложилась традиция. Свои-то были людьми проверенными, а стало быть — надежными, а вот отставные менты, например, как правило, тащили за собой целый шлейф нежелательных связей с криминальным душком... И молчать бывшие менты умели хуже, и купить их было легче... Чего там — если уж менты сплошь и рядом друг друга закладывают и в тот же Комитет через одного постукивают, то о чем вообще с ними говорить? Комитетчики же свою организацию строили как секту, как некий тайный орден, куда чужакам дорога была заказана...

Примерно по тем же соображениям Бурцев не стал подтаскивать к решению своих проблем ментовскую крышу с «Апрашки» — та крыша была хороша для мелких «терок-разборок», а коль скоро дела стали такими серьезными, что уже до трупов дошло, здесь надо идти к своим. С охранной фирмой, руководителя которой Бурцев попросил о встрече, Дмитрий Максимович никогда не работал — надобность не возникала... Но, как говорится, все однажды случается в первый раз.

Шефа комитетовской охранной структуры Бурцев знал давно — когда-то даже работали вместе... Кстати, звали в это охранное предприятие и самого Дмитрия Максимовича, но тот отказался — посчитал, что в порту будет выгоднее и спокойнее. Никогда ведь не знаешь заранее, где найдешь, где потеряешь...

Бурцеву было известно, что у комитетовской охранной фирмы (свято чтящей Уголовный кодекс и работающей только с солидными клиентами) существовало особое и совсем не афишируемое подразделение, состоявшее в основном из ребят, работавших некогда в Управлении специальных операций... Эти ребята умели не только головой думать — они еще отлично действовали руками и ногами при необходимости. Многое умели эти ребята, а самое главное — они умели не оставлять следов после своей работы...

Встреча Дмитрия Максимовича с бывшим сослуживцем была не очень короткой и завершилась договоренностью: за «вписывание» в свои проблемы Бурцев гарантировал солидную сумму в валюте. Тут уж ничего не поделаешь: дружба дружбой, корпоративная солидарность солидарностью, но работать задарма — это вы извините... Работать за идею можно только при условии необходимого и достаточного финансового обеспечения со стороны государства. К слову сказать, Бурцев не «заказывал полностью» Плейшнера, то есть речь о физическом устранении не шла. По крайней мере на первом этапе. Дмитрию Максимовичу нужно было лишь, чтобы Плейшнера захватили, доставили в укромное место и там поработали с ним, если понадобится — то и с пристрастием. А дальнейшее уже зависело от информации, которую удалось бы из Плейшнера выжать...

Тянуть с осуществлением акции комитетчики не стали.

Вечером десятого мая Некрасов решил посетить баньку на Садовой — с девочками, как положено, чтобы расслабиться полностью... Милка-Медалистка куда-то запропастилась, и Плейшнер взял с собой двух совсем молоденьких «посекух» — он и имена-то их толком не запомнил.

Расслабиться Некрасов не успел не то что полностью — даже частично. Девки даже не заголились еще, когда в предбанник сауны быстро и тихо вошли три человека в масках — обычного, кстати, роста и телосложения. Плейшнер открыл было рот, но его коротко ткнул в шею один из «гостей», и Скрипник тихо выключился... Потом двое пришельцев быстро залепили Мишутке рот пластырем, сковали руки наручниками и засунули бесчувственное тело в грубый дерюжный мешок — в таких поросят на продажу возят... Так же тихо и молча, подхватив куль, двое вышли из предбанника, а третий, запирая за собой дверь, произнес одно-единственное слово, обращенное к проституткам:

— Свободны.

Вся операция по захвату Скрипника заняла несколько минут...

Плейшнер очнулся еще в багажнике автомобиля и мгновенно сопрел от ужаса — надо, надо было постоянной личной охраной обзаводиться, давно пора подошла! И говорили ведь умные люди, советовали... Вон Антибиотик — никуда без охраны, хотя кто на него руку поднять осмелится? Осмелился один в прошлом году, так его сами же мусора и взяли... Но он-то, Мишутка, — не Виктор Палыч, не того калибра. Вот и доигрался хрен на скрипке — больно музыку любил...

Везли Плейшнера долго, потом наконец машина остановилась, Некрасова, словно скотину бессловесную, вынули из багажника, понесли куда-то... Наконец мешок развязали — и пленника вытряхнули на пол.

Плейшнер заморгал глазами от яркого, как ему казалось, света... А на самом-то деле подвал, в котором он оказался, избытком иллюминации не страдал. Некрасов замычал что-то, и человек в маске шагнул к нему, резко сорвал пластырь с губ — Мишутка только охнул... Впрочем, Плейшнер постарался сразу взять себя в руки — ему было очень страшно, но сказалась лагерная закалка, там хорошо учили скрывать страх и слабость, слабых и боязливых «опускали»... Скрипник подвигал губами, сплюнул и сказал, переходя из лежачего положения в сидячее:

— Фу, бля, чуть не задушили...

— Здороваться надо! — прозвучал приглушенный голос.

Плейшнер поднял глаза и увидел троих — лица их были закрыты масками.

— Здрасьте, здрасьте, — закивал Плейшнер, стараясь унять противную дрожь вдоль хребта. — Встречались когда? Чегой-то я лиц ваших, уважаемые, не припомню... Старый стал, зрение падает... Кому это я понадобился так срочно? И чего машину зря гоняли — сказали бы, я сам пришел...

Люди с закрытыми лицами смотрели на него молча, потом один, стоявший в центре, ответил:

— Нужда возникла в разговоре — откровенном и конфиденциальном.

— Конфи... Каком? Да я и слов-то таких не знаю, — заблажил Плейшнер, шныряя глазами по подвалу. — Слушайте, робяты — вы кто будете-то? На мусоров не похожи, на братков — тоже... Кто вы, а?

— Мы, может, судьба твоя, урод! — эти слова вылетели из-под крайней левой маски. — Ответишь на наши вопросы — и по-хорошему отпустим. Покатишься на все четыре стороны.

— Ага, ага, — закивал Некрасов. — Конечно... Почему же не ответить — конечно, отвечу... Все, что знаю — пожалуйста.

— Кто убил Гришина? — вопрос прозвучал, как щелчок бича.

Плейшнер ничего не понял, а потому испугался еще сильнее:

— Какого Гришина, вы че, в натуре? Не знаю я никакого Гришина! И слыхом не слыхивал... Во артисты — Гришина какого-то кто-то мочканул, а с меня спрашивают...

— Второй раз спрашиваю: кто убил майора Гришина на проспекте Стачек?

Скрипник замотал головой:

— Не, ребята, вот тут вы в непонятное попали — с вашим Гришиным. Напутали... Ежели б я знал, то разве...

Договорить до конца он не успел — страшный удар ногой в ухо опрокинул Плейшнера на бок, он забился на полу и завыл:

— Пошто беспредел творите, псы?! Я не знаю никакого Гришина, не знаю, здоровьем клянусь!..

— Ну ладно, — сказал тот, кто, видимо, был в группе похитителей за старшего. — Чего кота за яйца тянуть? Он по-людски говорить не хочет и не умеет, так что... Давайте, хлопцы, погрейте дядю... А я пока наверх схожу... Только не тяните особо...

— Ничего, — откликнулся стоявший справа. — Мы быстренько.

Старший ушел наверх, один из оставшихся деловито начал разводить огонь в маленькой печке, а второй шагнул к Плейшнеру, у которого лысина покрылась крупными бисеринами пота.

— Ну что, падаль? Не хочешь по-хорошему? Сам себе могилу роешь — ты не понял еще? Кто убил Гришина? Говори, тварь!! Кто взял груз и где он? Ну!!

Плейшнер шумно сглотнул и севшим голосом переспросил:

— Груз? Я извиняюсь — какой конкретно? Слышь, только не бей, я просто понять хочу — за какой груз базар идет?

172

— Водка... Кто дал наколку? Ну?!

— А-а, так вы вон чего, — вздохнул Некрасов чуть ли не с облегчением, потому что хотя бы начал понимать, за что с него «спрашивают». — Так бы сразу и сказали, что за водяру предъявляете... А то — Гришин какой-то... А про водку — это вам не со мной толковать надо, я уж теперь и не знаю, где она... Это вам с Антибиотиком перетереть нужно — может, он и поможет вашей беде... А наколку Медалистка дала... Я не знаю, откуда она, блядюга, ксероксы притащила... Это она всю бодягу заварила, я не хотел...

Плейшнер говорил очень быстро, но, видимо, не убедил спрашивавшего — тот снова ударил Скрипника ногой, отшвырнув к стене:

— Какая, к хуям, медалистка, ты чего пургу метешь?! Где груз? Кто убил Гришина?

Плейшнер забился в корчах у стены, а допрашивавший обернулся к возившемуся у печки:

— Ну что? Скоро ты?..

Его подвела слишком большая уверенность в полной деморализации и физическом подавлении пленника — трудно было предположить попытку сопротивления со стороны избитого, немолодого уже урки, да к тому же — со скованными руками... Правда, руки-то у него были скованы спереди, а не сзади... А Плейшнер понял, что терять ему нечего, — сейчас его начнут жечь, потом еще чего-нибудь придумают... Про «Абсолют» вытянут все — и даже если не кончат потом (что вряд ли), Антибиотик не простит, что раскололся.

Некрасов, когда его отшвырнуло к стене, уткнулся носом в совковую лопату — ее он и подхватил, вскочив на ноги. Страх смерти придал сил и решительности — лопата, описав дугу, ударила повернувшегося к «истопнику» человека по голове. Он упал, а Плейшнер хрипло выдохнул, уже замахнувшись на второго, но тот успел среагировать — нырнул под удар и инстинктивно рубанул ребром ладони в полную силу по шейным позвонкам Некрасова...

Мишутка услышал какой-то противный хруст, а потом у него в голове словно телевизор выключился — навсегда... Плейшнер упал лицом в бетонный пол, но боли уже не почувствовал. Тот, кого он ударил лопатой, вскочил на ноги, бросился к пленнику — и очень быстро понял, что Некрасов больше не сможет ответить ни на какие вопросы...

Человек стащил с головы маску, скривившись от боли, и с досадой сказал напарнику:

— Ты что, очумел? Полегче не мог? Он же нам живой нужен был... Вот блядь... Давай, топай за Санычем, он нам устроит «разбор полетов»!

Старший, спустившись в подвал, немного повозился с телом Плейшнера, потом безнадежно махнул рукой:

— Все... Ну что — силу девать некуда? Совсем работать разучились... Чего стоите? Давайте теперь в цемент его... Терминаторы хуевы...

Известие о похищении Плейшнера вызвало в Питере много толков — в определенных кругах города, конечно, в основном в бандитских и правоохранительных. Ну, и в порту об этом скоро судачили чуть ли не все подряд — потому что там Некрасов был человеком не последним... До майора Назарова эта новость дошла 19 мая. А поскольку Аркадий Сергеевич уже знал об убийстве Гришина, для него не составило труда сопоставить два факта и понять, кто мог «заказать» похищение Плейшнера... А поняв это, Назаров почувствовал такую тоску, что — хоть на луну вой... Если раньше у майора еще оставались слабые надежды на то, что всю эту грязную историю с поставкой «Абсолюта» можно будет как-то тихо «закрыть», то теперь этих надежд не осталось. Слишком много всего уже наворочено вокруг этой проклятой водки — слишком много...

Аркадий Сергеевич срочно встретился с Бурцевым, посмотрел на руководителя «ТКК» — и понял все без слов.

— Максимыч, — устало сказал майор бывшему подполковнику. — Ты хоть понимаешь, что творишь? Мы же в обычных уголовников превращаемся...

— Я творю?! — взорвался Бурцев. — Может, это я Диму Гришина убил? Или водку я сам у себя скоммуниздил?

Назаров вздохнул:

— Нас вычислят — это же элементарно... Ты что, не понимаешь?

Бурцев упрямо мотнул головой:

— А ты что предлагаешь — на жопе ровно сидеть? Вычислят... Сейчас не прежние времена... Вычислить и доказать — разные вещи... И фора временная у нас пока еще есть... Если найдем груз — Бог даст, вывернемся как-нибудь. А вот если не будет груза — тогда действительно кранты... Мне, по крайней мере...

Аркадий Сергеевич взглянул Дмитрию Максимовичу в глаза и увидел там нехороший фанатический огонек, по которому понял, что Бурцев уже потерял способность холодного и безэмоционального анализирования ситуации... Дмитрий Максимович явно решил идти ва-банк — ему действительно было что терять.

— Как ты думаешь, — медленно спросил Назаров, — те, кто выкрал Плейшнера, смогли получить информацию о грузе?

Аркадий Сергеевич нарочно задал вопрос в такой странной форме — он уже опасался всего, в том числе и аудиоконтроля со стороны Бурцева — так, на всякий случай, чтобы еще крепче его, Назарова, к себе привязать... Хотя — куда уж крепче...

Дмитрий Максимович понял, усмехнулся:

— Брось ты, Аркадий... Если мы и друг друга еще начнем подозревать... А что касается Плейшнера, то... Мне так кажется, что он, к сожалению, не все, что знал, рассказать успел... Но водку хитил он, это точно. А вот где она сейчас — это вопрос...

Хоть и призывал Бурцев Назарова доверять друг другу, а ответил в той же манере — так, чтобы сторонний человек, услышавший эту фразу, не мог напрямую привязать Дмитрия Максимовича к похищению Плейшнера.

Аркадий Сергеевич долго молчал, а потом сказал, потирая лоб сухой рукой:

— Максимыч... У меня такое чувство, будто кто-то нас все время за ниточки дергает, заставляет делать заранее просчитанные им ходы... Что-то нечисто во всей этой истории...

— Да перестань ты, Аркадий, — махнул рукой Бурцев. — Это все нервы... У меня у самого — такие нервы, что... Ты в мистику-то не впадай... Какие еще ниточки? Кто дергает?

Назаров вымученно хмыкнул:

— А если — аноним? Кто это? Зачем ему было звонить, говорить о Плейшнере? Зачем?

— С анонимом — действительно не очень понятно, — согласился Бурцев, не знавший о первом звонке неизвестного. — Но и здесь, опять-таки, может быть множество простых объяснений... Думаешь, у Плейшнера недоброжелателей мало было? Из его же собственного окружения? Да они же там — как крысы, жрут друг друга. Так что...

Они проговорили еще минут тридцать, а потом расстались, и Назаров не мог избавиться от тягостного чувства, что Бурцев недооценивает опасность — просто не чувствует ее дыхания в затылок... Вернувшись в свой кабинет, Аркадий Сергеевич выпил таблетку от головной боли и позвонил журналисту Серегину, чей рабочий телефон разыскал еще накануне. Назаров хотел договориться с журналистом о встрече, посулив какую-нибудь «жареную» тему, а потом, в ходе беседы, постараться вывести Серегина на разговор о компаньоне Олафсона.

Трубку в редакции сняли после второго гудка:

— Алло?

— Добрый день, будьте добры Серегина Андрея...

— Серегина? А кто его спрашивает?

— Я... У меня есть для него интересная информация...

— Срочная?

— Что?

— Срочная информация у вас? Может быть, мне передадите? Я заместитель Серегина, Петров Михаил Владимирович...

— Нет, мне нужно именно с Серегиным поговорить.

— Ну, тогда придется недельку подождать, он в командировку уехал...

— Да? Вот черт, обидно как... А далеко уехал? Может быть, ему позвонить можно?

— Далеко... В Швецию. Извините, у меня работы много...

— Да, да, я понимаю, спасибо, всего доброго...

Аркадий Сергеевич повесил трубку.

«Швеция... Опять — Швеция... Журналист Серегин уехал в Швецию... Ну и что? У него там масса дел может быть — если парень со шведом вместе кино делал...»

Назаров закурил и помахал рукой, разгоняя сигаретный дым. Конечно, в поездках Серегина вообще не было ничего странного и интересного для Назарова, если бы этот журналист не знал Рахиль Даллет...

Между тем события вокруг похищенной водки развивались все стремительнее и стремительнее. Как и предполагал майор Назаров, кое-какая информация медленно, но все же начала просачиваться в правоохранительные органы.

Что же касается Антибиотика — то он, естественно, узнал о похищении Плейшнера гораздо быстрее... Надо сказать, что в Питере убийства и похищения «серьезных людей» редко оставались для Виктора Палыча загадками — как правило, он знал, откуда «ноги растут», что стоит за той или иной ликвидацией или исчезновением человека без следа...

Поскольку Некрасов говорил в свое время, что водка, которую он собирался похитить, «левая», и поскольку само похищение должно было быть «чистым» — Антибиотик даже не поверил сразу, что такую дерзкую акцию, как захват Плейшнера, могла настолько быстро и жестко провести «потерпевшая сторона». Виктор Палыч до этого никогда с комитетчиками на узкой дорожке не сталкивался, а к легендам и мифам о них относился со здоровым скепсисом. Поэтому сначала Антибиотик заподозрил, что похищение Плейшнера — не более чем инсценировка... Устал Мишутка, захотел соскочить, а чтобы о себе добрую память оставить, кино разыграл... Для Антибиотика не было тайной, что он завел себе секретный счет в одном из банков — не иначе как на черный день и спокойную старость копил, дурашка...

Однако, как показала проверка, счет оставался нетронутым. Барахло в квартире — с ним ясно, его бы никто и брать не стал. Вот паспорт на другую фамилию и «рыжьё»*, что у Плейшнера в тайничке лежали —

_____
* Рыжье — золото (жарг.).

они наводили на размышления, их-то можно было бы и прихватить, если в бега подаваться... А тут еще Череп странные непонятки в смерти Гены Ващанова выкопал: вроде как получалось, что и Гена, покойник, каким-то боком в водочную тему замешался... Этого Виктор Палыч совсем уж никак понять не мог, поскольку бывшего первого заместителя начальника РУОПа знал довольно хорошо — конченым он был человеком, алкашом запойным, с которым серьезные дела делать мог решиться только идиот.

Любовница Ващанова Светочка рассказала, что Геннадий Петрович сильно переживал по поводу наезда на него некоего комитетчика как раз в связи с какой-то водкой... И было это еще до того, как ребятки Плейшнера увели контейнеры со склада «ТКК»... Гена звонил еще прапорщику Саше — договаривался насчет склада под водку... Интересное кино получается — может быть, эти артисты из «ТКК», комитетчики бывшие, сдуру решили с помощью Ващанова левый «Абсолют» спрятать? Ясно, что ни в какой Узбекистан водку не планировалось везти изначально... Так-так... А потом, стало быть, контейнеры Плейшнер помыл, в «ТКК» начался шухер — там стали искать крайнего... И решили, что как раз Геннадий Петрович информацию о грузе и слил... Ну и рассчитались с Генококом, замастырили ему «несчастный случай» — кэгэбэшники на такие штуки мастера... Так, а потом они выкрали Плейшнера, чтобы вытрясти из него все, что он знает... А ведь Мишутка знал барыгу, на чей склад водяра упасть должна была. Сам же Антибиотик его Некрасову и подвел... И все-таки: почему они так быстро вычислили Плейшнера? За неделю всего... Может быть, Генокок перед смертью покаялся? Может быть, это все-таки он Мишутке с Гутманом про водку стуканул?

Виктор Палыч отдал два срочных распоряжения — перекинуть контейнеры с ворованным «Абсолютом» с одного склада на другой (на тот, о котором Плейшнер ничего не знал) и доставить для разговора Моисея Лазаревича Гутмана.

Гутман, однако, ситуацию прояснить не смог — наоборот, запутал ее еще больше. По его словам выходило, что толчок ко всей теме дала какая-то Мишуткина прошмандовка — то ли Люся, то ли Люда, которая невесть где надыбала какие-то копии документов и приволокла их Плейшнеру как раз при Моисее Лазаревиче...

Антибиотик аж за голову схватился:

— Ну, Моисей, ну... Кочаны заклинило? С блядями серьезный бизнес забодяжить решили?! Ну вы позорники... А я теперь вашу дристню расхлебывать должен?

Гутман трясся и божился, что тема чистой была — случайно, мол, выскочила... Виктор Палыч махнул рукой и начал вызванивать Черепа, чтобы отдать ему распоряжение на розыск этой Люси-Люды... Однако явившийся вскорости Череп привез еще одну непонятку — оказывается, после смерти Ващанова, но еще до похищения Плейшнера кто-то замочил некоего Гришина, заместителя гендиректора «ТКК», бывшего комитетовского майора. Тут у Виктора Палыча совсем мозги набекрень пошли — ясное дело, из-за чего конторские так борзанули с Плейшнером — как тут не обуреть, ежели их людей валить начали... Но кто «сделал» этого Гришина? И зачем? Мишутка? Он бы на такой шаг без санкции Антибиотика не пошел... Не должен был, по крайней мере, пойти...

— Ну, и что ты обо всей этой канители думаешь? — спросил Виктор Палыч своего начальника «контрразведки».

Череп пожал плечами:

— Я предполагаю, что смерти Ващанова и Гришина, а также последующий захват Некрасова — звенья одной цепи. Все эти события так или иначе связаны с партией «Абсолюта»... Если Некрасова грамотно обработали, то... В сложившейся ситуации мы можем получить серьезный конфликт с трудно прогнозируемыми последствиями...

— Ну, и?.. — сжал челюсти Антибиотик. — Ты договаривай... Что делать-то дальше? Как мыслишь?

Череп покачал головой:

— Принимать решение вам... С моей точки зрения — обострение нам невыгодно... Я бы пожертвовал этой водкой... Или — хотя бы ее частью... Тогда можно было бы начать переговоры.

— За своих хлопочешь? — Виктор Палыч ощерился. — Вот так вот сразу — возьми и отдай нажитое? Фасон уроним...

Бывший подполковник КГБ спокойно ответил:

— Я лишь стараюсь учитывать реальные возможности противника. А они достаточно широки...

Антибиотик задумался, поцыкал зубом, наконец кивнул:

— В конце концов, пойло это можно и по-умному вернуть. Предъявы-то никто никому не делал пока... Плейшнер... Его все равно менять надо было, он мышей ловить перестал... Гена — упокой его душу, Господи — тоже как чирей на залупе цвел, раздражал мусорскую массу да знал много... А с корешами твоими бывшими не грех было бы и поближе завязаться вместо того, чтобы подляны друг другу строить... Серьезные люди всегда договориться могут... Ладно, тут обмозговать все надо как следует... И расклад просечь пошире нужно... Ты вот что — шкурку эту сыщи, Люсю-Люду, растряси ее до матки. И с Гришиным этим — тоже прояснить тему требуется... Может, и впрямь на ком из их косяк* висит — так того поганца сыскать... Чтоб было, на чем торг держать...

Череп немедленно приступил к реализации полученных указаний, а Виктор Палыч вызвал к себе Валеру Ледогорова, дабы передать ему «грядку» Плейшнера со всеми оставшимися после Мишутки делами. Валеру Бабуина старик почти любил (если он вообще был способен кого-то любить); по крайней мере доверял ему многое.

Ледогорову было поручено навести ревизию в хозяйстве Плейшнера; ему же Виктор Палыч передал и Гутмана, наказав беречь Моисея Лазаревича как родного папу, поскольку без старого еврея могли забуксовать многие дела. А пока разборка с комитетчиками не закончилась, еврея могли выкрасть так же, как и Мишутку. Валеру, естественно, пришлось ввести в курс дела и по всей этой тухлой водочной запутке... Бабуин «закусил» все на лету — Антибиотик даже удивлялся порой, откуда в башке у бывшего боксера столько мозгов неотбитых осталось...

---

* Косяк — здесь: убийство (*жарг.*).

Убийцу Гришина — некоего отмороженного бычка Леху Толстого — Череп высчитал и взял очень быстро. Парня сдала его же баба — продавщица из ночного киоска, неподалеку от которого Гришин и погиб... Эту барышню, надо сказать, допрашивали и в милиции, но там она ничего не сказала, в отказняк пошла... Ну а люди Черепа расспросили ее построже, они ведь не были погонами да законами скованы...

Леху с его Ниночкой вывернули наизнанку — и Череп лично убедился в том, что смерть Гришина никак не была связана со злополучным «Абсолютом»... Леху до поры посадили в персональный загородный «зинданчик» Антибиотика — в бетонный бункер, оборудованный в одном загородном доме. Голова Толстикова могла понадобиться для переговоров с комитетчиками. Ну а ларечница Нина исчезла навсегда, ее утопили в озере Долгом — на всякий случай, чтобы не сболтнула потом чего-нибудь.

Хуже дела обстояли с розыском Людмилы Карасевой — любимой проститутки Плейшнера по кличке Медалистка... Вот ведь как в жизни все бывает — Череп-то изначально полагал, что как раз проститутку будет найти намного легче, чем убийцу Гришина, а вышло все наоборот... Медалистка исчезла непонятно куда. Тряхнули ее подружек — те показали, что на Милку вроде какое-то наследство свалилось чуть ли не с неба, она и собралась в другой город переезжать, даже «отвальную» на прощание устроила. Между прочим, «отвальная» эта состоялась за три дня до кражи контейнеров с «Абсолютом». Но вот что интересно — ребята Черепа навестили квартирку, которую снимала Медалистка, и обнаружили там полнейший кавардак, будто кто-то рылся во всех вещах, искал что-то... Нашли они и документы Карасевой, а также билет на поезд до Москвы, а сама девица будто в воду канула... Не могла же она уехать, бросив все свое барахло — все тряпки-побрякушки? К ней на родину, в Череповец, на всякий случай были посланы двое парней — они вернулись ни с чем, но Череп не сомневался, что в конце концов он найдет и Медалистку, так же, как вычислил Леху Толстого. Череп умел искать.

Возможно, вся эта история с водкой и завершилась бы куда более спокойно для многих ее участников, но...

Двадцатого мая 1994 года неизвестные совершили дерзкую попытку ликвидировать самого Антибиотика. Его «Волга» (сделанная по специальному заказу), сопровождаемая джипом-«чероки», двигалась по направлению к загородной резиденции в Репине. Стоял замечательный мирный майский вечер, и вдруг — на тебе! — два гранатометных выстрела, а потом прицельные очереди из двух опять-таки автоматов... Благодаря специальному переоборудованию «Волги» сам Антибиотик пострадал не очень сильно — стукнулся лицом о лобовое стекло, набил шишку... А вот водителю повезло меньше — он с разрешения Виктора Палыча ехал с опущенным со своей стороны стеклом, туда и залетела пуля, пробившая бедолаге плечо насквозь... Хорошо, шофер оказался молодцом — несмотря на рану, дал по газам и выскочил из сектора обстрела... С джипом дела обстояли хуже — вялая попытка ответить киллерам огнем успеха не имела, а экипаж «чероки» был выведен из строя в полном составе — двое погибших, трое раненых. Раненым (правда, не очень тяжело — в предплечье) оказался и сам Череп, следовавший в этот раз за «Волгой» Виктора Палыча в джипе. Старик почему-то не выносил, чтобы с ним в машине находились другие пассажиры, — исключения он иногда составлял лишь для девиц, которых любил покатать, а иногда и «пользовал» прямо в машине...

Покушавшихся, естественно, задержать не удалось — потом только в лесу обнаружили две брошенных «мухи» да два «калаша»... Почерк нападавших, по мнению многих, как-то очень сильно ассоциировался со спецслужбами.

Антибиотик разъярился так, что его чуть «кондратий» не хватил. Его, Виктора Палыча Говорова, человека, за которым стояли не просто большие, очень большие деньги (в некоторых городах бюджеты намного меньше), хотели тупо отправить в небытие какие-то отставные козлы — и из-за чего? Из-за вшивого миллиона с небольшим долларов?!! И ведь даже предъяву не сделали, падлы!

С такими придурками Антибиотик ну никак не мог уже вступать ни в какие переговоры... И не ответить на наглость он не мог. В этом мире так: не ответили на пощечину сразу — завтра о тебя все ноги вытрут...

Поскольку никакого сомнения в том, кто стоял за нападением на шоссе, у Виктора Палыча не было — он принял жесткое решение в отношении руководителя фирмы «ТКК» подполковника КГБ в отставке Дмитрия Максимовича Бурцева. Осторожные возражения Черепа Антибиотик даже слушать не стал — раскричался по-стариковски, разнервничался... А ведь Череп дельные мысли высказывал: не упираться в одну только комитетовскую версию... Видать, стало притупляться все-таки с возрастом чутье у Антибиотика, не проинтуичил он, что на самом-то деле вовсе не комитетчики засаду на дороге устроили.

(А на дороге-то, кстати, работали два бывших офицера-десантника, выгнанные в разное время из армии за какие-то грехи. Они даже не знали, кого пытались гасить, — обоих их высвистал из Рязани Валера Ледогоров, он и наводку дал втемную... Дело в том, что Бабуина уже давно достал Виктор Палыч с его занудными проповедями, с его контролем и паханскими замашками. Валера считал, что старик, конечно, сделал много, но — возраст есть возраст, пора и на покой, пора дорогу молодым открывать... К сожалению, Антибиотик принадлежал к той породе зловредных стариков, которые уходят на покой лишь вперед ногами... Ледогоров давно бы шлепнул Виктора Палыча, но опасался Черепа с его «контрразведкой», опасался, что заговор будет раскрыт... А тут, когда подвернулась шикарная возможность «повесить косяк» на «комитетчиков» — Валера не удержался... И ведь почти получилось все. Но «почти», как известно, не считается...)

А Виктор Палыч так разозлился на комитетчиков, что даже ликвидацию Бурцева решил не поручать Черепу, — в его преданности старик не сомневался, но вот решил Антибиотик скапризничать, показать таким образом Черепу свое неудовольствие... Виктор Палыч вызвал в Питер своего личного исполнителя — человека, проверенного неоднократно, о котором в окружении Антибиотика не знал вообще никто.

До майора Назарова информация о покушении на Антибиотика дошла 22 мая — и Аркадий Сергеевич ей даже не удивился... Он уже утратил способность удивляться чему-либо — последнее время ему казалось, что всех, кто был в той или иной мере причастен к событиям вокруг «водочного контракта», затянуло в какую-то безумную карусель, которая сама решает, когда «сбросить с круга» очередного седока. А седоки — они, будучи не в силах остановить дьявольский аттракцион, совершают одни только ошибки... Иногда Назарову, который не мог постичь внутреннюю логику событий последнего месяца, казалось, что он сошел с ума, иногда — что он единственный нормальный в сумасшедшем доме...

Нет, Аркадий Сергеевич еще продолжал по инерции работать, он даже пытался с помощью своих источников вычислить возможные маршруты движения контейнеров с водкой от Пыталова. Но Назаров уже чувствовал, что свою партию он проиграл, — проиграл с самого начала, когда еще только знакомил Олафсона с Бурцевым... Да, его судьба решилась тогда. А потом... Потом было лишь барахтанье, которое могло только немного затормозить окончательное засасывание в огромную безжалостно-равнодушную воронку.

Узнав о попытке ликвидации Антибиотика, Аркадий Сергеевич пожал плечами и даже не стал выходить на разговор с Бурцевым... Что он мог изменить, этот разговор?

А кровавая карусель продолжала набирать обороты.

Двадцать пятого мая, средь бела дня в Летнем саду неизвестный произвел прицельный выстрел из пистолета ТТ в голову Дмитрия Максимовича Бурцева, скончавшегося от полученного ранения на месте... Правда, киллеру тоже не повезло: Бурцев в Летнем саду должен был встретиться со своим доверенным лицом — сотрудником уголовного розыска, этот офицер успел заметить убийцу и даже выстрелил в него несколько раз, но преступнику удалось оторваться, его на набережной Фонтанки ждала белая «девятка»...

Смерть Дмитрия Максимовича не решала проблем Назарова — наоборот, она делала положение майора еще более безнадежным. Аркадий Сергеевич был убежден в том, что его контора уже очень плотно занимается выяснением обстоятельств гибели двух своих бывших сотрудников, занимается скрытно, на оперативном уровне... В определенных случаях контора обходилась без процессуальных тонкостей, и Назаров это знал... А раз так — то рано или поздно «собственная безопасность» откопает подробности водочного контракта и выяснит роль Аркадия Сергеевича в этой сделке... И все... Скорее всего ему, Назарову, предложат уволиться по-тихому, если на тот момент политическая конъюнктура не потребует разоблачения «коррупционера в рядах ФСК»... Но даже если уволят по-тихому — куда потом идти? Бурцев — мертв, фирма «ТКК» — агонизирует, и кто возьмет паленого майора?

Двадцать шестого мая Назаров отправил семью на дачу, коротко сказав жене:

— Так надо.

Супруга, давно приученная не задавать лишних вопросов, уехала, быстро собрав дочку... При прощании Аркадий Сергеевич старался не смотреть в лицо жене, изо всех сил сдерживавшей слезы, — она не понимала, что творится с мужем, но по-женски чувствовала беду.

А 27 мая, как раз накануне похорон Бурцева, Назарову удалось, наконец, дозвониться до журналиста Серегина — он вернулся из Швеции двадцать первого, но все это время майор никак не мог застать его в редакции... Собственно говоря, Аркадий Сергеевич звонил Серегину уже просто по инерции — по привычке доводить начатое дело до конца... Назарова трудно было чем-то удивить, но когда Серегин взял трубку — майор испытал шок, потому что сразу узнал голос... Этот голос принадлежал анониму, позвонившему Аркадию Сергеевичу в день прибытия партии «Абсолют» в Петербург... Ошибиться Назаров не мог — он десятки раз слушал запись того памятного разговора, толкнувшего

его на дурацкую, непродуманную комбинацию с Ващановым.

Аркадий Сергеевич понял, что добрался до ключи-
ка ко всей головоломке с «Абсолютом», но разрешить
ее все равно не мог... Да, Серегин, по словам Олафсона, был знаком с компаньонкой Кости — Рахилью
Даллет. Да, Серегин мог обладать (и судя по всему —
обладал) подробной информацией о поставке водки...
Но зачем журналист звонил с предупреждением ему,
Назарову? И для чего он потом дал покойному Бурцеву «наколку» на Плейшнера? А может, он, Назаров,
все-таки ошибается? Может, у него уже бредовые
фантазии начались?

Майор собрался с мыслями и принял решение съездить в «Лениздат» — там располагались редакции питерских газет, там находился кабинет Серегина...

Воспользовавшись служебным удостоверением, Аркадий Сергеевич прошел через проходную «Лениздат-
та» беспрепятственно и поднялся на этаж, на котором
располагалась редакция городской молодежки. Остано-
вив в коридоре какую-то серьезную барышню, Назаров спросил:

— Простите, не подскажете, где я могу видеть журналиста Серегина?

— Да вот он стоит у своего кабинета, — равнодушно мотнула головой девушка и пошла дальше по своим
делам.

Назаров перевел взгляд и понял, что не ошибся, иден-
тифицировав голос журналиста с голосом анонима, —
Серегин полностью соответствовал словесному портрету,
который нарисовала бабка-киоскерша с Садовой: черноволосый, с лицом, близким к кавказскому типу, — даже
зеленая хлопковая «натовская» куртка присутствовала,
ее журналист, видимо, собиравшийся куда-то уходить,
держал в руках... Серегин разговаривал с каким-то парнем, и до Назарова долетел обрывок его фразы:

— Ну, старик, я даже не знаю, как тебе это объяснить... Если сам не понимаешь — значит, не судьба...

Аркадий Сергеевич закусил губу — эту фразу почти
с той же интонацией сказал ему когда-то аноним.

Первым порывом Назарова было подойти к журналисту и немедленно потребовать от него объяснений,

186

но неожиданно майор передумал — он хотел подготовиться к разговору... Аркадий Сергеевич развернулся и пошел к выходу.

Назаров взял на работе два отгула и попытался выстроить предстоящий разговор. Ничего не получалось, мысли рассыпались в какую-то труху, Назаров не мог вычислить главного — мотивов поступков Серегина... Аркадий Сергеевич даже засел в Публичке с подшивками газет — он искал статьи Серегина, пытался просчитать журналиста через его материалы.

Статьи Серегина, посвященные организованной преступности, майору неожиданно понравились — он увидел в них многое из того, под чем мог подписаться сам. К сожалению, после прочтения материалов у Назарова появилось еще больше вопросов — майор был неплохим аналитиком и не мог не заметить в статьях многих недоговоренностей, указывавших на то, что автор располагает гораздо большим объемом информации, чем та, что пошла в печать... А еще Аркадий Сергеевич, натолкнувшись на заметку, датированную февралем 1992 года, вдруг вспомнил — этот журналист однажды звонил ему... В заметке шла речь об одном криминальном эпизоде — попытке взрыва квартиры таможенника. Да, тогда тот Серегин, непонятно как добывший рабочий телефон Назарова, позвонил ему, попросил откомментировать ситуацию... Разговор был недолгим, Аркадий Сергеевич переадресовал журналиста к оперативникам службы «Т», даже почему-то дал телефон занимавшегося тем делом опера, хотя и не должен был так поступать... Вот чем, оказывается, объяснялась фраза анонима об услуге, которую ему оказал Назаров... Но зачем Серегин начал какую-то непонятную игру, плохо сочетавшуюся с его журналистской профессией? На этот основной вопрос Аркадий Сергеевич так и не смог найти ответа...

Тридцатого мая Назаров решился на разговор — он уже измучил себя настолько, что не мог больше ждать. Собственно говоря, майор не верил, что разговор с Серегиным способен что-то исправить или изменить — Аркадий Сергеевич просто хотел понять... Понять что-то очень важное, понять причину, по которой пошла под откос его жизнь, — а в том, что она пошла под откос, Назаров не сомневался... Контора высчитает его, высчитает обязательно — это вопрос времени. Значит, нужно хотя бы успеть понять...

Вечером 30 мая Аркадий Сергеевич подъехал к «Лениздату» — Серегин был ещё на работе, Назаров проверил это телефонным звонком... Около часа майор ждал в своей «четверке», наконец знакомая фигура вышла из здания и направилась к припаркованной рядом с машиной Назарова «Ниве». Аркадий Сергеевич глубоко вздохнул и вышел из автомобиля:

— Андрей Викторович!.. Задержитесь на минуточку... У меня есть к вам разговор.

Серегин удивленно обернулся:

— Вы меня?.. Кто вы?

— Майор Назаров, Аркадий Сергеевич... Если не ошибаюсь, вы мне звонили как-то...

В черных глазах журналиста что-то промелькнуло, он напрягся — почти незаметно, но Назаров это напряжение ощутил. Серегин, будто припоминая что-то, потер лоб:

— Да, что-то такое... Кажется, года три назад... Взрыв на квартире таможенника?.. А в чем, собственно говоря, дело?

Аркадий Сергеевич показал головой:

— Давайте отойдем к набережной... Я, кстати, имел в виду более поздний звонок...

Журналист пожал плечами, однако подошел вместе с Назаровым к ограде Фонтанки:

— Я не понимаю, о каком звонке идет речь...

— Бросьте вы, — сказал Назаров. — Все вы понимаете... Вы мне звонили с предупреждением относительно партии водки из Швеции... А потом вы позвонили Бурцеву-покойнику — указали на Плейшнера... Давайте не будем играть в кошки-мышки... Я наш разговор записал, а идентифицировать голос оказалось не очень сложно... У вас тембр характерный, да и выражения некоторые вы повторять любите... А вычислил я вас, когда получил информацию, что вы знакомы с некоей Рахиль Даллет — вас видели вместе в Швеции...

— Ну и что? — дернул щекой журналист. — Что это доказывает? Я не очень понимаю вас, майор... Чего вы хотите? Мне кажется...

— Не надо! — мотнул головой Назаров. — Не надо говорить, что я что-то путаю... Я ничего не путаю... И я ничего не хочу доказать... Я хочу понять...

— Что понять? — Серегин явно не собирался колоться. Он уже пришел в себя и, видимо, лихорадочно просчитывал варианты.

— Понять? — Майор глубоко затянулся сигаретным дымом. — Мотивы ваших поступков, Андрей Викторович... Для вас ведь, наверное, не секрет, что из-за странной истории, которую вы заварили с этой водкой, погибло много людей... И я думаю, список не закончился. Вас не мучает совесть?

Назаров говорил что-то не то, разговор пошел совсем не так, как бы ему хотелось, — майор не мог понять, что с ним творится, почему он говорит фразы, позволительные лишь непрофессионалу...

— Совесть?! — вдруг взорвался остававшийся до этого внешне спокойным Серегин, — видимо, и у него нервы уже были на пределе. — Это вы мне о совести говорите? Интересное кино получается... Да, я слышал кое-что о неких разборках в порту из-за партии шведской водки... Так об этом уже многие знают... Груз-то, если не ошибаюсь, был левым, не так ли, Аркадий Сергеевич? И вы об этом знали: вы — представитель контрразведки, старший офицер... И вы еще о совести говорите?!

Серегин возбужденно хлопнул себя по бедрам и зло усмехнулся:

— Нет, мне нравятся такие офицеры — горячее сердце, холодный ум и очень-очень чистые руки... Такие, которые везде и всюду ноют, что власть в стране захватила уголовная кодла, с которой ну просто невозможно бороться, потому что законов не хватает, старые-то законы — несовершенны... А бороться с мафией незаконными способами — это ни-ни, это же никак нельзя, руки-то должны чистыми оставаться! Зато можно незаконными способами поработать на свой карман — чего теряться, правда, раз вокруг одни только жулики! Нормально! В какого бывшего чекиста ни ткни, который после увольнения бизнесом занялся, — каждый скажет, что ушел, потому что работать ему не давали, жрали без хрена, честного такого... Вот и при-

189

шлось ему, горемыке, в коммерцию идти... И принципы не мешают быстро денег на «мерс» нашинковать, на хатку, на дачку... Как будто у кого-то иллюзии есть насчет честного бизнеса в нашей стране! Совесть... Вам самому-то себя слушать не противно, Аркадий Сергеевич?!

Журналист посмотрел Назарову в глаза, и майор не выдержал, сморгнул:

— Андрей Викторович, вы... Почему вы считаете, что имеете право судить, распоряжаться судьбами?! Да что вы знаете...

Серегин быстро сунул в рот сигарету:

— Ах, я теперь уже и судьбами распоряжаюсь?! Нормально... Одни воры в порту украли у других ворованное, у них грызня пошла, а я, стало быть, в ответе? Потому что якобы кому-то звонил и кто-то меня с какой-то Рахилью видел? А вам не кажется, что все, кто грязный кусок поделить не сумели, — взрослые люди, которые вполне могли самостоятельно делать выбор и принимать решения? И они его сделали, свой выбор, не так ли? И вы выбор сделали, Аркадий Сергеевич, как я понимаю!.. А теперь, когда жареным запахло, — очень хочется крайнего найти, того, кто во всем этом виноват?! Ну, и лучшая кандидатура на роль крайнего — это, конечно я! Это ведь я сводил вас с бывшими фарцовщиками, а ныне бизнесменами, я учил вас, как напарить родное государство, которое вы клялись защищать!

— Подождите, — тяжело дыша сказал Назаров. — Я, кажется, понял... Вы просчитали — не знаю, каким способом, но просчитали — расклад, а дальше начали скидывать информацию разным сторонам... Вам нужно было стравить их... И вы своего добились...

— Думайте что хотите, — с досадой, показывавшей, что Аркадий Сергеевич попал в цель, ответил Серегин. — Бегите, информируйте своих отставных друзей... Или слейте все, что нарыли, их конкурентам, они, может быть, отблагодарят посущественнее...

Майор дернулся, словно его наотмашь ударили по щеке:

— Вы!.. Да как вы... — Аркадий Сергеевич вдруг сник, ссутулился и сказал глухо: — Я не собирался никого информировать о нашем разговоре, я хотел понять сам... Но вы... Вы влезли в слишком опасную игру... Если вас сумел вычислить я, значит, сумеют и другие... Зачем? Зачем вам все это понадобилось?

Серегин в одну большую затяжку докурил свою сигарету и после короткой паузы глухо сказал:

— Мне кажется, наш дальнейший разговор не имеет смысла... Я не понимаю вас — мне вообще непонятно, о чем вы говорите... Вы не понимаете меня — и, я думаю, никогда не поймете...

— Ошибаетесь, — покачал головой Назаров. — Мне кажется, я вас понял...

— Поздравляю, — сухо кивнул журналист. — Боюсь, что я вам ответить пониманием не смогу... У вас все ко мне, майор? Тогда — желаю здравствовать... И не надо больше ко мне подходить с душещипательными разговорами... О своей душе каждый должен заботиться сам... Вот если вы официально надумаете мне что-то предъявить, тогда — пожалуйста... В официальном месте и продолжим... Извините, я спешу...

Серегин бросил окурок, затоптал его каблуком и, не попрощавшись, пошел к своей «Ниве». Назаров долго смотрел ему вслед, и майору казалось, что даже чуть сутуловатая спина журналиста выражала презрение.

Аркадий Сергеевич трясущейся рукой нашарил в кармане сигареты, закурил — в этот момент его словно ударило что-то в сердце. Назаров охнул, закашлялся, начал растирать пятерней левую половину груди... С майором никто и никогда так не разговаривал... Серегин сказал ему все то, что Назаров не решался до конца сказать себе сам... А ведь убежать от самого себя еще никому не удавалось. Известная истина: чтобы быть в ладу с собой, нужно просто не бояться задавать себе честные вопросы и давать на них честные ответы... Только делать это нужно постоянно, а не тогда, когда припрет... Потому что когда припрет, тогда честные ответы на честные вопросы могут уже прозвучать приговором — окончательным и не подлежащим обжалованию...

Назаров не заметил, как сигарета догорела до фильтра. Майор посмотрел на свою «четверку» и отвернулся — он не хотел никуда ехать, да и спешить ему было уже некуда...

Аркадий Сергеевич медленно пошел по набережной Фонтанки по направлению к Михайловскому замку... Редкие прохожие с удивлением оглядывались на него — Назаров что-то негромко бормотал, будто пытался рассказать кому-то о чем-то... А майор действительно рассказывал — он думал об отце и не замечал, что беседует с ним вслух так же, как перед смертью Татьяна Александровна разговаривала с Сергеем Васильевичем. Майору казалось, что отец слушает его, но почему-то не хочет отвечать, словно сын не сказал еще чего-то самого главного, самого важного...

У Михайловского замка в это время стояли четыре автомобиля — два японских джипа, «мерседес» и «вольво». Там проходила мирная стрелка представителей двух дружественных, в общем-то, бандитских группировок — обе они входили в империю Антибиотика... Но, как это часто бывает даже между дружественными «коллективами» время от времени возникали мелкие конфликты, которые решались, в зависимости от их значимости, на разных уровнях. В этот раз «терка» была совсем пустяковой — два молодых пацана из-за бабы цапанулись на дискотеке, даже постреляли маленько, хорошо не попали ни в кого... Возникшую тему съехались обсудить «звеньевые» — Женя Травкин, работавший в свое время под Плейшнером, и Дима-Караул, начинавший когда-то с покойным ныне Олегом Званцевым по кличке Белый Адвокат.

Женя и Дима знали друг друга давно, подвохов на стрелке не ждали, но на всякий случай каждый приехал с охраной, как того требовал сложившийся «этикет», — заодно пусть и молодые увидят, как серьезно старшие к любому, даже самому мелкому, на первый взгляд, вопросу относятся... «Звеньевые» мирно прогуливались от площадки перед замком до набережной, охрана внимательно скучала — вечер был тихим и светлым... Быстро «растерев непонятку», бандиты не торопились разъезжаться — наступающая белая ночь настроила Диму на лирический лад, и он принялся рассказывать Жене, как сам не так давно был молодым и глупым и как вписывался в разные «махаловки» из-за баб...

В этот момент по набережной навстречу «звеньевым», чуть покачиваясь, вышел немолодой уже мужик в костюме и в галстуке — это был Назаров.

Аркадий Сергеевич, ушедший глубоко в себя, вдруг вздрогнул, услышав, как один стриженый амбал, гогоча, рассказывал другому:

— Ну вот, я этому задроту очкастому бью в пузо, а он руками за ногу схватился, я — дерг, а туфля у него осталась. Я — туда-сюда, а вокруг орут уже, ментуру кличут, а этот пидор скорчился, в ботинок вцепился... Я ему по еблищу пяткой — бумс, а он все равно рук не разжимает, свело, видать... Ну, я, бля, думаю — не бежать же босиком?!

Назарова заколотило — когда-то, много лет назад, его отец вот так же вцепился в бандитский ботинок и умер, и никто ему на помощь не пришел... Конечно, эти два стриженых амбала в то время еще пешком под стол ходили. Конечно, это не они убили Сергея Васильевича... Не они, но такие, как они... Аркадий Сергеевич хотел когда-то защищать людей своей страны в том числе и от такой вот мрази, а вышло...

Вышло, что он, Назаров, сам в почти такую же мразь превратился... И очень скоро его, как проворовавшегося прапорщика, попросят снять погоны и положить на стол удостоверение.

Дима-Караул мазнул по странному мужику недовольным взглядом:

— Ну, че вылупился-то, папаша? Шарниры в прутиках заело? Вали отсюда, не на выставке...

Назарову и раньше приходилось сталкиваться на улицах с братками, но они никогда не позволяли себе так разговаривать с майором — по глазам чуяли серьезную ксиву в пиджаке. А теперь, видимо, и взгляд у Аркадия Сергеевича стал другим — ушло из него что-то... Наверное, навсегда... Назаров снова почувствовал, как в груди сердце сильно ударилось обо что-то. Майор медленно вздохнул, потом спокойным, будничным движением вынул из наплечной кобуры табельный «макаров», передернул затвор и выстрелил Диме в лицо... Женя Травкин широко раскрыл глаза и, не успев даже испугаться испугаться, сказал в крайнем изумлении:

— Ты че, пидорасина, ты ебу дался?! Да ты...

Второй выстрел отправил Женю догонять уже покинувшего этот странный мир Диму.

Надо сказать, что «экипажи прикрытия», не ожидавшие никакой стрельбы, отреагировали все же быстро — Женя еще дергался в агонии, а его бойцы уже открыли огонь из помповых ружей, на которые у всех, кстати, имелись совершенно легальные разрешения... Секундой позже к пальбе присоединилась и охрана Димы... Назаров больше не успел выстрелить ни разу — его швырнуло на землю, он попытался встать и упал снова... На мгновение майору почудилось, что он увидел отца, — Сергей Васильевич молча смотрел на сына, но не здоровался и не делал никаких попыток помочь Аркадию подняться...

Часть II

ВЫДУМЩИК

Тот, кто сражается с чудовищами, должен помнить о том, чтобы не стать монстром самому.

Фридрих Ницше

Андрей Обнорский, известный читателям своей газеты под псевдонимом Серегин, конечно, не мог предположить, чем закончится для майора Назарова их странный разговор. У Серегина не было серьезных оснований доверять офицеру ФСК — журналист считал, что раз Назаров его вычислил, то обязательно передаст информацию кому-нибудь еще... Андрей, ругая себя последними словами за то, что так подставился, рванул на своей «Ниве» к Центральному переговорному пункту, который находился у самой арки Генерального штаба. Обнорский очень торопился — он почти физически ощущал на затылке чужое злобное дыхание... На переговорном пункте Серегин сделал два коротких звонка — один международный и один местный. Сначала Андрей позвонил в Стокгольм. Ожидая, пока на другом конце провода снимут трубку, Обнорский нервно оглядывал из кабинки зал, но ничего подозрительного не заметил... Наконец абонент в столице Швеции ответил. Андрей облегченно вздохнул и, стараясь, чтобы его голос звучал спокойно, сказал:

— Привет, это я... Как ты?.. Понятно... Слушай, у меня тут, похоже, неприятности могут начаться... Да подожди, что ты сразу в панику-то... Похоже, «просек» меня друг Олафсона... Ну как, как — умным он шибко оказался... Нет, пока, кажется, все чисто... Да... Поэтому, я так думаю, до утра еще запас времени у меня есть... Да... В общем, я здесь закругляюсь и постараюсь утром вылететь к тебе... Да... Если я не прилечу — значит, что-то случилось... Тогда действуй, как договари-

вались... Все... Да не психуй ты раньше времени... Да...
Я тоже... Ну, пока...

Серегин повесил трубку и перешел в кабину для
местных телефонных переговоров. Обнорский с сомнением посмотрел на часы (стрелки приближались уже к
восьми), но все же начал набирать номер. Когда на
другом конце провода сняли трубку, Андрей обтер лоб
и поздоровался:

— Физкультпривет, рад, что застал тебя... Слушай,
нам нужно срочно встретиться и поговорить... Ах, вот
даже как?.. Ну — так у дураков мысли совпадают... Нет,
до утра не терпит, нужно обязательно сегодня... Намек-
нуть? Ты про нынешние разборки в порту, естественно,
слышал кое-что?.. Да, да, ко всей этой компании. Ну
вот, думаю, что смогу тебе кое-что интересное рассказать... Да... Нет, прямо сейчас не могу, у меня встреча
через полчаса... Нет, короткая совсем... Давай в одиннадцать — в смысле, в двадцать три ноль-ноль, на Сенной... Нет, именно там — так нужно, нам в одно место
зайти придется... Ну, где? Давай у магазина «Океан»...
Лады... Все, пока...

Обнорский вышел из кабины, огляделся и быстрыми шагами пересек зал.

Запрыгнув в свою припаркованную у самого входа
в переговорный пункт «Ниву», Андрей запустил мотор,
быстро развернулся и на приличной скорости погнал к
Финляндскому вокзалу. На площади Ленина Серегин
остановил автомобиль, еще раз проверился и побежал
к телефону-автомату. На этот раз Обнорский набрал
совсем короткий номер — 02. Дождавшись ответа, Андрей сказал в трубку глухо:

— Примите информацию: сегодня ночью будут взорваны два коммерческих склада, на которых находится
украденный товар... Речь идет о контейнерах с водкой
«Абсолют», похищенных с территории Санкт-Петер-
бургского морского порта тридцатого апреля этого года. Диктую адреса складов и номера контейнеров...

Закончив монотонно диктовать, Серегин, не дожидаясь ответа, повесил трубку и побежал к машине. Сев
в свой вездеход, Обнорский снова посмотрел на часы — до назначенной встречи оставалось еще пятнадцать минут, стало быть, он успевал... Андрей осмот-

релся и, не обнаружив поблизости гаишников, выру-
лил, грубо нарушая правила, на Арсенальную набережную — Обнорский хотел убедиться, что за ним нет
хвоста.

Серегин ехал на площадь Калинина, где в здании
бывшего кинотеатра «Гигант» уже два года функцио-
нировало самое крупное в Питере игорное заведение —
казино «Конти».

Вообще в Петербурге за последние год-полтора появилось с десяток мест, где крутили рулетку, играли в
покер и «блэк-джек» — американский аналог русской
игры в «очко». Так называемые «казино» появлялись
словно грибы после дождя — как правило, это были
достаточно сомнительные заведения с убогим интерье-
ром и подозрительными личностями в несвежих ру-
башках, изображавшими из себя крупье. Но «Конти»
отличалось от всех остальных респектабельностью,
чистотой и спокойной атмосферой — как-то так сразу получилось, что это казино получило статус так называемой «нейтральной территории», где никогда не
устраивалось никаких разборок, где спокойно могли
встречаться самые разные люди — даже смертельно
враждовавшие друг с другом... Такой «нейтральный»
островок устраивал всех: и бандитов, и бизнесменов, и
представителей городских властей — в конце концов,
люди же должны где-то общаться?.. В помещение казино категорически было запрещено входить с оружием — всем, невзирая на уровень крутизны... Нема-
ловажным обстоятельством, способствовавшим росту
популярности «Конти», стало также то, что в заведении
действовали три «кольца» охраны — «наружное»,
«входное» и «внутреннее»... В последнее время Обнорский полюбил назначать некоторые встречи именно
в «Конти» — во-первых, там было безопасно, во-вторых, туда «стеснялись» заходить представители правоохранительных органов, а в-третьих, каждый контакт
с нужным человеком легко объяснялся «случайной»
встречей за игорным столом, «случайно» завязавшимся
разговором. Игроки ведь инстинктивно чувствуют некую солидарность, пытаясь обыграть казино, они начинают общаться, даже не спрашивая порой имен друг
друга...

Тридцатого мая Обнорский должен был встретиться в «Конти» с одним давним своим знакомым, выросшим за последние полгода до уровня бандитского «бригадира». Братва знала этого парня как Славу Солдата, а Андрей помнил его еще студентом ЛИСИ — когда-то они часто встречались на соревнованиях по дзюдо... Ну, а потом — жизнь у каждого сложилась по-разному... Слава был странным бандитом — он много читал, ходил и в театры, и в музеи и, как иногда казалось Серегину, жалел, что судьба занесла его в криминал... Слава Солдат, с которым Обнорский случайно встретился однажды в самом начале 1993 года, оказывается, читал почти все материалы Серегина — и имел по ним ряд интересных замечаний... Андрей консультировался с ним время от времени, чтобы избежать в своих статьях некоторых досадных неточностей, — впрочем, журналист за годы своей работы уже убедился, что сколько бандитов в городе, столько и мнений, и лишь очень немногие способны были видеть картину в целом, понимать истинную направленность процессов, протекавших в среде организованной преступности.

Понимал ли Слава, что для Андрея он фактически стал одним из источников информации? Наверное, понимал... Но он испытывал острый голод по нормальному человеческому общению — потому и шел, наверное, на эти контакты, которые наверняка понравились бы далеко не всем из его коллег... Для Обнорского же встречи со Славой были очень важны не только в связи с непосредственной журналистской практикой... В последние месяцы Солдат рассказывал Андрею многое из того, что позволяло Серегину хоть немного быть в курсе некоторых новостей, случавшихся в империи Антибиотика. Нет, конечно, Слава не был особо приближенной к Виктору Палычу фигурой, «бригадир» знал далеко не все и, конечно, в разговорах с Обнорским тщательно «фильтровал базар» — но Андрей впитывал любую информацию, стыкуя позже фрагменты, полученные от разных источников... В последнее время у Славы все чаще и чаще прорывалась тоска по нормальной жизни, в которую он не видел возможности вернуться... На предыдущей встрече Андрей осторожно намекнул «бригадиру», что если тот хочет — можно попробовать устроить встречу с одним нормальным, честным и порядочным ментом из РУОПа, за которого он, Обнорский, готов головой ручаться... В конце концов, может, из этого разговора что-то и получилось бы? А нет — так и «разошлись бы краями», посидев и поболтав ни о чем...

Солдат воспринял предложение спокойно, он, казалось, ждал чего-то подобного, сказал, что подумает насчет встречи — но стукачом не станет, это точно.

В принципе после неожиданного разговора с Назаровым Обнорскому было, конечно, уже не до неторопливых бесед со Славой — Андрей чувствовал, что у него земля горит под ногами... Но на назначенную с утра встречу все же поехал — по старому правилу, требовавшему максимум корректности и пунктуальности в отношениях с источниками информации... Да и просто по-человечески жалел Серегин Славку — абсолютно нормального в прошлом парня, который бы еще лет семь назад долго смеялся, если кто-то напророчил бы ему бандитскую карьеру...

Припарковав машину у казино, Обнорский быстрым шагом направился к центральному входу — там он прошел через раму металлоискателя, и охрана, убедившись в том, что посетитель не тащит с собой «ствол», пропустила его в зал...

Солдата Андрей заметил сразу — Слава сидел на высоком табурете перед «одноруким бандитом» и время от времени меланхолически дергал ручку автомата, бросая в его ненасытное нутро жетончики. Однако подсаживаться немедленно к своему знакомому Обнорский не стал — он прошел в Красный зал, поглазел на игорные столы, отметил, что народу немного, и только тогда вернулся к ряду автоматов. Заняв место рядом со Славой, Серегин, делая вид, что внимательно рассматривает картинки, негромко опросил:

— Как оно? Как жизнь?

Солдат пожал плечами:

— Жизнь, она как сабля — крива и остра, бля... В городе хрен поймешь что творится — пацаны звонили: только что, говорят, Женьку Травкина и Димку-Караула завалили... Полная непонятка — вроде какой-то малахольный их уделал и сам там остался... На киллера не похож, он как камикадзе действовал... Такие вот расклады.

Обнорский удивленно качнул головой:

— Травкин? Это который с Плейшнером был?

— Он самый...

— Дела... Ну, и что ты думаешь по этому поводу?

Слава с философским спокойствием повел бровями:

— Так а что тут думать? Среди пацанов слух идет, что в порту какой-то крутой груз пропал, на который вроде менты свои виды имели... Ну и понеслось — смотри, сначала Плейшнера убрали с пробега, теперь Женю... Я его видел, кстати, три дня назад, он какой-то мутный был, весь на нервах...

— Понятно, — сказал Серегин и глянул на часы. — Славка, ты извини, у меня сегодня напряги большие со временем... Как насчет нашего разговора — не надумал?

Солдат кивнул:

— Пожил я с этими мыслями... Нет, Андрюха, не буду я с твоим ментом встречаться... Ты — это одно дело, тебе я верю... А мент — он мент и есть, не верю я им... Он, может, сам и нормальный мужик — да начальник у него присученным окажется... На хер мне такое счастье? Сдадут за «бабки» нашим же — и привет, поехали в Африку...

— Как знаешь, — развел руками Обнорский. — Только с братвой-то тебе тоже, как я понимаю, нерадостно... Чужой ты им.

Солдат грустно усмехнулся:

— Я теперь всем чужой... Но у меня, по крайней мере, есть свое дело, есть какой-никакой статус... Поздно менять что-то, паровоз ушел... Да и привык я к своей жизни... «Бабки» опять же... К ним быстро привыкаешь...

Андрей кивнул:

— Ну что же, вольному воля... Ты человек взрослый и в ваших раскладах всяко больше меня понимаешь... Слава, я хотел предупредить тебя... Мне кажется, в городе скоро совсем большой шухер может начаться... Так что ты будь поосторожнее... Я... Мне уехать надо — не знаю еще, на сколько... Как объявлюсь снова в Питере, позвоню...

Слава скосил на Обнорского насмешливые глаза:

— Ладно, будем бандитствовать вдумчиво и деликатно... Кстати, я тебя тоже предупредить хотел.

— О чем? — удивленно спросил Андрей, уже слезший со своего табурета.

Солдат отвернулся к автомату:

— Пацаны базарили — люди Черепа сильно ищут одну деваху... Милку-Медалистку... Чего-то она им сильно понадобилась...

Обнорский вздрогнул, но тут же дернул плечом:

— Так, а я-то тут при чем? Ищут — пусть ищут. Флаг — в руки, барабан — на шею...

Слава, не оборачиваясь, ответил:

— Я с этой Милкой «зависал» пару разочков — сладкая соска... Да, так вот — как-то раз иду это я по «Астории», думаю себе, как обычно, о живописи. Смотрю: знакомые все лица, журналист и проститутка, сидят себе за столиком и жу-жу-жу, жу-жу-жу... Короче, имеют увлеченный разговор... Ну вот я и подумал...

Серегин закашлялся:

— Мало ли с кем я случайно за столиком сидел? Я иногда симпатичную бабу вижу — сам не свой становлюсь, не могу удержаться от грязных приставаний... Да, ну и городишко у нас — как на хуторе, ей-богу... Никакого тебе уединения... Слава, а ты... Ты кому-нибудь говорил, что видел нас вместе?

Солдат улыбнулся:

— Да я про это только сейчас и вспомнил. И снова забыл. Жалко будет соску, если она в какой-то блудень вошла. Череп — мужчина серьезный...

Обнорский задумчиво кивнул:

— Да уж слыхал... Страшилки-то про него всякие рассказывают.... А ты сам-то его видел хоть раз?

— На фиг, на фиг, — Слава даже перекрестился на всякий случай. — Я уж как-нибудь... Таких друзей — за хуй да в музей, как говорится... Его вообще мало кто видел, а кто видел — тот не болтает... Я только однажды с пацанами его пообщался — конкретные, скажу тебе, ребятишки, совсем пробитые...

— Ну ладно, Слава, бывай... Удачи тебе.

— И тебя туда же...

Обнорский сделал еще один «кружок почета» по казино, внимательно осмотрел ноги всех официанток (девушки в заведении носили короткие юбки, и, надо признать, им было что показывать) и направился к выходу.

Уже сидя в машине, Андрей снова взглянул на часы и подумал, что перед встречей на Сенной он вполне успевает еще заскочить домой — нужно было уже начинать укладывать вещи перед отлетом в Стокгольм. А кроме того, Обнорский очень хотел есть — у него так сложился этот день, что в последний раз еда попала в организм еще утром...

Если бы Серегин был не так вымотан, он, наверное, повнимательнее прислушался бы к внутреннему голосу, говорившему об опасности все громче — по мере его приближения к дому... Если бы Андрей поехал на Сенную сразу... Но Обнорский очень хотел есть, а ощущение тревоги объяснял нервным и неожиданным разговором с Назаровым...

Серегин ехал к себе домой, смотрел воспаленными глазами на бегущую под колеса дорогу и «собирал мысли в кучу». Он предполагал, конечно, что однажды может возникнуть необходимость срочного исчезновения из Петербурга, — у Андрея была постоянная виза в Швецию и билет на рейс авиакомпании «САС» до Стокгольма — при наличии мест он мог улететь в любой день, оформив все прямо в аэропорту, а места на скандинавские рейсы, как правило, были всегда... Но неожиданная ситуация, она и есть неожиданная, как к ней ни готовишься — все равно она застанет немножко врасплох. И, как всегда, всплывает множество совершенно неотложных дел. Андрей гнал машину и пытался сосредоточиться.

«Значит, Милу все-таки ищут... Ничего не скажешь, умеет этот Череп головой работать... Черепом, точнее... Веселенькие каламбурчики... Но почему же Милка не звонит? Мы же с ней договаривались... Случилось что-нибудь?.. А что могло случиться? Самое страшное — это если бы ее нашли здесь... А ее здесь ищут — значит, не нашли... Блин, договаривались же, как устроится — сразу звонит... Может, устроиться никак не может? Это за целый месяц-то? А если в дороге что приключилось? Все-таки совсем еще девчонка, с такой суммой денег... Но не дура же она, в конце-то концов,

202

не стала же пачками „светить"? Дура не дура, а с бабами никогда наперед не угадаешь, что им в голову взбредет... Вроде все разжуешь досконально, в рот положишь, только сглотни — нет, обязательно что-нибудь выдумают, чтобы „как лучше было", а начинаешь объяснять, что, мол, не надо „как лучше", надо „как положено", — тут же на тебя же и обижаются...»

Остановившись на перекрестке, Обнорский заставил себя переключиться с мыслей о Людмиле на другие проблемы — их хватало, а Мила — тут, как говорится, гадай не гадай... Родителей Андрей попросил еще неделю назад уехать в глухую деревню в Вологодской области, где они еще в горбачевское время купили дом-развалюху, — отец все понял правильно, сумел как-то спокойно убедить в необходимости отъезда и мать... Младший брат Обнорского был курсантом военного училища и сидел «на казарме» — туда тоже добраться будет нелегко, все-таки военная система... К братишке, правда, Андрей на всякий случай специально заезжал — проинструктировал, чтобы сидел и не высовывался и ни к каким незнакомым посетителям не выходил, что бы они там ни говорили, какие «экстренные» известия ни хотели бы сообщить...

Обнорский надеялся, что напряжение продержится еще месяц-два, а потом наступит развязка... Должна, по крайней мере, наступить... Хотя — планируешь одно, а получается — совсем другое... В этой чертовой истории с «Абсолютом» все почему-то шло вроде бы и в предугаданном направлении, но вместе с тем как-то не так, потому что каждый норовил сымпровизировать, и все — абсолютно все — постоянно ошибались, иллюстрируя поговорку насчет гладкости бумаги и коварности реальных жизненных оврагов... Андрей чувствовал, что он и сам наделал немало ошибок. Одна из них, конечно, его звонок Назарову... Зачем он тогда все же позвонил? Ведь вполне можно было обойтись и без этого... Хотел сподвигнуть майора на непонятно какие действия, чтобы еще больше «замутить бодягу»? Или... Или он все-таки пытался подбросить Назарову шанс? Вот и подбросил...

Андрей резко затормозил у крыльца своего дома, выскочил из машины, огляделся... Вокруг все было спокойно, прохожих не наблюдалось вообще, только у самого крыльца суетилась с большой детской коляской (в таких близняшек обычно укладывают) какая-то молоденькая совсем мамаша — смешная такая, в мини-юбке, на каблуках, с двумя косичками, задорно торчавшими в разные стороны.

«Это откуда же в нашем тупичке чудо такое появилось?» — подумал Обнорский, невольно улыбаясь. Впрочем, удивляться было нечему — Андрей хоть и жил в своем доме уже давным-давно, но соседей знал плохо. Раньше, когда он еще был военным переводчиком, Обнорский появлялся дома только в отпуска, потом — тоже известная история, работа в газете отнимала все время, Серегин в своей квартире только ночевал... Нет, кое-какие лица в доме, конечно, примелькались, и Андрей со всеми вежливо здоровался, но не знал толком — ни как кого зовут, ни кто чем занимается... Исключение составляли жильцы пяти-шести квартир, не более.

Молодая мамаша, казалось, очень обрадовалась Обнорскому, она тряхнула косичками и смущенно улыбнулась:

— Ой, вы не поможете мне коляску наверх занести? А то мне одной как-то...

— О чем речь, барышня, — тут же откликнулся Обнорский, всегда готовый помочь женщине, тем более молодой, симпатичной, длинноногой. — Мы, стало быть, соседи? А я вас раньше почему-то не замечал.

— Я в гости приехала из Новосибирска, — затараторила молодая женщина. — А тетя Лена уговаривает остаться... Мне у вас тут в Питере нравится — красиво, и люди отзывчивые... Только вот гулять с моими мальчишками не очень удобно — все время просить кого-нибудь приходится коляску вниз спустить, а потом наверх поднять... А сегодня мы что-то загулялись — жду-жду, никто в дом не идет. Я уж хотела за тетей Леной бежать...

Она трещала без умолку, помахивая ладошкой. Андрей, хмыкнув, забросил ремень своей сумки за голову и взял коляску обеими руками. Подняться нужно было всего на восемь ступенек — мамаша с косичками суетилась рядом, придерживала коляску, заглядывала Обнорскому в глаза... Когда осталась всего одна ступенька, входная дверь в парадную слегка заскрипела, и женщина вдруг замолчала... Андрей увидел, как в ее глазах мелькнул какой-то огонек, и все понял... Однако среагировать нормально он уже не успел — ему надо было швырнуть коляску в мамашу и прыгать вниз, но Обнорский еще продолжал верить в то, что в коляске действительно дети...

Сильный удар по затылку сбил Андрея с ног — в глазах начался фейерверк, Обнорский дернулся было в сторону, но еще один удар почти «выключил» его. А потом нос и рот закрыла какая-то пахнущая лекарствами тряпка, и «салют» в глазах погас...

«Кретин, — успел подумать о себе Андрей. — Придурок... Опоздал...»

Выскочившие из парадной два высоких крепких парня быстро закинули бесчувственного Серегина в коляску — для этого им пришлось сложить журналиста «гармошкой», уложив его набок. Потом один аккуратно поправил одеяло, и парочка бережно спустила коляску с крыльца. «Мамаша» с косичками сбежала следом.

— Молодец, Жужа! — хрипло сказал один из «папаш». — Все как по нотам разыграла...

— Сплюнь! — угрюмо посоветовала Жужа. — Не говори «гоп», не получишь в лоб... Надо еще из города выехать.

Обнорский очнулся в полной темноте. Он лежал лицом вниз на плотно утрамбованном земляном поду — холодном, но сухом. Андрей пошевелился, и сразу же в затылке полыхнула боль, заставившая моментально вспомнить все, что произошло на крыльце его дома... Серегин осторожно перевернулся на спину, а потом медленно сел и начал себя ощупывать — руки у него были свободны, ноги тоже. Похоже, похитители не видели нужды связывать журналиста или надевать на него наручники — куда, мол, денется, с подводной-то лодки...

Обнорский закусил губу и чуть было не застонал в голос от досады: «Кретин... Ну ты и кретин, Андрюша... Надо же было так глупо купиться — на смазливую мордочку, длинные ноги, детскую коляску... Говорили тебе — не пялься слишком сильно на баб, добром это не кончается... М-да... Веселенькое, прямо скажем, местечко... Но как они успели так быстро? Назаров, сволочь, сдал... А говорил, что никого информировать не собирается... Тварь... Надо было мне, мудаку, сразу на Сенную ехать... Да что уж теперь... Как говорил товарищ генерал Сорокин в Южном Йемене, — что выросло, то выросло... Спокойно, спокойно... Попали мы с тобой, Андрей Викторович, конечно, круто, но паниковать не надо... Паниковать не надо никогда, паника — штука неконструктивная».

Андрей тихонько массировал левой рукой затылок, пытаясь унять боль, и одновременно разговаривал с самим собой, стараясь успокоиться. И то, и другое получалось плохо — затылок болел так, что шея с трудом поворачивалась, а что касается морального состояния — то оно, пожалуй, было даже хуже физического: страх сбивал сердце с ритма, учащал дыхание и покрывал ладони липкой испариной...

«Спокойно, спокойно... Бояться не надо, страх — это именно то, чего сейчас они от тебя, Андрюша, ждут... Они... Хотелось бы знать — кто „они“? Вариантов — два, и оба они, надо признать, совсем говенные... Ладно, это мы еще обмозговать успеем... Интересно, где это я? И сколько прошло времени после того, как я помог „мамаше“ колясочку поднести? Когда я подъехал к дому, было около половины десятого...»

Обнорский машинально попытался взглянуть на свои часы (у них циферблат светился в темноте), но часов на руке не было, видимо, те, кто привез его «в гости», посчитали, что время журналисту знать необязательно... А может, просто сами часы им приглянулись... Часы у Серегина и впрямь были отличные — швейцарские, марки «Лонжин», модель «Пятизвездный адмирал», и стоил этот аппарат около тысячи долларов... Сам бы Обнорский, наверное, никогда и не купил себе такую дорогую вещь, ему бы это просто не пришло в голову — «Лонжин» подарила Андрею на Новый год Катя...

Серегин вдруг вспомнил, как она протянула ему зеленую сафьяновую коробочку, как он долго крутил часы в руках, напоминая, наверное, ребенка, дорвавшегося до классной игрушки, и как, уяснив примерную стоимость подарка, он вдруг заявил, что не может его принять... Катерина тогда жутко разозлилась и ядовито поинтересовалась — не совесть ли журналистская мешает надеть на руку часы, купленные на «бандитские деньги»? Так пусть это Обнорского не тревожит — ее, Катерины, деньги не только «бандитские», но и честным бизнесом заработанные, — стало быть он, высокопорядочный журналист Серегин, обличитель общественных язв, бичеватель и срыватель масок, может успокоить себя тем, что «Лонжин» оплачен как раз «честной» частью капитала... Обнорский смутился, забормотал что-то невнятное насчет того, что женщина-де не может делать мужчине более дорогие подарки, чем мужчина — женщине, потому что это будет уже отдавать неким «альфонсизмом»... Сам-то Серегин, прилетев 31 декабря 1993 года в Стокгольм к Кате, не озаботился заранее выбором новогоднего подарка для нее — вспомнил об этом только в аэропорту Пулково и купил там теплый павловопосадский платок — чтобы он, так сказать, Россию вынужденной эмигрантке напоминал... А Катя, судя по всему, искала ему подарок долго и нашла именно такие часы, которые сразу понравились Андрею, — простые, безо всяких лишних наворотов, строгие и удобные... Да, Катя тогда здорово разобиделась на Обнорского и сказала, что если подарок от сердца — отказываться от него просто грех, а еще у нее задрожали губы и в глазах появились слезы... Хорошо, что Серегину хватило мозгов понять, какую глупость он сморозил, отказываясь от «Лонжина», — Андрей быстро надел часы на запястье, обнял начавшую тут же зло вырываться из его рук Катерину и зашептал ей в ухо, что он — придурок, что на него, бывает, «находит», что обращать на это внимание не стоит, потому что он, Обнорский, неоднократно был ранен в голову, которая с тех пор и стала его самым больным местом...

Увлекшись приятными воспоминаниями, Серегин вдруг понял, что улыбается — несмотря на боль в затылке и отсутствие часов на руке.

Андрей встал и попытался произвести разведку местности. Шагнув, он уперся в стену, сложенную из не очень толстых, плотно подогнанных друг к другу бревен... Медленно ощупывая стену руками, Обнорский двинулся по часовой стрелке.

Осмотр «вручную» занял у Серегина не очень много времени (сколько точно — Андрей, естественно, определить не мог), и результаты исследований были не очень утешительными: Обнорский находился в глухом, без окон и дверей, бревенчатом коробе (примерно три на два с половиной метра) с земляным полом. Ни какой-либо мебели, ни иного-прочего «барахла» в странном помещении не было. Высоту своей тюрьмы (а точнее, глубину, потому что Серегину казалось, что бревенчатый короб неизвестные строители сложили под землей) Андрей не выяснил — поднятые вверх руки потолка не доставали, подпрыгнув, Обнорский добился лишь вспышки боли в затылке... Охнув, Серегин снова сел на пол и продолжил «лечебный массаж».

«Блин, больно-то как... Чем это они меня, интересно, приголубили — не иначе кастетом... Хотя нет — насчет кастета вы, положим, загнули, Андрей Викторович... Если бы эти умельцы вас кастетом с такой пролетарской беспощадностью хряпнули — мы бы тут с вами уже не разговаривали, мы бы уже с ангелами отношения выясняли или, скорее, с чертями... А может, я умер и действительно в каком-нибудь чистилище нахожусь? Или это у меня бред такой?.. Нет, на чистилище это все не похоже, интерьерчик, прямо скажем, не тот... И затылок болит, и мыслю я пока еще достаточно логично... Правда, не видать ни хрена... Что они тут, на электричестве экономят, что ли? Крохоборы... Могли бы и лампочку какую-нибудь включить, не обеднели бы...»

Андрей где-то читал, что однажды с людьми проводили такие опыты — сажали их в абсолютно изолированное темное помещение, где утрачивалось ощущение времени. Часть подопытных повредилась рассудком достаточно быстро... Но не хотят же похитители, чтобы он, Обнорский, сошел с ума от страха перед темнотой и собственным будущим — тоже, судя по всему, не самым светлым... Если его выкрали, а не грохнули прямо на месте, — значит он, Обнорский, для чего-то еще нужен, значит с ним еще будут разговаривать... А сейчас его просто готовят к этому разговору, подавляют морально, хотят, чтобы он попрел немного, промариновался в соусе из ужаса и безнадежности... А когда человек морально разлагается с наибольшей быстротой? Правильно — когда он ничего не делает, когда сидит и жалеет себя...

Андрей скрипнул зубами и начал производить ревизию собственного имущества — опять же на ощупь.

«Так... Сумку у меня забрали, шнурки из кроссовок — удалили... Сигареты с зажигалкой — видимо, остались в куртке... М-да... Богато живем, Андрей Викторович... Футболка, джинсы, кроссовки, носки и трусы. И все... Прямо скажем, бывали времена и получше... А с такой экипировкой только на бандитские танцы ходить — не страшно, если ограбят...»

Машинально Обнорский обшарил все карманы джинсов — они были пусты... Хотя нет, что это в левом переднем, комочек какой-то? Оживившись, Андрей вытащил из штанов две таблетки в бумажной упаковке — после веселых приключений в Йемене, когда его сначала зацепило по голове осколком, а потом почти то же самое место погладил пулей из своего «макарова» капитан Кукаринцев, убитый позже в другой арабской стране, Обнорского часто мучили приступы головной боли, и он привык таскать с собой постоянно обезболивающие таблетки...

«Так... Что это у нас? Кажется, анальгин... Это хорошо, это очень кстати... Сейчас мы таблеточку зажуем, голову подлечим... Плохо вы, ребята, шмонать умеете... В приличном бы заведении вас за такой обыск на ноль умножили... А если бы это у меня не анальгин был, а, скажем, смертельно ядовитый экстракт кураре, а? Пришли бы вы, милые, за мной, с вопросами своими насущными — а я уже того, с небес вам ручкой помахиваю... Ох, и вставило бы вам ваше начальство, вот тут бы вы и попрыгали... Самих бы небось в эту яму деревянную запихнули — чтобы в следующий раз относились к своим обязанностям тщательнее...»

Андрей медленно разорвал бумажку, положил одну таблетку в рот и начал жевать ее, а вторую оставил про запас — должно же и у него, как у любого другого приличного человека, что-то быть на «черный день»?

Пусть хоть и одна таблетка — мелочь, а все равно приятно... Серегина замутило от горечи во рту. Впрочем, легкая тошнота могла быть вызвана и ударами — как минимум легкое-то сотрясение мозга он, Обнорский, заработал, это точно...

Дожевав таблетку до конца, Серегин вздохнул и подумал, что шутить с самим собой — это, конечно, идея неплохая, но все же он так долго не продержится, надо действительно занять себя чем-то, чтобы прогнать обезволивающий страх... В какой-то книге кто-то написал, что, мол, нет такой тюрьмы, откуда нельзя было бы сбежать... Эх, сюда бы того автора... Хотя — по сути-то он прав... Выход есть всегда, просто человек не всегда его замечает. А еще человек далеко не полностью использует в повседневной жизни заложенные в него способности — не случайно же говорят, что возможности человеческого организма безграничны... Просто за рамки нормы эти возможности выходят лишь в самой стрессовой ситуации, да и то — не у всех.

Андрей хмыкнул и начал делать вращательные движения головой — боль в шее и затылке полностью не улеглась, но стала не такой острой, что радовало...

«Ну-ка, организм, прояви свои скрытые доселе возможности, выдай-ка что-нибудь этакое... Не хочешь? Сволочь ты после этого, а не организм... Я о тебе забочусь, предпоследнюю таблетку в тебя засовываю, от души отрываю — а ты... Или, может, для тебя ситуация недостаточно стрессовая? Ну, друг, тогда я уж и не знаю, чего тебе еще надо...»

Обнорский встал на колени и начал прощупывать стены буквально по сантиметру — он оглаживал каждое бревнышко, идя по одному слева направо, а по следующему — справа налево. Андрей искал гвоздь или какой-нибудь металлический штырь — если вытащить, то в руках появляется какое-никакое, а оружие. Правда, как вытащить из бревна забитый в него гвоздь, Обнорский не знал, но над этим вопросом он и не думал — задачи надо решать последовательно, сначала надо гвоздь найти.

Он обшарил весь короб по бревнышку, но никаких гвоздей или штырей не обнаружил.

Пользуясь тем, что его никто не видит и поэтому смеяться не будет, Андрей попытался было в прямом смысле полезть на стенку — вернее, на две сразу: он встал в угол и попробовал вскарабкаться наверх как паук, упираясь руками и ногами в разные стенки... К сожалению, очень быстро выяснилось, что в отряд ниндзя Обнорского бы не взяли — его личным рекордом стали три преодоленные венца сруба.

Андрей снова сел на пол, положил руки на колени, а на руки — голову.

«Что там у нас еще из мировой практики побегов? Ах да, подкоп, конечно... Граф Монте-Кристо вон целую скалу продолбил... Его, правда, временем никто не ограничивал — копай себе на здоровье...»

Обнорский с сомнением ковырнул плотно утоптанный пол носком кроссовки. Земля, это, конечно, не скала, но... Копать-то все равно нечем... Руками рыть? Так только пальцы до крови сточишь, и все... Была бы саперная лопатка... Или хотя бы совочек детский — металлический, раньше такие продавали... Но тут — ни совочка, ни лопаточки... Ни в кулички тебе поиграть, ни окопчик отрыть. Ну, и какое же принять решение? Просто сидеть и ждать, пока придут те, кто его похитил, или те, для кого его похитили? Хоть бы знать точно, кто они, тогда можно было как-то приготовиться, разработать линию поведения... Хотя (если это, конечно, не инопланетяне побаловались) вариантов всего два: его взяли либо люди Палыча, либо ребята из «ТКК» или из их «крыши»... Скорее всего, кстати, похищение — дело рук тэкакашников, — ну, раз Назаров его расколол... И что же делать? Надо подготовиться к предстоящему допросу, надо прикинуть варианты...

Серегин вспомнил, как не так давно объяснял Катерине в Стокгольме: «Запомни, Катя, принимать поспешные решения — это все равно что в гусарскую рулетку играть, особенно в таком случае, как наш... Знаешь, как Боевой устав советских офицеров учил? Перед тем, как принять решение, нужно сначала грамотно изучить обстановку, а потом грамотно ее оценить... Понимаешь? То есть — сначала собрать максимум информации, потом эту информацию спокойно и тщательно проанализировать и лишь после этого при-

нимать решение на какие-либо активные действия...
И уж если начинаешь действовать — то действовать
нужно стремительно, последовательно и слаженно. То
есть не шарахаться из стороны в сторону, не сомневаться в правильности принятого решения... Сомневаться можно раньше, в процессе выработки решения.
А потом — потом нельзя, иначе погубишь и себя, и
людей... Ты можешь, конечно, сколько угодно улыбаться и подкалывать меня насчет „солдафонства" и всего
такого прочего... Только учти — Боевой устав, он кровью писался, а потому содержит очень мудрые положения... Нужно только постараться экстраполировать
их из сферы военной в нашу более-менее гражданскую
жизнь... Хотя — какая она гражданская? У нас тут самые настоящие боевые действия идут — со стрельбой,
с убитыми и со всеми другими прелестями...»

Лицо Катерины вдруг так явственно встало перед
глазами Обнорского в темноте бревенчатого короба,
что Андрей вместо того, чтобы прикидывать варианты
и готовиться к допросу, окунулся в воспоминания...

Обнорский вспоминал, как в ноябре прошлого года
случайно «высчитал», что появившаяся в «Гранд-отеле
Европа» зеленоглазая израильтянка Рахиль Даллет — на
самом деле Екатерина Званцева, сумевшая убежать от
людей Антибиотика, прикончивших в июне на хуторке
под Лугой двух Адвокатов — Сергея Челищева и Олега
Званцева... Катя появилась в Питере, чтобы расплатиться
с Виктором Палычем, и наняла для этого Василия Михайловича Кораблева — бывшего телохранителя ее первого мужа, Вадима Петровича Гончарова. Кораблеву почти удалось осуществить ликвидацию Антибиотика, но в
последний момент Василия Михайловича задержали сотрудники пятнадцатого отдела РУОПа под руководством
майора Кудасова — друга Серегина... Катерина ничего
о задержании Кораблева не знала, но Обнорский ее предупредил...

Званцева поверила Андрею не до конца и решила проверить информацию, отправившись на Сенную
площадь — там, в доме номер 2 по Московскому проспекту, у нее была снята «конспиративная квартира»,
окна которой выходили на площадь и из которых хо-

рошо просматривался пятачок перед магазином «Океан», где и должна была состояться контрольная встреча Кати с Кораблевым... Василий Михайлович в условное время в условленном месте появился, но подал сигнал тревоги, что убедило Катерину в правдивости слов Обнорского... К сожалению, подача тревожного «маяка» стоила Кораблеву жизни — его застрелил снайпер прямо на глазах Серегина и Званцевой... А потом сотрудники РУОПа начали прочесывать площадь и отрабатывать жилмассивы — видимо, кто-то заметил Катерину и Андрея в окне.

Катя тогда чуть было не наделала глупостей, даже вытащила «ствол» из тайника, но Обнорский взял инициативу в свои руки и сумел переломить ситуацию, разыграв перед сотрудниками милиции (по счастью, руководил группой, отрабатывавшей дом номер 2 по Московскому, Виктор Савельев, который Серегина знал) постельную сцену. А потом, когда все кончилось, постельная сцена состоялась на самом деле... Андрей и Катерина знали друг друга к тому времени лично всего несколько часов, но они были такими насыщенными, такими напряженными и нервными, что их буквально швырнуло друг к другу... И потом — у них обоих была одна и та же цель: и Обнорский, и Званцева хотели отомстить за близких им людей, уничтоженных Антибиотиком или его подручными... Достичь этой цели поодиночке Андрей и Катя не смогли — стало быть, логика подсказывала попробовать сделать это вместе... И уже тогда, 13 ноября, Обнорский начал объяснять Катерине, что попытки прямого физического устранения Виктора Палыча почти стопроцентно обречены на провал — слишком уж хорошей охраной обладал Антибиотик...

Уже тогда в голове Серегина забрезжили первые смутные идеи (точнее, это были даже не идеи, а какие-то неясные трудноуловимые ассоциативные всплески) — как можно попробовать перехитрить Виктора Палыча, обыграть его, «развести».

Но Андрей и Катя были настолько опустошены и измучены, что, конечно, они не могли сразу даже приступить к серьезному разговору — Званцева и Обнорский заснули, тесно прижавшись друг к другу на старенькой тахте, и проспали почти сутки...

А на следующий день Андрей столкнулся с новой проблемой — с Катериной творилось что-то очень странное: она словно была не в себе — вяло реагировала на вопросы, молча плакала, не хотела вставать и все время норовила свернуться калачиком на тахте. Казалось, будто она выплеснула из себя всю жизненную энергию и медленно угасала — Катя не хотела есть, не хотела пить, она не хотела ничего.

С большим трудом Серегин уговорил ее встать, одеться и уйти из квартиры на Московском проспекте. Но как только Андрей привел Званцеву в снимаемый номер «Гранд-отеля» — молодая женщина снова легла на кровать, глядя в стену неподвижным, пугающим Серегина взглядом... Обнорский проклял все на свете и, боясь оставить Катерину одну хотя бы на минуту, начал дозваниваться своему другу — замечательному врачу и просто хорошему человеку Борьке Алехину, с которым когда-то учился в одном классе. Боря был настоящим фанатиком своей профессии — она давалась ему нелегко. В Военно-медицинскую академию он сумел поступить лишь со второй попытки, но именно такие люди, как Алехин, по убеждению Обнорского, и должны получать медицинские дипломы. У Борьки не было блата, поэтому после окончания Академии его законопатили на Дальний Восток обычным полковым врачом, но Алехин не сложил руки, не спился, он сумел стать сначала хирургом в окружном госпитале, а потом вернулся в Питер учиться уже в адъюнктуре, поменяв специализацию — как ни странно, Борька всегда хотел стать гинекологом...

Обнорский в принципе боялся врачей, но Борьке он бы со спокойной душой доверил любую свою болячку — для Андрея Алехин был непререкаемым авторитетом в любой области, касавшейся медицины... А самое главное, Серегин знал, что Борька — настоящий друг, который сразу придет на помощь, бросив все свои дела.

Алехин приехал через час после того, как Андрей ему дозвонился. Обнорский встретил Борьку у входа в гостиницу и сразу потащил его в номер к Кате. Боря никогда раньше не бывал в пятизвездочных отелях, поэтому сначала чувствовал себя довольно скованно и неуютно — косился на охрану и дорогие интерьеры, разговаривал шепотом и даже шел чуть ли не на цыпочках. Серегин коротко, не вдаваясь в детали, изложил Алехину суть проблемы. Боря внимательно выслушал, а когда подошел к постели Катерины и взял ее за вялую, почти безжизненную руку — Андрей даже поразился мгновенной перемене, происшедшей с врачом: у кровати стоял спокойный, уверенный в себе профессионал, излучавший просто какой-то поток доброй целительной энергии.

— Ну, здравствуйте. Катя, меня зовут Борисом Алексеевичем, я врач и друг Андрея. Давайте-ка мы с вами немного побеседуем, ладно? Андрей мне что-то там наговорил, но я-то думаю, что мы с вами вдвоем разберемся лучше, правда?

Самым удивительным было то, что Катя, от которой за последние полтора часа Обнорский не смог добиться ни слова, начала отвечать что-то Боре еле слышным шепотом... Алехин наклонился к ней, пошептался, погладил по волосам, а потом попросил Обнорского:

— Старик, ты выйди, походи где-нибудь часок — в баре посиди, что ли... Нам тут с Катенькой надо поговорить и поделать кое-что, ты нам мешаешь...

Серегин молча вышел и направился в бар — в тот самый, в котором он сидел всего сутки с небольшим назад, еще не будучи полностью уверенным в том, что Рахиль Даллет — это Екатерина Званцева... Как странно спрессовывается порой время — за один день может случиться порой столько событий, сколько хватило бы и на месяц...

Андрей выждал на всякий случай не час, а полтора, выкурив за это время шесть сигарет, а потом поднялся на третий этаж и осторожно постучал в триста двадцать пятый номер.

Открывший ему дверь Борька выглядел достаточно озабоченным — на вопросительный взгляд Обнорского врач сразу приложил указательный палец к губам и сказал шепотом:

— Тише... Она спит...

Андрей нетерпеливо кивнул и тоже шепотом спросил:

— Ну, что с ней? Ну, не тяни!

Алехин надел свой плащ, подхватил портфель и пальцем показал на дверь:

— Проводи меня, пожалуйста.

Когда они вышли в коридор, Серегин не выдержал — схватил Борьку за рукав:

— Ну не тяни же, Боткин... Что с ней?

Алехин вздохнул и поправил на переносице очки, придававшие ему сходство с Пьером Безуховым:

— Как тебе объяснить попроще... Во-первых, о диагнозе в данном случае можно говорить только условно — сам понимаешь, у меня маловато информации, не проведены обследования, нет анализов... Во-вторых, конечно, хотелось бы понаблюдать ее подольше... Но что уже сейчас можно сказать — у нее, грубо говоря, сильнейшая физическая перегрузка и нервное истощение, развившееся на фоне недавних достаточно серьезных гинекологических проблем... Я не знаю, рассказывала ли Катя тебе об этом, но... Короче говоря, всего около двух месяцев назад она потеряла ребенка — ей прервали беременность. Как ты, наверное, догадываешься, одно это для любой нормальной женщины — глубокий шок, сильная психологическая травма... А тут еще, как я понял, новые стрессовые фоны возникли... В общем, что я могу сказать — нормальным людям я бы посоветовал в такой ситуации стационар...

Андрей досадливо закусил губу:

— А без стационара — никак? Можно без него обойтись?

Борька пожал плечами:

— Обойтись можно без чего угодно, другое дело — трудно тогда гарантировать какой-то положительный результат...

Обнорский кивнул, посмотрел Алехину в глаза и счел нужным кое-что объяснить:

— Боря, я же не спорю с тобой... Просто у нее — ситуация такая... Как бы это полегче сказать — жопная... Оставаться в Питере ей нельзя... Здесь есть люди, после встречи с которыми врачи ей совсем уже не помогут — никакие... Кроме, может быть, патологоанатомов... Так что давай пока о походно-полевой терапии поговорим...

Алехин мрачно покачал головой:

— Ну что же... За неимением гербовой... Я сделал ей сейчас парочку уколов — пусть она поспит как следует... На столике оставил кое-какие препараты и написал на бумажке, как их принимать... Что еще? Конечно, хотелось бы, чтобы хоть какое-то время она находилась в покое: лежать, спать, сколько будет организм требовать, немножко гулять... Нужно оградить ее от каких-либо переживаний и постараться, чтобы было побольше положительных эмоций... Не повредили бы легкий, тонизирующий массаж и контрастный душ...

Рекомендаций Борька выдал много. Обнорский постарался все запомнить, поблагодарил Алехина, попрощался с ним, потом, убедившись, что Катя крепко спит, смотался к себе домой, переоделся, позвонил родителям и предупредил, что на несколько дней уезжает в командировку.

Три ночи и два дня он не отходил от Катерины практически ни на минуту (пришлось позвонить и на работу, бессовестно наврать о внезапном гриппе). Серегин нянчился с молодой женщиной, как с ребенком, строго выполняя все Борькины предписания, чуть ли не с ложки кормил ее и читал ей вслух какие-то идиотские статьи из женского журнала «Космополитен». Спали они в одной кровати, но ни о какой физической близости, конечно, не могло быть и речи: Обнорский просто баюкал Катерину, согревая теплом своего тела, старался передать ей свою жизненную энергию... И, само собой, за все время до отлета Званцевой в Стокгольм между ней и Андреем ни разу не заходил разговор об Антибиотике и обо всех связанных с ним проблемах...

Честно говоря, Обнорский и сам не понимал, что в большей степени заставило его так возиться с Катериной: ценность ее как источника информации, как союзника, способного реально помочь сквитаться с Виктором Палычем, или же что-то, весьма и весьма напоминавшее непонятно откуда взявшуюся нежность... Наверное — и то, и другое... Андрей и сам не понимал, что с ним творится. Он не строил иллюзий в отношении Кати, знал, что она была самой настоящей «бандиткой» (поговаривали даже, что в свое время и на стрелки выезжала), но почему-то очень жалел ее — не той брезгливой жалостью, которая способна унизить человека, а другой, стоящей ближе к сопереживанию, к готовности взять в себя чужую боль... Катерина как-то умудрилась задеть в душе Обнорского не звеневшие еще ни разу струны.

Андрей не был обделен женским вниманием и влюбляться ему приходилось (причем не раз, а если честно — то и не два), но при всем при этом Серегин, общаясь со своими пассиями, не столько отдавал, сколько брал... Нет, Серегин, конечно, в законченное жлобство типа «пришел, оттрахал и ушел, почесывая грудь», не впадал — Андрей ухаживал за своими барышнями, делал им подарки (часто — достаточно дорогие), помнил, что женщины обожают «конфеты-букеты и прочую разную муту», но при этом все равно старался держать дистанцию и не пускал до конца в свою жизнь... Более того, как только Обнорский замечал, что забота очередной подружки о нем готова перерасти в «полное растворение» в нем, — роман как-то плавно сходил на нет по абсолютно объективным причинам (и Андрей даже сам верил в то, что эти причины объективные): то вдруг работы навалилось совсем невповорот, то командировки какие-то возникали... Бог его знает — может быть, в свое время Андрей испытал слишком много боли от разрывов с теми женщинами, которых пустил к себе в душу? Все-таки два развода оставили глубокие зарубки на сердце Обнорского... А еще он очень часто вспоминал Лену Ратникову. Кстати говоря, когда Андрей еще в самый первый раз увидел Катерину, когда он еще не знал даже, как ее зовут, она как-то ассоциативно напомнила ему Лену — нет, не внешне (хотя обе были настоящими красавицами), а скорее некой внутренней силой, сочетавшейся с волнующей и трудноописуемой загадочностью...

В женщине всегда должна быть некая загадка — мужики, они ведь тоже жутко любопытные, если не все, то очень многие... Что касается Екатерины Званцевой, то в ней этих самых загадок было — хоть отбавляй, и Андрей, конечно, понимал, что, расколов «Рахиль Даллет», он сумел прикоснуться лишь к некоторым ее тайнам.

И вместе с тем то чувство, которое зарождалось в душе Обнорского к Званцевой, конечно, еще нельзя было назвать любовью или даже влюбленностью — слишком мало прошло времени и слишком серьезные события успели за это время произойти...

Как бы там ни было, какие бы мотивы ни побуждали Серегина изо всех сил выхаживать Катю, а все-таки за двое суток он сумел ее немного «отогреть» — молодая женщина стала активнее двигаться, с лица ее постепенно сходило выражение некой отрешенности от всего земного и суетного, она даже начала иногда улыбаться, хотя время от времени все еще погружалась в какие-то свои мысли настолько глубоко, что ни на что не реагировала.

Вечером 16 ноября, накануне Катиного отлета в Стокгольм, Андрей снова вызвонил в «Европу» доктора Алехина. В этот раз Борька провозился с Катериной часа два и потом выглядел намного менее озабоченным, нежели в первый свой визит. Когда Обнорский вышел его проводить, Борька удивленно покачал головой и, с интересом посмотрев на Андрея, сказал:

— Ну, старик, ты даешь... Молодец, не ожидал... Не скажу, конечно, что все проблемы сняты, но — результаты просто удивительные... За такой короткий период времени... Из тебя, в принципе, мог бы хороший психотерапевт получиться...

— Меня всегда тянуло в гинекологию, — мрачно ответил смертельно уставший Серегин. — Жаль, что переучиваться уже поздно.

Борька засмеялся и снова выдал кучу рекомендаций, не забыв напомнить, что основное требование — это ограждение от негативных эмоций... Обнорский задумчиво покивал, а потом, перед тем как попрощаться, спросил:

— Борь, ты извини, но сколько я тебе должен? Дружба дружбой, но ты ведь столько времени потратил... Ты ведь работал.

Алехин сердито засопел и сморщил нос так, что даже очки на нем подпрыгнули:

— Знаешь что, Андрюха!.. Ты это прекрати! Ты... Я просто не ожидал такого от тебя!

Андрей знал, что финансовое положение в Борькиной семье было совсем не веселым — Алехину, врачу высокой квалификации и, между прочим, офицеру российской армии, уже несколько месяцев зарплату выдавали нерегулярно и не полностью, поэтому-то Обнорскому и хотелось как-то материально отблагодарить друга. Обнорский вынул из кармана стодолларовую купюру и попытался все же всучить ее Борьке:

— Послушай, ты ведь о Катерине ничего не знаешь... Она, между прочим, очень состоятельная женщина, у нее денег, я извиняюсь, как говна в коровнике... Почему ты должен бесплатно ею заниматься?

Алехин руку Обнорского решительно оттолкнул:

— Вот что... Пусть она хоть миллионершей будет — я к ней приезжал как к твоей женщине, ясно тебе? А с друзей я денег взять не могу...

Борька тяжело вздохнул и добавил:

— Я, конечно, иногда беру деньги с чужих, так сказать, пациенток — жить-то надо как-то... Правда, они меня чаще норовят бутылками какими-нибудь отблагодарить — у меня дома уже винный магазин открывать можно... Лицо у меня, что ли, такое пьющее? Так вот — каждый раз, когда мне что-то суют, я таким уродом себя чувствую... И если эти чувства меня будут заставлять еще и друзья испытывать... В общем, ты понял... Напиши лучше статью хорошую о том, что в нашей медицине творится, — о том, как все разваливается и ссучивается... Чтобы власти узнали и хоть немножко задумались...

— А то они не знают, наши власти, — грустно улыбнулся Обнорский трогательной наивности друга, еще верившего в действенность печатного слова. — А если не знают — на хер они нужны, такие власти!

Обняв Борю, Андрей вернулся в триста двадцать пятый номер отеля, ставший для него за эти дни уже родным — до боли и отвращения. Катя встретила его легкой улыбкой, какая бывает у выздоравливающих после тяжелой болезни:

— У тебя очень хороший друг... Он такой добрый и... и... светлый, что ли...

— Ага, — сварливо отозвался Обнорский, садясь на кровать. — Друг, значит, у меня хороший... Я, девушка, между прочим, тоже парень неплохой... Жаль, что вы этого до сих пор не заметили...

В каждой шутке есть только доля шутки. Андрей, разумеется, «балаганил», но вместе с тем он с удивлением ощутил легкий укол ревности и обиды — тут, понимаешь, дни и ночи напролет сиделкой работаешь, пылинки с этой зеленоглазой красотки сдуваешь, чуть ли не колыбельные ей на ночь поешь — и ни слова ласково-нежного в ответ, все как должное воспринимается... А потом приезжает врач-гинеколог, ездит ей по ушам всякими умными медицинскими терминами, и — пожалуйста, он «добрый, светлый и хороший»... Вот она, женская благодарность...

Катя в ответ на последнюю реплику Серегина лишь незаметно улыбнулась — все-таки мужики, они ужасно толстокожие, совсем не умеют тонко чувствовать...

В последний вечер перед отлетом Катерины из Петербурга они проговорили достаточно долго — нужно было, наконец, определить, как организационно выстроится их дальнейшая совместная «работа». Сама «работа», впрочем, не обсуждалась, имя Антибиотика вслух не произносилось... Но все равно — «фигура умолчания», казалось, незримо присутствовала в комнате, и ее призрак, словно вурдалак, высасывал из Кати силы, лишь чуть-чуть поднакопившиеся... Катерина дала Андрею свой стокгольмский адрес и телефон (она сняла на год в шведской столице довольно приличную квартиру в Гамластане*). Но предупредила, что первые две недели ее в Швеции не будет. Андрей понял, что задавать какие-то вопросы по этому поводу бесполезно, и лишь кивнул...

Обнорский, слегка задетый ее недоверием, ведь даже предположить не мог, что в Ялте под чужой фамилией ждет Катю ее сын, которого опекал Егор Федосеевич, бывший тренер Сергея Челыщева — и самого Обнорского, кстати, тоже. Тесен мир, просто до удивления тесен! Катерина (как бы она ни доверяла Серегину, как бы ни была ему благодарна и какие бы другие чувства к странному журналисту ни начинали просыпаться в ее сердце) не могла выдать самого главного своего секрета — она считала возможным рисковать своей собственной жизнью, но не жизнями Андрюшки и Федосеича...

Обнорский также оставил Кате все свои координаты и сообщил, что где-то между вторым и третьим декабря он должен будет недели на полторы-две появиться в Стокгольме — там шведский журналист Ларс Тингсон

_____
* Гамластан — старый город.

монтировал документальный фильм «Русская мафия», снимавшийся в России, а в работе, мол, над этим фильмом участвовали и Серегин вместе с Игорем Цоем — продюсером из частной телекомпании «Позитком». Ларс пригласил своих русских коллег приехать в Стокгольм к финальному этапу монтажа, а кроме того, Тингсон еще и предложил Обнорскому написать вместе для одного шведского издательства документально-публицистическую книгу о русской мафии...

В общем, Серегин и Званцева договорились встретиться в декабре в шведской столице и там уже приступить к более серьезным разговорам.

Андрей помог Кате собрать вещи (самолет на Стокгольм вылетал около девяти утра), а потом уложил спать и сам устроился рядом. Обнорский, конечно, слегка надеялся на возможную физическую близость — все-таки прощальная ночь как-никак, да и Катерина вроде бы понемножку оклемалась, опять же Борька рекомендовал ей больше положительных эмоций, а секс с приличным человеком (по глубокому убеждению Андрея) вызывал эмоции самые что ни на есть положительные... Однако Катя провалилась в сон, как только голова ее коснулась подушки. Что же касается Серегина, то он за всю ночь так и не сомкнул глаз — лежал, обнимал Катерину, иногда, когда она вздрагивала и еле слышно стонала, гладил ее тихонько по спине и покрывал по-детски беззащитное лицо невесомыми поцелуями, не переставая удивляться собственному идиотизму.

В шесть утра 17 ноября Андрей встал, покачиваясь, будто утрахался до полного изумления, оделся, собрал сумку, потом разбудил Катю и попрощался с ней. Они еще с вечера решили, что ему не стоит провожать ее в аэропорт — Петербург, как известно, город маленький, так что светиться вместе лишний раз было довольно рискованно — мало ли на каких знакомых нарваться можно...

В последовавшие за отлетом Кати две с небольшим недели Серегин с головой окунулся в свою основную работу — нужно было, в конце концов, и про совесть вспомнить, дела в редакции Андрей изрядно подзапустил, и его заместитель Мишка Петров уже просто выбивался из сил.

222

Когда работы много — дни летят просто с сумасшедшей скоростью. Обнорский и оглянуться не успел, как наступил декабрь, а там и третье число приблизилось — именно на этот день Ларс Тингсон заказал Серегину и Цою билеты до Стокгольма...

Надо сказать, что все эти две недели Обнорский ни с одной из своих питерских подружек не встречался — как-то уж так получилось... И не то чтобы Андрей сознательно старался хранить «голубиную верность» Катерине, нет... Серегин даже не задумывался над этой проблемой — просто он полностью выкладывался на работе, и его не тянуло ни в чью постель... Хотя о Кате он, конечно, думал и вспоминал — может быть, даже немного чаще, чем хотел бы этого сам...

Утром 3 декабря в международном аэропорту «Пулково-2» Андрей в преддверии скорой встречи с Катериной вдруг разнервничался так, что на это обратил внимание даже сонный Цой:

— Ты что это, Андрюха, дерганый такой? Контрабанду с собой везешь или летать боишься? Лица прямо на тебе нет... Того и гляди сейчас девчонки-пограничницы скажут, что в твоем паспорте чужая фотка наклеена...

Обнорский, который раньше всегда легко отвечал на любую «подколку» Цоя какой-нибудь такой же шуточкой, в этот раз лишь буркнул в ответ что-то маловразумительное насчет перепадов давления и головной боли.

В Стокгольме, правда, Серегин немного отошел. Ларс, встретивший ребят в аэропорту, устроил им сразу небольшую обзорную экскурсию по городу — и шведская столица просто заворожила Обнорского... Раньше он твердо был убежден, что Петербург — это самый красивый город мира и ни одно другое крупное человеческое поселение на планете даже сравниться не может с Северной Венецией, однако Стокгольм если не заставил Андрея изменить свое мнение, то уж по крайней мере изрядно поколебал его, это точно... Шведская столица очаровывала какой-то особой северной красотой — не броской, но очень глубокой... Стокгольм показался Обнорскому почти братом Петербурга — может быть, не таким же величественным и надменно-совершенным в своей архитектуре, но зато более теплым и добрым...

Ларс, кстати, преподнес ребятам маленький сюрприз: он договорился с руководством крупнейшей шведской газеты «Экспрессен» (у Тингсона, судя по всему, имелся блат чуть ли не во всех средствах массовой информации его страны) о предоставлении российским коллегам гостевой виллы, принадлежащей этому влиятельному изданию. Ларс показал ребятам их временный дом, Серегин с Цоем очумело побродили по вилле, но в полный транс впасть не успели, потому что надо было ехать в комплекс государственного шведского телевидения — там вовсю шел монтаж фильма «Русская мафия», и вопросов у шведов накопилось к российским коллегам предостаточно. На телевидении для Андрея и Игоря также провели небольшую ознакомительную экскурсию, и там уже «выпал в полный осадок» Цой. Обнорский-то мало разбирался в телевизионной технике и технологии, а вот его напарник только головой качал и тихо, но смачно матерился, пользуясь тем, что его все равно никто не понимает, кроме Серегина и Тингсона... Ларса, кстати, мат нисколько не шокировал, швед очень тонко чувствовал русский язык и знал, что одни и те же слова в великом и могучем могут быть и ругательствами, и средствами для выражений крайней степени восхищения.

Улучив момент, пока Тингсон показывал Цою «ньюс-рум» программы «Актуэль» — аналога российского «Времени», Обнорский по-партизански позвонил с чьего-то телефона в квартиру Кате. Трубку долго никто не снимал, и Андрей уже совсем было распсиховался, но наконец в мембране послышался знакомый голос:

— Алло?

Обнорский шумно выдохнул в трубку — перед отлетом Кати из Питера они почему-то договорились, что Андрей не будет ей звонить из России. Серегин договоренность выполнил, но при этом очень волновался — вдруг он прилетит, а Катерины в Стокгольме не окажется. Бог ее знает, куда ее занести может, она же не женщина, а склад секретов...

— Привет, Катя, это я!.. — начал было бурно Андрей, но потом вдруг как-то смешался и продолжил почти официально: — Это журналист Серегин тебя беспокоит, не забыла еще такого?

— Привет, как ты долетел? Ты давно в Стокгольме? — Катин голос был абсолютно спокойным, по крайней мере никаких ноток волнения Обнорский в нем не уловил. Андрей немного завелся и ответил напряженно:

— То есть что значит «давно»? Сегодня прилетел... Мы же договаривались, что я прилетаю — и сразу звоню... Мы сегодня сможем увидеться?

— Сегодня? Да, думаю, что да... Я на сегодня ничего не планировала... Во сколько ты освобождаешься? Ты же сюда работать приехал...

— Я вообще-то прилетел сюда и для того, чтобы нашими общими делами заняться, — Серегина все больше цепляло равнодушие, почудившееся в голосе Катерины, но он постарался взять себя в руки. — Так, Ларс говорил, что на телевидении мы до шести, потом ужинаем где-то в центре, потом нас на виллу везут. Думаю, что часам к девяти я могу быть в полном твоем распоряжении... Мне как — домой к тебе подъехать?

— Нет... — Катя запнулась, а потом, после небольшой паузы, предложила: — Давай в центре встретимся... У Королевского Драматического театра. Это от станции метро «Т-Сентрален» — пять минут ходьбы. В десять вечера — нормально будет? Я думаю, ты успеешь добраться...

— Конечно, успею, — буркнул Андрей. — Ну что, до встречи?

— До встречи, — тихо откликнулась Катерина и повесила трубку.

После этого, прямо скажем, не слишком веселого разговора настроение у Обнорского совсем испортилось — непохоже было, что Катя очень ждала его прилета... Дождаться вечера Серегину помогла работа: когда они с Ларсом и Цоем вернулись в комнату, где шел монтаж фильма, Андрею пришлось отключиться от своих личных проблем, и он был очень рад, что смог это сделать...

В шесть часов вечера по стокгольскому времени вся компания покинула Дом Телевидения и направилась в маленький, но очень уютный ресторанчик, название которого Серегин не запомнил, но Ларс утверждал, что именно в этом заведении можно попробовать настоящую шведскую кухню.

Ужинали неспешно и все время говорили. Андрею было очень интересно, приятно и легко в компании Тингсона и Цоя, но чем меньше оставалось времени до встречи с Катериной, тем более напряженным и нервным становился Серегин. Боясь опоздать на свидание, Обнорский скомкал десерт Ларсу с Игорем — он разнылся, что, мол, в России сейчас уже почти одиннадцать вечера (разница во времени между Стокгольмом и Петербургом составляла два часа), что ему хочется спать, что он устал с дороги... Сказать мужикам просто и по-человечески, что у него назначена встреча с женщиной, Серегин постеснялся: Цой-то еще ладно, он свой, а Тингсон — какой-никакой, а иностранец, неудобно, еще поймет как-нибудь не так...

Ларс завез ребят на виллу, пожелал спокойной ночи и предупредил, что заедет за ними утром в половине девятого. Не успел Тингсон уехать, как Обнорский, нудевший еще пять минут назад о своей усталости и о необходимости отдыха, начал носиться по дому контуженным шмелем.

Андрей разыскал утюг и гладильную доску, извлек из дорожной сумки свежую рубашку, погладил ее, потом почистил туфли, принял душ и побрился. Цой на все эти приготовления смотрел довольно мрачно, потом не выдержал и спросил:

— Я не понял, кто-то, кажется, спать хотел?

Андрей, пытавшийся уложить свои черные вихры в какое-то подобие приличной прически, посмотрел на Игоря проникновенно и сказал:

— Старик, ты понимаешь, какое дело... У меня назначена встреча — очень важная... Ты извини, но... Придется тебе сегодня одному поскучать... Телевизор посмотришь, тут, говорят, программ — немерено... Может, порнуху найдешь...

— Да иди ты со своей порнухой! — Цой казался слегка обиженным. — Я-то думал, посидим по-человечески, тут в буфете, между прочим, склад бухалова, я проверял... А он — намыливается куда-то... Не иначе как на шпионскую встречу. То-то ты еще в аэропорту так дергался — теперь понятно, товарищ Серегин, что про вас не зря слухи ходят, как про бывшего комитетчика... Ну что же — постарайся не огорчать местную контрразведку. Но хвост домой не тащи, если что — отстреливайся беспощадно. Резиденту — поклон и привет с Родины, которая помнит и знает...

— Бывай и ты, старинушка, — поблагодарил Андрей Игоря за напутствие. — Веди себя хорошо, не ешь немытых фруктов, сильно не напивайся, посуду не бей и — очень тебя прошу — не царапай матерные слова на полированных поверхностях... Да, к соседям не приставай... Все, я пошел. Кстати, как я выгляжу?

— Как Ален Делон после семидневного запоя, — ответил Цой, заваливаясь на диван с телевизионным пультом в руке. — Иди уж, турыст... Когда ждать-то?

— Сложный вопрос, — пожал плечами Обнорский, подходя к двери. — Тут такое дело — как карта ляжет...

Королевский Драматический театр Андрей отыскал быстро — в Стокгольме ему было несложно ориентироваться, потому что практически каждый швед говорил по-английски, и языковых проблем не возникало.

Поскольку Серегин явился на место встречи на пятнадцать минут раньше назначенного времени, он походил по набережной, обошел вокруг театра, попытался разобраться в репертуаре...

Катя появилась ровно в десять — Обнорский даже не сразу узнал ее, потому что на ней было элегантное и явно очень дорогое светлое кашемировое пальто и туфли на высоком каблуке, а в Питере она одевалась совсем не так броско... И еще — изменился на более светлый цвет ее волос, они превратились в светло-русые...

Андрей зачарованно смотрел, как она подходит к нему. Потом очнулся, бросился навстречу, но снова остановился, словно налетел на невидимую преграду. Катя тоже качнулась к нему, на мгновение показалось, что она захотела обнять Серегина, но нет, она лишь протянула ему руку, которую Андрей тихонько пожал. Странным казалось это деловое и почти официальное приветствие — будто и не было между ними угарно-жаркой близости в квартире на Московском проспекте, будто не баюкал ее Андрей каждую ночь до отлета в Стокгольм... Выглядела Катерина прекрасно — она словно помолодела лет на пять, наверное, дело было в том, что из глаз ушло дикое, нечеловеческое напряжение, не покидавшее ее в Питере из-за постоянного ожидания опасности... Тем не менее Катя казалась взволнованной, но это было не то волнение, какое бывает от предчувствия появления врага за спиной, а какое-то другое.

— Здравствуй, Андрей...

— Здравствуй, Катя...

Какое-то время они молчали, не зная, что сказать друг другу, но потом Катерина спохватилась — она находилась в Стокгольме все-таки дольше, чем Серегин, поэтому и в городе ориентировалась, конечно, получше. И вообще была как бы хозяйкой, встретившей гостя.

— Ты не голоден? Может быть, поужинаешь? Я знаю тут неподалеку один очень приличный итальянский ресторан — «Капри» называется...

— Нет-нет, спасибо, — поблагодарил Андрей за заботу. — Ларс нас так накормил, что ничего уже не полезет — разве что чашка кофе... Давай где-нибудь кофе попьем, чтобы на улице не стоять.

— Давай, — кивнула Катя. — В том же «Капри» кофе делают очень вкусный...

Она взяла Обнорского под руку и повела по Нибругаттен — улице, лучом отходившей от Королевской Драмы. Идти, оказалось, нужно было совсем недалеко, поэтому по дороге они вообще не успели ни о чем поговорить: только-только Андрей собрался с духом и открыл рот, чтобы начать задавать прямые вопросы на волновавшую его тему, как Катя сказала:

— Вот мы и пришли...

Ресторанчик и впрямь оказался очень уютным — он был стилизован под грот, и работали в нем самые настоящие итальянцы, они почему-то очень обрадовались, когда поняли, что Катя и Андрей — русские. Может быть, в этом заведении любили «оттягиваться» богатые туристы из России?

Когда подали кофе, Обнорский кашлянул и, решив, что пора все-таки как-то прояснить обстановку, сказал:

— Катя...

— Подожди, Андрей, — перебила она, легонько дотронувшись прохладными пальцами до его левого запястья. — Я... Я хотела поговорить с тобой, объяснить тебе...

Серегин молча достал сигарету из пачки, закурил и откинулся на стуле, ожидая продолжения.

Катя нервно поправила прядь волос, порывисто вздохнула, потом покачала головой и взяла в руки чашку с кофе — но, не сделав ни глотка, поставила ее обратно на блюдце. Обнорский ждал, не говоря ни слова, и непроизвольно сжимал в кулак пальцы левой руки...

— Андрей, — наконец смогла выговорить она. — Давай объяснимся... Я хочу расставить точки над «і», чтобы не обманывать ни тебя, ни себя...

— Точки над «е», — сказал вдруг Серегин, выпустив струю дыма в потолок.

— Что? — вздрогнула Катя, сбитая с мысли.

— Точки над «е», — пояснил Обнорский. — В русском языке точки над «и» не ставятся.

У Андрея все внутри дрожало, но он говорил внешне спокойно и даже насмешливо, — может быть, Серегин просто хотел оттянуть момент, когда ему придется услышать то, чего слышать совсем не хотелось...

— Над «е»? — недоуменно переспросила Катерина и тут же кивнула. — Пусть над «е», не в этом дело... Андрей... Я... Я все помню, что между нами случилось в Петербурге... Я... очень благодарна тебе за все... Но... Я хочу тебе объяснить... Тогда, в доме на Московском проспекте, у меня был просто нервный срыв, и я... У меня нет привычки ложиться в постель с мужчинами, которых я почти не знаю... Я прошу тебя — давай забудем, что тогда произошло, и останемся просто друзьями...

— Друзьями? — насмешливо переспросил Серегин. — После того, как забудем все, что было в доме на Московском? Это тонко, Екатерина Дмитриевна, это — высокая драма...

— Андрей! — голос Катерины подозрительно зазвенел, так что даже итальянец-официант встревоженно обернулся. — Не надо ерничать, прошу тебя... Если тебя не устраивает слово «друзья», давай будем просто — ну, я не знаю — партнерами...

— Так партнеры — это как раз когда в койке, — не унимался Обнорский. — «Голубые» еще друг друга партнерами называют...

На самом деле Андрею было совсем не смешно, но была у него такая дурацкая черта — когда он нервничал, то становился настоящей язвой.

Катя вздохнула и опустила глаза в чашку. Обнорский понял, что немного перебрал, и сказал уже нормальным тоном, без всякой насмешки:

— Я, Катя, может быть, только внешне на идиота похож, а на самом-то деле все понимаю... Скажи прямо — просто я не понравился тебе как мужик, ну я не знаю — рылом не вышел, или в койке тебе со мной плохо было...

— Нет! — может быть, чуть более горячо, чем следовало, ответила Катя, залилась легким румянцем — и тут же поправилась: — Не в этом дело... Я... Я попробую тебе объяснить... Пойми, пять месяцев всего прошло, как я... Как я потеряла очень... близких мне людей... И они... погибли, защищая меня, и... Я вообще потом не хотела жить... Мне казалось, что все уже кончилось, что больше никогда ничего не будет... Я хотела только одного — стереть с лица земли Палыча, эту гадину, этого паука ядовитого... Это было моей единственной целью, она давала мне силы... А потом вдруг появился ты, словно с неба свалился... Я растерялась... Пойми — погибло столько людей... Сережа погиб... Олег... Кораблева убили тоже из-за меня... И я не могу, слышишь, не могу просто взять и плюнуть на их память... Это было бы просто подло... Поэтому — давай не будем возвращаться к тому, что было на Московском... Я... Андрей... Ты говорил, что у тебя есть какие-то мысли по Виктору Палычу, по тому, как разобраться с ним... Тем более что и у тебя самого есть к нему личные счеты... Давай займемся этой проблемой... Я прошу тебя...

Катерина окончательно смешалась и закрыла глаза рукой. Казалось, она с трудом сдерживает слезы.

Обнорский молча смотрел на нее. Когда она только начала свой монолог, Андрея словно ледяным потоком окатило, но потом... Была в характере Серегина одна особенность — в критические минуты он умел концентрироваться, у него включалось «шестое чувство», он начинал воспринимать все быстрее и глубже, чем обычно... Вот и сейчас — Обнорский понял, точнее, не понял, а ощутил, что вовсе не безразличен и не неприятен Катерине... Просто ее мучила совесть, комплекс вины перед теми, кого она любила когда-то и кто ушел навсегда. Андрей не был законченным циником и жлобом, он понимал, почему Катя отталкивает его, но «понять» — это далеко не всегда означает «принять». Обнорский не собирался сдаваться и терять серьезно задевшую его по сердцу женщину из-за одного только уважения к памяти погибших.

Серегин тоже видел в своей жизни много смертей и знал, что означает потеря дорогих людей. Но при этом он был уверен в одном: мертвым — память и покой, а живые должны продолжать жить... А жить одной только памятью — нельзя, иначе мир мертвых может затянуть к себе живого...

Однако ничего этого объяснять Катерине Серегин пока не стал — счел, что место не слишком подходящее, людно было вокруг... Обнорский кивнул и сделал вид, что согласился со всем, что высказала Катя:

— Ну что же... Хорошо... Давай займемся нашими делами с Палычем... Только у меня есть предложение — перебраться отсюда к тебе в квартиру. Разговор-то у нас будет очень деликатный, да и долгий... И записывать мне кое-что придется... Все-таки ресторан — это не самое лучшее для этого место... А на улице — холодно уже, все-таки декабрь на дворе, не май... Как мое предложение? Принимается?

Катя посмотрела на Андрея как-то странно — в ее взгляде странным образом сплелась нелогичная досада на то, что Обнорский слишком быстро с ней согласился, и обеспокоенность — не станет ли он к ней приставать, когда они окажутся наедине... Ох, женщины, женщины... Замечательные вы создания...

Катерина неуверенно кивнула, потому что по существу ей возразить было нечего:

— Предложение принимается... А ты не...

— Я буду вести себя хорошо, — серьезно и чуть грустно ответил Обнорский и подтвердил свои слова прямым, честным и чистым взглядом, при этом добавив про себя: «Ну, я же не виноват, девушка, что пока мы с вами слово „хорошо" понимаем немного по-разному — в применении к данной конкретной ситуации...»

Не зря, видимо, говорили Андрею разные люди, что в нем пропадает актерский талант, — поверила ему Катя. А может быть, дело было вовсе и не в его актерских способностях...

Как бы там ни было, но они быстро расплатились за кофе (Катерина попыталась достать свой кошелек, но Серегин посмотрел на нее таким тяжелым взглядом, что она не стала даже спорить) и вышли из ресторана.

До Гамластана, где находилась Катина квартира, они решили прогуляться пешком. На Стокгольм опустилась чудесная ночь — было безветрено, поэтому холод не особо чувствовался, несмотря на то, что температура всего на несколько градусов превышала нулевую отметку. В хрустальном воздухе словно летел куда-то сказочно красивый город. На мгновение Серегину показалось, что он просто грезит, — скажи ему кто-то в девяностом году (когда Андрей работал военным переводчиком и сидел, как в тюрьме, в ливийской столице, пытаясь разобраться в обстоятельствах странной смерти своего друга Ильи Новоселова), что спустя всего три года он сможет спокойно гулять по Стокгольму под ручку с красивейшей женщиной, игравшей когда-то значительную роль в жизни бандитского Питера, — Обнорский не то чтобы просто не поверил в такое пророчество, он бы искренне испугался за пророка: не бредит ли в белой горячке...

— Красиво... Блин, красиво-то как! — не выдержал Андрей, и Катерина охотно его поддержала:

— Да, я тоже налюбоваться не могу... И знаешь, мне так обидно за Питер иногда здесь становится... Ведь если наш город умыть, причесать, «макияж» правильно нанести — он бы просто с ума сводил... Здесь люди умеют беречь красоту, а у нас... У нас ее словно боятся. На словах — восхищаются, а сами боятся...

Андрей грустно кивнул — медленное разрушение Петербурга он рассматривал чуть ли не как свою личную проблему... Ну, виданное ли дело — красивейший город Европы, а со стен дворцов штукатурка кусками на головы прохожих падает, дороги (даже в центре!) такие, какие только после уличных боев остаются.

Стараясь уйти от не самой веселой темы, Обнорский вдруг спросил Катю:

— Слушай, а ты Карлсона здесь не видела? Он, по-моему, где-то тут обитает...

— Это который на крыше живет? — засмеялась Катерина. — Нет, не видела еще... Говорят, он где-то в районе Вазастана летает... Знаешь, между прочим, шведы очень удивляются, когда узнают про популярность Карлсона в России... Здесь, в Швеции, вроде бы гораздо больше любят других героев Астрид Линдгрен — Пеппи Длинный Чулок и Эмиля...

Серегин пожал плечами:

— А чего они, собственно, удивляются — у Карлсона характер абсолютно русский... Этот пацан с пропеллером строго по понятиям всегда поступал: разводил всех подряд — и Малыша, и его родителей, и Фрекен Бок... Опять же — халяву парень обожал, а когда жареным пахло, сразу улетал... Как же его не любить?

Перешучиваясь таким образом, они дошагали до Катиного дома, поднялись на третий этаж в маленьком круглом лифте и вошли в квартиру. Андрей помог Кате снять пальто, скинул свою куртку и вдруг хлопнул себя по лбу:

— Елки зеленые! Что мы сделать-то сразу совсем забыли?!

— Что? — не поняла Катерина и встревоженно посмотрела на Андрея расширившимися зелеными глазищами. — Что забыли сделать?

— Ну как что? — с досадой махнул рукой Обнорский и шагнул к Кате. — Поцеловаться при встрече...

Она растерянно открыла рот, но сказать ничего не успела — Серегин ловко и быстро схватил ее за талию, притиснул к себе и залепил такой поцелуй, что... Хороший, в общем, получился поцелуй.

Не ожидавшая такого изощренного коварства Катя (расслабившаяся после милых детских разговоров о Карлсоне) сначала охнула, потом обмякла в руках Обнорского на несколько мгновений, потом опомнилась и начала вырываться. Когда ей это частично удалось, она сказала задыхаясь:

— Пусти! Пусти... Ты... Ты что делаешь? Ты же обещал!

Андрей продолжал держать ее за талию и смотрел на упиравшуюся ему в грудь локтями Катерину честными и чистыми глазами:

— А ты поверила? Мне — журналюге?! Какая трагическая ошибка. Бог ты мой! И, кстати, я что обещал? Что буду вести себя хорошо... Так? А кто сказал, что я веду себя плохо?

— Я говорю, я! — Катя забавно пыхтела, но полностью освободиться от захвата Обнорского (в далеком прошлом мастера спорта по дзюдо) у нее никак не получалось. Наконец, отчаявшись, она перестала барахтаться и сказала уже абсолютно серьезно: — Пусти! Ты не понял, что там, в ресторане, я говорила абсолютно серьезно? Есть же, в конце концов, какие-то святые вещи!

— Есть, — согласился Серегин и разжал руки. С лица его мгновенно сошло блудливо-раздолбайское выражение — словно волной его смыло. Андрей жестко усмехнулся: — Конечно, я понял, что ты говорила в ресторане абсолютно серьезно... Я, кстати, тебя не перебивал, внимательно слушал. А теперь послушай и ты меня, я тоже хочу серьезно высказаться — в том числе и насчет святых вещей!

Обнорский тона не повышал, говорил глухо, но с каждым словом его голос словно густел, наливался силой.

— Ты напрасно считаешь, что мне неведомы горе и горечь утрат! И я очень хорошо знаю, что такое боль и скорбь по тем, кто ушел и кто был дорог. Поэтому я никогда — слышишь! — никогда даже представить себе не мог, как глумиться над чужим горем, оскорблять память чужих мертвецов. Слишком мне дорога память о моих... Вот только в юродство и кликушество впадать не надо, не надо самоистязаниями заниматься! Мертвым это не поможет... Живые обязаны продолжать жить и хранить память — только она не должна перерастать в постоянную скорбь, иначе и с самой памятью может что-то случиться... Это как с излишней скромностью — от нее всего один только шаг до греха гордыни: уж такой я хороший, такой скромный, сам на себя налюбоваться не могу! Олег и Серега... Они погибли, как мужчины, в бою, защищая друг друга и тебя — женщину, которая была им очень дорога... Не каждому выпадает такая достойная смерть — и вранье это, что мертвым все равно, как они умерли... Умереть можно по-человечески, а можно и по-скотски... Те, которые по-скотски уходят, они и после смерти скотами остаются... Олег и Сергей умерли для того, чтобы ты жила! Жила, понимаешь?! Жила, а не горевала вечно, постепенно угасая в своей скорби, — а иначе получается, что их жертва напрасной была! Память должна оставаться — должна оставаться и боль, потому что мы люди! Но именно потому, что мы люди, мы должны чувствовать жизнь во всех ее проявлениях, а не бежать от нее! Потому что именно бегством от жизни мы можем оскорбить тех, кто пожертвовал собой ради нас... Я сам далеко не сразу это понял — но понял в конце концов! Олег, Сергей, старик Кораблев... Почему ты считаешь, что надругаешься над их памятью, если будешь с нормальным человеком? Олега я почти не помнил, хотя Серега говорил, что когда-то, еще на первом курсе, знакомил нас. Кораблева я тоже не знал... А вот с Челищевым мы были знакомы неплохо — и уверен, что если он сейчас видит нас, то никак не осуждает... Блядством не надо заниматься на могилах — с этим я согласен... Но когда нормальная женщина ложится в постель с нормальным мужиком — скажи, что в этом грязного? Что плохого в том, если они поделятся теплом и попытаются поддержать друг друга?

Катя неотрывно смотрела в горящие глаза Обнорского, они словно гипнотизировали ее... Когда Андрей замолчал и полез в карман за сигаретами, она глубоко вздохнула и подрагивающим голосом спросила:

— А ты уверен в том, что ты — нормальный? Не слишком ли ты о себе высокого мнения?

Глаза у Андрея помягчели, потеплели, заискрились лукавинкой:

— Ну, я, конечно, не эталон, но и не самый конченый урод, это уж точно... А у нас в России многие приличные бабы с та-акими отморозками живут, по сравнению с которыми я вполне даже ничего... Хотя, конечно, на вкус и цвет товарищей нет...

— Вот именно! — ядовито заметила Катерина и не очень убедительно добавила: — Может быть, ты как раз не в моем вкусе?

— Ничего, — сказал Обнорский, шагнув к ней и осторожно, медленно и бережно обняв за талию. — Стерпится-слюбится...

235

Андрей начал тихонько целовать ее лицо — Катя заторможенно уворачивалась, но локтями в грудь уже не упиралась... Когда губы Обнорского нашли ее рот, Катерина вздрогнула, запрокинула лицо и неуверенно, словно боясь саму себя, ответила ему на поцелуй... Серегина заколотило — и она, почувствовав его дрожь, осторожно погладила его рукой по затылку... Постепенно их поцелуи становились все крепче и крепче, они оба уже задыхались, но оторваться друг от друга не могли... Андрей начал онемевшими пальцами расстегивать пуговицы на Катиной блузке — она застонала и сделала последнюю попытку остановиться:

— Подожди, подожди... Ну, не надо, ну, пожалуйста... Это все-таки нехорошо, я не могу... так сразу... я... Я себе не прощу... Андрей... А... а...

— А... ты и не виновата, — прерывающимся шепотом нес какую-то ахинею Обнорский. — Это же не ты, это я, грязная и наглая скотина, тебя совратил... Ты-то была против... Так и грех на мне будет, а ты — честно отбивалась, как могла... Ой, елки зеленые...

Он уже не мог больше сдерживаться и начал быстро стаскивать с нее одежду, что-то невнятно урча. Когда снимать с Кати больше было нечего, Андрей принялся за себя — одной рукой он гладил Катерину по животу и грудям, одновременно целуя ее шею, а другой — терзал пряжку ремня на своих джинсах.

Если кто-то до сих пор не пробовал раздеваться с помощью одной только левой руки (в то время как правая занята другими, не менее важными делами) — то стоит исправить это досадное упущение и приобрести интересный личный опыт, который подтвердит, что падение запутавшегося в собственных штанах Обнорского на пол было скорее закономерностью, нежели случайностью...

Катя, само собой, упала на Андрея сверху, потому что в момент начала «сваливания на левое крыло» он как раз гладил ее по спине... Хорошо, что Серегин когда-то дзюдо занимался, и поэтому, падая, автоматически подстраховался. Ну и ковер, конечно, выручил — точнее не ковер, а напольное покрытие: хотя и было оно, честно говоря, не из самых мягких... Все качественные характеристики этого покрытия Катерина и Андрей смогли исследовать довольно подробно, потому что с пола не вставали долго... Потеряв разум, они вытворяли посреди комнаты такое, что и описать-то это представляется делом довольно затруднительным... Но в том, как они ласкали друг друга, не было никакого паскудства или грязи, — красиво все это у них получалось, одним словом, душевно...

Катерина достигла пика чуть раньше Обнорского, и, когда его тело содрогнулось в финальном аккорде, она уже была способна лишь, истомно постанывая, целовать его лицо и плечи — а сил, чтобы пошевелить рукой или ногой, у нее не осталось.

Какое-то время они неподвижно лежали молча, слушая постепенно успокаивающееся дыхание друг друга, а потом Серегин подхватил Катю за бедра, осторожно снял с себя и положил рядом. Она тихонько вздохнула, не открывая глаз, — и у Обнорского даже сердце екнуло, настолько красива была лежавшая рядом с ним обнаженная женщина... Красива и желанна...

Они еще долго лежали рядом на полу в блаженно-немой прострации, легонько поглаживая друг друга, пока «красивая и желанная» не очнулась вдруг. Катя, охнув, села и с ужасом стала рассматривать свои стертые до ссадин колени — жестковатым все-таки было напольное покрытие, жестковатым.

— О Господи! — простонала Катерина, с укором посмотрев на Обнорского. — Теперь ни юбку короткую не наденешь, ни в бассейн не сходишь!.. И ты еще говоришь, что нормальный? Нормальные люди на полу таких безобразий не устраивают!.. В доме, между прочим, и кровать имеется... Боже ты мой!... Ну вот куда, куда я с такими коленями?..

— Как куда? — удивился Обнорский. — Ко мне...

Он попытался обнять ее, но Катя с шутливым негодованием вырвалась, вскочила на ноги, и тогда Серегин заметил сварливо:

— К вопросу о нормальности... У нормальных людей в домах такими гнусными покрытиями полы не застилают...

И Андрей продемонстрировал ей собственные локти — они были стерты еще больше, чем Катины коленки... Катерина фыркнула, а Обнорский, пародируя ее же интонации, заныл:

— Боже ты мой, Боже — ну вот куда, куда я с такими локтями?

Катя подбоченилась:

— Можно подумать, ты локтями работаешь! Подумаешь — локти... Колени гораздо важнее, особенно для деловой женщины... Ими только пользоваться нужно уметь — во время переговоров, например...

— Сколько же в тебе цинизма! — горестно покачал головой Обнорский. — Так вот как бизнес-леди капиталы сколачивают — коленками!.. Как это... Как это мерзко, подло и нечестно — пользоваться в корыстных целях здоровыми мужскими инстинктами! И насчет локтей — опять-таки, вы в корне не правы, девушка! Я-то как раз работаю локтями. Я, чтобы вы знали, — журналист, я пишу много! А когда пишу, кладу локти на стол. Как, извините, мне их теперь класть? Опять же, когда пишу, я думаю, да-да — думаю, и не надо вот этих скептических улыбочек, да — не надо... Думаю! А когда думаю — я ставлю локоть на стол и подпираю ладонью щеку! Теперь локоть не поставить, щеку не подпереть — а значит, и думать будет крайне затруднительно! А колени — ну что колени... Ну, будут на тебя какие-то мужики поменьше пялиться — и то сомневаюсь я в этом... А вот я фактически потерял трудоспособность и...

— Ты, по-моему, не трудоспособность потерял, а совесть, причем случилось это не сегодня, господин журналист! — вздохнула Катя. — Наглость просто несусветная! Он же меня же изуродовал, и еще что-то там про свои локти плетет! Кто кого на этот ковер утянул? Кому до кровати не дойти было? На ком моральная ответственность — и за колени, и за локти?

— На тебе, конечно, — удивленно пожал плечами Обнорский, вставая с пола.

— На мне?!

— Конечно! — Андрей почесал нос и посмотрел на Катю «круглыми глазами». — Вот давай спокойно во всем разберемся: почему, собственно, мне пришлось все это устраивать на полу, в антисанитарии?.. Да потому, что ты меня запугала совсем, я опасался, что пока мы до кровати дойдем — ты возьмешь и передумаешь...

И вот, мучимый этим страхом (который внушила мне ты-ты-ты, не отпирайся), я и вынужден был...

— Жулик ты, — махнула безнадежно рукой Катерина. — Натуральный разводила... Все, что угодно, на изнанку вывернешь, кого хочешь завиноватишь и «по жизни должным» сделаешь... Тебе профессию менять надо — у братвы такие разводчики на вес золота... Такой талант в землю зарываешь...

— Почему же зарываю? — позволил себе не согласиться Обнорский. — Я вот как раз тренируюсь, практикуюсь, можно сказать...

— Ах вот как?! — Катерина уперла руки в бока и грозно посмотрела на Серегина.

Когда ее взгляд непроизвольно скользнул вниз, она вдруг фыркнула, попыталась было сдержаться, но потом все же залилась смехом — словно колокольчик серебряный зазвенел... Андрей насупился:

— Ну и что ты там такого смешного увидела? Нет, я не понимаю, что смешного-то? Габариты не устраивают?

После фразы о габаритах Катя совсем зашлась в хохоте, замахала руками и далеко не сразу смогла выдавить из себя:

— Габариты... Ой, не могу... Габариты — в норме, а... Ой... Я просто вспомнила, как ты от меня по этим самым габаритам получил, когда в «Европу» ко мне заявился... Чуть-чуть посильнее — и вопрос о твоих габаритах вообще утратил бы актуальность... Я как чувствовала, что для себя берегу...

Обнорский укоризненно покачал головой:

— Нашла над чем смеяться... Стыдно должно быть, стыдно... А она — веселится... Единственное, что тебя оправдывает...

— Что?

— Что все-таки сберегла...

В шутках, которыми они обменивались, пожалуй, была все же какая-то доля нарочитости, словно оба ощущали не то чтобы неловкость, а скорее присутствие неких «фигур умолчания». Наверное, им обоим хотелось хоть ненадолго уйти от печальных и тяжелых мыслей, освободиться от власти сопровождавших их призраков, взять небольшую передышку... Люди есть люди — они не могут постоянно думать только о чем-то безрадостном и страшном... Андрей подхватил Катю на руки и потащил в спальню:

— Кто-то что-то говорил про имеющуюся в доме кровать?..

Катерина закрыла глаза, обняла Обнорского за шею и ответила на его «намек» долгим поцелуем.

Кровать в квартире действительно имелась — и кровать неплохая, на ней они нырнули в блаженство еще глубже, чем на полу в гостиной... Ах, если бы уйти от власти прошлого и настоящего было так же просто... Но человек не робот, которого можно легко перенастроить на новую программу... Поэтому — стоит ли удивляться слезам, покатившимся из глаз Катерины, когда любовные безумства утихли? По кому и по чему она плакала?.. Андрей не спрашивал... Он лишь нежно обнимал ее, гладил вздрагивающие плечи и тихо шептал:

— Ничего, ничего... Все будет хорошо, Катюша, все еще будет хорошо... Ты поплачь, поплачь... Это хорошие слезы... Мне иногда и самому... хотелось бы поплакать — да вот, разучился уже давно... Ты за нас за обоих поплачь... А потом все еще будет хорошо... Обязательно будет...

Катерина всхлипывала и прятала лицо у него на груди, Обнорский с горькой нежностью ощущал теплую влагу ее слез. Ночь закончилась, конечно, слишком рано — Андрей, утешая Катю, как-то незаметно задремал, прикемарил так от души, раскинувшись навзничь на кровати. Так вот — после того, как он начал посапывать, Катерина, между прочим, успокоилась сама собой довольно быстро. С женщинами ведь иногда, как с детьми — чем больше их утешаешь, тем горше они плачут... Обнорский, конечно, проспал бы все на свете, но Катя помнила, что ему утром надо обязательно быть на телевидении. Поэтому, заметив, что стрелки часов приблизились к половине шестого, она тихо встала, легонько поцеловала Андрея в губы и на цыпочках ушла на кухню варить кофе. Потом она заказала такси по телефону и, поставив на поднос дымящуюся чашку, вернулась в спальню.

Несколько секунд она молча смотрела на Серегина, не замечая, как чашка начинает подрагивать на подносе... Он спал вроде бы спокойно и глубоко — но вдруг лицо Андрея исказилось, черты лица стали резкими и жесткими. Обнорский дернулся и сказал что-то на незнакомом Катерине языке — значения слов она не поняла, но в интонации произнесения была уверена: Андрей говорил во сне с кем-то, кого не то что не любил, — кого ненавидел... Серегину явно снилось что-то страшное, и Катя, присев на кровать, начала осторожно поглаживать его повлажневший лоб... Обнорский проснулся, словно из черной воды вынырнул — привстал сначала, а потом снова откинулся на подушку, дыша, как после спринтерского рывка.

— Ты что, Андрей? — Катя продолжала поглаживать пальцами его лицо, и Обнорский благодарно коснулся губами ее ладони. — Приснилось что-нибудь? Ты на каком-то непонятном языке говорил.... На арабском?

— Наверное... — Серегин замотал головой, прогоняя остатки сна. — Приснился мне один покойный ныне сослуживец...

Обнорский вздохнул — ему не хотелось рассказывать Кате свой сон. А привиделся Андрею давний кошмар — капитан ГРУ Витя Кукаринцев, стреляющий ему в голову в пустынном аденском переулке... Дело в том, что сон этот уже давно стал для Серегина своеобразной приметой: явление к нему ночью покойного Куки непременно предвещало серьезную опасность или просто большие неприятности... Андрей постепенно начал даже испытывать что-то вроде своеобразной благодарности к мертвому капитану, заявлявшемуся к нему по ночам, — Обнорскому однажды в голову пришла дикая мысль, что Кука такими «предупреждениями» словно бы хотел искупить хоть часть своих смертных грехов... Интересно, к чему бы Витя приснился на этот раз? Серегин искоса глянул на Катерину — ее пугать дурными приметами было совсем ни к чему, поэтому Андрей улыбнулся и мечтательно застонал, втягивая носом аромат кофе:

— Не может быть! Это мне? Кофе в постель? Фантастика... Вот и дожили вы, Андрей Викторович, до таких сказочных времен — а кто бы мог подумать!..

Катя довольно фыркнула — ясное дело, любой женщине приятно, когда мужчина реагирует на заботу о нем, а не принимает эту заботу безразлично, как должное... Андрей с удовольствием выпил кофе, поставил чашку на блюдечко и сказал «светским» тоном:

— Благодарю вас, сударыня, душевнейше вам признателен... Да, кстати... Давно хотел полюбопытствовать, барышня, а как вы к утреннему сексу относитесь? Говорят, в приличных домах это постепенно входит в моду...

Катя засмеялась и легонько шлепнула Обнорского по руке:

— Вставай уж, балабол! Я-то, может, и нормально отношусь к этой новой моде, но вы ведь, сударь, можете и на телевидение опоздать... Да и извозчик вас уже внизу дожидается...

— Ну так а долго ли — умеючи-то? — плотоядно облизнулся Андрей и вознамерился было обнять Катю, но она резво спрыгнула с кровати, плотно запахнула халат и отрезала:

— Умеючи — как раз долго! Вставайте, сударь, вас ждут великие дела!

Обнорский, тяжело кряхтя, слез с кровати, быстро оделся, пригладил растрепанные волосы пятерней и спросил, словно о чем-то уже решенном:

— Ну так я вечером сразу к тебе? Пустишь? Нам, кстати, не мешало бы и кое-какими деловыми вопросами заняться...

— Да куда уж деваться, — вздохнула Катя, иронически улыбаясь. — Вас ведь, сударь, в дверь не пустишь, вы в окно полезете... Когда прикажете ждать?

— Я точно не знаю, Катюшка, — ответил Андрей уже в дверях. — После семи где-нибудь... В общем — как только, так сразу... Я прямо без звонка, ладно?..

— Ладно...

Они поцеловались на пороге, и Обнорский побежал вниз по лестнице.

Таксист-югослав привез Серегина на виллу газеты «Экспрессен» уже в седьмом часу — Андрей расплатился, выскочил из машины и начал стучать в дверь дома. Минут через пять на пороге появился заспанный Цой:

— Бог ты мой, какие люди! А мы уж и не чаяли... Как резидент?

Андрей только рукой махнул, но Цой, пропуская его в дом, успел разглядеть и характерные круги вокруг глаз Обнорского, и его припухшие губы, а потому ответил сам себе:

— Понял, резидент не подкачал... Серьезный, судя по всему, попался резидентище, махровый такой, конкретный. Что скажешь — красиво жить не запретишь...

У Обнорского уже просто не было сил отвечать на подначки Игоря — Андрей сбросил куртку и туфли и прямо в одежде завалился на диван:

— Игорюха, я покемарю часок, а то буду совсем никаким...

— Спать вообще-то врачи рекомендуют по ночам, — язвительно заметил Цой и добавил что-то еще, но что именно, Андрей уже не расслышал...

Весь день на монтаже фильма Обнорский клевал носом, не замечая удивленных взглядов шведских коллег — впрочем, мало-помалу работа все же продвигалась, а к вечеру Андрей и вовсе разошелся, «разгулялся», так сказать, и даже смог родить несколько вполне дельных мыслей. По крайней мере Ларс назвал их именно дельными...

Вечером Обнорский снова сбежал с виллы, провожаемый ехидными улыбками Цоя: Игорь, похоже, уже начал догадываться, что его впереди ждет еще много тоскливых одиноких вечеров в пустом доме.

Домчавшись на такси до Катиного дома, Андрей вдруг подумал о том, что он — свинья, потому что даже не подумал цветы где-нибудь для Катерины поискать... Чувствуя угрызения совести, Обнорский решил не заходить в квартиру без сюрприза, но поскольку нормальный подарок искать уже было поздно, Серегин придумал «шутку»... Нажав на кнопку звонка, он быстро опустился на четвереньки и, когда Катя открыла дверь, бросился в квартиру в такой вот позе с жутким рычанием:

— Р-р-р-р-гав!!!

Катерина завизжала так, что Обнорский испугался возможного приезда полиции. Он немедленно поднялся и попытался обнять схватившуюся за сердце женщину... Но Катя вырвалась и, сердито сверкая глазами, воскликнула:

— Господи, Андрей!.. Ну ты совсем дурной, или как?.. Взрослый ведь вроде бы человек...

— Это я для психологической разрядки, — начал оправдываться Обнорский, закрывая за собой дверь. — Я больше не буду, честное слово... Ну пошутить хотел, возможно — шутка не получилась... Хотя...

Катя засмеялась, шагнула к Андрею — начала ерошить его волосы:

— Видели бы тебя твои читатели... Тоже мне — популярный журналист...

Разбор выходки Обнорского как-то незаметно перерос в поцелуи, а закончилось все, естественно, в спальне — будто и не вымотала предыдущая ночь Андрея напрочь, как казалось ему утром... Потом они отправились на кухню пить кофе, и Обнорский начал рассказывать Катерине о монтаже их фильма. Поскольку эта документальная лента рассказывала о русской организованной преступности, Катя слушала Обнорского с большим интересом. И не просто слушала, а начала вдруг делать некоторые замечания — очень толковые, потому что тема была хорошо ей знакома изнутри, так сказать... Серегин даже схватил блокнот с авторучкой... Так и прошла у них эта ночь — в перемещениях между спальней и кухней, в чередовании поцелуев и серьезных разговоров о монтирующейся ленте...

В половине шестого утра до Обнорского вроде бы дошло, что денек ему предстоит трудный, — нельзя же, в конце-то концов, не спать сутками напролет? Но, с другой стороны, Кате и Андрею было настолько интересно друг с другом (не только в постели), что в сон их и не тянуло... Катерина-то, правда, имела возможность отоспаться днем, а вот Серегин... Ему приходилось тяжело, но он держался...

Когда наступил третий вечер, Андрей добрался до Катиной квартиры, еле волоча ноги, — Катерина взглянула на его постаревшее и почерневшее лицо, ойкнула и решительно заявила:

— Все, сегодня ты должен выспаться! И без разговоров!

В ту ночь Обнорский, действительно, сумел поспать часа четыре... Короче говоря, для журналиста Серегина наступили времена, с одной стороны, очень интересные, а с другой — очень нелегкие. Кто-то из мудрых современников сказал, что счастье — это когда человек утром с удовольствием идет на работу, а вечером с удовольствием же спешит домой, так вот: Обнорский в Стокгольме, в принципе, жил по этой формуле: утром его ждала интереснейшая работа, а вечером — интереснейшая женщина. И к одной, и к другой Андрей шел с удовольствием (причем с искренним), только при этом его немного качало...

Ларс каждое утро смотрел на Андрея со все большим удивлением, но в душу не лез по врожденной шведской деликатности — мало ли чем этот странный русский хлопчик занимается по ночам в городе, в котором никогда прежде не бывал... Может, он по улицам бродит, с архитектурой знакомится?

Вполне вероятно, что Серегин просто загнулся бы от истощения жизненных сил, но тут не выдержал Цой — он «заложил» Андрея, не в силах больше смотреть на его страдания по утрам... Узнав, что у Обнорского в Стокгольме протекает бурный роман с какой-то таинственной дамой, Тингсон немедленно объявил Андрею выходной — швед был человеком добрым и мудрым, он, видимо, на собственной шкуре испытал, что это такое — биться на двух фронтах сразу... Серегин, конечно, чувствовал себя неловко, пытался даже отказаться от «отгула», — но Ларс и слышать ничего не желал, заявив, что хочет еще поработать с Андреем, а для этого нужно, чтобы Обнорский остался жив...

Серегин, растроганный таким пониманием ситуации, сказал «спасибо» и Тингсону, и Цою, уехал пораньше к Катерине, упал в ее квартире в постель и проспал четырнадцать часов кряду... Почувствовав себя, наконец, человеком, Андрей предложил Кате погулять по Стокгольму, а заодно начать все-таки подготовку к «решению проблемы с Антибиотиком».

Катя не возражала, но... После того как Обнорский заговорил о Викторе Палыче, она помрачнела и словно бы подугасла — праздник заканчивался, нужно было возвращаться в суровую действительность, а ведь нет, наверное, такой женщины, которой бы не хотелось праздник продлить... Да, Катерина сама в свое время сделала все, чтобы уничтожить Антибиотика, да, она имела более чем веские основания для мести — и ненависть в ее душе не ослабла, но... Что-то все же изменилось — в ее жизнь вошел Андрей, и Катерина, может быть, даже неосознанно, может быть, на каком-то подсознательном уровне стала жаждать мести уже меньше, чем раньше... В ноябре она готова была на все: ей казалось, что жизнь кончилась, и Катя хотела только одного — отомстить, пусть даже ценой собственной жизни... Но потом появился Обнорский, и этот парень непонятно как сумел вдохнуть в нее новые силы, новые надежды... Нет, Катя не то чтобы рассчитывала на какие-то серьезные и долгие отношения с ним, и не строила она никаких «семейных» планов — по крайней мере впрямую об этом она не думала, — но женское подсознание, это ведь штука очень тонкая... Андрей, не зная о том, что у Кати есть сын, умудрился как-то заставить ее больше думать и о ребенке, и вообще он разморозил в душе Катерины нормальные женские инстинкты, заблокировавшиеся после смерти Сергея и Олега... А самый главный женский инстинкт направлен все же на создание и сохранение семейного очага, — и это прекрасно, что женщины так устроены, иначе бы мужики на Земле никогда, наверное, из дикости не вышли... Пусть объективно никакого «очага» у Кати с Андреем не было — была лишь некая иллюзия, — но и эту иллюзию Катерине хотелось сохранить... Натура женщины более склонна к созиданию, а мужская природа — к разрушению...

Катя инстинктивно стремилась к миру и покою, а Серегин думал о войне... Да, Катерина хотела отомстить Антибиотику, но при этом она понимала, что месть будет связана с высокой степенью риска — и прежде всего для Андрея... Катя устала терять своих мужчин.

Поэтому, когда Обнорский заговорил серьезно об Антибиотике, она почувствовала себя дискомфортно... Андрей ощутил, что что-то идет не так, но причин, конечно, не «проинтуичил» — мужикам все-таки очень трудно просчитывать женскую логику и понимать причины некоторых женских поступков. Или в каких-то случаях — не поступков, а, наоборот, бездействия...

Прогуливаясь по Стокгольму, Серегин начал задавать вопросы об «империи Антибиотика», но Катя давала ответы, которые Андрея совершенно не удовлетворяли, — они были недостаточно подробными, недостаточно развернутыми... То есть Катерина вроде бы и отвечать не отказывалась, но — не «болела душой» за дело... Обнорскому в его журналистской практике много раз приходилось сталкиваться с подобными ситуациями, особенно при направлении официальных запросов в официальные инстанции, откуда формально отвечали, но по сути эти ответы были обыкновенными отписками.

Промучившись часа полтора, Серегин даже разозлился — он решил, что Катя ему не доверяет, и задал ей прямой вопрос на эту тему. Катерина решительно возразила и начала уверять Обнорского, что доверяет ему полностью. Андрей пожал плечами:

— Катюша, ты пойми... Для того, чтобы придумать что-нибудь, для того, чтобы нечто эдакое сочинить — мне нужен максимум информации о Палыче и его делах... Мне нужны мелочи, подробности, нюансы... Если бы я мог, просто в голову твою залез... Но это, к сожалению, невозможно, по крайней мере я не умею этого делать...

— Ничего, — с непонятной язвительностью отозвалась Катерина. — Зато у тебя очень хорошо получается в душу залезать!

Андрей хмыкнул, посмотрел на Катю внимательно, подумал, и ему показалось, что он понял причины ее раздражения. Обнорский взял Катерину за руку, прижал ее запястье к своим губам, потом спросил, вкладывая в вопрос всю проникновенность, на которую был способен:

— Катюшка... Я понимаю... Тебе, наверное, все это очень неприятно вспоминать?

Катерина отвернулась, чтобы он не смог прочитать в ее глазах все, что она думала о его «понятливости»... Нет, мужики — они все-таки толстокожие, как носороги, и такие же самоуверенные...

Обнорский же, полагая, что попал в точку, продолжал мягко и вкрадчиво увещевать Катерину:

— Я понимаю, я все понимаю... Но пойми и ты... Мне без подробностей — ну никак не обойтись. Иногда самая незначительная мелочь может стать ключом к комбинации... И если бы я знал заранее, какая именно мелочь мне нужна, — я бы тебя, конечно, не мучил... Но я не знаю... И поэтому должен снимать с тебя всю подряд информацию... Мне надо посмотреть на Палыча и его окружение твоими глазами... Чем больше я накоплю сведений, тем быстрее количество перейдет в иное качество... Мы ведь с тобой чего хотим — устроить Антибиотику большую бяку, так? Он о наших планах, я надеюсь, не знает ничего — стало быть, мы уже имеем огромное преимущество... Он ведь себя жутко крутым считает, а крутыми-то, как известно, только горы бывают... Фактически наша с тобой задача похожа на проведение диверсионной акции в глубоком тылу противника... Только осуществить эту диверсию мы должны не физическими методами, а интеллектуальными... Физическими методами ты действовать уже пыталась, прости за напоминание... Кроме того — мы должны сочинить нечто такое, что позволило бы нам остаться необнаруженными... Потому что противник существенно превосходит нас в живой силе и технике, выражаясь армейским языком... Мы можем противопоставить этому превосходству наши преимущества — и прежде всего глубокое знание противника. Знание это заложено в твоей голове — и я должен получить к нему доступ...

Время подходило к обеденному, и Андрей с Катей даже не заметили, как ноги сами вынесли их к ресторанчику «Капри» — к тому самому, в котором они сидели в первый вечер после приезда Обнорского в Стокгольм. Они посмотрели друг на друга и улыбнулись — теперь итальянский ресторанчик стал как бы «их» местом, с которым была связана страничка в еще очень короткой историй их отношений.

— Я бы чего-нибудь съел, — задумчиво сказал Серегин. — Мой мозг нуждается в подпитке. И не только мозг...

Катя возражать не стала — они вошли в ресторан, заказали кучу разных вкусных блюд и по бокалу красного вина. Холодную закуску (это было восхитительное «карпаччо» — мясо сырого приготовления) Андрей сожрал секунд за сорок, запил деликатес добрым глотком вина и откинулся на спинку стула, наблюдая за Катериной, евшей медленно и аккуратно, как это и предписывается правилами хорошего тона.

Воспользовавшись паузой между подачей блюд, Обнорский продолжил свою «обработку»:

— Так вот, Катюшка... Ты знаешь о Палыче, его людях, о его бизнесе очень и очень много — ты даже сама не догадываешься, насколько много... Часть накопленной информации твой мозг откинул в пассив — то есть что-то ты забыла, что-то не считаешь важным... Наша задача — заставить тебя вспомнить как можно больше...

Катя пожала плечами:

— Мне кажется, что ты все-таки зацикливаешься на мелких деталях и подробностях... Вот скажи, пожалуйста, — зачем тебе, например, понадобилось знать о музыкальных пристрастиях Валерия Ледогорова? Или о том, какие женщины нравятся Иванычу? Для чего ты спрашивал, как люди Антибиотика реагировали на меня как на женщину? Прости, я не понимаю, почему тебя интересует их манера ухаживания?

Обнорский досадливо щелкнул языком:

— Ну чего же здесь непонятного? Я пытаюсь составить психологические портреты... Жесткий скелет «фактурных» знаний должен обрастать «мясом» — разными такими мелочами, в которых и проявляется человеческая сущность... Я же уже объяснял — мелочь, она иногда важнее какой-то объемной информации... Я же не знаю, что именно сработает как детонатор, от которого произойдет взрыв, то есть рождение идеи... Понимаешь, я грежу, я словно блуждаю в потемках по огромному помещению и перебираю провода-ассоциации, пытаюсь соединить их поочередно, чтобы замкнуть контур... Чтобы вспыхнул свет... Чем больше имеешь информации по конкретной ситуации, тем быстрее рождаются идеи — самые неожиданные... Понимаешь?

Катя неопределенно повела бровями, Андрей кивнул и азартно махнул рукой:

— Хорошо, сейчас я поясню тебе все на конкретном примере — и ты сразу поймешь, как важна бывает иногда самая бросовая на первый взгляд информация...

Катерина, явно заинтригованная, приготовилась слушать, но тут Обнорскому подали седло барашка в чесночном соусе, и Андрей вынужденно прервал свою лекцию, впрочем, ненадолго — минут через пять перед Серегиным стояла уже пустая тарелка. Вышколенные официанты, глубоко шокированные таким отношением к еде, бросали на Андрея опасливые взгляды — этот русский словно с голодного острова приехал, и почему только с ним сидит такая приличная и воспитанная синьора?..

— Да, так вот, — продолжил между тем Андрей. — Стало быть, привожу тебе конкретный пример... Дело было в восемьдесят шестом году — я доучивался на восточном факультете после годичной практики в Южном Йемене...

Обнорский слегка посмурнел, вспомнив «практику», на которой чудом остался жив, вздохнул и потянулся к пачке сигарет, лежавшей на столе:

— А надо сказать, что после Йемена я сильно пил. Очень сильно... И сначала финансовых проблем не было, потому что я много внешпосылторговских чеков в Союз с собой привез, но — все хорошее однажды заканчивается... Как-то я заявился домой совсем пьяный, папа, воспользовавшись моим бесчувствием, деньги у меня изъял, положил в сейф у себя на работе и заявил, что не отдаст их мне, пока пить не брошу... Стало быть, деньги нужно было где-то находить... И я их находить умудрялся — сначала форму свою десантную пропил, потом другие вещи начал потихоньку продавать... А форму свою пятнистую загнал я одному уроду, который на филологическом факультете учился. Не знаю, откуда у него деньги водились, — родители в торговле работали, что ли... Неважно... Он у меня и десантные ботинки купил, и куртку пятнистую, и штаны — и в таком вот «мужественном прикиде» ходил в универ. Наверное, сам себя считал «Рембой»... С головой у парня, видать, не все в порядке было — совсем рехнулся на военной атрибутике... Я ему только берет свой зеленый не сдал и медаль, хотя он за них совсем бешеные деньги сулил — рублей сто, по-моему... Но однажды наступил такой день, когда продавать мне уже стало нечего, — пропился вчистую... Причем день этот я помню прекрасно — у нас на факультете как раз должно было предварительное распределение состояться... И вот, представь себе, заявляюсь я в альмаматер с абсолютно «чугуниевой» головой, весь мир напоминает один большой кусок дерьма и больше ничего, а денег на опохмелку нет совсем... Я туда-сюда, чувствую — в куски разваливаюсь, у ребят попытался занять, ни у кого башлей нема... Что делать? Ну не помирать же в самом деле лютой смертью без опохмеления? А в безвыходных ситуациях мозг начинает работать в усиленном режиме... Стою я в коридоре, думаю. Вдруг мне навстречу этот задрот скачет, который у меня форму скупал... А в отдалении где-то болтается девчонка одна с нашего курса, Янка Овчинникова — ходит, волнуется, распределения ждет... Я как их обоих увидел, в башке сразу и произошло таинство рождения идеи... Дело в том, что этот придурок с филфака, любитель военной формы, очень «неровно дышал» на Янку — фигурка у нее была, между прочим... Гм-да, в общем, это неважно... Важно то, что Яна гражданина с филфака просто в упор не замечала — триста лет он ей не нужен был... Так что этот «филфачник» только слюни пускал и страдал ужасно от полной половой неудовлетворенности и безответной любви... Я хватаю паренька за руку, тащу в курилку, сажаю на подоконник и конкретно спрашиваю, хочет ли он Янку? Он, ясное дело, давится слюной и говорит, что хочет. Я ему предлагаю: раз такое дело, то давай, мол, я тебе мадемуазель Овчинникову принесу прямо сюда — сгружу, так сказать, ее прямо на этот же подоконник и по доступной цене, всего за четвертной... Филолог дрожащей лапкой молча выдает мне двадцать пять рублей, я скачу за Янкой, шепчусь с ней недолго, потом подхватываю ее на руки и несу в курилку... И все — товар сдал, товар принял... Я при четвертном... Поняла?

— Какая гадость! — Катя даже вилку положила и передернула плечами. — То, что ты законченный бабник, я понимала и до этого твоего «примера»...

— Ну при чем здесь бабник? — возмутился Обнорский. — Не об этом же речь! Я тебе привел пример быстрого решения тактической локальной задачи на основе хорошего владения обстановкой. Я ж для аналогии...

— Знаем мы такие аналогии, — понимающе кивнула Катерина и тут же поинтересовалась: — А что дальше с этой Яной стало, которую ты продал?.. Фу, какая мерзость...

— И ничего не мерзость, — хмыкнул Андрей. — Почему же мерзость-то? И Янку я не продавал — она через минуту из курилки выскочила...

— То есть? — не поняла Катя.

Серегин тяжело вздохнул, посмотрел на Катерину, как смотрят иногда доценты на тупых студентов, и начал растолковывать:

— Я у этого филфаковского деятеля поинтересовался — хочет ли он Янку? Он сказал, что хочет. Потом я предложил ему эту самую Янку за четвертной прямо в курилку принести... Так?

— Так...

— Но ведь я же ни слова не говорил насчет того, что Янка с этим придурком будет трахаться! Понятно? Бабу принесли? Принесли. А дальше — твои проблемы, мил человек, кто же виноват, что ты ее удержать не сумел?..

— Понятно, — кивнула Катерина с выражением крайнего неодобрения на лице. — То есть это был кидок... Ты этого несчастного парня «развел» вчистую... Пользуясь его чувствами...

Обнорский почесал в затылке и усмехнулся:

— Ты извини, конечно, но насчет «разводок» — кто бы говорил...

Катя вспыхнула и вся сжалась, но Андрей не дал ей сказать ни слова — схватил руку, поцеловал в ладонь и, тряся головой, заверещал:

— Молчу, молчу, молчу — больше так не буду, понимаю, удар ниже пояса, уже самому стыдно!

Серегин скроил при этом такую дебильную рожу, что Катерина не выдержала и против воли улыбнулась, Обнорский улыбнулся в ответ и добавил пару слов к истории о «влюбленном филфаковце»:

— Насчет «кидка» и «разводки»... Да, конечно, с одной стороны — можно сказать, что я того задрота кинул... Но — вообще-то, он кинул сам себя... И по поводу его чувств. Ты прикинь: парень говорит, что любит девушку, — и соглашается купить свою любовь за четвертной у какого-то похмельного скота... Извини, но это не любовь... И таких козлов, которые согласны женщин за деньги покупать, мне не жаль. И вообще, давай оставим моральный аспект этой истории в покое... Я привел тебе этот пример, еще раз повторяю, для того, чтобы ты поняла технологию выработки нестандартных решений...

Катерина задумчиво покачала головой:

— Да-да, это мне все понятно... Лоха кинуть — не западло, как братва говорит... Да, товарищ Серегин, не ожидала я от вас... Кто бы мог подумать — по газетным-то публикациям вырисовывается такой правильный образ автора, хоть на Доску почета... А он, оказывается, вон какими веселыми делами в бурной молодости занимался... Хорошо хоть на большой дороге не грабил...

Обнорский как-то слишком скромно потупил глаза, и Катерина забеспокоилась:

— Я надеюсь — не грабил?

Андрей заерзал на стуле и пожал плечами:

— Смотря что понимать под грабежом...

У Кати широко-широко распахнулись глаза:

— Господи, ты меня пугаешь, Андрей, неужели?..

Серегин засопел, забарабанил пальцами по столу, замялся, но потом все же выдавил из себя:

— По деньгам и вещам мы никогда не промышляли, а вот водку у таксистов и частников-спекулянтов — экспроприировали, это бывало... Ну, а что ты так на меня смотришь — я же тебе говорил, что выпивал... Денег на водку не хватало, а по ночам таксисты и частники возили бухалово и впаривали его по двойной или даже тройной цене... Ночных-то магазинов в те времена не было... Вот мы и... И боролись со спекуляцией таким образом...

Потрясенная Катерина молчала, и Андрей, почувствовав себя под ее взглядом крайне неуютно, начал оправдываться:

— Кать, ты не думай — мы же не злодействовали и не душегубствовали, не били никого, не убивали... Все было, опять же, на одной психологии выстроено... На «дело» мы ходили обычно втроем-вчетвером... Одного, поинтеллигентнее который, на дорогу выставляли, остальные поблизости за кустами прятались... Тот, который на дороге, машину останавливает и спрашивает:

«Простите, у вас водочку купить нельзя?» Водила, допустим, говорит: «Можно». Тогда наш парень интересуется: «Позвольте на пробочку посмотреть — не „обманку" ли возите?» Потому что у нас был такой случай — мужик один подозрительно легко с бутылкой расстался, все улыбался так гаденько. Мы когда потом эту бутылку открыли — там вместо водки вода оказалась... Так вот, водила бутылку показывает, «интеллигент» ее — цоп в руки, и тут мы из-за кустов встаем... Водила все понимает сразу и мирно уезжает — не будет же он милицию звать, она ведь его же самого за спекуляцию и прихватит... То есть принцип был — никакого насилия... Однажды, правда, влетели мы все-таки в дикую историю: бухали у меня дома, родители в отъезде были, деньги кончились, а желание осталось... Помню еще, тогда мы папину настойку от ревматизма выпили — и как только не загнулись, не знаю... Эта настойка на змеином яде приготовлена была... Да, так вот, пили мы впятером, у двоих с этой настойки какая-то аллергия началась, они красной сыпью покрылись, а мы втроем: я, Борька Алехин — ты его знаешь, он теперь врач, которого ты «добрым и светлым» называла — и еще один парень с моего факультета, Леха Шишов, амбал двухметровый, — ни в одном глазу. Что делать?.. Только на большую дорогу идти. Борька тогда еще в академии учился, пил с нами не часто и на промысел ни разу не ходил. Ну, мы с Лехой его успокоили, мол, не дрейфь, технология отработана до нюансов... Борьку, естественно, ставим на дорогу — как самого интеллигентно выглядевшего... Дело все на проспекте Энергетиков происходило... Мы с Лехой за кустами лежим, Борьке все объяснили — мол, как только ты водку в руки возьмешь, мы встанем, и водила испугается и уедет. Боря стоит, поправляя пенсне мизинцем, нервничает... Вид у человека приличный, подозрений не вызывает... В общем, стопорит Борька какой-то «Запорожец», за рулем которого сидит карлик. Ну, то есть не совсем чтобы карлик, но очень маленький мужичок, этакий шибздель... Сначала все шло как по маслу... Борька водку в руки взял, развернулся и мелкими шагами к кустам... Из-за кустов мы с Лехой встаем грозно — мол, езжай, мужик, своей дорогой, а то порвем, как газету... И тут начинает происходить «сбой в программе». Этот карлик в «Запорожце», когда до него доходит, что его кинули, — совсем озверел. То есть натурально — завыл вдруг, как волк бешеный, у меня от этого воя мурашки по коже побежали, а Леха Шишов вообще чуть от ужаса не умер... То есть очень не хотел мужичок со своей водкой расставаться... Хватает этот шибздель монтировку и выскакивает из «Запорожца» — глазищи бешеные, на губах пена, а орет он просто как раненый самурай... Леха, который был выше этого малахольного как минимум на две головы, сразу развернулся и побежал, нервы у него сдали, не приходилось еще с таким ужасом сталкиваться... Я, честно говоря, тоже растерялся — и за Лехой рванул. А за нами Борька-доктор бежит с бутылкой в руке и орет дурным голосом: «Сволочи, куда же вы бежите?! Вы же обещали, что водила испугается!» Шибздель эту фразу услышал и осатанел окончательно, кричит: «Это я-то испугаюсь?! Подонки!» В две секунды этот жмотистый карлик настигает Борьку — и ка-ак даст ему пендаль по заднице — у того даже очки с носа в лужу упали... Но пинок придал ему ускорение — Боря на чудовищной скорости обходит меня и передает мне бутылку водки, как эстафетную палочку... И попилил вслед за Лехой, который уже за три автобусные остановки вперед убежал... Я оказываюсь в арьергарде — и с бутылкой в руках. Карлик не отстает. Я оборачиваюсь, бегу спиной вперед и пытаюсь вступить с этим малахольным в переговоры, кричу ему: «Мужик, ты чего бежишь за нами, нас же трое!» Лучше бы я этого не говорил — он еще больше начал монтировку над головой крутить, словно чапаевец в атаке... Потом как швырнет этот ломик — я еле пригнуться успел, над самой головой свистнуло... Тут до меня доходит, что карлик невменяем, такой если догонит — загрызет насмерть обязательно... Единственное, что меня спасло, — это, опять-таки, работа мозга. Я додумался крикнуть: «Мужик, ты же машину бросил, угонят ведь...» Шибздик как это услышал, вроде скорость сбавил чуток, ну а я развернулся и побежал так, как никогда еще не бегал... Бегу, а в душе такой ужас — честное слово, я в Йемене под обстрелом так не пугался... Чего ты смеешься, ничего смешного —

очень страшный карлик попался... Отмороженный какой-то... И вот бегу я, задыхаясь (пили-то мы уже давно — день третий или четвертый, силы-то на исходе), заворачиваю в какой-то двор, падаю в изнеможении за кусты, думаю — все, ушел... И тут машина какая-то во двор влетает, фарами светит и прямо на кусты мои несется... Вот, думаю, гад какой, решил на «Запорожце» своем догнать и задавить живого человека из-за какой-то бутылки водки!.. Нет, думаю, нас просто так не возьмешь, мы все же в спецназе кувыркались, вываливаюсь из-за кустов и в перекате бросаю каменюку в фару — как учили, словно гранату... Фара вдребезги, машина останавливается, и тут я вижу, что никакой это не «Запорожец», а совершенно посторонний «жигуль», из которого вылезает некий приличный дядька и смотрит на меня в полном обалдении. Он, наверное, в свой двор заехал — и тут «партизан» какой-то с кирпичом... Минус фара... Обалдеешь тут... Мне так стыдно стало, неловко — не передать... А все из-за карлика, который страху нагнал... Я встаю, говорю: «Извините, ошибка вышла, товарищ... Вот, возьмите водку в качестве компенсации...» И протягиваю ему бутылку. А он, сердешный, почему-то затрясся весь, прыгнул в «тачку» и погнал со двора. Да... Испугался, наверное... Такая вот гнусная цепочка получилась — меня карлик малахольный напугал, а я этого мужика. И главное, после всей этой беготни и стрессов — протрезвел совершенно... Бутылку несу трофейную... А в подъезде моего дома «напарники-подельники» о бронированную дверь бьются, словно мотыльки — кода-то они не знали, тыкались наугад, все им казалось, что страшный карлик где-то близко, что он все гонится за ними... Борька, как меня увидел, разорался на весь дом — все, говорит, хватит, больше я с вами грабить не пойду, нахлебался... Слишком нервное занятие... И от водки, кстати, отказался... А Леха Шишов, амбал наш двухметровый, стал с тех пор мужиков маленьких побаиваться... Он сейчас банкиром трудится — банк у него небольшой, но такой — конкретный... Говорили, что официальным девизом-слоганом банка он хотел выбрать мудрую народную поговорку «Мал клоп, да вонюч» — но вроде соучредители уперлись.

Отсмеявшись, Катя промокнула платочком глаза и снова посерьезнела:

— Да, товарищ журналист, не ожидала... Все-таки — живем мы в каком-то абсолютно сумасшедшем мире, где все давно с ног на голову перевернулось... Сколько нормальных, абсолютно приличных в прошлом ребят в братву подались, бандитствуют теперь... А ты со своей разбойно-кидальной биографией — про организованную преступность пишешь, призываешь бороться с мафией. Дурдом да и только...

Андрей пожал плечами:

— Ну, во-первых, грехи молодости я уже частично искупил созидательным трудом, во-вторых, об оргпреступности я стараюсь все-таки писать объективно — как раз потому, что понимаю, насколько неисповедимы пути Господни, насколько часто людей приводит в бандитизм случай... Для меня ведь братки — несмотря на мои собственные убеждения — остаются людьми... Они ведь к нам не с Марса прилетели... У каждого — своя судьба. Они чьи-то сыновья, чьи-то братья, чьи-то любимые... Я не оправдываю их, но понять пытаюсь, пусть у меня это и не всегда получается... Права ты и в том, что и у меня могла судьба по-другому совсем сложиться... После Ливии — не возьми меня в газету, еще неизвестно, кем бы я был... Бог спас, наверное... Хотя спас меня Создатель относительно — были моменты, и очень неприятные, когда меня запросто в камеру упаковать могли, и журналистское удостоверение не помогло бы... Кстати сказать, то, чем мы сейчас с тобой заняться пытаемся, тоже может неоднозначную реакцию у правоохранительных органов вызвать... Даже только то, что я с тобой, особой, находящейся в розыске и живущей по липовым документам, общаюсь — даже это, считай, преступление... Статью-то о недонесении никто не отменял... А уж если мы реальную бяку Антибиотику состроим и если об этом родная милиция узнает... Сама понимаешь... Вот поэтому-то мы и должны сработать очень тонко, ювелирно, чтобы комар носа не подточил... Чтобы все было, как доктор выписал... Чтобы никто ничего не понял... Выдумать такую «разводку» очень сложно, но я почему-то уверен, что у нас все получится... При одном условии — если ты не будешь упираться и начнешь выдавать мне всю информацию, которой обладаешь... Вплоть до разных мелочей... Понимаешь?

Катя молча кивнула, посмотрела в глаза Обнорскому долгим взглядом и вдруг неожиданно погладила его по щеке чуть подрагивавшими пальцами...

После этого разговора в ресторанчике «Капри» все изменилось — Катерина пошла на «инициативное сотрудничество» и буквально забрасывала Андрея самой разной информацией, он еле успевал ее записывать и систематизировать... Психологическая уловка Обнорского сработала. Когда он рассказал о некоторых сомнительных эпизодах из собственной биографии, Кате стало легче рассказывать ему об империи Антибиотика, ведь в этой «империи» до недавнего времени жила и она сама... И не так-то просто было ей решиться рассказывать о своем бывшем «бандитском доме» человеку, который ей нравился и который этот «дом» ненавидел уже тогда, когда она работала на его благо... И только странный каприз судьбы вырвал Катерину из той среды и заставил многое переосмыслить... Катя чисто по-женски переживала сначала, что Серегин может ей не простить ее прошлого, особенно когда узнает разные детали и подробности, — да, он прав, в подробностях-то вся суть и заложена, именно детали выстраивают образ... Одно дело, когда Андрей просто знал, так сказать, «вообще», про то, что Катя что-то там делала в бандитском бизнесе... И совсем другое — конкретная информация... Такая информация вполне может изменить отношение к ее носительнице... Обнорский ведь действительно умеет анализировать, и он наверняка сумеет вычислить по Катиным рассказам и ее конкретные прошлые дела...

Нельзя сказать, что и сам Серегин не задумывался над всеми этими моральными аспектами. Чего скрывать — очень многое в Катиной информации его напрягало и шокировало, но, к его чести, он никак этого не показывал. В конце концов Андрей решил для себя так: Катерина, которая была до гибели Челищева и Званцева, и нынешняя Катя — это две разные женщины. И все, точка. Попрекать женщину ее прошлым — последнее дело. К тому же Обнорский вообще считал, что женщинам можно простить гораздо больше, чем мужикам, особенно российским женщинам... времен распада советской империи. Им было гораздо тяжелее, чем мужчинам, в мире, где в чудовищном водовороте перемешались Добро и Зло, где государство утратило общественную мораль и какую бы то ни было идеологию...

Чем больше фактов — и довольно угрюмых, надо сказать, фактов — узнавал Андрей из Катиного прошлого, тем больше он ее жалел. И это была не брезгливая жалость чистоплюя, а жалость нежная, жалость сродни той, про которую русские бабы испокон веков говорили так: «Жалеет — значит, любит». Сам Обнорский, наверное, затруднился бы сформулировать четко свое отношение к Кате. Она ему нравилась как женщина, он был ею увлечен, он испытывал к ней нежность, которая порой перехватывала дыхание, он ее жалел, он ее хотел, в конце концов, хотел почти постоянно...

Но было ли это все любовью? Сложно сказать... Наверное, в то время было бы просто некорректно ставить вопрос таким образом — все-таки Катя и Андрей находились в очень нестандартной ситуации. К тому же судьбы их пересеклись совсем недавно... К тому же с некоторых пор Обнорский стал вообще побаиваться слова «любовь», слишком уж оно было ответственным, это слово... А все женщины в жизни Андрея, которым он говорил «люблю» (или мог бы сказать это), принесли ему, кроме незабываемых счастливых часов и дней, очень много боли... Впрочем, и Обнорский доставил им много горя, поэтому неизвестно еще — что было Андрею тяжелее вспоминать: боль собственную или боль, причиненную им самим... Ну и, кроме того, имелось еще одно важное обстоятельство...

Как бы там ни было, но «дело» со скрипом сдвинулось с мертвой точки — Обнорский тщательно сортировал и обрабатывал получаемую от Екатерины информацию. В одно досье он собирал сведения о коммерческих структурах Палыча, в другое — психологические характеристики «персоналий» из окружения Антибиотика, в третье — данные о противниках (явных и потенциальных) империи Палыча... Катя знала многое, поэтому иногда казалось, что работе Серегина не будет видно конца... Но Обнорский и Цой ведь прилетели в Стокгольм всего на две недели, которые пролетели очень быстро... Когда до отлета Андрея в Петербург оставалось два дня, Обнорский спросил Катерину (после очередного сеанса утомительного «дебрифинга», закончившегося глубокой ночью):

— Кать... Важный вопрос, который мы с тобой забыли обсудить: какими финансовыми средствами мы располагаем?

— В каком смысле «мы»? — несколько раздраженно ответила вопросом на вопрос Катерина.

Она всегда после «допросов», которые устраивал ей Андрей, некоторое время пребывала в дурном настроении. Это обусловливалось и «освежением» тяжелых воспоминаний, и тем, что Катя так до конца и не смогла пока «прочувствовать» конечный результат, которого хотел добиться Обнорский, — временами Катерине казалось, что Серегин просто собирает материалы для своих статей или документальной книги, которую собирается писать в девяносто четвертом году с Ларсом...

Нет, Катя Андрею, конечно, доверяла, просто... Просто порой казалось, что Серегин и сам не знает, чего он хочет. Согласитесь, фраза типа: «Я хочу выдумать нечто этакое», — носит весьма абстрактный характер... Ты, мол, отдай мне максимум информации, а я что-нибудь обязательно придумаю... Что? Да Бог его знает что, но что-нибудь интересное... Катерина злилась, наверное, еще и потому, что Обнорский «считал» быстрее ее, она не могла угнаться за скачками его мыслей, и это раздражало. Екатерина ведь привыкла в каком-то смысле «вертеть» своими мужчинами... Нет, пожалуй, «вертеть» — слово все-таки слишком грубое... Катя скорее привыкла к тому, что мужчины признавали в ней не только красивую женщину, но и по меньшей мере равноправную деловую партнершу — а вот Обнорский, он, похоже, держал ее если не за дуру полную, то уж по крайней мере за «младшую сестренку по разуму».

Может быть, Катерине все это только казалось из-за того, что она не понимала: чего же хочет журналист «сочинить-выдумать»... Вот потому и ответила она несколько грубовато на нормальный и вполне уместный, кстати говоря, «финансовый» вопрос Обнорского. Андрей, естественно, вспыхнул:

— Ах, извините, извините... Конечно, не «мы», конечно, «вы»... Я ни на секунду не забываю, Екатерина Дмитриевна, что это вы у нас — финансовое сердце «концессии»... Вы девушка богатая, не то что я — голь перекатная, рвань подзаборная... Местоимение «мы» было употреблено мною потому, что я не имел в виду всего вашего состояния. Меня интересовала лишь та часть, которую вы сможете выделить под наши планы относительно Палыча, — а их реализацию я считаю делом общим... А лично, в приватном порядке, так сказать, я с женщин денег не беру. Пока, во всяком случае...

Кате стало неловко, и она попыталась сгладить все шуткой:

— Гусары денег не берут-с?

Обнорский на шутку не откликнулся, словно бы полностью утратил вдруг чувство юмора. Его глаза потемнели, взгляд стал жестким и тяжелым настолько, что Катерина внезапно почувствовала даже холодок между лопатками... Такого Обнорского она видела в первый раз и в первый раз поняла, что этот парень действительно может быть опасным для тех, против кого он работает... Катя зябко передернула плечами и, преодолев свои амбиции, взяла Серегина за руку:

— Андрюша... Прости, я не хотела тебя обидеть... Я... неудачно выразилась... Я понимаю, что деньги нужны не тебе лично... Сколько... Какая сумма необходима для нашей... «концессии»?

Андрей вздохнул, проступившие на его лице жестокие складки разгладились, а в глазах погасли холодные черные огоньки, — отличительной особенностью характера Обнорского была ведь не только вспыльчивость, но и отходчивость... Помолчав и почесав в затылке, Серегин развел руками:

— Я не знаю, сколько нам нужно денег, потому что пока не сочинилась схема... А соответственно — нет и никакой ясности с конкретными статьями расходов. Да деньги, собственно, сейчас «живьем» и не нужны... Мне просто надо знать порядок суммы, которую мы в случае необходимости сможем использовать... Я ведь должен прикинуть расчет сил и средств, потому что варианты, которые будут сочиняться, должны соответствовать реальным возможностям... Любой проект может воплотиться в жизнь только при условии его необходимого и достаточного финансирования, это же азбука... Естественно, у меня даже мысли не возникало о том, чтобы потратить хоть доллар без детального согласования с тобой... И вообще, в финансах и в бизнесе ты, конечно, намного лучше меня разбираешься...

Настала очередь Катерины, чтобы думать и молчать. Сначала Катя испытала соблазн просто полностью рассказать Обнорскому о капиталах, которыми она владела, — но соблазн этот был быстро подавлен. И дело, опять-таки, заключалось не в недоверии к Серегину, Катерина знала, что у Андрея не было и нет личного корыстного интереса к ее деньгам. Он ведь ей даже в кафе и ресторанах не позволял расплачиваться — тратил безжалостно гонорар и командировочные, полученные от Ларса, несмотря на все Катины протесты и доводы, что у нее, мол, денег гораздо больше... Обнорский немедленно вздергивал подбородок и заявлял, что его зовут Андреем, а не Альфонсом...

Катя не стала говорить Серегину о всех своих финансах по соображениям сугубо практичным, то есть из-за того, что Андрей не умел относиться к деньгам трепетно и бережливо... Скажешь ему, допустим, что имеется шесть миллионов долларов, — так Серегин, не стесняясь, выдумает какой-нибудь такой план, который все шесть миллионов и сожрет... Нет, Катерина совсем не была жадиной, но некая здоровая прижимистость в ее характере присутствовала, скорее даже не прижимистость, а хозяйственность, вроде как у Кота Матроскина из известного мультсериала... Катя справедливо полагала, что денежки любят счет и что потратить их всегда можно гораздо быстрее и легче, чем заработать... При других взглядах она просто и не смогла бы так долго и успешно работать с самыми разными темами в империи Антибиотика.

Катя искоса посмотрела на терпеливо ожидавшего ее ответа Обнорского, помялась еще немного и, наконец, сказала:

— Ну, я думаю, миллиона два долларов под хороший проект можно будет найти...

Серегин повел бровями и присвистнул — он, конечно, тоже понимал, что Катя, декларируя готовность пожертвовать двумя «лимонами», наверняка оставляет что-нибудь в загашнике, на «черный день», так сказать.

— Ну что же, два миллиона — это деньги... Тут, пожалуй, имеется определенный «оперативный простор»...

Катерина возмущенно фыркнула:

— Это не просто деньги... Это очень большие деньги... За такую сумму можно, в принципе, целый взвод самых лучших киллеров нанять...

— Вот именно что «в принципе», — покачав головой, перебил ее Андрей. — Забудь о киллерах, это шаблон, это стандарт мышления... Во-первых, одну такую попытку ты уже, извини, предпринимала, и исполнитель был профессионалом — но мы оба хорошо знаем, чем вся та история закончилась... Антибиотик ждет физических покушений, он готов к ним... Во-вторых, тема с киллерами отпадает, потому что у нас нет выходов на них... Ты-то ведь должна это понимать — очень многие согласились бы заплатить большие деньги за гарантированное и грамотное устранение мешающих людей... Но выйти на настоящих профессионалов очень тяжело... А доверяться каким-нибудь дилетантам — это просто самоубийство, они и сами спалятся, и спалят заказчика... А если мы начнем искать выходы на профи, то сами обязательно засветимся — в узких кругах, но этого будет достаточно... Абсолютной тайны в таких делах не бывает... Это только обыватели полагают, что найти грамотного киллера — элементарная задача... Я уж не говорю о моральном аспекте проблемы... Нет, прямой «заказ» Палыча — это химера чистой воды, не стоит даже дергаться, если мы сами, конечно, уцелеть хотим...

Катя подобные рассуждения уже слышала, в словах Обнорского, конечно, была железная логика — но бесило то, что Андрей критиковать-то ее «идеи» критиковал, а сам ничего конкретного не выдвигал.

— Хорошо, — согласилась Катерина. — С киллерами все уже давно понятно — обсудили и забыли... Но ты-то что предлагаешь? Ты хоть объясни, в каком направлении у тебя мысль работает, не держи меня за дуру полную, может, и я что-нибудь дельное подсказать смогу...

Взгляд у Серегина стал отсутствующим, словно журналист погрузился в какую-то грезу. Андрей почесал пальцем левый висок и медленно сказал:

— В каком направлении?.. Да не знаю я пока и сам точно, в каком направлении... Может быть, информации недостаточно накопилось... Хотя... Нет, направление я уже ощущаю... Я тебе на ассоциативном абстрактном примере объясню... У нас есть проблема — бешеный волк — это, как ты понимаешь, Антибиотик... Нам известны многие тропы, по которым ходит зверь. Но по ряду причин поставить снайперов в засады мы не можем — особенно учитывая то обстоятельство, что речь идет не о волке-одиночке, а о целой стае, даже о нескольких стаях, если еще точнее... Значит... Если мы не можем поставить охотников — стоит попытаться заложить мину на пути стаи.

— В каком смысле «мину»? — не поняла Катя. — Ты хочешь привлечь подрывников?

— Да нет же! — досадливо пристукнул ладонью по столу Андрей. — «Мина» — это же не в прямом смысле, это же метафора... Ладно, пусть — неудачная... Бог с ней, с миной... На тропу волчьей стаи надо подбросить некий вкусный кусок... Настолько вкусный, чтобы волки начали драться за него между собой или с другими зверями... И пусть потом самый главный волк сожрет этот кусок — он им и подавится, потому что там отрава будет. Вкусным этот кусок должен только выглядеть... Понимаешь?

— Понимаю, — буркнула Катя. — Я же говорила тебе — не считай меня за дуру. И что же должно сыграть роль этого куска-«мины»?

— Вот это как раз вопрос, — вздохнул Андрей. — Над этим я голову и ломаю...

Обнорский закусил губу, посмотрел на Катерину абсолютно серьезно и вдруг озабоченно сказал, глянув на часы:

— Елки-палки... Катя, уже два часа ночи, а мы совсем забыли об одном крайне важном деле...

— О каком деле? — насторожилась Катерина.

— Это моя вина, — сокрушенно покачал головой Серегин.

— Да о чем ты? — уже не на шутку обеспокоилась Катя.

Андрей все с тем же серьезным выражением на лице молча встал из-за стола (они сидели на кухне), взял Катю за руку и угрюмо сказал:

— Пойдем, покажу... Эх, как же это я забыл-то...

— Что, что забыл? — в голосе Кати, которую Андрей повел куда-то в глубь квартиры, уже слышались отчетливые панические нотки.

А Обнорский тащил ее не куда-то, а в спальню. Доведя Катерину до кровати, Андрей с самым деловым видом начал растегивать на ней юбку:

— Я совсем забыл, что мы с тобой сегодня еще не... это самое... Это большое упущение в нашей работе... Мой мозг нуждается...

— В колотухе хорошей нуждается твой мозг! — облегченно-возмущенно выдохнула Катерина. — Нет, ну что за урод! Я, как идиотка последняя, думаю, что он о чем-то серьезном, — а он меня опять в койку тащит обманным путем!

Катя никак не могла привыкнуть к странной манере Обнорского внезапно переходить от самых серьезных разговоров к шуткам и розыгрышам, на которые «покупалась» постоянно.

— Койка, между прочим, — это очень серьезно, — назидательным тоном ответил Обнорский, безуспешно ковыряясь в сложной системе крючков и молний на юбке. — Койку недооценивать нельзя — она, как говаривал старик Фрейд, является мощным стимулом в любых аспектах человеческой деятельности... И поэтому...

— И поэтому — не рви на мне одежду! — засмеялась Катя. Ловко вывернувшись из рук Андрея, она расстегнула свою юбку одним неуловимым движением. — С Фрейдом я спорить не собираюсь, но новыми туалетами он меня не обеспечит... Ой... Не надо, не надо, я сама расстегну блузку, ты же сейчас все пуговицы поотрываешь...

— Спишем в оперрасходы, — рыкнул Серегин, заваливая Катерину на кровать. — До чего же вы меркантильны, сударыня!

Катя попыталась что-то съязвить в ответ — но Серегин уже закрыл ей рот поцелуем.

Последние три дня пребывания в Стокгольме ознаменовались для Андрея примерно таким же угаром, как и первые...

Время летело стремительно и безжалостно, Обнорский разрывался между Ларсом с Цоем и Катей, между фильмом и сбором материала об Антибиотике... Спать он практически перестал...

Между тем черновой монтаж фильма «Русская мафия» завершился вполне успешно — вся творческая группа осталась очень довольна работой. Положительному результату, кстати, в огромной степени способствовала та информация, которую Обнорский «качал» с Кати — на монтаже Андрей, не стесняясь, использовал (в разумных пределах, конечно) новые знания, поражая коллег своей осведомленностью. Деньги шведского телевидения на командировку Серегина и Цоя не были потрачены впустую, ребята выслушали массу комплиментов — Андрей их потом честно переадресовал Катерине, которая выслушивала их снисходительно, делая вид, что они ее не волнуют, потому что «все эти фильмы про мафию — просто игрушки для взрослых людей». На самом деле в своей иронии Катя немного лукавила — Серегин чувствовал, что и комплименты были ей очень приятны, и вообще она, наверное, с удовольствием сама бы пришла на монтаж и познакомилась очно и с Ларсом, и с Сибиллой Грубек, которая работала вместе с Тингсоном в России, и с Цоем... Она испытывала голод по общению с нормальными, хорошими людьми, занятыми интересным делом... К сожалению, из конспиративных соображений голод этот утолить не представлялось возможным, поэтому и все лавры толкового консультанта достались Обнорскому... По поводу своих вечерне-ночных отлучек Андрей, кстати, состряпал убедительную версию, которую и задвинул Тингстону и Цою. Серегин «колонулся», что несколько лет назад одна его подружка вышла замуж за шведского бизнесмена, и вот — любовь вспыхнула вновь, тем более что муж-бизнесмен уехал в длительную командировку в Штаты... Ларс и Игорь оценили деликатность ситуации и с вопросами в душу не лезли,

266

понимая важность сохранения инкогнито для пассии Андрея...

Многое уместилось в эти две недели в Стокгольме, и Андрею под конец казалось, что он находился в шведской столице уже по меньшей мере несколько месяцев, в настолько напряженном графике он жил. А сон... Ну что — сон?.. Отоспаться и потом можно...

Прощание с Катериной было бурным — что говорить, оба они как-то сильно «прикипели» друг к другу. Утешало лишь одно обстоятельство: Ларс, с которым Обнорский собирался писать книгу, оформил Андрею специальное приглашение — по нему Серегину должны были выдать «постоянную» визу в Швецию, а стало быть, особых препятствий для следующих визитов в Стокгольм не возникало. За исключением финансовых вопросов — авиабилеты до шведской столицы стоили недешево, и их приобретение существенно ударило бы по личному бюджету Обнорского.

Но тут уж на дыбы встала Катя. Она устроила Андрею настоящий скандал и заявила, что предстоящие поездки Серегина в Стокгольм должны рассматриваться как «служебные» (в рамках работы «концессии»), а потому оплата перелетов не является личной проблемой Обнорского... К этому Катерина добавила, что щепетильность — это, конечно, хорошо, но она не должна перерастать в идиотизм... Андрей вякнул было, что он, вообще-то, собирается наведываться в Стокгольм не только по «служебной» надобности, но и по личной, однако Катя решительно поставила в дискуссии точку, заявив, что в этом случае стоит рассмотреть на собрании концессионеров вопрос о наложении моратория на «личную надобность гражданина Обнорского». Серегин на такую жертву, естественно, не согласился — и в результате ему была вручена сумма в пять тысяч долларов на транспортные и оперативные расходы... Андрей попытался было написать расписку в получении денег, на что в ответ Катя рекомендовала ему пообследоваться у психиатра. Обнорский намек понял, ломаться перестал, спрятал деньги в карман, но при этом спросил со вздохом:

— Ну, и что мне теперь отвечать людям, если меня спросят однажды: брал ли я когда-либо «бандитские» деньги?

— Скажешь, «брал, но по служебной надобности»! — отрезала Катерина. — И вообще, лучше бы ты щепетильность в некоторых других вопросах проявлял...

— Это в каких же? — удивился Андрей.

— В личных! — нервно ответила Катя.

— Пардон... Не понял...— помотал головой Серегин, хлопая глазами.

Катерина, надувшись и налив глаза слезами, долго не желала ничего объяснять, но Обнорского «заело», он насел на нее всерьез, словно бульдог, и где-то минуту через сорок Катю все же прорвало. Она заявила, что иллюзий по поводу Серегина никаких не строит, что он — законченный бабник, которому уже наверняка не терпится поскорее вернуться в Питер к своим многочисленным «истомившимся в долгом ожидании шлюхам и журналюхам». Обнорский выпал в осадок!

Посоображав немного, он задал очень «умный» вопрос, нетактично сопровождаемый дебильным смешком:

— Постой, Кать, постой... Ты что, ревнуешь меня, что ли?

— Я? Тебя?! — Катерина аж подпрыгнула и с непередаваемым презрением очень твердо и очень неубедительно ответила: — Было бы кого... Очень надо...

Андрей почесал «репу», устало вздохнул и начал выяснять — почему его, собственно, «записали» в бабники и о каких «шлюхах и журналюхах» идет речь? Жесткий «прессинг» дал результаты минут через тридцать — Катерина колонулась, что накануне ночью пролистала «для общего развития» записную книжку Обнорского, «сплошь исписанную бабскими телефонами».

Серегин остолбенел:

— Ты рылась в моей записной книжке?! А зачем? Боже ты мой... Катя, но ведь это просто непорядочно... Это же просто... просто уму непостижимо...

— Да? А как ты в сауне «Гранд-отеля» в мой медальон залез? Это порядочно было? — немедленно отпарировала Катя.

Андрей даже руками развел:

— Ну, Катя... Это же совсем другое дело!

— Вот и у меня — другое! — ее логика была даже не железной, а скорее — чугунной.

Обнорский начал что-то объяснять, рассказывать, доказывать, взывать — в общем, повел себя очень глупо и чуть было не довел Катерину до истерики. Хорошо еще, что Андрей вовремя вспомнил высказывание одного своего бывшего сослуживца, старого «переводяги» майора Доманова (большого специалиста в женской психологии): «Если баба ревнует — словами ей уже ничего не объяснишь и не докажешь, даже пытаться не стоит. Доказывать всю несостоятельность ее подозрений нужно руками, губами и другими частями тела — короче, волочь ее в койку, невзирая на сопротивление и слезы».

Воплотив завет дяди Бори Доманова в жизнь, Обнорский (в который уже раз) убедился в мудрости и огромном жизненном опыте старого майора... Позже, уже в перебуравленной напрочь постели, Серегин заверил Катю, что ни к каким «шлюхам и журналюхам» не рвется, и вообще она, Катя, такая женщина, с которой никто сравниться не может ни по каким параметрам, а поэтому он, Обнорский, собирается проводить дни в аскетическом томлении и в трепетном ожидании следующей поездки в Стокгольм.

Кажется, он все-таки сумел убедить Катерину в своем целомудрии — более того, Андрей даже сам себе почти поверил... Странное дело — Обнорскому было почему-то очень приятно, что Катя его ревнует... Хотя — что ж здесь странного, многие, наверное, согласятся с тем, что любовные утехи после сцен ревности бывают особенно жаркими... Если, конечно, выяснение отношений не перерастает в мордобой.

В общем, прощальная ночь в Стокгольме прошла бурно, а поэтому утро, конечно, наступило недопустимо быстро...

Андрей с Катериной договорились так — Обнорский прилетает в Стокгольм к Новому году, недельки на полторы. Серегину ведь нужно было, в конце концов, и для родной газеты поработать... Они решили поддерживать связь в одностороннем порядке, то есть звонить должен был только Андрей Кате в условленное время и в условленные дни, и только с переговорных пунктов или совсем «левых» телефонов... Обнорский не очень верил в то, что его служебный и домашний телефоны постоянно прослушиваются, но все же рисковать не стоило... Мало ли бывает глупых случайностей — из них, считай, вся жизнь состоит...

Утром шестнадцатого декабря Ларс Тингсон забрал с гостеприимной виллы газеты «Экспрессен» прекрасно выспавшегося жизнерадостного Цоя и невменяемого Обнорского и повез ребят в аэропорт. Перелет до Петербурга в памяти Серегина не отложился; сразу после прощания с Ларсом Андрей то ли уснул, то ли упал в обморок — в общем, вплоть до пограничного контроля в Пулково Игорь кантовал его, как куклу.

Вернувшись в Питер и наконец отоспавшись, Обнорский полностью погрузился в свои журналистские дела, не забывая, однако, и о «концессии». Свободного времени у него не стало в принципе — он забыл напрочь и о книжках, и о фильмах, и о театрах, и даже о знакомых женского пола. На личной жизни пришлось поставить крест — впрочем, Обнорского, постоянно вспоминавшего стокгольмские ночи, это обстоятельство не особо удручало.

Каждый день у Серегина проходил по одному и тому же распорядку: с десяти утра и до восьми вечера — «работа в редакции», с девяти вечера и часов до трех ночи — «работа дома»... По субботам и воскресеньям Андрей, правда, в редакцию не ездил, но это ничего не меняло — он сидел дома и чертил схемы, составлял досье, проигрывал в голове десятки вариантов разных комбинаций... Всю первую неделю Серегин лишь систематизировал и сортировал информацию, полученную от Кати, сопоставлял ее с досье, оставшимся от Сереги Челищева, и со своими собственными данными. Работа эта была очень кропотливой, муторной и не очень интересной, но Андрей делал ее скрупулезно и тщательно, по многу раз перечитывал и переписывал разделы, посвященные организациям и «персоналиям», составлявшим империю Виктора Палыча.

К 24 декабря Обнорский счел, что этап «изучения обстановки» завершен, и приступил ко второму этапу — «оценке обстановки». Организация Антибиотика поражала своей мощью, своими возможностями, своими финансовыми и человеческими ресурсами. Однако, как и в любой большой структуре, в ней должны были быть слабые места... На их высчитывании Андрей и сконцентрировался... Иногда ему казалось, что его мозг не выдержит и, перегревшись, взорвется. По ночам Обнорскому снились бесконечные схемы, самопроизвольно разраставшиеся, — из квадратиков, кружков и треугольников вылезали какие-то хари, схемы перемешивались и рассыпались, ломая стрелки связей, и Серегин постепенно привык просыпаться в холодном поту по несколько раз за ночь.

В середине последней недели декабря Андрей сумел прийти к выводу, что наиболее перспективным звеном в организации Антибиотика для их с Катериной «концесии», безусловно, является так называемая портовая бригада. И дело было не только в личностных характеристиках некого Плейшнера — «наместника» Виктора Палыча в порту, — слабость этой «грядки» заключалась, скорее, в особенностях территории, на которой она находилась. Ведь Морской порт в Питере в определенных кругах называли «подрасстрельной» территорией — по аналогии с «подрасстрельными» статьями Уголовного кодекса... В порту сталкивались, скрещивались, смешивались интересы самых разных людей и организаций — государственных и частных, российских и иностранных, легальных и теневых... Постоянно вспыхивали большие и маленькие конфликты, которые разрешались мирно, кроваво и «как бы мирно» — то есть когда трупов вроде и не было, но непонятно как и куда исчезали целые фирмы... Короче говоря — в порту давно уже сложилась настолько мутная обстановка, что даже специалисты могли разобраться в ней далеко не сразу, тем более что эта обстановка не отличалась стабильностью, она постоянно менялась под влиянием самых разных внутренних и внешних факторов... Учесть и осмыслить все эти факторы, наверное, не смог бы и самый лучший аналитик... Обнорский тоже не надеялся «объять необъятное», но он твердо знал одно — в мутной воде легче ловить крупную рыбу, а также легче скрываться от суперкрупных рыб...

С другой стороны — и информация о «портовой бригаде», собранная Андреем в отдельный реестр, давала хорошую пищу для размышлений... Во-первых, сам «бригадир», то есть месье Плейшнер, характеризовался разными источниками как человек с замашками уголовника средней руки и старой формации, — господин Некрасов, несмотря на «профессорскую» внешность, не отличался образованностью, высокими аналитическими способностями и умением видеть стратегическую перспективу. Зато Плейшнер был жесток, жаден и склонен к завышенным самооценкам, а еще — он очень боялся Антибиотика, который контролировал его напрямую... Из-за этого страха, кстати, он имел намного меньше личных прибылей, чем мог бы — он все время трясся, что патрон заподозрит его в крысятничестве, поэтому о любой более-менее крупной теме информировал Виктора Палыча.

Антибиотика же это весьма устраивало — если тема действительно была стоящей, то он обязательно влезал в нее лично и снимал пенки... Официально навар шел как бы в общак, но Виктор Палыч давно уже, наверное, и сам не мог провести четкую грань между своим личным карманом и общаковскими закромами...

«Финансовым директором» при Плейшнере состоял некто Моисей Лазаревич Гутман, который, по словам Катерины, был талантливым (а возможно, даже гениальным) мошенником — но и этот господин не поднимался до стратегии, оставаясь лишь прекрасным тактиком в своем секторе деятельности, кстати, не очень широком... В целом «портовая бригада» трудилась в очень непростой обстановке — она, конечно, не контролировала ни весь объем коммерческой активности в порту (а полностью его вообще никто не контролировал), ни даже пятую его часть, Плейшнер управлял именно «грядкой» — одной грядкой в большом огородном хозяйстве...

Действовать и самому Плейшнеру, и его людям приходилось с учетом интересов других многочисленных «огородников», и Некрасова это сильно раздражало... Плейшнер не мог правильно оценить огромное значение здоровой конкуренции в условиях рыночных отношений. Лагерный менталитет, знаете ли, на зоне пахан должен быть один... В силу этого обстоятельства Некрасов никогда не упускал возможности нагадить соперникам — даже в том случае, если не получал при этом прямой финансовой выгоды... А уж если он эту выгоду чуял, то остановить его могла лишь грубая сила.

При всем при этом, как отметила однажды Катя, Антибиотик, несмотря на массу объективных трудностей, с которыми сталкивалась в повседневной практике «портовая бригада», был недоволен Плейшнером. Виктор Палыч считал, что «грядка» Некрасова могла бы давать больше... Возможно, Антибиотик даже и «заменил» бы Плейшнера — но на кого было его менять? Для тех, кто не в курсе: кадровые проблемы с руководителями различных уровней в структурах организованной преступности всегда были чрезвычайно острыми — во всех странах и во все времена... Только с быками-исполнителями сложностей не возникает — их можно набирать сотнями и расходовать, не жалея, а «звеньевые», «бригадиры» и «лидеры» — это совсем другая история... Очень трудно найти человека умного, решительного, преданного, по-своему талантливого, в меру инициативного и не любопытного одновременно... К тому же руководитель обязан уметь ладить с людьми, причем самыми разными... Антибиотик, в «империи» которого были задействованы открыто или «втемную» тысячи человек, не раз вздыхал при Катерине: «Людей почти нет — одна говядина вокруг, бычье пучеглазое... Мне бы человек с десяток хотя бы — совсем по-другому дела пошли... Эх, кабы можно было из пятнадцати уродов одного нормального слепить...»

Особое внимание, которое Обнорский начал уделять в своих раздумьях «портовой бригаде», объяснялось и еще одним обстоятельством: у Андрея имелся и свой «оперативный подход» к Плейшнеру — правда, достаточно слабенький, но все же... «Подходом» этим была проститутка Людмила Карасева, больше известная в своих кругах как Милка Медалистка. Доверительные отношения с ней Серегин установил еще в самом начале девяносто третьего года, а в сентябре Мила «ушла под Плейшнера» — и, судя по всему, больших симпатий к новому хозяину не испытывала. Некрасов же, наоборот, явно «заторчал» на девушке — дергал ее к себе постоянно и вообще относился как к своей собственности...

Мила, конечно, не могла выдавать особо ценную информацию о Плейшнере, но, с другой стороны, это еще вопрос: что считать особо ценной информацией?.. Проститутки очень часто становятся достаточно тонкими психологами и подмечают такие детали в поведении клиентов, на которые другие не обращают внимания хотя бы потому, что при сексуальных контактах человек неизбежно расслабляется, зачастую перестает себя сдерживать и контролировать, — это происходит неосознанно, на уровне инстинкта... А Серегину как раз и нужны были больше всего нюансы и детали.

Обнорский решил срочно увидеться с Милой и попытаться осторожно «раскрутить» ее насчет Плейшнера, но разыскивать Карасеву ему не пришлось: совершенно неожиданно она сама позвонила ему на работу и попросила о срочной встрече... Андрей даже подумал, что столкнулся с очевидным примером телепатии — он счел звонок Милы, которая была ему очень нужна, хорошим предзнаменованием...

На встрече Карасева вдруг рассказала Обнорскому такие жуткие подробности о том, как «жалует» Плейшнер свою «фаворитку», что Андрей даже забыл сначала, для чего сам хотел встретиться с Милой, — он стал уговаривать девушку бросить все и уехать в другой город, предлагать помощь от своих знакомых сотрудников милиции. От милицейской защиты Карасева, однако, отказалась категорически, а вот относительно переезда объяснила, что у нее просто нет денег для попытки начать новую жизнь... Вот тут у Серегина и зародилась впервые мысль о том, что Милу, пожалуй, можно было бы как-то использовать в будущей комбинации, направленной против Антибиотика, — в том случае, если замешать в эту комбинацию и Плейшнера, конечно... Другое дело, что Обнорский на момент разговора с Карасевой и сам еще не представлял, что это может быть за комбинация, — в голове у журналиста лишь только начали зарождаться первые конкретные соображения... Миле Андрей сказал, что постарается ей помочь, — сочинил на ходу легенду о каких-то мифических западных благотворительных фондах...

Оставшиеся до предновогоднего полета в Стокгольм дни Андрей потратил на изучение общей обстановки в порту — он напряг все свои личные контакты, много работал с подшивками газет и другими открытыми источниками. При этом Серегин старался, однако, свой внезапно возникший интерес к Морскому порту тщательно маскировать... В изучении вопроса ему очень помогли — один парень с Балтийской таможни (его Обнорский знал еще со студенческих времен, когда будущий таможенник учился на философском факультете университета) и офицер-пограничник, с которым Андрея судьба свела в Ливии... Мир-то ведь очень тесен, просто не все умеют этим обстоятельством пользоваться.

Тридцать первого декабря 1993 года Обнорский вылетел в Стокгольм. Андрей считал, что неплохо поработал в Питере, — пусть он пока еще не завершил даже подготовительный этап разработки комбинации против Антибиотика, все равно, некоторые результаты были... Выражаясь театральным языком, Серегин не написал еще пьесу, но уже выбрал сцену, начал подбирать актеров и думать о том, какие декорации понадобятся.

В шведской столице Андрей рассчитывал на еще большее продвижение вперед — теперь он знал, какое именно звено в организации Виктора Палыча требует наиболее детального изучения. Обнорский хотел «выжать» из памяти Катерины все, буквально все, что она знала о бригаде Плейшнера, да и вообще об обстановке в порту... Серегина охватил охотничий азарт, ему казалось, что он бежит по верному следу, поэтому бежать хотелось быстрее и быстрее. Он даже подзабыл про Новый год — вернее, про Новый год он, конечно, помнил, забыл только, что у русских людей принято к этому празднику делать подарки друг другу. Хорошо еще, что в аэропорту Пулково разговоры других пассажиров напомнили ему об этом немаловажном обстоятельстве.

Андрей ринулся во «фри-шоп» и постарался выбрать что-нибудь такое, что не очень явно указывало на место, где был куплен подарок... Спохватившийся в последний момент Обнорский прекрасно понимал, что самое главное — не цена подарка, самое главное — внимание к тому человеку, которому презент предназначается... А о каком внимании можно говорить, если подарок покупается наспех в магазине аэропорта? Ничего лучше павловопосадского платка Андрей во «фри-шопе» отыскать не смог... «Фирменный» пакет магазина и чек он, конечно, выбросил, чтобы «обставиться», — пусть Катя думает, что платок был куплен заранее...

И не то чтобы Андрей желал выглядеть в глазах Катерины получше — он просто очень не хотел ее обижать. Серегину было очень стыдно, и весь перелет до Стокгольма он думал о том, что специфический род занятий превратил его уже в какого-то полуробота, для которого простые человеческие эмоции становятся менее важными, чем работа... Справедливости ради стоит заметить, что с проблемами «профессиональной деформации» сталкиваются очень многие журналисты — причем большинство из них даже не замечают, как работа безжалостно уродует их психику. В мире любят поговорить о том, что работа журналиста — занятие довольно рискованное, однако при этом под риском понимаются, в основном, разные «физические» опасности, угрожающие представителям прессы, — то есть когда они гибнут в «горячих точках», когда репортеров берут в заложники.

И очень-очень редко можно услышать о том, что «психологическая» опасность в работе журналистов гораздо существеннее опасности «физической», которая часто преувеличивается самими же репортерами... Ведь как иной раз случается — возвращается, допустим, журналист домой, в подъезде ему бьют по голове и отнимают кошелек. Вроде бы банальное разбойное нападение, в котором грабителей меньше всего интересует профессиональная деятельность жертвы, — их гораздо больше волнует содержимое кошелька пострадавшего... Но уже на следующий день, руководствуясь принципом «корпоративной солидарности», средства массовой информации расскажут о «нападении на журналиста» — и обязательно намекнут, что это нападение могло как-то быть связано с «попыткой воспрепятствовать профессиональной деятельности». А вот если ограбят рабочего, учителя, врача или инженера — тут, конечно, никому и в голову не придет говорить о «происках мафии», если таковые случаи вообще попадут в сводки новостей.

Между тем на самом деле репортеров крайне редко убивают для того, чтобы помешать им делать их работу. Конкретные примеры можно пересчитать по пальцам. В «горячих точках» — да, там, конечно, опасно, но и там, как правило, «охоту на журналистов» никто не открывает, корреспонденты разных редакций гибнут, потому что на войне никто не застрахован от пули, осколка или взрывной волны... И лишь в исключительных случаях журналистов убирают как опасных свидетелей, как носителей «убойной информации», — ведь каждое убийство представителя прессы неминуемо становится резонансным, к нему привлекается внимание властей и общественности, в том числе и международной...

Короче говоря — физическая опасность реально угрожает журналистам лишь время от времени, психологическая же действует постоянно, как проникающая радиация, — она бывает такой же незаметной подчас и такой же смертельной... Что имеется в виду? А вот что: через журналистов проходят мощнейшие информационные потоки — при этом бо́льшая часть информации носит ярко выраженный негативный характер: корреспонденты рассказывают об убийствах, эпидемиях, о коррупции, политических скандалах, о катастрофах, голоде и вообще о самых разных проблемах. По мировой статистике лишь менее сорока процентов от всей журналистской информации несет в себе позитивный заряд. Так уж устроены мир и человек: хорошее часто воспринимается за некую норму, в которой нет «информационного повода», а вот плохое — да, плохое интересно всем. Или если не всем, то, по крайней мере, большинству зрителей и читателей. В некоторых «отраслях» журналистики — в «криминальной» или «расследовательской» — удельный вес негативной информации вообще подходит к девяноста пяти — девяноста семи процентам...

А теперь представьте себе, что это такое — изо дня в день вбирать в себя всевозможную «чернуху»? Зритель может выключить телевизор, чтобы закрыться от плохих новостей, читатель может не прочитать газету, а как журналисту спрятаться от негатива? Это ведь его работа, его хлеб... Тут и наступает та самая «профессиональная деформация». Журналисты ведь тоже люди, их психика не выдерживает нагрузок, она либо надламывается — и зарабатывают тяжелейшие нервные расстройства, либо экранируется — когда репортеры перестают воспринимать «чернуху» как нечто ужасное и выходящее из ряда вон. Во втором варианте у журналистов вырабатывается некий профессиональный цинизм, у них притупляется способность к сопереживанию, к состраданию... А стрессы копятся, их надо как-то снимать.

Только вот чем? В России стрессы, как правило, заливают водкой, которая способна дать временное облегчение и еще бóльшие последующие проблемы... Полученные на работе тяжелейшие стрессы журналисты несут домой, в семьи — и семьи рушатся или становятся, мягко говоря, странными... А самое страшное заключается в том, что представители прессы постепенно привыкают к постоянным стрессам как к наркотикам, поэтому они окунаются в работу все глубже и глубже — следовательно, все больше и больше «профессионально деформируются». И постепенно работа заполняет почти всю жизнь, а не является, как у нормальных людей, лишь частью жизни. Поэтому и говорят, что журналистика — это не профессия в обычном понимании этого слова, журналистика — это образ жизни, это диагноз, приговор... Именно в этих аспектах работа журналиста больше всего похожа на работу оперативника...

На такие вот невеселые темы Обнорский и размышлял в самолете во время короткого перелета до Стокгольма, а после приземления подумал о том, что он — вовсе конченый псих: его ждет красивая женщина, наступает Новый год, а он профпроблемами обеспокоен... Андрей и впрямь очень устал, потому что последние два месяца уходящего года ознаменовались для него чудовищным нервным напряжением. Серегин понимал, что ему необходим отдых, иначе он просто свихнется — понимал, но остановиться самому ему, наверное, было не под силу...

Когда Катя увидела вышедшего из таможенного коридора Андрея, она невольно охнула — журналист выглядел так, будто заболевал или, наоборот, только-только оправился от тяжелой болезни — осунувшееся лицо, неуверенная походка и глубоко запавшие глаза сделали Обнорского не похожим на самого себя... После первых объятий и поцелуев Катерина потащила Серегина к машине — взятому напрокат «саабу».

Андрей, оглядев автомобиль, присвистнул:

— Солидная «тачка»... Порулить дашь?

— Дам, — кивнула Катя. — Но только не сегодня.

— Почему? — удивился Обнорский. — Я в самолете ничего не пил.

— Лучше бы ты выпил, — грустно улыбнулась Катерина, садясь за руль «сааба». — Андрюша... Ты в зеркало давно смотрелся в последний раз?

— Утром, когда брился... А что такое? — Андрей встревожился и, повернув к себе зеркало заднего вида, начал разглядывать свое лицо. Не заметив ничего необычного, Обнорский пожал плечами: — Чего-то я не понимаю... Лицо как лицо... Возможно, я и не Ален Делон, возможно... Но почему мне за руль-то садиться нельзя? Ведь не настолько же страшен, чтобы люди со встречной полосы в кювет сигали от нервного потрясения... Грустно, конечно, что вам, барышня, мой хохотальник не нравится. В народе-то говорят, что с лица не воду пить...

— У тебя лицо смертельно уставшего, вымотанного до крайности человека, — абсолютно серьезно сказала Катя, запуская двигатель и выруливая со стоянки. — В таком состоянии пускать человека за руль нельзя — слишком опасно...

Андрей вымученно улыбнулся:

— Неужели так в глаза бросается?

— Бросается, бросается... У тебя взгляд стал — как у маньяка... Знаешь, нехорошая такая одержимость на лице отпечатана...

Катерина уверенно вывела «сааб» на шоссе и утопила педаль газа в пол так, что Обнорского, пытавшегося наклониться к ней, швырнуло на спинку кресла. Катя хмыкнула:

— Вот видишь — и реакция замедленная... Что с тобой, Андрюша? Ты словно с лесоповала вернулся...

Обнорский закурил и засмеялся нервным, не очень естественным смехом:

— Ну, на лесоповале я не был... Пока... Но работы действительно хватало — и в газете, и по нашим делам... И знаешь, Кать, — есть кое-какие сдвиги... Я, кажется, высчитал участок приложения наших с тобой сил — сейчас расскажу тебе...

— Нет, — решительно покачала головой Катя, внимательно следя за дорогой.

— Что «нет»? — удивился Серегин. — Почему «нет»?

— Потому что пока ты не отдохнешь как следует, ни о каких делах мы с тобой разговаривать не будем. Вот так. И вообще — Новый год наступает, нужно о хорошем думать и говорить... Все-все, не спорь... Я, как руководитель нашей «концессии», принимаю решение о твоем добровольно-принудительном отпуске и накладываю мораторий на все служебные разговоры — до Рождества... Ты же на две недели прилетел? Вот и чудесно — неделю отдохнешь, а потом, с новыми силами, за дело... Вопросы есть?

— Есть, — обалдело кивнул Андрей, слушавший Катю с открытым ртом. — Вы меня, конечно, извините, барышня, но хотелось бы узнать: кто это вас руководителем «концессии» назначал? Я-то полагал, что мы — компаньоны-сопредседатели с одинаковым правом голоса...

— Правильно думал, — лукаво глянула на журналиста Катя. — Голоса у нас с тобой равноценные, только «концессионеров»-то — трое...

— Как трое? — Серегин даже подскочил в кресле. — Ты что, Кать, еще кому-то нашу тему рассказала? Кому?! Да ты понимаешь, это...

— Спокойнее, коллега, спокойнее, — невозмутимо перебила Андрея Катерина. — Не кричите, я не глухая... А что касается числа концессионеров, то тут все очень просто: номер первый — это, безусловно, Андрей Викторович Обнорский, чьи заслуги перед предприятием трудно переоценить. Номер второй — Екатерина Дмитриевна Званцева, она же — Гончарова, она же — Шмелева в девичестве. А номер третий...

Катя сделала эффектную паузу, и Андрей не выдержал:

— Кто?! Ну Кать, ну не тяни! Ну что за глупые игры в серьезном деле... Катя!!!

— Номер третий — это гражданка Израиля Рахиль Даллет, между прочим — генеральный спонсор «концессии». Да вы ее, мне кажется, хорошо знаете, Андрей Викторович... Вот Екатерина Званцева и Рахиль Даллет посовещались, подумали и приняли решение о предоставлении недельного отпуска концессионеру Обнорскому — большинством голосов это решение было утверждено... А потом — заодно, так сказать — назначили еще и гендиректором предприятия Званцеву Екатерину Дмитриевну, с упразднением этой должности по истечении периода временной нетрудоспособности Обнорского Андрея Викторовича... Я доступно излагаю?

— Вполне, — глубокомысленно кивнул Андрей. — Стало быть, ты у нас — наподобие двуликого Януса: ты и Катя, ты и Рахиль — «генеральный спонсор»... На денежки намекаешь... Мол, кто спонсирует, тот и музыку заказывает... Это же — звериный закон капитализма!

— А ты как хотел? — удивилась Катя. — Социализма в нашей «концессии» не будет, это уж извините... Какие-нибудь существенные возражения имеются?

— Имеются! — Андрей выкинул окурок сигареты в окно и повернулся всем корпусом к Званцевой-Даллет. — Ты у нас двуликая, но ведь и я — тоже... Мне кажется, что помимо концессионера Обнорского есть еще и концессионер Серегин... А значит, и голосов — не три, а четыре... Согласна?

— Нет, — спокойно ответила Катя. — Можете жаловаться. Лучше — в ООН или ЮНЕСКО. Там рассмотрят и помогут — сочувствием и международной поддержкой.

— Да это же бандитизм! — возмутился Серегин, и Катя с ним легко согласилась.

— Естественно... Я же говорю — можете жаловаться...

Искоса глянув на растерянное лицо Обнорского, Катерина не выдержала, повернула руль вправо, выехала на обочину и затормозила, а потом, отстегнув ремень безопасности, в одно движение запрыгнула к Андрею на колени и начала его целовать, шепча при этом:

— Ну, не спорь, Андрюшенька, не спорь... Ты же должен хоть немного отдохнуть... Ладно? Ну, ради меня...

И Новый год наступает, потом — Рождество... Ну пожалуйста, сделай мне подарок... Я тоже ведь не железная... Знаешь, как я тебя ждала...

Ну как в такой ситуации Серегин мог упираться дальше? Тем более что Катя действительно говорила разумные вещи — даже машинам нужен отдых, а Обнорский был всего-навсего человеком... Андрей крепко обнял Катерину, зарылся носом в ее волосы и пробормотал:

— Никакая ты не Катя и даже не Рахиль... Ты — лиса Алиса из сказки про Буратино, — такая же хитрая... Катюшка... Я... Я тоже очень ждал... Катя...

Они целовались настолько исступленно, что даже не заметили, как к их «саабу» подъехала полицейская машина — шведские стражи порядка неторопливо «изучили обстановку» внутри замершего на обочине автомобиля, потом «оценили» ее и «приняли решение» — переглянувшись, полицейские рассмеялись и поехали дальше по своим делам.

Обратно на водительское кресло Катя перелезла лишь минут через пятнадцать — дрожащими пальцами она достала из пачки длинную ментоловую сигарету, прикурила, сделала несколько жадных затяжек и, покачав головой, выдохнула:

— Матерь Божья, помоги до дома без аварии доехать...

— Присоединяюсь! — поддержал ее просьбу растерзанный Обнорский, обессиленно лежавший в пассажирском кресле.

Наверное, Непорочная Дева услышала их — до Стокгольма они добрались без приключений. Катя ехала со средней скоростью девяносто километров в час, позволяя себя обгонять всем подряд. Она попросила Андрея рассказать о последних питерских новостях — и Серегин начал ее добросовестно информировать. Правда, новости, излагаемые им, имели весьма специфический оттенок — Обнорский, сам того не замечая, все время сворачивал на «криминальную» тему: когда кого «загасили», где кого задержали, какие перестановки пошли в правоохранительных структурах и городских группировках... Даже если начинал Серегин «за здравие», то заканчивал все равно «за упокой». Ска-

282

жем, принимался рассказывать об открывшейся новой выставке в Русском музее — и тут же переключался на дело о попытке подмены подлинников рисунков Филонова, Маковского и Репина на копии... Катерина ничего не говорила — лишь качала головой и грустно улыбалась.

По мере приближения к Стокгольму бормотание Обнорского становилось все глуше и глуше, а потом оборвалось вовсе: Катя посмотрела на Андрея и поняла, что он спит, привалившись лохматой головой к окну. Это была нормальная, естественная реакция человека, переместившегося из нервной и напряженной обстановки в спокойную и безопасную среду...

Подъехав к своему дому, Катерина долго не решалась разбудить Обнорского — так сладко он спал, таким по-детски беззащитным выглядело его лицо, с которого словно стекли преждевременные морщины и угрюмые складки... Катя подперла щеку кулачком и смотрела на Серегина до тех пор, пока вдруг не почувствовала, как у нее почему-то перехватывает дыхание, а к глазам подступают совершенно неожиданные слезы... Катерина запрокинула голову, не давая слезам пролиться, несколько раз глубоко вздохнула, успокоилась и только после этого осторожно погладила Обнорского пальцами по небритой щеке:

— Андрей... Андрюша... Просыпайся — домой приехали...

Серегин завозился в кресле, словно медвежонок, нахмурился, не открывая глаз, и недовольно пробормотал что-то маловразумительное:

— Ну... слушай... хватит... сейчас... мне... минуточку...

Катя засмеялась и легонько потянула Обнорского за мочку уха:

— Вставай, соня. Новый год проспишь!

Серегин сердито фыркнул, попытался закрыться от внешних раздражителей воротником куртки и снова что-то забубнил. У Кати вдруг екнуло сердце, она почему-то испугалась, что вот сейчас, в полусне, Андрей возьмет и произнесет какое-нибудь чужое женское имя... Дело-то, в общем, житейское, у Обнорского наверняка были женщины, с которыми он жил намного дольше, чем с Катей, и эти дамы наверняка не вычеркнулись в одночасье из подсознания. Все это Катерина понимала и сама, и тем не менее почувствовала, что если Андрей вдруг буркнет «Оля», или «Маша», или «Зина», случится что-то страшное, что-то совсем ужасное и кошмарное. Однако когда Катя наклонилась к Обнорскому поближе, она расслышала, что именно он бормочет:

— Кать, ну совесть-то... поспать-то... Кать, ну я же...

Обнорский даже не понял, что этим своим бормотанием он уже преподнес ей самый лучший новогодний подарок, она вроде как загадала — и выиграла.

В Катерину будто новые силы влились — она крепко ухватила Серегина за лацканы куртки, развернула лицом к себе и подарила ему такой нежный поцелуй, что Андрей просто не смог не проснуться окончательно... Кстати, проснувшись, он мигом сориентировался, прижал Катерину к себе так, что у нее косточки хрустнули, и вернул поцелуй — причем с процентами... Катя, впрочем, очень быстро начала деловито вырываться из его рук:

— Все-все-все, пошли наверх, а то соседи смотрят...

— А что ж, соседи — не люди, что ли? — удивился Андрей. — Тем более они шведы — самые большие сексуальные хулиганы... «Шведскую тройку» кто придумал? Вот то-то... А ты говоришь — соседи...

Катя засмеялась и выскочила из машины, выбрался на морозный воздух и разомлевший от сна Серегин — он потянулся с наслаждением, посмотрел на Катерину и вдруг сказал проникновенно и почти серьезно:

— Боже ж ты мой — каждый раз бы меня так будили, кайф-то какой! Знаешь, Катюша, я где-то вычитал интересное определение — что такое счастье...

— Ну, и что же это такое? — поинтересовалась Катя, запирая «сааб».

Обнорский поднял указательный палец вверх и с важным видом произнес формулировку:

— Счастье — это когда, просыпаясь, мужик видит рядом счастливое лицо любимой женщины...

Катя от неожиданности сначала вся сжалась, потом лицо ее вспыхнуло, и она бросилась к подъезду — очень быстро, так, чтобы Андрей не разглядел ее глаза... Обнорский никогда не говорил ей о своих чувствах — наверное, считал, что это как бы и ни к чему... Не баловал он Катерину и ласково-нежными словами — хотя был и ласковым, и нежным... Вроде бы неглупый парень, он иногда не понимал самых простых вещей: каждая женщина «любит ушами» — каждая, даже самая серьезная, строгая и деловая на вид. А уж слов «люблю» или «любимая» Серегин тем более не употреблял. Он и сейчас не объяснился в любви напрямую, но... Где надо — там Катя все очень остро и тонко чувствовала...

Серегин, конечно же, не понял, что заставило вдруг Катерину, опустив голову, метнуться к подъезду. Он решил, что спросонок ляпнул что-то не совсем уместное. Андрей бросился за Катей, виновато спрашивая:

— Кать, погоди, Кать... Я что, не то что-нибудь сказал? Кать, погоди, я же ничего такого... Я же просто — ну, вычитал где-то про это определение, я же не к тому, что... Я...

Догнал ее он уже у самой квартиры — окончательно при этом запутавшись в словах. Катя быстро открыла дверь, втянула в квартиру Серегина с его сумкой-баулом и прошептала:

— Дурень ты... Какой же ты дурень...

А потом она обхватила его шею руками и закрыла глаза.

Когда страсти понемногу улеглись, Катя и Андрей начали спешно готовиться к встрече Нового года: учитывая разницу во времени между Москвой и Стокгольмом, им пришлось торопиться, чтобы успеть отметить Новый год по-русски. Впрочем, справедливости ради стоит признать, что все хозяйственные хлопоты взяла на себя Катерина. Она наготовила кучу различных вкусностей, купила шампанское, заранее прибрала квартиру. На Андрея легла лишь почетная задача установки и украшения небольшой искусственной елочки — и с этой миссией Серегин справился успешно. А потом Катя погнала его в ванную — мыться и бриться, чтобы встретить Новый год, как и положено, при полном параде. Пока Обнорский приводил себя в порядок, Катерина успела не только накрыть стол, она еще умудрилась погладить ему свежую рубашку и брюки. Серегин, выйдя из ванной, только головой покачал:

— Ну, хозяюшка... Ну — слов нет...

— Цени! — засмеялась Катерина.

— Я ценю, — серьезно ответил Андрей. — Я очень даже ценю, Катюшка...

Когда до полуночи по московскому времени осталось всего пятнадцать минут, они сели за стол и торжественно обменялись подарками. Андрей, правда, чуть было все не испортил, начав комплексовать из-за дорогих швейцарских часов, которые преподнесла ему Катерина, но в конце концов все сладилось, Серегину хватила ума и такта не «упираться рогом» и не обижать Катю... Она, кстати, так обрадовалась его павлово-посадскому платку, что Обнорскому снова стало стыдно, и он даже мысленно обозвал сам себя сволочью... Новый год «по Москве» встретили уже в обновках — Андрей нацепил часы на правую руку (такая у него была привычка), а Катерина накинула на плечи платок... За минуту до московской полуночи Катя, глядя на Андрея, разливавшего по бокалам шампанское, напомнила ему:

— Ты не забыл, что на бой курантов надо желание загадывать? Нужно загадать и никому про него не рассказывать до тех пор, пока оно не сбудется... А если расскажешь кому-нибудь — все, магия пропадет...

Обнорский кивнул:

— Между прочим, мы с тобой сегодня желания можем загадывать дважды с полным правом: «по Москве» — потому что мы русские, и «по Стокгольму» — потому что встречаем Новый год здесь... Все по-честному...

Катя фыркнула:

— Можно одно и то же желание загадать, но два раза — больше шансов на то, что сбудется... Ой, все-все, чокаемся и пьем, а то опоздаем...

Она пила шампанское очень медленно и смотрела на Обнорского такими глазами, что у него стало скверно на душе, — он догадался, точнее, даже не догадался, а почувствовал, что загаданное ею желание было каким-то образом связано с дальнейшим развитием их отношений. А Серегин загадал, чтобы реализовалась операция «Анти-Палыч» — не смог он себя пересилить и попросить у Деда Мороза чего-нибудь другого. Правда,

Андрей утешал себя тем, что им предстояло еще встретить Новый год по-стокгольмски, и в запасе оставалось еще одно желание... И все равно — загаданное им же самим желание, вырвавшись из души Серегина на волю, оставило после себя какое-то дурное предчувствие... Оно, впрочем, очень быстро развеялось — от уютной домашней обстановки и блеска Катиных глаз.

Потом они смотрели телевизор, целовались, ели, пили, снова целовались, пели русские народные и эстрадные песни — короче говоря, когда подошел Новый год по стокгольмскому времени, оба уже были в хорошей «кондиции» и думали только о вещах светлых и радостных... И, наверное, нетрудно догадаться, каким было второе желание Андрея из загаданных им в эту ночь...

В квартире они, конечно, не усидели — выскочили на улицу погулять, проветриться, посмотреть на веселящихся от всей души шведов... В общем, и у Андрея, и у Екатерины давно уже не было такого настоящего праздника... Наверное, они оба его заслужили, наверное, они оба его выстрадали.

Почти весь первый день Нового года Катя и Андрей проспали, а под вечер, проснувшись — оба не выразили ни малейшего желания отходить от кровати далеко и надолго. У них начался какой-то эротический «запой» — двое суток пролетели мгновенно... Они ласкали друг друга всеми возможными способами до полной одури, а когда силы исчерпывались — говорили, говорили, говорили... О чем? Да трудно даже объяснить, о чем, — о жизни, если коротко... Обо всем сразу они говорили — и об эпизодах из собственных биографий, и о книгах, и о проблемах кинематографа, и о журналистике, и о современном бизнесе, и даже о политике... По какому-то политическому вопросу они даже начали чуть ли не всерьез спорить (речь, кажется, зашла об отстаивании стратегических интересов России на международной арене), и спор этот стал весьма эмоциональным. Слава Богу, у обоих хватило чувства юмора для оценки комичности ситуации — лежат в постели голый мужчина и голая женщина, обнимаются, гладят друг друга и спорят о политике... Анекдот да и только — с русской спецификой.

Эти двое суток, в течение которых Катя и Андрей почти не размыкали объятий, очень много дали и ей, и ему... Катерина и Обнорский стали намного ближе, намного «роднее», если так можно выразиться... Они словно врастали друг в друга — и процесс этот был бесконечно приятен для обоих... Лишь вечером третьего января они выбрались из квартиры на большую прогулку, но и на улице Катерина и Андрей продолжали обниматься, словно школьники...

Они шли по Свеавэген*, размышляя, в какой бы ресторанчик зайти поужинать, как вдруг Обнорский почувствовал необъяснимую тревогу, — была у Андрея такая особенность, иногда он мог ощущать опасность «кожей», воспринимать враждебный взгляд, даже если он был направлен в спину... Способность к такому восприятию обострялась обычно тогда, когда Серегин пребывал в состоянии сильного нервного или эмоционального возбуждения... В данном случае, наверное, Андрею помог эмоциональный запал «эротического запоя»... Да, в общем, неважно, что именно ему помогло — важно то, что, ощутив вдруг тревогу, Серегин быстро обернулся и столкнулся глазами с рослым парнем в черной кожаной куртке, стрижка и уши которого навевали очень неприятные ассоциации с родимой российской братвой.

Андрею лицо стриженого было абсолютно незнакомо — а Обнорский обладал очень хорошей памятью на лица... Парень в кожанке, кстати, смотрел не столько на Серегина, сколько на Катерину, и во взгляде его легко читалось удивление...

Андрей быстро отвел глаза от лица стриженого и с самым беззаботным видом наклонился к Катиному уху:

— Катюша, только спокойно... Незаметно и естественно оглянись — метрах в пяти позади нас рослый стриженый парень в черной кожаной куртке, сильно на братка смахивает... Приглядись — не твой ли знакомец... Уж больно конкретно он на тебя вылупился.

Катя вздрогнула, напряглась, но поняла Обнорского с полуслова: продолжая улыбаться, она затеяла шутли-

_____
* Шведский проспект — одна из центральных улиц Стокгольма.

вую борьбу с Серегиным, якобы уворачиваясь от его губ, и развернулась вполоборота...

— Ну? — шепотом спросил Андрей. — Видишь его? Стриженый, высокий, с ломаными ушами и широким носом... Черная короткая кожанка.

Катя нервно передернула плечами:

— Нет... Я не вижу такого... Такого здесь нет...

Андрей обхватил Катерину за талию и, якобы продолжая шутливую возню, поменялся с ней местами — как в танце... Стриженый действительно исчез, он словно растворился в человеческом потоке.

— Может, тебе показалось? — дернула его за рукав куртки Катя.

— Может, — сквозь зубы ответил Обнорский. — Может и показалось... А может, и нет... Блин-монтана, здесь же русских полно! А из россиян — половина наших, питерских...

Андрей был прав — с 1993 года количество русских, посещавших по разным поводам Швецию, неуклонно росло — система такс-фри* выдала беспристрастную статистику: российские покупатели среди всех иностранцев в стокгольмских магазинах вышли на почетное третье место... Не представило особой сложности понять, какие именно категории российских граждан могли позволить себе большие покупки в Стокгольме, — это были либо бизнесмены, либо братаны, либо люди, связанные с первыми или вторыми... Катя и Андрей слышали русскую речь на улицах Стокгольма часто, но до сих пор они как-то не думали, что могут случайно столкнуться со знакомыми, в том числе и не с самыми приятными знакомыми... Срабатывал стереотип, оставшийся еще от советских времен, — если ты в Швеции, то, стало быть, оторвался полностью от Рос-

---

* Такс-фри — при покупке чего-либо в шведском магазине покупатель-иностранец может попросить оформить ему «чек освобождения от шведских налогов». В этом случае покупку запечатывают, и пользоваться ею на территории королевства нельзя. Зато когда покупатель пересекает границу Швеции, ему на таможне возвращают часть денег, которые он заплатил за покупку. Иногда эта часть достигает двадцати процентов от магазинной цены. Для оформления чека «такс-фри» необходим паспорт покупателя.

сии и от всех оставшихся в ней проблем... А ведь на самом-то деле расстояние между Петербургом и Стокгольмом совсем небольшое, да и визу туристическую получить не так уж сложно...

Обнорский, ругая себя мысленно последними словами за утрату бдительности и осторожности, подхватил Катю под локоть и потащил ее к лестнице, выводившей на Мальмшильнадесгаттен — улицу, на которой традиционно собирались стокгольмские проститутки. Пропетляв по переулкам, они в конце концов выскочили на набережную напротив Драматического театра и перевели дух. Тревога Андрея передалась и Кате — ей не понадобилось ничего специально объяснять, она и сама прекрасно понимала, чем может обернуться случайная встреча с кем-нибудь, кого она хорошо знала по своей прежней питерской жизни.

— Ладно, — сказал Обнорский, закуривая сигарету и продолжая автоматически незаметно оглядываться. — Не будем впадать в панику... Вполне возможно, что этот стриженый — совсем даже и не русский... А то, что он на тебя смотрел во все глаза, так ты ведь у нас девушка видная, многим приятно хотя бы «глаз похарчить»... Вариантов много... Этот мужик, в конце концов, мог и сам обознаться, принять тебя за кого-нибудь.

Андрею хотелось успокоить Катю, поэтому он говорил не совсем искренне. На самом деле Серегин хорошо запомнил взгляд стриженого — так не смотрят на внезапно приглянувшуюся незнакомую женщину... Враждебный был взгляд у парня в кожанке, откровенно враждебный и удивленный...

Серегин подробно (насколько мог) описал стриженого, но Катерина по словесному портрету не опознала его. Вернее, она сказала, что описание подходит сразу к нескольким браткам, с которыми ей приходилось сталкиваться, — уж больно типажной была внешность незнакомца со Свеавэген.

Андрей вздохнул, обнял Катерину, а она, спрятав лицо у него на груди, вдруг сказала глухо, с тоской:

— Я не хочу... Я не хочу всю жизнь прятаться и убегать... Я не хочу, чтобы так было всю жизнь, не хочу, не хочу, не хочу!!!

Серегин погладил ее по голове и снова вздохнул. Что тут было сказать? До тех пор, пока Антибиотик будет живым да здоровым и на свободе — Катерина нигде не может чувствовать себя в полной безопасности. Нигде. И она сама это хорошо понимала...

Ужинать в ресторане им расхотелось — Андрей поймал такси, и они, попетляв на всякий случай по городу, вернулись домой — благо запасов еды там еще хватало... Дома уличные страхи отступили, а к утру и вовсе развеялись. В конце концов, этот стриженый ведь действительно мог быть человеком абсолютно «левым», то есть случайным и незнакомым с Катериной...

«Мораторий», наложенный до Рождества на дела «концессии», они выдержали, — ходили по музеям, по магазинам, а потом Андрей, тщательно взвесив все «за» и «против», позвонил Ларсу Тингсону и сообщил, что находится в Стокгольме. Ларс страшно обрадовался, тут же пригласил Серегина в гости — Андрей замялся, ответил, что он не один, а со своим «романом». Тингсон рассмеялся и сказал, что его дом открыт и для «романа»... Поскольку в свое время Обнорский говорил, что роман у него протекает с русской, вышедшей когда-то замуж за шведского бизнесмена, — этой же легенды и решено было придерживаться... Катерину Андрей представил Ларсу как Рахиль — а фамилией Тингсон интересоваться не стал. Серегин фактически напросился в гости к Ларсу не случайно, и не случайно он познакомил с известным и влиятельным шведским журналистом Катерину: Андрей хотел, чтобы у нее была хоть какая-нибудь поддержка в Стокгольме, на всякий случай. Точнее — не на всякий случай, а на экстренный...

Рахиль Тингсону очень понравилась, все «острые углы» Ларс тактично обходил и не спрашивал Катю ни о ее занятиях, ни о муже... Тингсон был очень интересным собеседником, и Катя общалась с ним не просто с удовольствием, а с наслаждением — и конечно, одного вечера на все разговоры не хватило. Тогда Ларс пригласил влюбленную парочку съездить с ним в его загородный дом, построенный на острове Немдо, в Стокгольмском архипелаге... Конечно, предложение было с восторгом принято.

На этом острове (он оказался совсем даже не диким — там располагался целый поселок состоятельных стокгольмцев) им было очень хорошо — Катя занималась хозяйством, Андрей и Ларс обсуждали свою будущую книгу и уточняли последние нюансы для окончательного варианта фильма «Русская мафия». А главное — на Немдо уж точно Катерина не могла столкнуться с кем-нибудь из знакомых...

Православное Рождество они отметили вместе, а на следующий день Ларс посадил Катю и Андрея на маленький пароходик, доставивший их на материк... Покидать гостеприимный остров было очень грустно, и к тому же наступило восьмое число, день, когда они договорились вернуться к делам «концессии».

— Вот и все, — сказала Катя, глядя через иллюминатор пароходика на оставшуюся на островной пристани фигурку Ларса. — Праздник закончился...

Андрей приобнял ее и тихонько поцеловал в затылок:

— Это ничего... Праздники должны заканчиваться, иначе мы перестанем их ценить...

Катерина ничего не ответила — лишь вздохнула, словно всхлипнула.

Когда они вернулись в стокгольмскую квартиру, Катя сразу пошла на кухню, сварила кофе, разлила его по большим белым кружкам и спокойно сказала:

— Не будем тянуть... Перед смертью все равно не надышишься... Ты говорил, что наработал в России кое-что по нашим делам, — я готова выслушать...

Обнорский только головой повел — Катерина уже в который раз поражала его: перед ним за кухонным столом сидела собранная, волевая, спокойная женщина с жестким взглядом, разительно отличавшаяся от той, что пару часов назад плыла с Андреем на пароходике от острова Немдо.

Серегин сходил в гостиную, принес оттуда чистые листы бумаги, вооружился ручкой и, закурив сигарету, пристукнул ладонью по столу:

— Ну что же — начнем сначала... Коллега...

Обнорский начал вычерчивать на листах бумаги разные кружочки-квадратики, изображая схематично империю Антибиотика. Работал Андрей быстро и уверенно — составленную им же самим схему он знал наизусть. Конечно, все связи он изображать не стал, рисовал только самые значимые, «узловые», так сказать, подразделения. Потом Серегин дал короткую характеристику всей схеме в целом и каждому из элементов по отдельности — Катя внимательно слушала и время от времени вставляла кое-какие замечания. Впрочем, замечания ее не были принципиальными, они скорее носили характер дополнений и уточнений. Далее Обнорский пояснил, на основании чего им был сделан вывод о том, что самым слабым звеном в схеме является «портовая бригада» и почему именно порт, с его точки зрения, может стать наиболее благоприятной сценой для будущей комбинации против Виктора Палыча. Катя выслушала все доводы, не перебивая, потом задала несколько уточняющих вопросов, ответы на которые не вызывали у нее никаких возражений.

— Очень хорошо, — кивнул Обнорский. — Если принципиальных замечаний и возражений нет, тогда закрепляемся на рубеже, — комбинацию сочиняем в привязке к порту и непосредственно товарищу Плейшнеру, так?

— Так, — согласилась Катя.

— Ну, а раз так, придется мне тебя, коллега, еще помучить, — развел руками Андрей. — Прости за занудство, но давай-ка еще раз тряхнем закрома твоей памяти: мне нужны все возможные подробности по Плейшнеру, его людям, положению бригады в порту. Короче, ты поняла... И все, что ты знаешь любопытного по самому порту и портовым структурам, тоже выкладывай... Ну, поехали...

И Обнорский снова, делая постоянные пометки на листке, принялся «выворачивать наизнанку» Катин мозг — он сначала попросил рассказать в мельчайших подробностях о ее личных встречах с Плейшнером, потом об обстановке, предшествовавшей встречам и способствовавшей им, затем Андрей отфиксировал все сплетни-слухи о Некрасове, докатившиеся в свое время до Катерины, все оценки, которые давали лидеру «портовой бригады» его «коллеги» по нелегкому бандитскому ремеслу.

Записывать пришлось много — так всегда бывает, сначала кажется, что о человеке, который был всего лишь знакомым, в памяти отложился совсем небольшой объем информации, но потом, при грамотном тестировании, начинают проявляться так называемые «пассивные» знания... То есть та информация, которую носитель не старался специально запомнить, на которую он не обращал внимания... Классическим примером эффективного использования «пассивных» знаний, кстати, являются те случаи, когда профессиональные гипнотизеры, погружая свидетеля какого-либо преступления в состояние транса, заставляют его как бы заново увидеть картину происшествия — с мельчайшими подробностями. Известен случай, когда с помощью гипноза свидетель сумел заново «прочитать» — то есть вспомнить — увиденный им мельком номер машины, на которой с места совершения преступления скрылись убийцы. Благодаря этой информации позже их удалось найти и обезвредить...

«Пассивный отсек» человеческого мозга вообще хранит очень много информации — некоторые исследователи даже полагают, что человек по-настоящему никогда ничего не забывает... Всем, кто когда-либо учил иностранные языки, должно быть хорошо известно понятие «пассивная лексика» — то есть «вроде бы знакомые» иностранные слова носитель сам употребить в своей речи не может, но когда слышит их в устах другого человека, тут же вспоминает, что они означают по-русски.

Андрей, к сожалению, гипнотизером не был, поэтому «активизирование пассивных знаний» Катерины о Плейшнере вымотало обоих, — когда Обнорский поставил точку в последнем законспектированном рассказе, стрелки часов показывали полночь, а количество исписанных листов перевалило за дюжину.

— Ну что, — сказал Серегин, сминая пустую сигаретную пачку и швыряя ее в корзину для бумаг. — С «профессором» более-менее ясно... Теперь надо по такой же схеме его «клевретов» отработать...

— Нет, — замотала головой Катя. — С «клевретами» завтра... Ты как хочешь, а у меня сил больше нет — совсем... Я больше не могу...

Андрей спорить не стал. Он тоже очень устал, и ему хотелось только одного — упасть в кровать и отключиться... Да, а ведь вроде бы и не лес они валили, не в шахте надрывались — а вот, поди ж ты... В эту ночь у Кати и Андрея не возникло даже мысли о каких-то любовных играх.

Утром, после завтрака, они продолжили свою работу, начав разбирать по косточкам каждого известного Кате члена бригады. Прерывались они лишь на обед и ужин — ну, маленькие паузы, естественно, в счет не шли... Следующий день прошел по такому же распорядку. И еще один. И еще...

И только когда до отлета Серегина в Петербург осталось всего двое суток, — стало ясно, что из Катиного мозга выжато все, что возможно было выжать и о Плейшнере, и о его бригаде, и о разных интересных криминальных разностях, время от времени случавшихся в Санкт-Петербургском Морском порту.

Еще полдня ушло на сверку составленных Серегиным конспектов — он хотел убедиться, что записал все правильно, что ничего не напутал... А потом Катя спросила его:

— И что же дальше?

Андрей молча пожал плечами и закурил очередную сигарету — его понемногу начало охватывать отчаяние, потому что, несмотря на обилие зафиксированной информации, никакого «озарения» так и не наступило... Докурив сигарету до самого фильтра, Серегин поднял воспаленные глаза на ожидающе смотревшую на него Катерину:

— Дальше? Дальше, Катя, предстоит самое сложное: теперь нам нужно, базируясь на вот этом хозяйстве, — Андрей похлопал ладонью по стопке исписанных листков, — придумать нечто эдакое... Грубо говоря, мы должны выдумать ловушку для Плейшнера — такую, попав в которую, он утянул бы за собой и Антибиотика. Тебе ничего такого на ум не приходит?

— Если честно, нет, — покачала головой Катя. Серегин вздохнул и потер пальцами левый висок:

— Вот и мне пока не приходит... Что-то такое крутится в голове, а конкретно сформулировать не могу, зацепки какой-то не хватает... Чувствую, что вот-вот, а не складывается... Ловушка... Нам нужна ловушка...

Катерина с тревогой всматривалась в его лицо — глаза Обнорского не замечали ничего вокруг, они горели каким-то жутковатым черным огнем, выдававшим страшное нервное напряжение, в которое вогнал себя Андрей... Катя вдруг подумала, что именно так, наверное, выглядят лица людей, находящихся на грани безумия. Эта мысль настолько испугала ее, что она насильно выдернула Серегина из-за стола и буквально накинулась на него с ласками и поцелуями — вовсе не из-за того, что ей внезапно очень захотелось близости, а для того, чтобы отвлечь Андрея... Ну, а потом уже, конечно, заработали здоровые инстинкты — и у нее, и у Обнорского, и взгляд у него, кстати, вскоре стал почти нормальным... Но даже в постели Катя не смогла отделаться от неприятного ощущения, что Андрей думает не только о ней, — он был каким-то «зажатым», отстраненным, что ли... Позже, когда Серегин задремал, Катя заметила, что по его смеженным векам пробегает еле заметная нервная дрожь, а губы кривятся, словно силятся сказать что-то... Минут через десять Обнорский вдруг открыл глаза, сел и сказал, словно и не спал ни мгновения:

— Кать, давай поиграем в такую «деловую игру»: ты будешь предлагать самые разные, самые дикие и экзотичные варианты «подстав», а я выступлю твоим оппонентом... Ладно?

Ему словно и дела никакого не было до того, что рядом лежит красивая голая женщина... Кате вдруг стало так обидно, что она чуть не расплакалась, но Обнорский и этого не заметил. Тогда Катерина, не выдержав, спросила его срывающимся голосом:

— Андрей... Андрей, извини, я... Я еще интересую тебя как женщина?

— Конечно, — машинально ответил Обнорский, продолжая витать где-то очень далеко, но потом до него, видимо, дошло.

Он посмотрел на Катю, глаза его потеплели, ожили, и Андрей захохотал — звонко и настолько заразительно, что надувшаяся было Катерина тоже начала подхихикивать. Отсмеявшись, Обнорский прижал ее к себе и сказал очень серьезно:

— Интересуешь, еще как интересуешь... Прости — пойми, пока я... пока мы не доведем это дело до конца, над нами словно будет висеть что-то... И это что-то будет нам очень мешать, как бы мы ни пытались от него спрятаться. Единственный выход — разделаться со всей этой ерундой побыстрее... Понимаешь?

— Понимаю, — обреченно кивнула Катя. — Я-то как раз все очень хорошо понимаю... И все равно — ты абсолютно ненормальный, ты просто псих, ты...

— Ты тоже мне очень-очень нравишься, — улыбаясь, перебил ее Обнорский. — Ты тоже самая чудесная, самая нежная, самая желанная... Катюшенька...

Под вечер они все же выбрались из квартиры на прогулку — и, бродя по зимнему Стокгольму, начали предложенную Обнорским «деловую игру», но никаких практических результатов она не дала. Хотя как сказать, ведь отрицательный результат — это тоже результат, это еще одна пройденная ступенька... Серегин легко разбивал все предлагаемые Катериной варианты «ловушек» — но истина в этом споре так и не родилась... Когда они вернулись домой, Катя начала готовить ужин, а Андрей снова засел за свои записи — и снова все вокруг для него словно перестало существовать. Кате пришлось трижды окликнуть его — чтобы сообщить, что ужин готов и надо освободить стол от бумаг. Андрей взъерошил волосы, кивнул и сказал:

— Я, кажется, понял, почему картина не складывается...

— Почему? — спросила Катя, накрывая стол.

— А потому, — ответил Обнорский, раскладывая на коленях листки с записями, — что у нас в информационной базе есть одно очень большое упущение. Все наши данные — ну, большинство из них — они, так сказать «исторические»... Нет оперативной, самой свежей информации... Именно она могла бы дать толчок... Но где ее взять, где?

— И что же делать?

— Ничего, — покачал головой Серегин. — Вернее, продолжать делать все то же самое, что мы уже делали и делаем. Нужно думать, фантазировать, сочинять... Капля даже камень точит — значит, и мы что-нибудь придумаем... Просто я надеялся, что процесс будет идти быстрее... Когда вернусь в Питер — я, конечно, постараюсь «носом поводить», нарыть что-нибудь свеженькое на Плейшнера и Антибиотика... Но и ты здесь тоже — думай... Не может быть, чтобы в результате так ничего и не сочинилось. Не может быть... Это просто сейчас нам кажется, что мы уперлись в стенку — а мы действительно уперлись, потому что хотели решить все «кавалерийским наскоком». А сейчас нужно просто успокоиться, дать всей информации как следует улечься в мозгу, пожить с ней, походить, привыкнуть к ней — и только потом можно начинать сочинять новые варианты... Вот такие пироги, Катюша...

Катерина положила Андрею на тарелку жареную картошку с сосисками, налила светлого пива в высокий бокал, села напротив и, наблюдая за тем, как он ест, сказала тихо:

— Когда ты будешь там, в Питере, носом водить — пожалуйста, води поосторожнее... Пожалуйста, я тебя очень прошу... Я буду очень тебя ждать, Андрей...

Обнорский, прочувствовав всю серьезность сказанного, кивнул и без тени усмешки на лице пообещал:

— На амбразуры бросаться не собираюсь — я не камикадзе... Но и ты пойми: пока я не выплачу «должок» — жизни мне не будет.

— Это можешь мне не объяснять, — вздохнула Катя. — «Должок» у нас с тобой общий...

Через день она проводила его в аэропорт, и Андрей вернулся в Петербург — они договорились, что следующий его визит в Стокгольм состоится в феврале.

Месяц с небольшим пролетел незаметно, и за это время никаких существенных изменений в делах «концессии» не произошло.

Обнорскому уже временами казалось, что он сгоряча переоценил свои умственные способности... Не раз и не два Андрею приходила в голову мысль просто поделиться собранной информацией с начальником пятнадцатого отдела РУОПа Кудасовым — чтобы не быть «собакой на сене», но принять такое решение самостоятельно он не мог, а Катя... Катя не верила руоповцам — по крайней мере раньше она и слышать не хотела о привлечении к «концессии» Никиты Никитича... Да и самого Никиту Андрею не хотелось ставить в дурацкую ситуацию — как ни крути, а Званцева все-таки по всем формальным признакам была беглой преступницей... И все же, собираясь в Стокгольм 19 февраля 1994 года, Андрей мысленно готовился к серьезному разговору с Катей. Время шло, а никакая комбинация (более-менее жизненная и реальная) у него в голове так и не сложилась, — значит, следовало менять принципиальный подход к проблеме. Может быть, поставленную задачу нельзя решить силами только двух человек?

Когда Катя встретила Андрея в аэропорту, когда утихли первые объятия и поцелуи, Обнорский сказал ей:

— Кать, нам надо серьезно поговорить...

— Обязательно, — откликнулась Катерина. — Только не на бегу же... И времени у меня сейчас совсем нет — я тебя домой отвезу, и надо будет по одному делу смотаться... А вечером, в спокойной обстановке...

— По какому делу смотаться? — удивился Обнорский, потому что ни в первый его приезд, ни во второй никаких «срочных дел» у Катерины никогда не возникало.

Андрей вообще считал, что Катя сидит в Стокгольме очень тихо, ни с кем не общается, мало куда ходит... Впрочем, стоит признать, что он сам никогда особо не интересовался ее делами — и времени не было, и вообще он считал, что Катерина сама расскажет ему все, что посчитает нужным... И тут вдруг — «дело», да еще возникшее в первый день его, Обнорского, появления в Стокгольме! Срочное, стало быть, дело... Андрей отнесся к ситуации весьма ревниво, как нормальный мужик-собственник, которому подсознательно хотелось, чтобы все «дела» крутились, в основном, вокруг его персоны — или хотя бы с учетом интересов означенной персоны...

— А что, у меня своих личных дел быть не может? — засмеялась Катя, снимая с сигнализации «сааб», ожидавший их в многоэтажном гараже перед пятым терминалом.

— Может, может, конечно, — согласился Обнорский, залезая в машину и хватая Катю за руку. — А ну, колись быстро, что за личные дела?

— Ой, да вы никак ревнуете? — Катерина прямо вся сияла, видя раздражение Андрея. Веселое ее настроение объяснялось просто — ревнует, значит... если и не любит, то, по крайней мере, не безразлична она ему, и то — хлеб...

— Ну и пожалуйста, — Серегин отпустил ее руки и откинулся в пассажирском кресле. — Может быть, мне вообще не стоило прилетать?

Катерина запустила мотор, выехала из гаража и, улыбнувшись, погладила Андрея по руке:

— Ну, не обижайся... Это — бизнес-дело, ничего особо личного... Просто компаньон мой попросил подъехать — он о чем-то посоветоваться хочет.

— Компаньон? Какой компаньон? Кать, кончай придуриваться, какой компаньон?!

Катерина удивленно пожала плечами:

— А я и не думаю придуриваться... Компаньон по фирме.

Обнорский помотал головой:

— По какой фирме? Ты толком можешь что-нибудь объяснить? Какая фирма? Какой компаньон?

Катя недоуменно улыбнулась:

— А что ты так разволновался-то? Есть здесь небольшая торговая фирма, в которой я имею долю... Точнее — Рахиль Даллет там долю имеет... Компаньон у меня швед, гражданин Швеции, но он — бывший русский швед, он из Союза сюда в восьмидесятых еще эмигрировал... Торгует фирма разными товарами, в основном продуктами питания... Дело идет неплохо, денежки капают... Что тебя так удивляет?

— А... — сказал Обнорский, доставая сигарету. — А собственно... А почему ты мне раньше ничего про эту фирму не рассказывала?

— Так ты и не спрашивал... — резонно заметила Катя, и на это возразить Андрею было нечего. Серегин помолчал немного, а потом спросил уже более спокойно — так просто, чтобы «прояснить ситуацию» до конца:

— А что там стряслось у твоего компаньона, что за срочная консультация?

— Не знаю, — ответила Катерина. — Он только что из Питера вернулся, по-моему, ему там какое-то предложение коммерческое сделали... Ну и — поскольку фирма наша общая — он хочет это предложение со мной обкашлять...

— Из Питера? — снова насторожился Обнорский. — А при чем тут Питер, Кать? Питер-то тут при чем?

Катя удивленно покосилась на Андрея и пояснила:

— Ну, как при чем? Фирма-то наша в том числе и с Россией торгует, поставки через Питер идут...

— Что?! — Серегин чуть не сожрал Катерину глазами. — Поставки через Питер? Продукты? Значит — поставки идут через Морской порт, так?

— Ну да, — дернула плечом Катя. — И через порт тоже... А что такое-то?

Обнорский даже застонал от негодования:

— То есть как это «ну и что»? Неужели не понимаешь? Я в прошлый раз чуть не свихнулся, устанавливая всех более-менее интересных фигурантов, так или иначе касающихся порта, а ты... У тебя, оказывается, есть своя структура, которая через этот самый порт гонит какие-то поставки, — и ты мне об этом ничего не сказала... Ты что — не понимаешь, насколько эта информация может оказаться важной?

— Не понимаю, — покачала головой Катерина. — Таких фирм, которые что-то в Россию через Питерский порт поставляют, — тысячи... Всех не упомнишь...

— Одно дело — чужие фирмы, и совсем другое — фирма своя... Ладно, Катя, давай не будем спорить и друг на друга наезжать — выяснилось и выяснилось, лучше поздно, чем никогда... Поставки продуктов, говоришь... Это интересно, это очень интересно... Здесь есть над чем подумать...

Обнорский закурил сигарету и уперся невидящими глазами в лобовое стекло. Его охватило странное возбуждение, какое-то предчувствие открытия, что ли...

Андрею казалось, что еще совсем чуть-чуть — и в голове его все-таки сложится комбинация, над которой он безуспешно бился уже несколько месяцев... Однако преодолеть это «чуть-чуть» пока все же не удалось — Андрея бросало то в жар, то в холод, он даже зубы сжал, пытаясь таким образом стимулировать работу мозга, но...

Добился Серегин только того, что у него вдруг разболелась голова, и Катерине пришлось заехать на ближайшую заправку — купить воды, чтобы Андрей смог запить таблетки... Впрочем, когда они добрались до дома, боль уже унялась, да и Обнорский малость поуспокоился. Катя даже не стала подниматься в квартиру — передала Андрею ключи, чмокнула его в щеку и сказала:

— Ну, сударь, ведите себя хорошо, ждите меня, а я постараюсь с Олафсоном все побыстрее утрясти...

Андрей уже собирался выйти из машины, но, услышав фамилию Катиного компаньона, замер:

— Олафсон? Фамилия твоего компаньона — Олафсон? Говоришь, он «русский швед»? А зовут его, часом, не Константином?

Теперь уже пришел черед Катерины округлять глаза:

— Константином и зовут... А откуда ты знаешь?

Серегин обалдело покрутил головой, хмыкнул и протянул:

— Господи, ну до чего же тесен мир! А наш Питер — так это вообще деревенька, где все друг с другом постоянно сталкиваются... Елки зеленые... Костя Олафсон — живая «легенда» универа, по крайней мере двух его факультетов... Катя, а Костя сейчас женат?

— Женат, — кивнула ничего не понимавшая Катерина.

— Женушку случайно не Ритой зовут?

— Ритой...

Обнорский хлопнул себя ладонью по колену и расхохотался:

— Ну, блин... Эта Ритка со мной вместе училась, на восточном факультете, чтоб ты знала... Там такая история была, умереть — не встать...

— Какая история?! — окончательно вышла из себя Катерина. — Можешь толково и быстро все объяснить? Я же опаздываю, а это в Швеции не принято...

— Ничего, — давясь смехом, ответил Андрей, доставая очередную сигарету. — Был бы твой компаньон настоящим шведом, а то — Костя Олафсон... Он поймет... Он сам был когда-то человеком крайне необязательным и при этом «напарил» очень многих приличных людей... Эта Рита-Маргарита, пардон, фру Олафсон, как я уже говорил, у нас на востфаке училась, причем происходила она из приличной комитетовской семьи — папаша у нее, по-моему, полковником был...

Собственно говоря, и дочке он комитетовскую карьеру прочил — если бы она, неблагодарная, не влюбилась в известного фарцовщика, а по совместительству студента филфака Костю Олафсона, который ее и сбил с пути и с панталыку... Кличка у Кости была — Сон, кстати. Этот Сон что умудрил: он надумал из Союза свалить — вместе с Ритой, но самих по себе их не выпускали. Так Костя выдал Риту замуж за какого-то иностранца, сам женился на доверчивой шведке — и привет, Россия! Спасибо за счастливое детство! В свое время эта история много шуму наделала — только потом уже все поняли, какой у Кости в башке гениальный план с самого начала был... А Рита как свою роль сыграла! Все же убеждены сначала были, что она замуж за дурака-датчанина по любви выходит... Папаша-комитетчик, говорят, перед дочкой на колени падал: «Не губи, родная, не выходи за супостата-капиталиста, меня же в дворники разжалуют, одумайся, доченька, зачем тебе мир наживы и чистогана?..» Ну, а потом, когда Костя и Рита эмигрировали по отдельности, — они развелись и воссоединились, и зажили мирно и счастливо... А еще они, оказывается, фирмочку с нашей Катей Званцевой открыли... Ну, тесен мир...

Катя задумчиво посмотрела на смеющегося Обнорского и покачала головой:

— Фирму они открыли не с Катей Званцевой и даже не с Рахилью Даллет... А с ее мужем — Аароном Даллетом...

Катерина замолчала. Она вспомнила Вадима Петровича Гончарова, вспомнила свои давние подозрения, что деньги за кордон Вадиму помогали перетаскивать люди из Комитета... Да и как иначе было объяснить то, что у Гончарова все получалось, — и деньги он вывез, и подлинными документами на другие имена обзавелся, и вопросы с недвижимостью за рубежом с легкостью решал... Это в советское-то время? Катя давно предполагала, что без людей «конторы» Вадим Петрович не обошелся... А теперь вот и Обнорский один интересный нюанс для размышлений подбросил: оказывается, у Кости, с которым Вадим когда-то совместную фирму открыл, тесть-то был комитетчиком... А может быть, «гениальный план» на раздельную эмиграцию вовсе и не в голове Олафсона сложился? Как знать, как знать... И не проявятся ли однажды реальные компаньоны покойного Вадима? Не предъявят ли они свои права на наследство Гончарова? Но серьезно обдумать эти варианты стоило, наверное, позже... Катерина нервно взглянула на часы и решительно сказала ушедшему в какие-то свои мысли Обнорскому:

— Андрей... Ты сейчас все-таки иди в квартиру — я постараюсь управиться побыстрее... А когда вернусь, поговорим... Наверное, пришла пора рассказать тебе поподробнее о... некоторых обстоятельствах из моей жизни... Ты о них не знаешь... Раньше я не решалась, да и не могла посвящать тебя в кое-какие нюансы... А теперь...

— Что-то изменилось? — улыбнулся Обнорский. Улыбка его была хорошей — доброй, понимающей, без оттенков ерничества или сарказма.

— Изменилось, — серьезно ответила Катя. — Конечно, изменилось... Я тоже о тебе многого не знаю, но... Ты перестал быть для меня чужим... Я тебе верю, Андрюша...

Она сказала все это спокойно и в то же время чуть ли не торжественно — так, что Обнорский даже смутился, а потому попытался спрятаться по привычке за иронию:

— Душевно вам признателен, не ожидал. Тронут. Ударным трудом постараюсь оправдать высокое доверие.

Андрей резко, по-офицерски, наклонил и тут же поднял голову и даже попытался щелкнуть каблуками — в сидячем положении. Катя не обиделась, что он так по-шутовски отреагировал на ее серьезное признание, — женское чутье помогло ей понять, что он просто-напросто растерялся, и не только растерялся, а и растрогался... Катерина снова глянула на часы и чуть ли не закричала в голос:

— Да вылезешь ты наконец из машины или нет?! Я русским языком тебе в сотый раз объясняю — времени у меня нет, я уже опоздала!!!

— Все-все-все, — засуетился Обнорский. — Ухожу-убегаю... Ой — самое важное забыл!

— Что еще?! — простонала Катя.

— Один поцелуй для солдата, девушка, — на дорожку...

Андрей умильно посмотрел на нее и, не дожидаясь согласия, поцеловал. А потом сразу выскочил из машины...

В Катиной квартире Обнорский распаковал свои вещи, пошлялся по комнатам, потом прилег на диван, но заснуть не смог — помешало непонятное возбуждение, предчувствие чего-то важного, что должно было произойти в этот вечер... Не зная толком, чем себя занять, Андрей вдруг решил приготовить ужин — он подумал, что Кате будет приятно вернуться к уже накрытому столу. Готовил Серегин, кстати говоря, неплохо — сказывалась йеменская и ливийская практика, да и российская холостяцкая жизнь привила определенные кулинарные навыки... Особо мудрствовать Обнорский не стал — приготовил салат из свежих огурцов и помидоров, нарезал хлеб, сыр, салями, пожарил картошку и поставил тушиться на медленный огонь размороженное в микроволновке мясо... Затем он тщательно сервировал стол, украсил его свечами, бутылкой красного вина и минеральной водой... Получилось неплохо — а тут и Катерина как раз вернулась. Она открыла дверь, сняла свое длинное светлое пальто и сразу же заторопилась на кухню.

— Ты, наверное, голодный? Сейчас я что-нибудь приготовлю...

— Давай-давай, — сварливо откликнулся Обнорский, хитро улыбаясь. — А то, понимаешь, шляется неизвестно где... Бизнес-леди... А дома — мужик некормленый-нетраханый... Феминистка...

Войдя на кухню, Катя ахнула и даже прижала руки к груди:

— Боже ты мой! Это... Это все ты сделал?

— Нет! — оскорбленно хмыкнул Серегин. — Девчонки из королевской столовой забегали — помогли...

— Боже ты мой! — Катя сияющими глазами посмотрела на довольного произведенным эффектом Андрея и, опустившись на стул, покачала головой: — Хочешь — верь, хочешь — нет, но мне в первый раз такое... Мне никто никогда...

— Ну что же, — светским тоном ответил Обнорский. — Приятно хоть в чем-то быть первым...

Он по-жлобски цыкнул зубом и еле успел увернуться от тапка, которым в него немедленно запустила Катерина. Тапок ударился о дверной косяк, а Серегин немедленно заголосил, воздевая руки кверху:

— Вот она!! Вот она — женская благодарность! Все видали?! Нет, все или не все? Люди, посмотрите на эту женщину! Ейный мужик тут с дороги надрывался, чтобы ее же ублажать-умилостивить, а она в него с порога, понимаете ли — тапкой... Два мира — две демократии... Бизнес-леди!!

Последние слова Серегин произнес как ругательство, с непередаваемым презрением. Катя засмеялась:

— Ну, я же не попала...

— А если бы попала? А вдруг — попала бы в голову?! Это ж надо: в живого человека — тапкой! Нет чтобы...

— Чтобы «что»? — спросила Катя, лукаво улыбаясь. — Имеете просьбы, пожелания? Просите смело, сударь, заслужили...

— Ага, — Андрей сразу сменил кликушеский тон на деловой. — А что просить можно?

— Все, что угодно! — величественно повела рукой Катерина.

— Угу, — сказал Обнорский, почесал нос и тут же выдал: — Ну, раз такой нам шансец выпал — тогда... Тогда... Тогда — я хочу стриптиз!

— Что? — растерялась Катя. — В каком смысле?

— В прямом! — отрезал Андрей. — В смысле эротического раздевания под музыку на глазах у благодарного зрителя, то есть — меня...

У Катерины зааелели щеки, и она заерзала на стуле:

— Что, вот так вот — сразу?

— Ну, можно и не сразу, — великодушно разрешил Обнорский. — Но желательно сегодня... Кстати — вас ведь, барышня, никто за язык не тянул — сами предложили просить все, что угодно...

— Но стриптиз-то я в виду не имела, — попыталась оправдаться Катерина.

— Поня-ятно, — протянул Андрей с таким видом, будто он и не ожидал ничего другого. — Понятно, понятно... Это очень по-русски — сначала обещать все, что угодно, а потом — в кусты... Это в нашей традиции... Знаешь, есть такой исторический анекдот про твою тезку, Екатерину Великую. Анекдот ужасно грубый — но он очень в тему, поэтому я его все-таки изложу. Один из фаворитов Екатерины, выходя как-то утром из спальни императрицы, будто бы сказал с горечью: «Когда Их Величество ебут — Оне города дают... А утром деревни не допросишься...»

Второй запущенный в него тапок Андрей перехватил рукой. Катя смерила его ледяным взглядом, пряча смешинки на самом дне своих зеленых глаз, и бросила:

— Смею заметить, сударь, что вы не в казарме находитесь! Что-то вы, офицерик, распоясались совсем — то вам стриптиз подавай, теперь вот выражаться срамно начали...

— Нет, я все-таки не понимаю, — возмутился Обнорский. — А что я такого неприличного попросил? Я свою же женщину, которая мне безумно нравится, попросил раздеться — что ж в этом такого развратного-то, а? Я же не к тете Мане с этим предложением обратился?!

— Ладно! — махнула рукой Катя. — Задушил насмерть... Вот ведь — как репей просто... Будет тебе стриптиз, будет... Прости, Господи, меня, грешную...

— Ура, — удовлетворенно сказал Обнорский и сел, сложив руки на столе, как пай-мальчик из первого класса...

Лишь когда они начали ужинать, Серегин спросил о том, о чем хотел спросить с того самого момента, когда Катя вошла в квартиру, он просто скрывал свое нетерпение за шуточками-прибауточками:

— Катя... Ты с Олафсоном поговорила? Что у него там за предложения?

Катя вздохнула и улыбнулась чуть грустной улыбкой человека, которому очень не хотелось переключаться на неприятные темы, но который все понимает — надо переключаться, надо:

— Предложения... Предложение сделали ему — в Питере... Любопытное предложение... В общем, дело обстоит так. Костю разыскал некто Назаров Аркадий Сергеевич — оперативник ФСК из Водного отдела — Олафсон давно был с ним знаком, еще по каким-то прошлым делам... Этот Назаров, по словам Кости, сам по себе мужик достаточно порядочный, «неберучка»... Но он предложил свести Костю с руководством некоей фирмы «ТКК» — мы с тобой о ней говорили, помнишь? — таможенные перевозки, склады временного хранения, декларирование и все такое... Так вот — Назаров сказал Олафсону, что если тот начнет гнать товар через «ТКК», то это будет намного выгоднее для Кости...

Обнорский хмыкнул:

— «Неберучка», говоришь? Оно и видно... Кристальной души человек... А какой ему смысл в интересах Кости и «ТКК» телодвижения совершать? Альтруизм? Гуманитарная помощь? Чисто человеческая доброта? Комитетовские майоры — они такие, сплошь добряки-филантропы...

— Этот Назаров — он через год увольняться думает, — пояснила Катя. — Видимо, зарабатывает себе место то в «ТКК». В этой фирме — там ведь одни чекисты и таможенники...

— Да я понял, понял, — зло усмехнулся Серегин. — Всегда приятно столкнуться с проявлением подлинного бескорыстия... «Неберучка»... Этот Назаров — он не оригинален, в России давно так: «нечестные» чиновники берут по-простому, деньгами, а «честные» — это которые с совестью, с духовностью и тонкой внутренней организацией — норовят «борзыми щенками» получить в их разных вариациях, а деньгами они брать стесняются...

Катя склонила голову к правому плечу:

— Сказано в Писании: «Не судите, да не судимы будете»... Я комитетчиков не люблю — сам понимаешь, но объективности ради стоит признать: служивым людям сейчас тяжело, на жалованье просто не прожить, семью не прокормить... А уж на пенсию — не прожить тем более... Вот они и ищут «приработков»...

— Приработки бывают разные, — не согласился Обнорский. — Одни, когда денег не хватает, идут вагоны разгружать, а другие — «борзыми щенками» балуются.

Катя посмотрела на Андрея с иронией и скрестила руки на груди:

— И как ты думаешь, после ночных разгрузок вагонов — много ли человек днем на своем основном месте наработает? Я уж не говорю про то, что не у всех здоровья хватит — в грузчики идти... .

Серегин разозлился окончательно:

— Знаешь что? Ты... Если офицеру контрразведки совсем невмоготу на зарплату жить, пусть тогда погоны снимает и становится вольным стрелком — это честнее как-то, чем одновременно и Богу, и Маммоне служить... А с такой логикой, как у тебя — вот именно с ней все органы и разложились на корню. Начали с пониманием относиться к житейским трудностям друг друга...

Кате ясно было, чем возразить Обнорскому, но она не стала обострять спор, увидев, как заходили желваки на скулах Андрея. В конце концов, нормальная женщина должна гасить конфликты в своем доме, а не раздувать их.

— Пусть так, — сказала Катя и продолжила свой рассказ: — Короче говоря, Назаров свел Олафсона с Бурцевым, генеральным директором «ТКК»... А потом уже состоялась еще одна встреча, в которой участвовали Олафсон, Бурцев и представитель рынка на Апраксином дворе... Эта «сладкая парочка» предложила Косте «сладкую тему» — Олафсон поставляет в Россию крупную партию «Абсолюта», который реализуется через «Апрашку»... Барыши могут быть сказочными... И я так думаю — они еще не все пока Косте сказали... Эта фирма «ТКК» — она «хитрая», они могут вариант предложить, чтобы не платить пошлин и сборов. Схема не новая — «недоставку» мы проходили...

У Обнорского загорелись глаза — он схватил Катю за руку и выдохнул:

— А ты? Ты что ему сказала? Как он сам на эту тему смотрит?

Катя в легком недоумении от возбужденности Андрея ответила:

— Олафсон «стремается» немного — ему и хочется, и колется... Риск все-таки присутствует небольшой... Он поэтому и хотел со мной проконсультироваться, чтобы не брать на себя полностью ответственность за решение... А я ему сказала, что это дело надо обдумать, что ответ я ему дам завтра...

— Молодчина! — Андрей выскочил из-за стола и забегал по кухне. — Молодчина, Катя!

Обнорский остановился, взъерошил волосы, улыбнулся чему-то, прикрыв глаза, а потом снова сел и, словно не веря самому себе, сказал:

— Все... Ты понимаешь, Катька, — все... Замкнулось...

— Что замкнулось? — обеспокоенно спросила Катерина, которой показалось, что у Серегина слегка «сдвинулась крыша». Андрей ее взгляд понял правильно и раскаялся:

— В голове у меня все «замкнулось» — наконец-то... Комбинация сложилась, Катюша... Все-таки я ее сочинил...

— Какая комбинация?

— Наша комбинация, Катя, наша...

Обнорский снова вскочил, убежал в комнату, притащил оттуда несколько листов чистой бумаги и, сдвинув в сторону тарелку с недоеденным ужином, разложил их на столе. Выудив из кармана рубашки ручку, Серегин немедленно принялся вычерчивать на бумаге какие-то геометрические фигурки, при этом он что-то бормотал себе под нос — то ли разговаривал сам с собой, то ли мурлыкал какую-то песенку... Катя смотрела на него с опаской — Обнорский и впрямь походил на малость тронувшегося, успокаивало только то, что выражение лица у него было не агрессивным, а одухотворенным — как у композитора, в голове которого только что сложилась мелодия...

— Ну-с, — через несколько минут сказал Андрей. — Более не менее, как говорят в Одессе... Более не менее...

— Может, ты и меня посвятишь, на всякий случай? — поинтересовалась несколько задетая Катерина. Ее всегда раздражало, когда Серегин, уходя мыслями куда-то далеко, переставал напрочь замечать все вокруг — и ее, Катю, тоже...

— Конечно, Катюшка, конечно! — Обнорский был доволен так, будто только что выиграл в лотерею автомобиль. — Без тебя мне — никак, хорошая моя... Смотри, что получается: из Швеции идет в Питер груз, с которого хотят серьезно подхарчиться бывшие комитетчики из «ТКК» и ребятки из «Апрашки»... Если ты окажешься права и насчет недоставки — то груз к тому же будет «левым». На этот же груз завязывается интерес и действующего опера из ФСК — а я даже думаю, что на самом деле он не единственный действующий комитетчик в этом раскладе... Комитет сейчас «крышует» вовсю — как и РУОП с ОМОНом, как и другие менты... Теперь прикинь, что будет, если информацию об этом грузе скинуть заранее, «втемную», через моего человека — тому же Плейшнеру? Если он не совсем дурак, то он за эту информацию уцепится обязательно и попытается груз с... э-э... схитить... А если он совсем дурак — то ведь рядом с ним светлая еврейская голова гражданина Гутмана... Понимаешь?

— Не совсем... — наморщив лоб, честно призналась Катя.

— Ну что же тут непонятного! — воскликнул Обнорский с удивлением и некоторой досадой — как режиссер, чью «гениальную» мизансцену недооценил туповатый зритель. — Мы инициируем похищение груза Плейшнером... Плейшнер наверняка поделится темой с Антибиотиком, и — тут я не я буду, если Палыч не постарается свою долю урвать — скорее всего он наложит лапу на реализацию водки, заберет ее на подконтрольные ему склады. Ты мне как-то рассказывала нечто похожее... А дальше мы сливаем в «ТКК» информацию, что водку сгрябчил Плейшнер... Заметь — если груз сопрут, то в «ТКК» ведь настоящий траур начнется... Ну и все — дальше пойдут разборки, и пойдут они не по легальному пути, потому что у «тэкакашников», как мы предполагали, у самих рыла в пуху будут... Грубо говоря, мы просто стравливаем комитетовскую крышу с плейшнеровской командой, а следовательно — и с самим Палычем... Дальше пойдет такая бодяга... Будь уверена — за сладкий кусок Палыч грызться начнет, а комитетчики тоже своего отдавать на захотят... Тут ведь закон простой: если тебя раз «нагнули», а ты не ответил, потом все время иметь будут... Так что ни Палыч, ни комитетчики уступать не захотят... Понимаешь?

— Понимаю, — медленно кивнула Катя. — А почему ты думаешь, что Плейшнер захочет с этой темой связываться? И где гарантии, что он сумеет груз по чистому увести?

— Полную гарантию дает только страховой полис, как Остап Бендер говорил, — ответил Андрей и закурил сигарету. — Но шансы на то, что все пойдет именно так, а не иначе, достаточно высоки... Плейшнер, может быть, и побоялся бы украсть у «тэкакашников» честный груз — а «левый», он «левый» и есть... Вор у вора дубинку с удовольствием украдет — потому что тот официально жаловаться не будет... Что же касается того, как чисто технически выкрасть эту водку, — я не думаю, чтобы тут большие проблемы возникли... При том бардаке, который сейчас в порту... Ты же сама мне рассказывала, как пацаны вообще внагляк с контейнерами через ворота прорывались — помнишь? Ты еще говорила, что все «складские расходы» тогда в тонну баксов уложились — на погранцов и таможенников... Так?

— Да так-то оно так, — повела головой Катя. — Но... Понимаешь, прогнозировать решение других людей заранее трудно...

— Конечно, трудно, — согласился Андрей. — А кто говорил, что будет легко?

Катя подумала немного и задала новый вопрос:

— А как ты собираешься «инициировать» похищение груза Плейшнером — так, чтобы тот ничего не заподозрил?

Обнорский сморщил нос, посопел, посопел и наконец ответил неохотно:

— Есть кое-какие подходы... У меня имеется неплохой контакт с одним человеком, с одной... Короче — она проститутка, «портовая бригада» ее «крышует», но дело не в этом, дело в том, что на нее сам Плейшнер «запал». Он мало того что трахает ее постоянно всяко-разно, так еще и требует от нее разных «наколок» на интересных клиентов... Замучил девку до полусмерти, сволочь, заездил совсем... Она бы и бежать в другой город рада — да денег нет на новую жизнь... Если мы ей выделим некую сумму на обзаведение (я, кстати, предварительный разговор с ней имел, «обставился», намекнул, что ей может какой-нибудь благотворительный западный фонд помочь), она может базовую информацию Плейшнеру скинуть... Скажет, что у какого-нибудь клиента бумаги сперла или еще что-нибудь, детали, конечно, нужно продумать... Если Плейшнер тему закусит, мы помогаем девчонке уехать, и все — этот конец обрубается...

— Интересно, — сказала Катя, нервно закуривая. —
И насколько же плотный у тебя контакт с этой... гм...
девушкой?

Серегин несколько секунд тупо смотрел на Екатерину, а потом развел руками и проникновенно сказал:

— Катя...

— Что Катя? Я уже... уже много лет — Катя...

— А с виду я бы и не сказал, что много, — попытался «подлизаться» Андрей и вздохнул. — Контакт с
этой девушкой у меня хороший, но рабочий... То есть
я с ней не сплю и никогда не спал, если тебя это
интересует.

— Меня?!

— Тебя, тебя... Чтоб ты знала — с источниками
информации никогда нельзя переходить определенную
грань... Это — первое... А второе... Ты уж меня извини, но мне, наверное, чисто психологически было бы
тяжело переспать с проституткой... А тем более — с
любимой проституткой Плейшнера... Это-то, надеюсь,
понятно?

— Да ради Бога! — горячо и невпопад ответила Катерина. — Меня твои питерские похождения абсолютно не волнуют.

«Оно и видно!» — хотел было съязвить Обнорский,
но вовремя прикусил язык. К чему дразнить и так уже
раздразненных гусей?

— В общем, через эту девушку мы все исходные данные запустить Плейшнеру сможем, — спокойно продолжил Серегин. — А потом она уедет... Использовать ее,
конечно, лучше «втемную» — чтобы всем спокойнее было. Допустим, я объясню ей мотивировку слива так: мне,
мол, очень хочется нагадить фирме «ТКК», потому что у
меня с ней личные счеты имеются... Якобы мой интерес — просто тэкакашников опустить слегонца...

Катя с сомнением покачала головой:

— Если все пойдет сначала так, как ты говоришь,
если «ТКК» все же предложит Косте сделать груз
«левым», если Плейшнер водку украдет — потом все
равно начнутся поиски концов... Причем искать будут
и комитетчики, и люди Палыча... Если начнется вой-
на — всем будет небезразлично, как именно так получилось, что она началась... Даже если эта твоя...

девушка исчезнет, то поиски источника утечки могут привести к нашей фирме — по методу исключения хотя бы...

— Согласен, — наклонил голову Обнорский (у Кати дрогнули глаза, она вдруг заметила, сколько новых седых волос появилось в его шевелюре). — Согласен, Катя... Так вот — чтобы на вашу фирму не думали плохого, она должна предложить такие условия поставки, при которых ей крайне невыгодны любые сбои в оговоренной с «ТКК» схеме... Понимаешь? При хищении водки Плейшнером больше всех должна пострадать именно шведская фирма — кто же будет подозревать в организации «запутки» того, кто больше всех в результате этой «запутки» потерял? В этом мире не принято кидать самого себя — так ведь? Следовательно, ваша фирма попадет в категорию терпил безответных...

Катерина встала, прошлась по кухне, подошла к окну, закурила, потом снова покачала головой:

— Олафсон не пойдет на рискованную сделку — он деньги считать умеет... Костя человек хозяйственный и бережливый, я не смогу уговорить его рискнуть капиталами фирмы. Тем более что речь идет об очень крупной сумме...

Андрей будто ждал этого возражения:

— А тебе и не надо уговаривать Костю вписать в этот блудень деньги вашей фирмы... Надо сделать так, чтобы у Олафсона тоже душа спокойна была, чтобы он чувствовал себя полностью уверенным и защищенным... Что я предлагаю? Ты завтра съездишь к Косте и изобразишь из себя жадную дуру.

— Я?!

— Ты, Катюша, ты... Если постараешься — получится... Как говаривал старик Ришелье, пытаясь стырить подвески у королевы Анны: «Это нужно не мне, это нужно Франции»... Ты сделаешь вид, будто предложение тебя безумно заинтересовало — настолько, что ты готова вложить в сделку свои собственные деньги... Понимаешь? Не деньги фирмы, а твои личные сбережения... А Косте ты предложишь сорок процентов от будущей прибыли — за его работу, за то, что тему он нарыл... То есть Олафсон, ничем не рискуя, получает солидный куш в том случае, если все пройдет хорошо... Это даст ему необходимое душевное равновесие, азарт. И вообще, он будет действовать так, что никто в «ТКК» даже не подумает его в чем-то заподозрить, — он ведь не станет в Питере говорить, что закупает здесь водку не за свои кровные деньги. Ты тоже останешься вне подозрений — потому что рискуешь больше всех в финансовом плане... С этой точки зрения именно по методу исключения ты будешь чиста — даже если кто-то в своих проверках и дойдет до несчастной еврейки Рахиль Даллет, вложившейся сдуру в проект... И потом, если все же наша задумка осуществится, — в Питере завертится такая карусель, что на серьезные проверки у желающих может просто не хватить времени... Мы же тоже не будем сидеть сложа руки, надо будет по обстановке ориентироваться и действовать... Обладая изначальной информацией о подноготной этой сделки, мы сможем в нужное время подтолкнуть обе стороны конфликта к каким-то шагам... В конце концов, если Палыч через Плейшнера заглотит наживку, можно будет и правоохранительные органы активизировать... Мы должны стать невидимками, призраками, о которых никто не знает, но которые способны реально влиять на расклад... Конечно, сейчас невозможно в деталях спрогнозировать, как именно будет развиваться ситуация... Мы можем вычислить только вероятное направление ее развития... Кстати, я убежден, что если только конфликт между Палычем и комитетчиками проявится в каких-то жестких формах — немедленно активизируются дополнительные силы, и в игру войдут новые участники...

— Что ты имеешь в виду? — спросила Катя, не успевая за «полетом мысли» Серегина. Андрей пояснил:

— Слабость империи Антибиотика в том, что далеко не все в ней любят императора и желают ему долгих лет жизни и правления... На определенном этапе развития в любой империи центробежные силы начинают превалировать над центростремительными, — это я тебе говорю как историк... Молодежь всегда дышит в затылок старикам — стало быть, и в нашем конкретном случае вполне допустимо предположить, что какой-нибудь молодой «фаворит» захочет воспользоваться случаем и ударит императора в спину — а потом все будет списано на внешних врагов... Нет ничего нового под солнцем, зато есть общеисторические закономерности... И кто умеет их высчитывать — тот может моделировать развитие ситуаций...

Обнорский говорил очень вдохновенно и убежденно, но по лицу Катерины было видно, что она по-прежнему сомневается в успехе предложенного плана, — это подтвердил ее очередной вопрос:

— А если Плейшнер все-таки не захочет или не сможет украсть водку? Тогда что? Знаешь — задумывается все всегда красиво, а в жизни такие нестыковки начинаются... Из-за любой мелочи самый гениальный план может рухнуть — и чем сложнее план, тем больше может быть таких непредсказуемых мелочей... Все предугадать невозможно...

Обнорский устало закрыл глаза и начал массировать веки пальцами. После небольшой паузы он ответил:

— Если Плейшнер не клюнет, тогда в результате «левой» поставки «Абсолюта» ты, Костя Олафсон, ребята из «ТКК» и деятели с «Апрашки» получат большие деньги... Всем будет хорошо и здорово, кроме напаренного в очередной раз государства... Ну, а нам с тобой в этой ситуации придется выдумывать что-нибудь еще... Понимаешь, Катя, изъяны можно найти, при желании, в любом плане. Более того, их надо искать, чтобы вовремя исправить, что можно... Когда начинаешь что-то делать — никогда нет стопроцентной гарантии успеха, но зато когда ничего не делаешь, вот тогда стопроцентная гарантия есть. Гарантия недостижения цели... Выбор, по-моему, очевиден... Так?

— Так, — согласно кивнула в ответ Катя. — Я... Ты прав — надо действовать... Я поговорю завтра с Олафсоном... А сейчас — пойдем в комнату...

— Зачем? — удивился Обнорский, машинально почесывая шариковой ручкой лоб.

— По-моему, кто-то здесь стриптиз заказывал? — ответила ему таким же удивленным взглядом Катя.

Обнорский очнулся от воспоминаний резко — будто кто-то толкнул его в плечо. Господи, неужели он умудрился задремать в этом «черном мешке», куда его запихнули неведомые умельцы-похитители? Похоже, что так... Вот и не верь после этого рассказам про то, что некоторые приговоренные к смерти засыпали в ночь перед казнью... Странные все-таки фортели выкидывает иногда человеческая нервная система...

Андрей вскочил на ноги и заметался по своей тюрьме — кто же его все-таки похитил, кто?! Скорее всего — тэкакашники, учитывая вечерний разговор с Назаровым, это, конечно, наиболее вероятный вариант... Обнорский глухо выругался вслух — да, смудаковал он тогда с этим звонком майору. Не нужно было его делать... Да теперь-то жалеть уже поздно...

Когда комбинация с «Абсолютом» начала развиваться именно так, как и задумывал ее Обнорский с самого начала, — в душе Андрея стало происходить черт знает что... Он ведь понимал, что с точки зрения нормальной человеческой нравственности весь его план более чем спорен... Одно дело — теоретические построения, и совсем другое — когда эти построения начинают претворяться в жизнь, когда приходит осознание невозможности остановки уже запущенного безжалостного механизма...

Когда план еще только выстраивался, еще в Стокгольме Катя спросила как-то Андрея:

— Слушай... Ты извини, вопрос, конечно, дурацкий, но... Тебе не жалко этих комитетчиков? Ты же сам понимаешь — если все пойдет так, как ты задумал, тогда и стрельба может начаться, и кровь польется...

— Жалко — оно у пчелки! — Андрей ответил, наверное, излишне резко, — именно потому, кстати, что сам себе постоянно задавал тот же самый вопрос.

Серегин нашел ответ на этот страшный вопрос и даже подробно продекларировал его позднее Кате — хотя на самом-то деле Андрей старался убедить не ее, а самого себя, убедить именно в нравственной правомочности своей комбинации...

— Ты пойми, Катя, — говорил Серегин, расхаживая по кухне стокгольмской квартиры, — кто изначально предложил идею «левой» сделки? Мы? Нет, не мы... Эти самые комитетчики ее и предложили... Они сознательно пошли на преступление ради своих корыстных интересов. А раз так — то почему их надо жалеть? Только потому, что у людей не получилось все так, как они хотели бы? Но они — уже взрослые мальчики, играющие во взрослые игры... Они сами свою судьбу выбрали... Были бы они чисты и непорочны — никаких таких раскладов у них и не возникло... И потом — комитетчики по жизни с бандюгами воевать должны, им это по судьбе положено. А сами не хотят воевать — значит, их к этому подтолкнуть надо.

Обнорский говорил убежденно, но грыз, грыз его червь сомнения — все так, не ангелы эти комитетчики, но имеет ли он, Андрей Серегин, право ломать их судьбы?.. Это же все-таки живые люди... Пока — живые...

Сначала вся операция шла как по нотам, прошла пробная поставка, потом Людмила Карасева прекрасно справилась с отведенной ей ролью и передала Плейшнеру бумаги по поставке «Абсолюта». Сам Некрасов, кстати, «наколку» не оценил, но ею сразу заинтересовался Гутман — так, по крайней мере, рассказывала Мила... Андрей поблагодарил проститутку за помощь, а через несколько дней передал ей пятьдесят шесть тысяч долларов с липовым письмом от несуществующего шведского благотворительного фонда «Анонимные проститутки — путь в новую жизнь». Людмила была просто в шоке — она, конечно, не верила в какую-то реальную помощь с Запада, а поручение Обнорского согласилась выполнить просто так, не по корыстным, а по человеческим мотивам... Андрей же постарался максимально запутать Карасеву — так, чтобы она не связывала выполненное ею поручение с полученной помощью от «благотворительного фонда»... Обнорский заставил Милу поклясться, что она в ближайшие дни уедет навсегда из Петербурга, а потом, когда устроится на новом месте, — даст о себе знать... Из своей питерской квартиры Мила действительно исчезла, но весточки от нее Андрей так и не дождался, с течением времени его все больше и больше беспокоило это обстоятельство, и он не раз и не два пожалел, что лично не проконтролировал отъезд Карасевой, — сделать это ему помешала нехватка времени... Если бы только Серегин знал, чем обернется это его упущение, если бы он только знал... Но Обнорский понадеялся на здравый смысл Милы — понадеялся и просчитался...

А потом он допустил еще одну ошибку, — ею стал его звонок майору Назарову с предупреждением о контролируемости поставки «Абсолюта»... В этом случае у Серегина просто сдали нервы — он ведь был просто-напросто человеком, а не безжалостным, лишенным эмоций киборгом... Дело в том, что Обнорский осторожно навел справки об Аркадии Сергеевиче — и от всех своих источников получил одни только положительные отзывы о майоре. По всему выходило, что Назаров был всю жизнь честным служакой, сломавшимся лишь под конец карьеры... Андрей хорошо понимал, что если придуманная им «карусель» завертится — тогда майору, скорее всего, придется очень несладко... Он окажется между двух огней. С одной стороны, рано или поздно вся история выплывет на поверхность и заинтересует коллег Назарова, с другой стороны — на него будут «косяк вешать» ребята из «ТКК» за найденную тему, обернувшуюся большими проблемами...

Обнорский весь извелся, думая о практически незнакомом ему комитетчике, — и в результате сорвался, позвонил... С Катериной этот звонок-предупреждение согласован, естественно, не был. Андрей просто-напросто хотел дать майору последний шанс... Именно поэтому Обнорский и намекнул в телефонном разговоре на то, что коллеги Назарова из ФСК знают о левой поставке и контролируют ее... Серегин рассуждал так: либо Аркадий Сергеевич воспользуется брошенным ему спасательным кругом и успеет что-то предпринять (поговорит, например, с руководством «ТКК», чтобы оно срочно переоформило сделку из левой в легальную), либо... Либо этот анонимный звонок просто внесет еще большую путаницу в последующие попытки тэкакашников разобраться в ситуации, а следовательно — еще больше осложнит поиск реальных виновников возникшей непонятки... Намудрил, конечно, Обнорский, намудрил... Впрочем, в этой истории с «Абсолютом» ошибки совершали все подряд — и не сказать ведь, чтобы ошибающиеся были людьми глупыми или неопытными.

О том, что похищение контейнеров с водкой все же состоялось, Обнорский узнал быстро — от своих источников в порту, где новость очень «широко разлеталась по очень узким кругам». Дальше следовало сделать только одну простую вещь — позвонить генеральному директору «ТКК» Бурцеву и кивнуть на Плейшнера... А потом нужно было ждать и отслеживать развитие ситуации, потому что детонатор сработал — и цепную реакцию уже, наверное, не мог остановить никто... Она и пошла, эта цепная реакция, — Обнорский собирал всю криминальную информацию по городу, отфиксировал и смерть сотрудника «ТКК» Гришина (Андрей, как и многие другие, даже мысли не допустил о том, что его гибель была случайной), и последующее исчезновение Плейшнера, и покушение на Антибиотика, и убийство Бурцева... Что Обнорский испытывал в душе — об этом, наверное, лучше вообще не говорить... Андрей просто ел себя изнутри — плохо ему было, муторно... Время от времени он звонил Катерине и информировал ее о новостях, — Катя по голосу Серегина чувствовала, что с ним творится что-то неладное, она пробовала его морально поддержать, даже захотела приехать в Питер. Но тут уж «уперся рогом» Обнорский. Он заявил, что ее задача — сидеть в Стокгольме и «держать базу», которая может понадобиться на случай возможного экстренного ухода из Петербурга...

После разговора с Назаровым Андрей решил, что его раскрыли, и собирался срочно вылететь в Стокгольм — но перед бегством нужно было запустить последнюю фазу комбинации. Обнорский позвонил Никите Никитичу Кудасову, начальнику пятнадцатого отдела РУОПа, и договорился с ним о встрече на Сенной — там он собирался передать своему другу весь расклад по последней в городе мясорубке... Единственное, чего Андрей делать не хотел, — это светить Катерину и ее роль во всей этой истории... Обнорский придумал красивую легенду о том, как попала к нему информация... Встретиться же именно на Сенной Серегин предложил потому, что именно там, в комнате коммунальной квартиры дома номер 2 по Московскому проспекту (откуда Андрей и Катя видели гибель старика Кораблева в ноябре 1993 года), хранил он свои записи и досье... Собственной квартире и рабочему кабинету Обнорский не доверял уже давно.

Договорившись о встрече с Кудасовым, Серегин сделал еще один звонок — он анонимно сообщил по «02» о готовящихся взрывах на двух складах и указал «мотивацию»: дескать, взорваны склады будут потому, что на них находится украденный «Абсолют»... Конечно, никаких бомб на этих складах не было... Более того, и насчет ворованного «Абсолюта» Андрей точной информацией не располагал... Просто два склада — бывшая овощебаза в Калининском районе и коммерческое хранилище рядом с мясокомбинатом у Московского проспекта — были названы в свое время Катериной как «доверенные склады» Антибиотика, — предположительно, именно на них могли разместить на отстой украденную водку. В преддверии Игр Доброй Воли, которые должны были проводиться летом 1994 года в Петербурге, любой звонок с угрозой взрыва должен был тщательно отрабатываться, — а при поиске взрывных устройств не нужно получать специальных санкций на осмотр помещений...

«Под сурдинку» должна была сработать и информация о ворованной партии водки — если она действительно находится на одном из двух «заминированных» складов... Если «левая» партия «Абсолюта» будет обнаружена, тогда... Тогда за эту нитку можно тянуть дальше — и она может привести к Антибиотику. И — вот вам, пожалуйста, мотив заказных убийств Гришина и Бурцева... Впрочем, детально продумать дальнейшее развитие комбинации Обнорский уже не успевал — он рассчитывал, что эту работу проделает Никита. Хотя, честно говоря, Андрей затруднялся прогнозировать реакцию Кудасова, когда тот узнает о его «партизанских» действиях... Серегин предполагал, что начальник пятнадцатого отдела, скорее всего, страшно разозлится на него... Уверен Обнорский был только в одном — Никита никогда его не выдаст.

Но встреча с Кудасовым не состоялась — Андрея похитили... Ему не хватило всего пары часов... Как глупо все получилось...

Серегин еще раз обошел по периметру свою «тюрьму», ощупал стены руками и сжал зубы, пытаясь противостоять заползавшему в душу отчаянию.

«А может, это меня Бог наказывает? — пришла ему в голову мысль. — Может быть, это воздаяние за все, что я устроил, за все эти смерти?.. Оно, конечно, погибшие сами выбирали свою дорогу, но ведь я тоже приложил руку к тому, чтобы все вышло именно так, а не иначе? Да, я хотел уничтожить смрадного гада, но... Благими намерениями, говорят, дорога в ад вымощена...»

Андрея зазнобило от этих размышлений — они отнимали силы и желание сопротивляться... С огромным трудом Обнорский заставил себя прекратить бесполезные нравственные терзания и начать думать о вещах сугубо практических: рано или поздно его все-таки должны были вынуть из мешка — и к этому нужно было приготовиться заранее...

Андрей не строил никаких иллюзий относительно ожидавших его перспектив. Кто бы его ни похитил — люди Палыча или комитетчики, — в любом случае будет жесткий допрос, а когда из него выдернут всю информацию — тогда... Тогда понятно что — пуля в затылок или удавка на горло... Комитетчики в данном случае заинтересованы в сохранении жизни опасному свидетелю ничуть не больше Антибиотика.

«Так, — сказал Обнорский сам себе и несколько раз быстро сжал и разжал пальцы рук. — Так, спокойно... Без паники... Дела говенные, но пока-то я еще жив... И руки-ноги целы... Пока... После допроса состояние здоровья может резко измениться... Стало быть — нужно попробовать бежать перед допросом... Шансов мало, но попытка не пытка, как товарищ Берия говаривал... Терять мне нечего... Знать бы еще, где нахожусь... Эх, бля... Спокойно, спокойно... Так — а ведь я совсем забыл: Катька же должна позвонить Никите, если я не прилечу в Стокгольм. Она предупредит его, что я — в жопе... Вот именно — предупредит... Самолет-то в Стокгольме еще, наверное, не сел — не сутки же я здесь парюсь... Пока то да се... Нет, Никита ничего не успеет... И время тянуть очень опасно... Если они начнут допрашивать правильно, с применением всех средств и методов воздействия, — тогда...

Нет, надо бежать — пытаться прорваться сразу же, как из ямы вытянут... Я расслаблю их, кину „отвлекушку", разыграю слизняка... А потом... Потом — как Бог даст...»

Внезапно что-то в окружавшей Обнорского черноте изменилось — нет, света не прибавилось, но по воздуху, казалось, прошли какие-то колебания, какие-то глухие звуки донеслись сверху. Серегин напрягся — там, наверху, похоже, кто-то ходил или топтался... Послышались приглушенные голоса, а потом вдруг в темноту «мешка» хлынул ярчайший свет — «тюремщики» открыли люк, в который давеча сбросили Андрея... Наверное, свет был не таким уж и ярким, но он ощутимо ударил Обнорского по глазам — так оно всегда бывает после длительного пребывания в полной темноте. Серегин непроизвольно зажмурился, отшатнулся к стене и попытался защититься от беспощадного света выставленной вперед и вверх ладонью... Наверху заржали.

Андрей ничего не ответил, сосредоточенно моргая и привыкая к свету. Его начала пробирать мелкая дрожь — как когда-то давно на соревнованиях, перед первой схваткой.

— Слышь, ты там че, спишь, что ли? Подъем, бля! Вылазь, базар к тебе имеется... Слышь, нет?..

Сверху сбросили короткую веревочную лестницу — Серегин присмотрелся и увидел, что его тюрьма была не такой уж и глубокой — метра три от силы... Стараясь, чтобы его голос звучал как можно более жалко, Андрей ответил:

— Я... я не сплю... Я сейчас, я быстро... Пожалуйста...

Серегин вышел в поток света, суетливо схватился за перекладину лестницы, полез наверх, но запнулся и упал, что вызвало наверху новый взрыв веселья:

— Гля, писарчук-то еще и летать умеет, сука сраная! Очко-то не железное, играет поди...

— Э, козлевич, че ты дергасси, вылазь, гондурасина!

«Плохо, — подумал Андрей. — Очень плохо... Их там наверху много... И судя по базару, это не комитетчики, а бра타ны... Хотя — разве братаны не могут потрудиться на конторских? Или — конторские разве не могут закосить под братанов? Все равно надо пытаться сваливать сразу, как только вылезу... Пусть поржут, это хорошо, веселье, оно расслабляет...»

Серегин с громкими стонами и даже с привизгиванием поднялся с пола, снова уцепился за лестницу и медленно полез наверх. Как только его голова показалась в квадратном люке, какой-то здоровяк в зеленых хлопковых штанах и в зеленой же рубахе схватил Андрея за уши и поддернул вверх:

— Гоп — с приездом, милый Маша, отсоси, подруга наша... Не впадлу? Губарик ты наш!

Серегин вскрикнул:

— Не надо, не надо!.. Пожалуйста... Я...

— Головка от хуя! — ответил ему кто-то, и все снова захохотали.

Обнорский дернулся и попытался оглядеться — «зеленый» отпустил его уши и выпрямился, а заодно легонько ткнул носком башмака Андрея в лицо. Серегин откинулся спиной на край люка — это дало еще несколько дополнительных секунд для знакомства с обстановкой... А обстановка, честно говоря, удручала — Обнорский вылезал, похоже, в горницу какой-то деревенской хаты, люк располагался в самом центре комнаты. Вокруг лаза стояли четыре здоровенных амбала, стриженые головы которых почему-то ассоциировались с глобусами. В углу комнаты сидел на стуле еще один — он не принимал участия в общем веселье, смотрел на Серегина внимательными немигающими глазами... Андрей лишь мазнул по пятому взглядом, но этого хватило для выброса в кровь новой порции адреналина (хотя, казалось бы, куда уж еще), потому что внешность этого человека была очень характерной... Абсолютно лысый, с правильными чертами крупного худого лица, с черными мешками под глазами — именно так Катерина описывала Черепа, «начальника личной контрразведки» Антибиотика...

Серегин со стоном выкинул на пол левую ногу, уперся подламывающимися руками, вылез, встал на корточки... Его поза была очень смешной и жалкой, и амбалы не могли не «оценить» ее по своему — кто-то немедленно пнул Андрея в зад, и Серегин, используя направление толчка, покатился по полу, вереща и закрываясь руками:

324

— Не надо, не надо! Не бейте, пожалуйста... Это ошибка... Не надо, я сам...

Еще один пинок — и Обнорский вылетел из круга стриженых здоровяков, один из которых, лениво сплюнув на пол, заметил:

— А пыли-то было, ебтить — он крутой-перекрутой... Может, мы не того сдернули?

— Того-того, — успокоил коллегу «зеленый». — Просто он уже всю круть свою высрал... Ладно, хорош базарить. Мюллер, подними его!

Серегин продолжал полулежать на полу, концентрируя в себе энергию, — а концентрировалась она плохо, Андрей ведь не ел ничего уже вторые сутки... Так уж получилось — накануне он успел только позавтракать дома, а потом закрутился и не пообедал, и не поужинал. Теперь голодуха сказывалась.

«Четверо... Пятый — сидит... Мама дорогая, неужели этот пятый — сам Череп?.. К двери пробиваться не стоит — запутаюсь в сенях, потеряю темп... Окно... Оно ближе, надо туда... Рама хлипкая — авось выбью... Плохо, что лысый сидит и смотрит. Господи, неужели это Череп? Все-все... Сейчас... Давай, Андрюша, давай... Ну!..»

Амбал, которого называли Мюллером, подошел к Серегину, лениво пнул его ногой в грудь:

— Подъем, падла, не на пляже...

Серегин неожиданно и резко выпрямился и дважды ударил Мюллера — левой рукой в промежность снизу вверх, а правой — под кадык... Удары получились — Андрей, что называется, «вложился» в них... Он никогда еще не бил так — со всей внутренней силой... Когда-то в Йемене Обнорского учил приемам рукопашного боя палестинский капитан Сандибад — и он многому научил Андрея. Однако с тех пор прошло много лет, и полученные навыки понемногу утрачивались... Собственно говоря, Обнорский только один раз попал в настоящую рукопашную схватку — было это в Ливии, когда на него напали пятеро тунисцев, но и тогда Андрей всего лишь защищался, не стараясь убить... Потом, в России, Серегин несколько раз «вписывался» в уличные драки. Но драка, она драка и есть, это совсем не то, что настоящий бой... В драке ведь если и убивают, то скорее случайно, а в бою смерть врага — это цель... Перешагнуть этот рубеж между дракой и боем могут немногие...

Мюллер хрюкнул, в его маленьких поросячьих глазах что-то выключилось, и он начал наваливаться на Андрея... Обнорский схватил его за рубашку и резко, на выдохе, швырнул безвольное тело под ноги остальным амбалам... Время словно замедлило свой ход — Серегин увидел краем глаза, как Мюллер летит на коллег, отметил, что сзади за ремень штанов у него засунут стволом вниз пистолет, и успел пожалеть, что не схватил оружие... В ту же самую секунду Обнорский рванулся к окну, оттолкнулся от пола и прыгнул головой вперед.

Может быть, он двигался недостаточно быстро, может быть, недооценил реакцию амбалов — но долететь до окна ему не дали... Один из трех оставшихся «в строю» здоровяков перепрыгнул через тело Мюллера и с совершенно неожиданной для его комплекции грацией ударил правой ногой в бок летящему Серегину — Андрею показалось, что он услышал треск собственных ребер... Обнорского развернуло в воздухе и швырнуло в угол, под окно... Видимо, в горячке Серегин не сразу почувствовал боль — он умудрился сгруппироваться в падении и уйти перекатом от следующего удара. Толкнувшись ладонями от пола, Андрей выпрыгнул вверх и вправо, обозначил обманное движение, будто собирался бить ногой, а сам резко подался назад, прошел в развороте вдоль стены и успел рубануть бугая ребром ладони за ухо... Это был последний удар, который смог провести Обнорский, — двое остальных братанов оказались вдруг как-то очень рядом, и Серегину досталось сразу с двух сторон — в голову, в грудь, в бок и в правое колено... У Андрея перехватило дыхание, он упал лицом в грязный пол, попытался снова подняться, но из попытки этой ничего не вышло — его начали молотить с таким умением и остервенением, что Обнорский уже с какой-то равнодушной отстраненностью подумал — нет, даже не подумал, а констатировал: «Убьют... Замесят до нуля...»

Носок тяжелого крепкого башмака хорошей выделки ударил его в лицо, рассекая губы и кроша зубы, —

и вот тут пришла боль, забравшая остатки сил. Заболело сразу все — Обнорский словно превратился в сгусток боли, она ослепила и оглушила его, лишила способности дышать и двигаться... Андрей уже не ощущал новых ударов, когда сидевший в углу человек спокойно встал с обшарпанного стула и негромко, но очень веско сказал:

— Хватит... Завязывайте — кончится...

Месившая Серегина троица замерла, двое остались стоять на месте, тяжело дыша (один механически поглаживал распухшее ухо), а тот, кто был одет в зелёные брюки и зеленую рубаху, резко развернулся и шагнул к неподвижно лежавшему навзничь посреди комнаты Мюллеру. Наклонившись к «коллеге», «зеленый» похлопал его по щекам, потом присел на корточки, попытался нащупать пульс, затем приник ухом к грудной клетке неподвижного быка. Остальные молча наблюдали за его действиями... «Зеленый» поднял голову и сказал растерянно, обращаясь к лысому:

— Бля... Этот гондон, кажись, Мюллера замочил... Сердце не стучит...

Лысый молча подошел к телу, наклонился, оттянул веко Мюллера, посмотрел несколько секунд и кивнул:

— Готов.

— Тварь! — заревел «зеленый» и метнулся было к неподвижно лежавшему у стены Обнорскому, но лысый остановил его окриком — словно бичом хлестнул:

— Стоять!

«Зеленый», тяжело дыша, остановился — так останавливается по команде хозяина злобный, но хорошо обученный пес.

— Сам виноват, — равнодушно сказал лысый, кривя губы. — Меньше веселиться надо было... Еще немного — и наш друг в окно выпрыгнул бы... Расслабляетесь, ребятки, расслабляетесь...

— Да мы... — начал отвечать тот, что держался за ухо, но осекся под тяжелым взглядом лысого. В избе стало тихо. Лысый задумчиво посмотрел на лежавшего в позе эмбриона Обнорского и еле заметно покачал головой. Наконец он принял решение:

— Так, Мюллером потом займетесь, сейчас будем в бункер переезжать... Там с этим попрыгунчиком поподробнее побеседуем... Грач — готовь машину пану, Чум — облей его водой... Ты, Пыха, тоже не стой столбом — сгрузи Мюллера в подпол, пусть он пока там полежит, ему теперь все одно — без разницы...

Амбалы зашевелились — «зеленый» подхватил мертвого Мюллера под мышки и потащил к лазу в полу, тот, которому Обнорский разбил ухо, быстро выскочил из избы, а третий загремел в сенях ведрами.

Лысый подошел к Серегину и носком ботинка перевернул его на спину — голова Андрея безвольно перекатилась по полу. Лысый встревожился, присел на корточки, коснулся пальцами шеи Обнорского, удовлетворенно кивнул...

Через несколько секунд Чум появился из сеней с ведром в руках и вопросительно посмотрел на хозяина.

Лысый недовольно дернул губой:

— Чего смотришь? Лей...

Бык шагнул вперед и опрокинул ведро на Обнорского. Андрей застонал и разлепил веки — перед его глазами все плыло и дрожало, он никак не мог сфокусировать взгляд... Серегин попробовал пошевелиться, видимо, он пытался приподняться, но новая волна боли снова прижала его к полу.

Лысый с интересом смотрел Обнорскому в лицо и улыбался. Потом он достал из кармана рубашки пачку «Мальборо», неторопливо закурил, выпустил дым тонкой струйкой и спросил:

— Ну что, Андрей Викторович, очухались?

Серегин ничего не ответил. Взгляд его был устремлен в потолок, журналист тяжело, надсадно дышал — и видно было, что даже процесс дыхания причиняет ему сильную боль. Лысый усмехнулся:

— Некрасиво вы себя ведете, Андрей Викторович... Некрасиво и — что гораздо более важно — неразумно... На людей бросаетесь... На вопросы не отвечаете... Кто вас только воспитывал — ума не приложу... Вы же человек мирной специальности, журналист, причем довольно известный... И вдруг — такое нетактичное поведение... А мы ведь всего-навсего поговорить хотели. Снять кое-какие вопросы, так сказать... Вопросы эти, кстати, вы же сами и поставили... Мы ведь тоже люди мирные, тихие, нам чужого не надо, но за свое — ответим и с других спросим... Как с вас вот... Кто вас надоумил на чужие «грядки» лезть, а? Писали бы свои заметки в газетах — и, глядишь, до ста лет прожили бы спокойно и, может быть, даже счастливо... Впрочем, несмотря на разные глупости, которые вы наделали, что-то еще можно и подправить, я так думаю... Пока жив человек — жива и надежда... Ничего исправить не могут только мертвые — у них уже все, полный расчет... Как вот у Мюллера нашего... Душегуб вы, однако, Андрей Викторович, не пожалели сироту...

«Мюллер, — вспомнил Андрей. — Это тот, который меня подмять хотел... Мюллера. Катя называла эту кличку... Все... Это — финиш... Мюллер — один из бригады Черепа... Значит, этот лысый — все-таки Череп... Это — кранты... Глупо... Как глупо все получилось... А может... Может, еще что-нибудь выкрутится... Никита... Катя должна ему позвонить...»

— Ну так как? — спросил Череп, наклоняясь к лицу Обнорского. — Будем исправляться?

Андрей что-то пробормотал. Череп дернул головой и наклонился ниже:

— Не слышу!

С трудом ворочая языком, Серегин протолкнул через осколки зубов три слова:

— Я.. не... понимаю...

Лысый вздохнул и выпрямился, махнул рукой:

— Да бросьте вы дурака-то валять... Все вы понимаете, кроме, может быть, серьезности положения, в котором оказались, — заметьте, по собственной же вине... Ох, Андрей Викторович, Андрей Викторович... Тревожно мне за вас как-то... Складывается у меня впечатление, что торопитесь вы на тот свет... А зачем? Куда торопиться-то? Вас там, конечно, многие дожидаются — тоже, наверное, хотят вопросы кое-какие задать... Подружка ваша, например, Милочка Карасева... Она, я думаю, очень хотела бы вас спросить — зачем вы ее, дурочку молоденькую, в этот блудень втянули, зачем в размен пустили... Не стыдно вам, Андрей Викторович, а? А ведь ее душа — на вашей совести... На вашей, на вашей, не сомневайтесь... Она ведь, глупая, даже и понять-то ничего не поняла... Перед смертью, кстати, все вас поминала... Оно, конечно, вроде бы проститутка, тварь, подстилка — а все же живая душа была, которую вы, Андрей Викторович, сгубили... А? Что скажете?

Череп резко наклонился, ловя взгляд Обнорского. Заметив, что глаза журналиста чуть дрогнули, он удовлетворенно улыбнулся:

— Вижу, переживаете... Это хорошо, это значит, совесть у вас еще осталась... Ну так что — будем разговаривать, а? Не слышу!

Обнорский ничего не ответил — он закрыл глаза, и по лицу его пробежала судорога. Череп хмыкнул:

— Будем разговаривать, будем... Это я вам обещаю, Андрей Викторович... И все вы мне расскажете... А вопросов у меня много.

Андрей по-прежнему не отвечал. Он лежал с закрытыми глазами и думал о том, что Череп, скорее всего, не врет — видимо, он действительно нашел Милку и... Потом ясно, что было... Но как, как так получилось? Почему Карасева не скрылась? Почему не уехала с деньгами? Впрочем, это, наверное, уже не важно... Теперь важно другое... Катя... Как ее не сдать? Череп ведь действительно умеет языки развязывать...

Обнорский попытался было вспомнить какую-нибудь молитву, но вспомнить ее помешала мысль о том, что Бог от него отвернулся.

А с Милой Карасевой случилось то, чего Серегин, конечно, предусмотреть не мог... Андрей ведь считал, что детально все объяснил девушке, что она сама заинтересована поскорее исчезнуть из Петербурга и начать новую жизнь. И сама Мила, действительно, хотела того же самого, но... Невезучей она была, вот в чем дело. Невезучей и, если честно, безалаберной — что было, то было, хоть и не принято плохо говорить о покойниках, но и «выкидывать слова из песни» — тоже ни к чему...

Когда Люда получила от Обнорского деньги на «новую жизнь», она буквально ошалела от радости, — Миле казалось, что счастье наконец-то улыбнулось и ей, и на этот раз она не упустит свой шанс... Не стоит, наверное, описывать, как Карасева благодарила Серегина, — все равно это не описать никакими словами. Мила даже на колени пыталась перед ним встать, но Андрей этого порыва не оценил, возмутился, разорался страшно, потом прочел целую лекцию о человеческом достоинстве — короче говоря, начал «воспитывать» девушку.

Обнорский говорил страстно и убежденно, говорил он вещи правильные и оттого немного занудные, но Мила смотрела на него преданными глазами и кивала, хотя даже и не пыталась вникнуть в смысл речи Серегина... Ей не до того было — мысленно она уже уехала из Питера, купила квартиру, поступила в институт и... Дальше разворачивались какие-то совсем уж чудесные перспективы. Конечно, присутствовал в ее суматошных мечтаниях и некий красивый и богатый «принц» (внешне очень напоминавший Обнорского), с которым она очень скоро непременно должна будет познакомиться...

Андрей совершил серьезную ошибку, оставив вскоре Милу наедине с ее радостью, — не учел он того обстоятельства, что женщине обязательно нужно поделиться с кем-нибудь судьбоносными новостями из собственной жизни. А с кем делиться, как не с подружками?

Это в мужском понимании между женщинами не может быть дружбы, а у самих женщин на этот счет более сложное мнение... Дружба — не дружба, а приятельницы все-таки поверяют друг дружке разные сердечные и не только сердечные тайны — причем такие, какие из мужика подчас только пытками вытянуть можно...

Короче говоря, не удержалась Мила Карасева и устроила небольшой «девичник» — отвальную, так сказать. Разумеется, для очень ограниченного «контингента», в который вошли пятеро ее «коллег» — других-то подружек в Питере у Люды не было.

«Сестричкам по ремеслу» Мила и объявила о своем предстоящем отъезде, сказала, что решила счастья в Москве попытать, потому что в Питере «совсем жизни не стало», а в столице — там, может, все по-другому повернется... Нет, в подробности Карасева не вдавалась и о крупной сумме в долларах, имевшейся у нее, не обмолвилась ни словом — наоборот, Люда напустила романтического тумана, намекнув, что у нее в Москве один «серьезный и положительный человек» появился, готовый принять ее такой вот, какая она есть... Подружки ахали, переживали, сочувствовали и поддерживали Милу — на словах... Все ведь знали, как доставалось Медалистке от Плейшнера, Милка же с Некрасовым подчас «одна за всех» отдувалась...

В общем, хорошо посидели девочки — всплакнули, как водится, пожелали Люде счастья и удачи на новом месте, просили звонить, не забывать, обещали «помочь, если что». Милка растрогалась, расслабилась, разревелась — так, будто родительский дом собиралась покидать... И не заподозрила она ничего дурного, не толкнуло ее ничего в сердце, не почуяла Карасева беды... А из пяти ее «подружек» две — Анжелика и Кристина (в миру — Ирина и Лена) были девушками довольно «тертыми» и не по годам сообразительными. Они сразу смекнули, что раз Медалистка «отчаливать» собралась — стало быть, скорее всего, кой-какой капиталец откуда-то у нее появился... Может, Милка клиента какого-нибудь лошистого сумела шваркнуть, может, по-другому как-то ей фортуна улыбнулась, но уверены были Анжела с Кристиной, что лежат где-то в квартире Медалистки деньги... Даже если и клиента богатенького не было, — когда насовсем откуда-нибудь снимаешься, обязательно разное барахло в наличность обратить нужно, все ведь с собой не потащишь... Еще во время застолья Анжела с Кристиной, выскочив на кухню, успели обменяться мнениями: надо сказать, что эти две дамы давно «работали» в паре и понимали друг друга с полуслова... Вот и в этот раз Кристине не пришлось убеждать Анжелику в том, что в Милкиной хате неплохо было бы провести небольшой шмон. Если у Медалистки чего-то в Москве нарисовалось — какой-то мужик разнеможный, — так с нее все равно не убудет, а им, Кристинке с Анжелкой, еще в Питере долго «на спине работать»... И вообще, еще амеба, как известно, завещала делиться — и разделилась пополам. А потом — еще раз пополам. И так далее...

Сказано — сделано... Под конец «девичника» уже капнула Кристинка незаметно Милке в рюмку чуток снотворного сильнодействующего, такого, чье действие алкоголем только усиливается... Люда, когда девочек провожала, уже зевала вовсю — и никто этому не удивлялся, ясное дело, нервы. С нервов часто в сон тянет...

Закрыла Мила за девчонками дверь — и совсем ее разморило, даже сил на уборку не осталось. Так и прикорнула она на диванчике — и уснула глубоко-глубоко. Так глубоко, что не слышала, как часа через полтора после того, как все девчонки разбежались, вернулись Анжела с Кристиной. Эта парочка в дверь звонить не стала — подружки открыли несложный замок отмычкой, а цепочку Милка сама набросить забыла... Шмон проводили быстро и умело, знали, что Медалистка спит так, что ее еще несколько часов и пушки не разбудят.

И нашелся тайничок заветный, в который Карасева доллары спрятала... Тайничок тот был — смех один, Милка к шторе у стены сверху карман пришила, там денежки и лежали... Надо отдать Анжеле с Кристиной должное, убивать они Милку не стали, хотя и была такая идея — очень уж девушки разволновались, когда «бакинские» пересчитали... Был соблазн — взять все, открыть газовый вентиль на кухне и уйти по-тихому, закрыв за собой дверь... Кто потом что докажет? Про эту нычку долларовую остальные участницы прощального банкета не знали, а Анжела с Кристиной, кроме денег, из Милкиных вещей ничего брать и не собирались, так что ограбление бы никто и не заподозрил... Но, подумав, напарницы все-таки застремались — не звери же они, в конце-то концов, да и Милка им не чужая... Кабы не жизнь такая сучья, так и обносить подружку Анжелка с Кристинкой не стали, но в том-то и дело, что жизнь у них была — самая что ни на есть сучья...

Кристина и Анжела вообще проявили благородство — из пятидесяти шести тысяч долларов они взяли только пятьдесят, а «шестерик» оставили Медалистке на разживу — последнее забирать грех, это все знают...

А потом напарницы ушли по-тихому, аккуратно захлопнув за собой дверь.

Не дай Бог никому такого пробуждения, какое у Людмилы Карасевой на следующий день выдалось, —

и так-то она себя чувствовала отвратительно, а уж когда в дорогу начала собираться и исчезновение пятидесяти тысяч долларов обнаружила — тут вообще на нее словно стена упала...

Мила всю квартиру перерыла, она то плакала, то истерично смеялась... Хотела было подружкам звонить, да не стала — какой смысл? Помнила ведь хорошо, как сама всех проводила, как дверь закрывала... Если и «обнесли» ее ночью — так кто же в этом сознается...

И Андрею Обнорскому Люда не позвонила — не смогла себя заставить, очень уж ей стыдно было. Он ей «новую жизнь» на тарелочке принес, а она... С горя и обиды напилась Милка, а потом на улицу ее понесло, а там — словно затмение какое-то нашло, решила она точку в дурацкой своей жизни поставить.

В каком-то дворе сняла Медалистка бельевую веревку, что меж двух столбов натянута была, и отправилась в ближайший парк вешаться... Она никого вокруг не замечала, поэтому и самоубийство не удалось — люди помешали, заметили, успели из петли вынуть...

Потом Карасеву в больницу отвезли, а там выяснилось, что у Милки что-то с головой случилось... Короче, передали ее спустя некоторое время на Пряжку, а проще говоря, в сумасшедший дом — туда, кстати, и положено «самоубийц-неудачников» доставлять для лечения и реабилитации. Считается ведь, что если человек надумал счеты с жизнью свести, значит, у него точно «крыша поехала». И аргументы насчет того, что «крыша» на месте, а вот жизнь «поехала» действительно и уехала совсем — такие аргументы в расчет не принимаются... Жить не хочешь — значит, сумасшедший. И точка.

Вот в психушке на Пряжке и нашел Череп Людмилу Карасеву — он умел искать людей, он был настоящим профессионалом...

Забрать Милку из больницы особого труда не составляло — начальник личной «контрразведки» Антибиотика обладал достаточными связями и материальными ресурсами для решения такого пустякового вопроса... У Карасевой неожиданно появился двоюродный брат с правами опекунства — он просто жаждал позаботиться о «сестричке» в домашних условиях... А Мила вела себя тихо, не буянила, опасности для окружающих не представляла — в общем, выпустили ее из больницы.

Ну, а дальше... Дальше ею занялись опять-таки врачи — настоящие врачи, с дипломами, с большим опытом, даже с учеными степенями. Двое их было, и оба работали на Черепа уже много лет — за страх и за хорошие деньги... Эти два Гиппократа вывернули надломленное сознание Милки буквально наизнанку. Измученная полусумасшедшая девушка рассказала все о том, что больше всего интересовало Черепа, — а интересовало его в первую очередь, конечно, то, откуда к ней попали бумаги «водочного контракта»...

Вот так и всплыло имя Андрея Обнорского... Череп так удивился, что даже не сразу поверил Милке, но врачи утверждали — девушка не врет, выдаваемой ею информации можно верить... Позже Карасева рассказала и о том, что Обнорский пытался помочь ей уехать, выбил даже специальную «дотацию» из шведского благотворительного фонда... Черепу нетрудно было увязать в одну логическую цепочку эту дотацию и передачу через Милку Плейшнеру документов о партии «Абсолюта». Бывший комитетчик понял, что Обнорский действовал осознанно и расчетливо: журналист сначала использовал проститутку «втемную», а потом хотел обрубить конец — и прокололся... И тут вставали новые вопросы. Механику действий Обнорского Череп уяснил, но вот мотивы, двигавшие им... С ними еще предстояло разобраться... Нет, в самом деле, ситуация-то вырисовывалась несколько необычная: известный в городе журналист совершает ряд действий, никак не укладывающихся в рамки его профессии... При этом журналист оперирует довольно крупными денежными суммами. Это давало основания предположить, что журналист действовал не в одиночку... Череп даже заподозрил поначалу, что за Серегиным могла обнаружиться и тень некогда родной конторы, но чуть позже все объяснилось гораздо проще...

Череп, естественно, доложил о полученной от Карасевой любопытной информации своему непосредственному шефу — то есть Антибиотику. Виктор Палыч сначала тоже очень удивился и так же, как и Череп, подумал о каких-то непонятных играх неких спецслужб — ведь в Обнорском еще по прошлым делам подозревали бывшего комитетчика, тот же Гена Ващанов, покойник, подозревал... Собственно говоря, благодаря этим смутным подозрениям Серегин и остался жив после истории с Бароном и «Эгиной» — то есть не только из-за них, но и из-за них в том числе... Связываться тогда с журналистом не стали — смысла особого не было, да и других забот хватало. Думалось, что парень затихнет навсегда, а он, вишь, злобу затаил, ничему его жизнь не научила...

Да, так вот — когда Череп рассказал о странной роли Обнорского в истории с передачей информации о «водочном контракте» Плейшнеру, Антибиотик долго думал, прикидывал что-то в уме (а умом старика Бог не обидел — это все признавали), и в конце концов его осенило: вспомнил Виктор Палыч, как вскоре после новогодних праздников рассказывал ему один пацанчик, некий Дима Караул, о том, что видел в Стокгольме бабу, очень похожую на незабвенную Катюшу Званцеву, — летом-то девяносто третьего эта тварь неблагодарная из-под карающей десницы выскочила... Впрочем, Дима не ручался стопроцентно за то, что видел он именно Званцеву, — но, по его словам, баба в Стокгольме была, по крайней мере, ее полной копией... Дима Караул, конечно, знал, что в свое время Виктор Палыч очень хотел добраться до Катерины (старик любил все дела до конца доводить), пацанчик объяснил, что хотел было проследить за случайно встреченной женщиной, но потерял ее в толпе... (На самом-то деле Дима просто застремался тогда в Стокгольме. Про Екатерину Дмитриевну ведь говорили, что она была бабой крутой и с очень непростыми завязками... Вот и не рискнул Дима светиться — тем более что дело в Швеции происходило, где полиция совсем отмороженная — с ней добазариваться сложно.)

Рядом со Званцевой (или с похожей на нее женщиной) в шведской столице крутился какой-то парень, которого Дима не видел раньше, но которого хорошо запомнил на всякий случай — запомнил и описал его Антибиотику... Старик рассказ выслушал, посетовал на

Димину нерасторопность, но похвалил за рвение — похвалил и забыл об этой теме до поры... Ну, в самом-то деле — не начинать же по такой мутной наколке поисковые операции в Стокгольме? Тем более что Дима и впрямь мог обознаться...

Но после доклада Черепа о результатах «работы» с Карасевой рассказ Димы всплыл в памяти Антибиотика — старик, наверное, и сам не смог бы объяснить, почему... Наверное, по ассоциации — «Абсолют»-то из Швеции шел, и бабу ту Дима в Стокгольме видел, а не на Мадагаскаре... Вспомнил Антибиотик и приметы парня, который рядом с той бабой был. Приметы эти очень к личности Обнорского подходили — Виктор Палыч его фотографии смотрел несколько раз, а то, на чем приходилось заостряться, старик никогда не забывал... Вот тут Антибиотик и утер нос Черепу, который, между прочим, тоже был в курсе Диминого рассказа, но не вспомнил его вовремя, не проинтуичил... Виктор же Палыч немедленно приказал Караула в кабачок «У Степаныча» выдернуть, где парню предъявили фотографию Обнорского. Дима сразу же опознал в журналисте парня, сопровождавшего бабу, похожую на Званцеву. Круг замкнулся...

Многие детали еще, правда, предстояло выяснить, но Антибиотик был очень доволен: он наконец-то прояснил сам для себя многие непонятки — и мало того, даже Черепу доказал, что считает и вычисляет быстрее него, бывшего комитетчика... Все складывалось — журналист каким-то образом спелся со Званцевой, у обоих имелись основания нагадить ему, Антибиотику, вот они и решили блудень прорулить... Более того, Виктору Палычу пришло в голову, что за давешней ноябрьской попыткой покушения на него могла также стоять Катька Званцева — тогда ведь мусора неспроста какую-то бабу искали. Попытка закончилась известно чем — старика Кораблева пришлось завалить, а заказчица сгинула и затаилась... Если этой заказчицей была все-таки Катька, тогда ее логика проста и понятна, — не получилось пулей его, Антибиотика, взять, решила спровоцировать войну с комитетчиками, сука... Подтянула для этой цели каким-то образом Обнорского — и понеслось...

Вот ведь сучата... Старик думал о Званцевой и Обнорском почти с нежностью — он оценил красоту запущенной комбинации, которая, кстати сказать, почти увенчалась успехом... Антибиотик всегда думал с некоей умиленной заботой о тех своих противниках, которых он успевал обыграть на один ход почти в самом конце партии. Умиленность эта объяснялась просто — Виктор Палыч любил чувствовать себя победителем, а победителем можно себя по-настоящему почувствовать лишь после настоящей схватки, в которой легко можно было и проиграть.

Антибиотик посовещался с Черепом с подчеркнутым уважением (его тоже приятно выказывать после наглядной демонстрации своего превосходства), и в результате было принято решение установить за журналистом Серегиным наблюдение — не очень плотное (чтобы тот не почуял ничего), но надежное... Журналюга-то ведь никуда не денется, главное, чтобы на Катеньку-озорницу вывел... О Милке Антибиотик, естественно, даже не вспомнил в ходе этого разговора, и Череп не стал рассказывать, как с девушкой его пацаны баловались и как ее потом в болоте утопили, — зачем серьезного человека всякой ерундой от важных мыслей отвлекать?

Нелепая и страшная судьба была у Людмилы Карасевой... Может быть, и сложилась бы у нее жизнь по-другому, если бы родилась она в другое время... Но год рождения не выбирают... Мила была не такой уж плохой девочкой — ее изломала и убила жестокая, подлая, беспредельная в своей лютости эпоха «накопления первоначального капитала». Наверное, жуткая смерть Милы была все-таки предопределена... Почему умирает человек? Потому что просто заканчивается его жизнь...

А за журналистом Серегиным 29 мая 1994 года Череп установил наблюдение — и сначала предполагалось, что наблюдение это будет достаточно долгим: начальник «личной контрразведки» Антибиотика не собирался, вообще-то говоря, похищать Обнорского, по крайней мере изначально так задача не ставилась... Но во всей этой истории словно какие-то мистические силы издевались над участвовавшими в ней людьми, — все у всех шло не по плану, не по-людски, а как-то наперекосяк... Вот и с Обнорским что получилось — 30 мая он встретился с неким мужиком и долго с ним о чем-то говорил, причем весьма эмоционально, а потом ринулся на переговорный пункт... Наружка решила на всякий случай мужика установить — пошла за ним, а мужик этот взял и завалил у Михайловского замка Диму Караула и Женю Травкина, а потом его самого убили. В довершение праздника этот мужик оказался сотрудником ФСК — и не каким-нибудь, а курировавшим Морской порт... От таких раскладов и у профессионалов ум может за разум зайти — даже у таких, каким был Череп... Нет, в самом деле — крутые непонятки получились: Дима Караул опознал Обнорского, а потом его убивает комитетчик из порта — после напряженного разговора все с тем же Обнорским. Как прикажете такой расклад понимать?

Плюс ко всему наружка отфиксировала высокую телефонную активность Серегина — журналист явно нервничал, постоянно проверялся и куда-то очень торопился... Череп подумал-подумал и отдал распоряжение на изоляцию Обнорского: бывшему подполковнику КГБ не хотелось рисковать, он ведь не знал, что еще этот журналист может выдумать, какие еще корки отмочит — паренек-то с фантазией, шустрый, одним словом, мальчуган... А ситуация вокруг Антибиотика и так складывалась не очень понятно, но достаточно напряженно... Начальнику «личной контрразведки» Виктора Палыча срочно требовались новые данные для более полного осмысления обстановки...

Несмотря на практически полное отсутствие времени для нормальной подготовки операции по «изоляции» журналиста, похищение Обнорского прошло гладко — сказались постоянные тренировки, которые Череп устраивал для своей «команды». Журналиста вывезли из Питера в Новгородскую область и поместили сначала в специально оборудованный погреб на «промежуточной базе», представлявшей из себя обычный дом в глухой, наполовину вымершей деревеньке... Как только Череп получил известие, что объект на место доставлен, он вздохнул с облегчением и отправился на доклад к Виктору Палычу — старик-то еще ничего о похищении не знал, у бывшего комитетчика просто не было времени на «согласование» и получение «санкции».

Впрочем, Антибиотик, выслушав все доводы Черепа, не стал его осуждать за проявленную инициативу — Виктор Палыч счел объяснения начальника своей «контрразведки» довольно резонными и обоснованными... В конце концов, возможно, так сразу нужно было поступить — не случайно же говорят, что на всякого мудреца довольно простоты... Оно, конечно, если «по науке», то можно незаметно и неторопливо ждать-наблюдать, но это все хорошо, когда обстановка стабильна, когда в запасе есть время и жареным не пахнет... А нос Антибиотика вполне явственно в последние дни ощущал запах палева — в связи с не совсем чисто проведенной ликвидацией Бурцева. Хорошо еще, что свои люди из прокуратуры Виктора Палыча упредили... Да ладно, об этой теме — особый разговор... Погорячился тогда Антибиотик с Бурцевым, погорячился... И не в том дело, что принципиальное решение о мочилове им принято было — конторский оборзел, за что и получил по заслугам... Плохо было то, что Виктор Палыч сам сдуру ту мокруху организовал, вместо того чтобы поручить все, как обычно, тому же Черепу.

А с Обнорским... Нет, это хорошо, что «писателя» взяли, — глядишь, все по-быстрому и выяснится в деталях, тогда и зачистить разные концы можно будет грамотно... Сколько бы еще этот журналист мог петлять да следы путать? Никто ведь не знает... А если бы этому сучонку вдруг кирпич где-нибудь на голову упал? А если бы он в аварию случайную влетел? Да сколько еще разных непредвиденных вариантов могло нарисоваться! Нет, хорошо все вышло — теперь журналиста надо только раскрутить на всю катушку, а в этом деле Черепу равных нет...

Впрочем, Виктору Палычу вдруг захотелось лично пообщаться с этим Обнорским-Серегиным, в глаза ему, так сказать, посмотреть... Парень-то, считай, уже покойник, следовательно, опасности не представляет... А личный контакт — это личный контакт и есть, это совсем не то, что работа через посредников... Какими бы профессионалами эти «посредники» ни были — они всегда могут какие-то нюансы опустить... Ну и, плюс ко всему, Антибиотику было просто любопытно... Да и кураж победы — он ощущается наиболее полно именно над телом противника, когда видишь его подернутые пленкой тоски глаза.

В общем, Антибиотик распорядился так: Череп должен был перевезти журналиста с «промежуточной базы» в бункер и начинать «работу» с Обнорским, а к вечеру и сам Виктор Палыч рассчитывал подтянуться...

Бункером Антибиотик называл один интересный дом все в той же Новгородской области — он располагался всего километрах в тридцати от «промежуточной базы». Этот дом, кстати говоря, принадлежал известному в прошлом писателю Алексею Рожникову, который спился к началу девяностых годов, но по старой памяти еще считался «видным деятелем культуры». Этот «видный деятель» уступил свой дом человеку Антибиотика еще в 1989 году — без афиширования сделки. Позже в строении были проведены ремонт и реконструкция: в частности, подземный гараж переоборудован в самый настоящий бункер — с «предбанником» и тяжелой стальной дверью, закрывавшей потайную комнату в глубине подвала... Этот «схрон», на который когда-то пришлось потратить большие деньги, практически никогда не использовался по назначению, — времена быстро менялись, и уже в начале девяностых Виктор Палыч знал, что доллары защищают в десятки раз надежнее любых стен, даже самых крепких. И уж если ситуация сложится так, что бессильны деньги, тут и бункер не поможет — не отсидишься в нем, пустое это, баловство, глупости... Раньше — да, раньше можно было при случае и в подвале пожить, а при нынешних раскладах выживает не тот, кто лучше спрятаться сумеет, а тот, кто шустрее крутится, оставаясь на виду... Так что бункер этот Антибиотик фактически передал в распоряжение Черепа, который использовал строение как тюрьму для особо деликатных клиентов. Впрочем, несколько раз Антибиотик все же проводил в доме Рожникова секретные «сходняки», но случаи эти были крайне редки, бункер не пользовался популярностью, слишком уж мрачная аура окружала это место...

Днем 1 июня избитого, окровавленного и закованного в наручники Обнорского привезли в дом Рожникова и поместили в подвал, где Череп не торопясь начал допрашивать журналиста... Серегин дурковал, шел в «несознанку» — изображая, что вообще не понимает, чего от него хотят... Череп не торопился — пусть парень «дойдет», силы человеческие, они ведь быстро иссякают.

Обнорского время от времени прижигали зажигалками и били — аккуратно, так, чтобы не кончился до срока, но серьезная «работа» еще и не начиналась: клиента нужно было продержать в кондиции по крайней мере до приезда Виктора Палыча... Сам Череп, честно говоря, никакого смысла в этом визите не видел, с его точки зрения старик вообще в последнее время стал часто совершать неадекватные поступки — ну да ведь он хозяин, ему и банковать... Хочется ему лично с журналистом пообщаться — ради Бога... Эмоции, эмоции... Чем меньше эмоций, тем больше профессионализма, — так считал Череп, так учили его когда-то... Эмоции необходимо учитывать в работе, но никогда нельзя им позволять управлять собой...

А Обнорский — он, конечно, расскажет все... Не сегодня, так завтра, суть дела не изменится... Бывший подполковник КГБ не торопился еще и потому, что не хотел проводить жесткий допрос без медицинского контроля — а как на грех, с «Гиппократами» (теми самыми, которые с Милкой работали) вышла закавыка: один после завершения всех дел с Карасевой уехал в отпуск с семьей, второй остался «дежурным», но запил, скотина... Свалился в самый настоящий запой — выяснилось это уже после перевозки Обнорского в бункер. Доктора, конечно, начали реанимировать, но пока было неясно, когда он сможет приступить к обязанностям. Очухается, сволочь, тогда можно будет и Обнорского на химию посадить, если он до того сам не расколется... А даже если и расколется — химическая проверка все равно не повредит... А ну как журналист фантазировать начнет, правдоподобную дезу слепит? Он же человек творческий, привык сочинять... Но — после укольчиков специальных особо не рассочиняешься, в большинстве случаев самые заядлые фантазеры начинают правду-матку выдавать... Бывает, конечно, что на некоторых и химия не действует, — но такие ситуации крайне редки...

Череп сидел в бункере на тяжелом стуле, слегка покачивался и скучным голосом задавал Серегину разные вопросы. Журналист, лежавший на полу, шепелявил в ответ какую-то ерунду — бывший подполковник КГБ даже не особо вслушивался... Главное, что парень вообще говорит, — это уже легче... Хуже, когда клиент просто тупо молчит. А когда человек начинает говорить, пусть даже ложь — его потом гораздо легче на правду «вырулить», он уже привыкнет на вопросы откликаться, он, так сказать, модель поведения выберет, а именно — общение... Даже лживые ответы — это «приоткрытая дверь», в которую вламываться намного проще, чем в закрытую наглухо...

Череп очень устал — он ведь не был законченным садистом, получающим кайф от человеческих мучений. К пыткам начальник «контрразведки» относился исключительно функционально... Нет, пожалуй, он даже не любил их. Череп, конечно, немного возбуждался при виде истязаний, но потом всегда наступала расплата — эмоциональное возбуждение сменялось апатией и ноющей головной болью.

Бывший комитетчик представил, сколько еще придется провозиться с Обнорским, досадливо сморщился, но в этот момент в открытую дверь (ее запирали редко, потому что отпиралась она тяжело — надо было крутить специальный штурвал, а колесо временами заедало) вошел Виктор Палыч собственной персоной — он, как и обещал, все-таки «выкроил минутку для общения с прессой». Череп встал, поздоровался — без подобострастия, но вежливо. Антибиотик в ответ лишь кивнул и сразу же заблажил:

— Ну, где тут наш страдалец?

— Да вот, — кивнул Череп на валявшегося на полу Обнорского, хотя других «страдальцев» в бункере не было.

— О-о-о, — протянул Виктор Палыч. — Какой-то он не веселый совсем...

Антибиотик сделал знак рукой, и его охранник тут же передвинул стул, на котором только что сидел Череп, поближе к Обнорскому. Виктор Палыч уселся — основательно, удобно, закинул ногу на ногу и вздохнул:

— Ну, здравствуй, Андрюша... Вот и свиделись... Правда, сегодня не ты у меня интервью брать будешь, а я у тебя... Чего молчишь-то? Уснул, что ли?

Серегин зашевелился на полу, медленно повернул к старику голову, посмотрел затуманенным глазом:

— Кто вы?

— Чего? — Антибиотик приставил ладонь к уху, он не понял вопроса, потому что Обнорский говорил совсем невнятно, — мало того, что ему зубы повыбивали, так у него еще и язык весь изрезался об осколки зубов.

— Кто... вы? Что... вам... надо?..

Виктор Палыч рассмеялся:

— Не узнал, стало быть? Это хорошо. Богатым буду...

А Андрей действительно не узнал Антибиотика — у него, видимо, после множества ударов по голове что-то случилось со зрением — перед глазами все расплывалось, мир виделся как через мутное, залитое мелким дождем стекло... Однако мозг у Андрея еще работал, поэтому он догадался, кто пришел его «интервьюировать».

— Вы... Говоров? Антибиотик?

Виктор Палыч свел брови к переносице:

— А ты, я гляжу, совсем воспитан плохо... Не учили тебя, видать, со старшими разговаривать... Ишь ты, Антибиотик!.. Я, Андрюша, тот, от кого зависит сейчас очень многое, — никогда ни от кого в твоей жизни так много не зависело, как сейчас от меня... Осознаешь, подленыш? Самые важные дела я сейчас решить могу — кончишься ли ты в муках лютых или уйдешь тихо, как уснешь... А зависеть это будет от того, как ты поведешь себя...

Серегин ничего не ответил, закрыл слезившийся глаз, вздрогнул, подавляя стон — ему больно было даже дышать... У Антибиотика меж тем лицо разгладилось, он снова разулыбался — и странно сочеталась эта улыбка с покачиванием головы и укоризненным тоном:

— Да, наворочал ты дел, Андрюша, напакостил... А главное — самому себе ведь больше всех и навредил... Оно так всегда бывает, когда люди не в свое лезут... Жил бы себе и жил спокойно, писал про мафию (старик произнес это слово издевательски — «про махвию»), дальше пугал бы граждан — кто бы тебе чего предъявил? Так нет же — ты блудень затеять решил... Ну, и каков итог? А ты об мамке своей подумал? Каково ей-то будет, а? Дурканул ты, парень, дурканул... А я ведь читал твои писания — и, честно скажу, казался ты мне умнее... М-да...

Виктор Палыч заперхал — то ли кашлял, то ли смеялся... Серегин по-прежнему молчал, лежал неподвижно с закрытыми глазами, но старик по его подрагивающим векам видел — журналист в сознании, слушает внимательно. Антибиотик вздохнул и продолжил:

— Вот из меня любят разные Никитки-Директора зверя лепить, чуду-юду кровоядную — и того не поймут, что чуждо мне все это... Когда мое не трогают, так и я к людям с душой... Но уж когда по-сучьи подляны строят, тогда извини — око за око, зуб за зуб. Так, Андрюша, даже Библия нам завещала... Вот и с тобой: хочешь верь, хочешь нет — но на тебя я зла не держу. Сам понять не могу — почему, а зла нет. Досада есть, потому как проблемы ты кое-какие создал — скрывать не буду. Людей подставил, кровь отворил... Беспределом из-за тебя запахло, Андрюша, а беспредел — это страшно, беспредел — это для всех гибель, потому и надо беспощадно давить тех, кто его учиняет... М-да... А с другой стороны, я даже как-то и не верю, что все это блядство «абсолютное» ты сам заварил — не верю, и все! Я людей спрашивал, они про тебя нормально отзывались, говорили, что ты, конечно, с чудинкой парень, но не подлый... И сдается мне, Андрюша, что тебя самого подставили, «прокладкой» выставили, а ты туфту дешевую за чистое схавал... Больше того тебе скажу — я даже знаю, кто всю эту канитель устроил: Катька Званцева, сучка неблагодарная, так ведь?

Серегин не вздрогнул, но зашевелился, и Антибиотик довольно усмехнулся — среагировал мальчонка на имя, среагировал... Обнорский попробовал было перевернуться на бок, но ему мешали сцепленные за спиной наручниками руки, а каждое неловкое движение отдавалось взрывами боли в сломанных ребрах и отбитых внутренностях.

— Какая Званцева?

У него получилось: «Хахая Жваншева?» — но Антибиотик понял и добродушно рассмеялся, даже руками замахал:

— Да брось ты, Андрюша, не пыли, раз попал в дешевое... Та самая Катька Званцева, письска сахарная, с которой тебя вместе люди в Стокгольме срисовали... Ну, понял? «Какая Званцева...» А, между нами, ты ведь, наверное, и не знаешь, какая она, Катенька наша... Не знаешь, Андрюша, не спорь... Эта тварь даже меня, старого, почти охмурила... Ты бы вот поинтересовался, кто ее от смерти закрыл после того, как ее мужика первого, Вадика Гончарова, в землю зарыли... Я, кстати, и Вадика хорошо знал в свое время... М-да... Так вот, молодой человек, Катюшу нашу тогда в Москве на счетчик поставили люди Гургена — если слышал ты, конечно, про такого...

Старик сделал паузу, а Обнорский неожиданно заполнил ее одним словом:

— Слышал...

— Да? — Антибиотик оживился. — Много ты чего слышал, как я погляжу, — одно слово, способный юноша...

Виктор Палыч почувствовал азарт — Серегин понемногу втягивался в разговор... Собственно говоря, Антибиотик использовал старый, как мир, оперский трюк — представить главным виновником не самого допрашиваемого, а его подельника. Прием этот, несмотря на древность, всегда действовал очень эффективно — допрашиваемый цеплялся за соломинку и топил напарника, не понимая, что тот утянет за собой и его самого... Антибиотик горько усмехнулся, как человек, много раз сталкивавшийся в жизни с черной неблагодарностью.

— Да, так вот, Катенька-Катюша, значит... Когда покойный Олежка Званцев ее из златоглавой приволок, он ведь ее ко мне сразу привел, и от меня, Андрюша, зависело — отдавать ее Гургену или нет... А у Гургена к ней серьезные предъявы были... Пожалел я ее, да и Олежка просил... Ну, и что в ответ? А в ответ — блядство, крысятничество и предательство подлючее... И Олежку она с пути сбила, он-то пацаненком правильным был, неиспорченным... И чем же она ему отплатила?.. Молчишь? М-да... А отплатила она ему тем, что, когда Олежку в Кресты слили, — тут же спуталась с еще одним хлопчиком, с Сережкой Челищевым. Тоже, кстати, парнишка был неплохой... И его ведь она тоже на кривую дорожку толкнула — толкнула-толкнула, что б там Катька ни плела... Она-то, конечно, может на все свои объясниловки давать, но ты, Андрюша, ты на факты смотри, а слова... Слово произнесенное — есть ложь, а правда — она только в делах... Дела же о следующем говорят: обоих ребятишек — и Сергуню, и Олежку — она, тварь, загубила... Ведьма она, Андрюша, чистая ведьма, упыриха с красивой наружностью... Она сладким местом своим мужиков подманивает, а потом — вертит, как хочет, жизнь высасывает, под свою дуду плясать заставляет... Вот и с тобой, я вижу, так же получилось... Дурни вы молодые, не там зло видели, где оно на самом деле корни пустило... Я тебе скажу так — если эту ведьму не остановить, она ведь еще много жизней загубит... Только я ее остановлю — вот те крест святой, остановлю... Зло карать нужно... Молчишь? Что ж, понимаю, тут действительно сказать нечего, не попрешь против правды-то... Эх, Андрюша, Андрюша... Я уже говорил, что зла на тебя лично не таю, но и ты меня пойми правильно — не могу я тебе невозможное обещать... По всем понятиям за твои проступки тебе смерть положена... М-да...

Старик замолчал, словно заколебался в чем-то, словно обдумывал что-то... Обнорский тоже молчал, а Череп — тот вообще словно в часть мебели превратился — по его застывшему лицу ни одной мысли, ни одной эмоции прочитать было нельзя... Антибиотик кашлянул и прервал молчание:

— Впрочем... Бывает иногда, что и на исключение пойти можно... Тут зависеть все будет — понял ты свои ошибки или нет... Чтобы я тебе помог, — а могу я, Андрюша, многое, — надо, чтобы ты сам себе помочь захотел... Сам... Не могу же я человека вытягивать, если он сам того не хочет... Против совести это будет, не по-божьи... Напачкал ты много — так хоть попробуй что-то подтереть за собой... Иначе, при всех, как говорится, симпатиях... Понимаешь, да? Ты нам с Катькой помоги — и у тебя шанс появится... Не буду говорить, что большой, но все-таки — шанс... И еще одно уясни — чего я тут с тобой сижу, время трачу, уговариваю... По большому счету, можно и силком из тебя все вынуть — запросто можно, поверь... Я бы сам все сказал, если бы меня так спрашивать начали, — и любой другой. И вынем мы, что нам нужно, будь уверен... Только тогда уж — не обессудь. Одно дело — человек добровольно в грехах покаялся, осознал неправоту, другое — когда его заставили. Разница большая... Для тебя... А Катьку я все одно достану, на это ты никак не повлияешь... Остановить ее, тварюгу, надо, а кроме меня это сделать некому... Думай, Андрюша, думай... Последняя у тебя возможность подумать есть, больше не сложится...

В «бункере» снова стало очень тихо, а потом Обнорский завозился на полу, застонал и пробормотал что-то.

— Чего? — не понял Антибиотик, быстро наклонился поближе к Андрею. Серегин дернулся, скривился от боли и снова забормотал — говорил он совсем шепеляво, изо рта у него текла кровь, и Виктору Палычу приходилось очень сильно напрягаться, чтобы разобрать произнесенные Обнорским фразы:

— Я... Если вы хотите Званцеву взять, то... Зря меня изломали... Она в Швеции... Адрес уже сменила, на какой — я не знаю, так договаривались... специально... Я в Стокгольм не прилетел — это как сигнал... опасности... был... Потом — договор был такой... Каждые... следующие... среду и субботу... встречаемся в пять... В условленном месте, в Стокгольме... Я туда... должен идти... оговоренным маршрутом... И ждать... И если... что-то будет не так... она поймет... И не подойдет... А меня... так поломали, что... Как... Она же поймет...

Некоторые слова Андрею приходилось повторять по многу раз, пока Антибиотик наконец не понимал их... Виктор Палыч замучился вслушиваться в мало разборчивую речь, и когда Обнорский затих, старик раздраженно повернулся к Черепу:

— На хера вы ему зубы-то выбили, а? Не понять же ничего! Как парню говорить-то теперь? А?!

Череп спокойно пожал плечами:

— Он Мюллера кончил... Вот ребята и перестарались...

— «Перестарались»! — раздраженно передразнил Антибиотик начальника «контрразведки». — Они перестарались, а не уследил — ты... Вы ж пацаненка всего перекалечили, а нам с ним еще, может быть, работать! О, Господи, ну все, ну все везде самому приходится... М-да... Давай, думай теперь — надо Андрюшу-то как-то подкрепить, он же исстрадался уже весь... И захочет нам помочь — да сил не хватит... Давай, давай, соображай!

Череп еле заметно улыбнулся. В принципе старик все делал правильно: шла типичная разводка по схеме «добрый — злой», где Антибиотику отводилась роль «доброго», а бывшему комитетчику — «злого». Вообще, конечно, Череп не любил, когда кто-то влезал в процесс его работы, но с начальством не поспоришь... Да и вел свою партию Виктор Палыч достаточно грамотно... Обнорский, похоже, и впрямь потек. А куда ему деваться, с другой-то стороны? Ничего, потом химическая проверка все на свои места расставит. Если журналист не врет, то он действительно может еще понадобиться для поисков Званцевой... Ишь как обставились, паскуды, прямо разведчики-нелегалы.

— Ты руки-то ему раскуй, — отдал между тем распоряжение Антибиотик. — Глянь, они уже у него синие совсем...

Казалось, что Виктору Палычу вдруг пришла в голову хорошая идея: он вскочил со стула и наклонился к Серегину:

— Слышь, Андрюша... Ежели тебе говорить трудно — так, может, ты написать попробуешь, а? Дело-то тебе привычное, ты же у нас человек пишущий, так сказать... А? Сейчас тебе для подкрепления сил попить чего-нибудь принесут, оклемаешься чуток — и опишешь потихоньку, как оно так вышло все... Как тебя эта стерва к блудням своим подтащила... А? Может, оно все и быстрее пойдет, чего время-то зря терять... А я потом подъеду, через денек, посмотрю, чего да как... Дел-то у меня, Андрюша, невпроворот...

Антибиотик напряженно всматривался в лицо Обнорского — тот вздохнул несколько раз и еле заметно кивнул.

— Вот и славно! — обрадовался старик. — Правильное решение, Андрюша...

Через несколько минут в бункер вошли люди Черепа.

Пыха снял наручники, а Грач, поддерживая журналиста за плечи, начал осторожно поить его из большой кружки — просто как мать заботливая... Обнорскому пить было очень больно, у него весь рот представлял собой одну большую рану, но в питье, видимо, добавили какие-то тонизирующие и обезболивающие средства... Спустя некоторое время Серегин смог даже сесть самостоятельно, привалясь спиной к стене. Андрей начал осторожно разминать кисти рук. Рядом с ним Пыха положил блок листов для записей машинописного формата и хорошую шариковую ручку фирмы «Паркер».

— Ну и ладно, — кивнул Обнорскому Антибиотик. — Давай, Андрюша, работай... Увидимся попозже... Особо не торопись, но и не затягивай с писаниями... Лады?

Андрей медленно кивнул, и Антибиотик вышел из бункера в сопровождении Черепа и его людей — с Обнорским остался только Пыха, назначенный на «просмотр». На свежем воздухе Виктор Палыч подставил лицо легкому ветерку, зажмурился сладко, потянулся, а потом сказал начальнику своей «контрразведки»:

— Ты вот что... Поработай с «писателем» как следует, но уродовать его не торопись... Вдруг гаденыш не врет насчет Катьки... Где твои эскулапы-то?

— Подтягиваются, — невозмутимо ответил Череп, не желавший посвящать Антибиотика в проблемы с врачами. — Решаем вопрос.

— Решай-решай, — усмехнулся старик. — Побыстрее бы надо... Тем более что орешек-то не такой уж и твердый... Я вон хоть и не обучался в ваших спеццентрах, а развел его на разговоре...

Череп кивнул и, разумеется, не стал ничего говорить про большую «подготовительную работу», предшествующую расколу. Хочется Антибиотику свою «крутость» подчеркнуть — так ради Бога... К стариковским слабостям надо с пониманием относиться. По крайней мере — до поры...

— Если что, держи меня в курсе, я сегодня в Репино поеду, а завтра к тебе снова заскочу... Порадуй старика результатами, уважь... Дожми этого парня...

Виктор Палыч хохотнул на прощание и направился к своей машине. Череп молча смотрел ему вслед. Наверное, они оба очень удивились бы, узнав, что им уже не суждено будет встретиться вновь — по крайней мере, на этом свете...

Чем дальше отъезжал Антибиотик от «бункера» по направлению к Петербургу, тем больше портилось у него настроение. И основания для этого были, причем основания серьезные... Журналист-гаденыш создал-таки проблемы Виктору Палычу!

Оно ведь как вышло-то: после попытки покушения на Антибиотика 12 мая старик психанул и, не зная, что покушение организовывал его верный подручный Валера Ледогоров, решил срочно «гасить» генерального директора фирмы «ТКК» Дмитрия Максимовича Бурцева. Разозлившись на Черепа — такого же бывшего комитетчика, как и Бурцев, — Виктор Палыч вызвал из Воркуты своего «личного исполнителя», некоего Симоненко Николая Захаровича, известного когда-то в блатной среде под погонялом Туз. Этого Симоненко Антибиотик знал еще по зоне, доверял ему (насколько вообще был способен на доверие), но использовал крайне редко — всего четыре раза за последние десять лет. Собственно говоря, Туз находился на «пенсионном обеспечении» у Виктора Палыча — жил Симоненко тихо, мало с кем общался, а занимался, в основном, охотой и рыбалкой...

Симоненко прибыл в Питер 22 мая — раньше просто не получилось. Поселился Туз в Веселом Поселке, на личной конспиративной квартире Виктора Палыча — старик совсем не хотел как-то афишировать свои контакты с Симоненко... Но тут снова подлянка Антибиотику вылетела оттуда, откуда он ее и ожидать-то не мог... Дело в том, что в свое время ремонт конспиративной хаты в Веселом Поселке осуществляла одна строительная фирма, платившая «крышные» не кому-нибудь, а Валерию Ледогорову, который на всякий случай посадил в квартире «клопа»*. Валера давно уже вел на всякий случай осторожные наблюдения за многими

_____
* Прослушивающее устройство (*жарг.*).

своими «соратниками» — в том числе и за самим Антибиотиком. Валера-Бабуин был парнем честолюбивым и
энергичным, мысль о том, чтобы убрать при случае
Виктора Палыча (старым он стал и душным, достал уже
своим занудством), приходила не раз и не два на ум
Ледогорову... Да вот только случаи все никак не подворачивались — а слишком сильно рисковать башкой
Бабуину не хотелось.

После прибытия Туза в Питер Антибиотик навестил
его на конспиративной хате — Ледогоров узнал об
этом от своего человека в личной охране Виктора Палыча. Нет, охранник вовсе не стучал на принципала*,
он просто обмолвился Ледогорову, с которым был в
хороших отношениях, что старик в Веселый Поселок
ездил, — и Валера тут же насторожился. Насторожился
и отдал распоряжение своим людям из охранной фирмы «Офицерский союз» активизировать «клопа» в
нужной квартире... Распоряжение было выполнено, и
чутье Валеру не подвело: днем позже удалось записать
разговор Туза и Антибиотика, приехавшего еще на одну встречу. Виктору Палычу необходимо было передать
Симоненко результаты наблюдения за Бурцевым —
наблюдение это осуществляло (негласно, естественно)
детище покойного Гены Ващанова — охранная фирма
«ОРБ-сервис»...

Так в руках Ледогорова оказалась пленка с записью
крайне любопытного разговора, в ходе которого об-
суждалось не что-нибудь, а убийство... Причем — что
самое главное — в разговоре звучали необходимые
имена: и жертвы, и заказчика, и даже кличка исполнителя.

Валера очень обрадовался — с такой пленкой можно было попробовать отправить Антибиотика за «колючку», а в зоне, глядишь, со стариком и еще какое-
нибудь несчастье приключилось бы... И все — в этом
случае Валера-Бабуин стал бы самым реальным пре-
тендентом на «императорский трон»: Ильдар с Мухой
сами в тюрьме сидели, Иваныч — тот высовываться
не любит, Сазона убили в самом начале девяносто

---

* Принципал — профессиональное обозначение того, кого защищает телохранитель.

четвертого года, а Вова-Однорукий — у него, по мнению братвы, после ранения что-то с головой случилось... Все... Получается, что Бабуин — чуть ли не единственный наследник из тех, кого признают... Другой настолько же реальной фигуры в Питере не было...

Стремался Ледогоров, конечно, но — глаза, как известно, боятся, а руки делают. Двадцать пятого мая, сразу после того, как по городу разнеслась новость об убийстве в Летнем саду Дмитрия Максимовича Бурцева, пленка с записью разговора Антибиотика с Тузом попала в РУОП. Попала она туда путем довольно сложным, через некого Вадика Пучика, имевшего в последнее время большое влияние на заместителя начальника РУОПа полковника милиции Даниила Серафимовича Лейкина. Лейкин, кстати говоря, вовсе не был предателем или впрямую коррумпированным сотрудником — но он, к сожалению, не очень хорошо разбирался в оперативном процессе, потому что почти всю жизнь занимался исключительно политическими и воспитательными вопросами.

Так, например, Даниил Серафимович абсолютно не представлял себе, что такое «внедрение в агентурную сеть противника», — а ведь именно этот «финт» и осуществил Валера Ледогоров, подняв авторитет Вадика Пучика как «ценного агента»... Бабуин обожал «многоходовки», он вообще по натуре своей был законченным интриганом, сравниться с которым в Питере, пожалуй, мог бы только сам Антибиотик... Кстати говоря, запуская плёнку в РУОП, Ледогоров скорее даже рассчитывал именно на подъем авторитета Пучика (это давало интересные перспективы), чем на реальную посадку Виктора Палыча, — дело в том, что личность Туза людям Бабуина установить так и не удалось... А ежели не удалось, то и весь разговор об убийстве ничего не доказывает. Может, завалил-то страдальца совсем не тот, кто на пленке отфиксирован, а на пленке — там вообще люди просто шутки шутили, дурачились... И пленку обязательно похерили бы, но — Антибиотику очень сильно не повезло, точнее, не повезло-то сначала Тузу, а уж потом это невезение рикошетом и по Виктору Палычу ударило...

Двадцать четвертого мая Симоненко получил отчеты групп визуального и технического контроля, отрабатывавших генерального директора фирмы «ТКК» Бурцева. Ребята из «ОРБ-сервиса» поработали, в общем, неплохо, они сумели вычислить основные маршруты, которыми пользовался Дмитрий Максимович, а также перехватили несколько телефонных разговоров — в них особо ценой информации не было, за малым исключением: из одной распечатки следовало, что 25 мая в 14.00 у Бурцева состоится встреча в Летнем саду с неким неустановленным лицом. Летний сад, по мнению Туза, как нельзя больше подходил для проведения акции — зелень кругом, уходить проще, да и подходы к объекту будут несложными — короче говоря, Симоненко принял решение «работать» Бурцева именно во время этой его встречи. Просчет Туза заключался в том, что лицо, с которым встречался генеральный директор фирмы «ТКК», так и осталось неустановленным — да, собственно говоря, это не было недоработкой самого Симоненко, ведь сбором информации по Бурцеву занимались сотрудники «ОРБ-сервиса», а их использовали «втемную», поэтому они и выполнили свою работу неплохо, но не отлично. А гонять и понукать их никто не стал, чтобы не настораживать, на дурные мысли не наводить.

Конечно, ребята из «ОРБ-сервиса» не были ангелами белокрылыми, но все равно — раскрываться перед ними не стоило, поэтому они и считали, что работают на одного иностранного фирмача, комплексно проверяющего потенциального партнера по бизнесу. Такие заказы поступали часто, и платили за них хорошо. А сам Туз — он ведь при всех своих «талантах» был все-таки уголовником, никогда не проходившим через школу спецслужбы. Это покойный старик Кораблев скорее всего не стал бы «работать» человека во время его встречи неизвестно с кем — да и то, отказался бы он в то время, когда был государственным человеком, когда работал в Системе, где существовало четкое разделение труда: одни отвечали за информационную поддержку операции, другие — за ее непосредственное проведение. И при недостаточной подготовленности операции мало бы кто рискнул взять на себя ответственность за ее проведение — раньше ведь в слово «ответственность» вкладывался совсем не такой смысл, какой оно приобрело в девяностые годы... Раньше «ответственность» предусматривала, что руководитель головой отвечал за провал, то есть четко соблюдался принцип кнута и пряника: все прошло хорошо — молодец, получай орден и разные другие ощутимые приятности, все сорвалось — извини, товарищ, придется судьбу тебе немножко поломать... А в девяностых годах в самых разных сферах жизни люди стали выполнять свою работу все небрежнее и небрежнее — кнут пообтрепался, пряник раскрошился, а самое главное — идеи не было... Идея — это ведь третья и, может быть, самая главная составляющая залога успешной работы. Если есть и идея, и пряник, и кнут, — вот тогда почти наверняка поставленные задачи будут выполнены блестяще...

Сотрудники «ОРБ-сервиса» работали просто за деньги, которые на пряник еще тянули (хотя и не такими уж большими они были, эти деньги), а на идею — нет. Деньги не могут быть идеей, целью, так сказать. Деньги — это всего-навсего средство... Ну, а Туз — он фактически был рабом Антибиотика, а искать идею в рабском труде — занятие бесперспективное... Тем не менее Симоненко старался — он боялся Хозяина и знал, что его ожидает в случае невыполнения «работы». Другое дело, что «работу» свою Туз не любил, а потому и не вкладывал в нее душу, не горел... Как известно, без души даже борщ-то толковый сварить трудно... Симоненко хотелось поскорее закончить «работу» с Бурцевым и улететь из чуждого, подавлявшего своей надменностью Питера. Поэтому и решил Туз все завершить в Летнем саду.

А Дмитрий Максимович Бурцев должен был встречаться в 14.00 двадцать пятого мая не с кем-нибудь, а с капитаном милиции, сотрудником «убойного» отдела главка* Александром Пименовым. Если бы об этом знал Туз — он, возможно, и выбрал бы другое место и время

---

* «Убойный» отдел — второй отдел УУР ГУВД по Санкт-Петербургу и области. Этот отдел занимается раскрытием умышленных убийств.

для проведения «ликвидации», потому что розыскники-«убойщики», как правило, всегда ходили при оружии, которым неплохо умели пользоваться...

Двадцать пятого мая 1994 года в 13.50 автомобиль «Вольво-940» доставил Бурцева к Летнему саду — машина затормозила всего метрах в двадцати от белой «девятки», в которой сидел наблюдавший за входом в сад Туз.

Дмитрий Максимович взглянул на часы и отпустил шофера, велев ему вернуться минут через сорок, а сам поспешил в глубь Летнего сада к открытому кафе, где и была назначена встреча с Пименовым.

Бурцев ощущал подавленность и какую-то тревогу, впрочем, он не удивлялся своему настроению — с чего ему было быть хорошим, если никаких перспектив в поисках пропавшей партии «Абсолюта» пока не намечалось, хотя Дмитрий Максимович и задействовал все свои оперативные возможности. Кстати говоря, к этим «оперативным возможностям» относился и сотрудник уголовного розыска капитан Пименов — в свое время он был... нет, не оформленным агентом, а скорее — доверенным лицом Бурцева. Тогда, когда Пименов еще только-только начинал свою карьеру, сотрудники милиции еще величали комитетчиков старшими братьями... Выйдя в отставку, Бурцев не стал оставлять «конторе» в наследство всех своих людей, справедливо посчитав, что самые ценные кадры когда-нибудь и ему самому пригодятся, да и жаль их было передавать на связь неизвестно кому... Когда Дмитрий Максимович увольнялся, «контора» уже была не той, что раньше.

«В какое странное время мы живем, — думал Бурцев, шагая к месту встречи с Пименовым. — Никогда еще наше государство не было таким аморфным и бессильным. Все эти нынешние „силовые структуры" на самом деле откровенно слабы — и, что самое страшное, складывается впечатление, что новым властителям эта слабость выгодна, есть возможность хорошую рыбку половить в мутной водичке... А новоиспеченные начальники этих силовых структур — эти „юннаты", как их профессионалы называют, — они тоже какие-то совсем странные... Иногда кажется, что они прямо заин-

тересованы в скорейшем ссучивании своих подчинен-
ных — пусть спиваются, пусть сдруживаются с теми,
кого они сажать должны... А все это пиздобольство про
беспощадную войну с преступностью? Слушать противно — пудрят мозги обывателям, которые верят в эту
брехню только потому, что без надежды жить совсем
уж как-то страшно...»

Дмитрий Максимович вдруг скривился, как от
сильной боли, — он поймал себя на мысли о том, что
и сам тоже ловит рыбку в мутной воде — может, и
не такую крупную, как на самом «верху», но все же...
Бурцев гнал от себя такие мысли — тягостно было
ему, бывшему чекисту, причислять себя к когорте
жуликов. Бизнесмен — оно, конечно, звучит попри-
личнее...

«Ладно, — постарался договориться сам с собой Дмитрий Максимович. — Сейчас главное — из этого говна с
„Абсолютом" вылезти... А там... Лишь бы фирма сохра-
нилась — в конце концов, не может же этот беспредел
в государстве вечно продолжаться...»

Еще на подходе к летнему кафе Бурцев заметил за
одним из столиков сухощавую фигуру Пименова, и настроение у бывшего комитетчика стало понемногу вы-
равниваться. Сашку Дмитрий Максимович знал много
лет — знал и уважал, а в каком-то смысле даже и
любил. Пименов, конечно, не был ангелом — но он был
настоящим опером, для которого работа важнее хороших отношений с начальством или с братвой. Пименов
не работал на Бурцева в прямом смысле, он, скорее,
помогал, когда мог, когда это не противоречило его
принципам. Ну, а Дмитрий Максимович в ответ старался немножко подкармливать опера, чтобы тот не
протянул ноги на государственной зарплате...

Поздоровавшись с Сашкой, Бурцев не стал сразу
заводить серьезный разговор о своих проблемах. У них
с Пименовым был выработан особый ритуал на встречах — сначала они всегда просто пили кофе и трепались за жизнь и лишь потом переходили к вещам более
серьезным. Но на этот раз они даже кофе допить не
успели — Пименов как раз прикуривал, скосив глаза
на кончик сигареты, когда Бурцев, оборвав фразу на
полуслове, вдруг ткнулся лицом в стол, пятная белый

пластик кровью... Выстрела Пименов не слышал, но все равно сразу понял, что Дмитрий Максимович получил пулю в голову... Не зря, видно, называл Сашку одним из своих любимых учеников Сергей Николаевич Клеверов — легендарный мастер с «Динамо»: капитан среагировал мгновенно: упал боком на землю, выхватил пистолет из наплечки, перекатился, нашел глазами цель — бегущего к выходу из Летнего сада сутуловатого человека со стволом в руке... Остальные посетители кафе даже не успели еще осознать, что, собственно, происходит, когда капитан Пименов произвел три прицельных выстрела подряд по убегавшему киллеру.

Сутулый упал, но тут же поднялся, и почти сразу же закричали люди, стайкой метнулась невесть откуда взявшаяся детвора, перекрывшая капитану цель... Опер выругался, вскочил на ноги и побежал к выходу из сада, но успел лишь увидеть рванувшую по Фонтанке в сторону Невского белую «девятку»...

Туз, плюхнувшись на заднее сиденье машины, хрипло выдохнул прямо в белые от страха глаза бычка:

— Гони, хули вылупился, бакланюга!

Бычок всхлипнул и дал по газам — его всего трясло, потому что таких раскладов он никак не ожидал. Парня — кажется, его звали Пашей — использовали втемную, он всего-то навсего должен был доставить Туза к Летнему саду и оттуда — в аэропорт, и ничего этот Паша не знал ни о своем пассажире, ни о том, что за дело у него минутное намечалось в любимом месте отдыха петербуржцев. Симоненко стонал от жгучей боли в правом боку, рвал руками торопливо автомобильную аптечку, а Паша давил на газ, постоянно оглядывался и истерично повторял:

— Я на мокрое не подписывался, не подписывался, не подписывался...

Машину Паша гнал к Московскому проспекту — видимо, он еще не успел понять, что его пассажиру уже не нужно в аэропорт... На Московском Туз немного отошел от шока и понял, что при такой езде их первый же «гаишник» остановит — а там, там этот придурок Паша его сдаст вчистую...

— Во двор давай! — скомандовал Симоненко, кривясь от боли.

— А?! — Паша дернулся от звука его голоса так, что «девятка» резко вильнула на скорости.

— Во двор, падла, убью!! — заревел Туз, и бычок мелко закивал, свернув в ближайшую подворотню — там он и остался, глупый, в своей «девятке» и с пулей в недоразвитом мозгу...

А Туз, накинув Пашину куртку, ушел дворами, сделал круг, вышел к скверу, упал на скамейку. У него сильно кружилась голова.

После «работы» Симоненко должен был вылететь в Мурманск, чтобы отфильтроваться там пару недель — но теперь билет на самолет стал ненужным, с дырой в боку в аэропорт можно даже не соваться... Дешево все получилось... А сейчас еще этого Пашу в подворотне найдут, и начнется — облавы и прочесывание города, план «Перехват» и прочие мусорские мульки...

Туз встал со скамейки и, качаясь, побрел к будке таксофона. У него уже все плыло перед глазами, когда он набирал номер мобильного телефона Антибиотика.

— Ну! — откликнулась трубка голосом Виктора Палыча.

— Это я, — прохрипел Туз, но Антибиотик не узнал его.

— Кто «я»?!

— «Семерик», — представился Симоненко старым своим погонялом, о котором знали немногие. — У меня палево, я заболел. Там рядом с человеком мусорно было, красный шумнул... Я заболел, тяжело... Помоги...

Виктор Палыч разразился длинной матерной тирадой, потому что хоть и говорил Туз языком условным, но все же — радиотелефон есть радиотелефон, это ж понимать надо.

— Ты, падла, офонарел совсем! Ты где?

— У парка... Победы... — Туз уже еле ворочал немеющим языком, с лица его градом катился пот.

— Выходи поближе к метро, тебя подберут! — рявкнул Антибиотик и тут же спросил о водителе Паше: — А где этот... маленький? Вы ж на колесах были?

Симоненко обтер рукавом лоб и выдохнул:

— Он... уехал... Совсем...

— Ну!.. — Антибиотик, казалось, просто задохнулся от возмущения и отключил телефон.

Туз вывалился из будки и, шатаясь, пошел по направлению к станции метро «Парк Победы». Но сделать он сумел всего несколько шагов — в боку что-то словно лопнуло, дыхание перехватило, и Симоненко упал лицом в асфальт. Сердобольные прохожие вызвали «скорую», но Туз не видел и не чувствовал, как его грузили, как везли в больницу имени Костюшко, как укладывали его на операционный стол, как извлекли пулю... Очнулся Симоненко лишь через несколько часов. Открыв глаза, Туз сразу увидел над собой два лица, принадлежность которых к мусарне не вызвала у него ни малейшего сомнения. Это были опера из «убойного» отдела Гоша Субботин и Саша Пименов.

— Очнулся? — сухо спросил Туза Субботин. — Ну и хорошо. А теперь давай по порядку — кто ты, откуда, кто на работу подрядил... Ну?

Туз устало закрыл глаза. Вот и все. Вот и лоб в «зеленке»... Когда-нибудь так и должно было все закончиться.

— Ты что, крестничек, — голос второго опера заставил Туза открыть глаза, — язык проглотил? Разговаривать разучился?

Симоненко с ненавистью посмотрел на него и прошептал:

— Падлы... Падлы красноперые...

А на следующий день с Гошей Субботиным связался опер из 15-го отдела РУОПа Вадим Резаков, который, выполняя поручения начальника отдела Никиты Кудасова, хотел взять образцы голоса Туза — чтобы сравнить их с голосом неизвестного на магнитофонной пленке, которую Валера Ледогоров подкинул РУОПу.

— Нет проблем, — ответил Гоша Вадику. — Все сделаем в лучшем виде — с тебя стакан и пончик...

Предположение начальника 15-го отдела Никиты Кудасова техническая экспертиза подтвердила — именно с Тузом Антибиотик разговаривал об убийстве Бурцева... Заключение экспертизы было получено первого июня — когда Антибиотик, кстати, о пленке узнал — стукнули ему проплаченные люди из прокуратуры, но Виктор Палыч если и встревожился, то не очень, потому что ему скормили дезу: старик был уверен, что Туз умер в больнице.

В последние дни мая оперативники из отдела Кудасова вообще поработали просто очень хорошо, и Никита Никитич уже не сомневался, что убийство Бурцева было напрямую связано с похищением со склада фирмы «ТКК» партии шведской водки «Абсолют»... В принципе, основания для задержания Говорова имелись достаточные, правда, не была выявлена привязка самого Антибиотика к похищению водки... Но во второй половине дня первого июня у Кудасова состоялся странный телефонный разговор с одной не пожелавшей представиться дамой. Эта женщина сообщила очень много интересного и, в частности, настойчиво просила проверить следующую информацию: по ее словам, минувшей ночью некий аноним сообщил по телефону «02» о том, что будут взорваны два склада, на которых якобы хранилась украденная из порта водка... Женщина утверждала, что угроза взрывов — всего лишь легенда, которая должна была навести правоохранительные органы на контейнеры с водкой...

Закончив разговор, Никита Никитич начал немедленно проверять услышанную информацию — и она полностью подтвердилась. Действительно, тридцатого мая в 20.13 служба «02» отфиксировала звонок неизвестного мужчины, сообщившего о том, что ночью будут взорваны два склада — коммерческое хранилище у мясокомбината в Московском районе и бывшая Калининская овощебаза. Мотивировка взрывов — хранение краденых контейнеров с водкой «Абсолют».

В преддверии Игр Доброй воли, которые должны были состояться летом*, любой сигнал о взрывах проверялся самым тщательным образом. Информацию об угрозе спустили в соответствующие районные управления внутренних дел, на «землю». Там ответственные дежурные немедленно приняли одинаковые реше-

---

* Этот спортивный праздник многие еще до его проведения начали называть Играми Доброго Толи — по имени тогдашнего мэра города Анатолия Собчака. Он был главным идеологом «Игр», на которые было потрачено очень много денег, безвозвратно улетевших в воздух.

ния — на места возможных происшествий были направлены оперативно-следственные группы, кроме того, естественно, уведомили и оперативников ФСК из службы «Т».

Когда речь идет об угрозе взрыва какого-либо объекта, то для проникновения на этот объект оперативно-следственной группе не требуется специальная прокурорская санкция на осмотр помещений. Звонивший по «02» аноним, видимо, хорошо это понимал...

Оперативно-следственные группы подъехали к складам, вступили в контакт с охраной, потом вскрыли хранилища в присутствии понятых, запустили туда собачек (коккер-спаниелей, специально натасканных на взрывчатку) и стали дожидаться прибытия взрывотехнических бригад из ФСК.

Первое, что сделали руководители взрывотехнических бригад по прибытии на места, — это затребовали текст звонка с угрозами. Работать-то предстояло именно комитетчикам, а они отлично знали, сколько важной информации может содержаться в самих формулировках угроз. У оперативно-следственных групп распечаток со звонка анонима не было, пришлось запрашивать службу «02»... Когда же, наконец, тексты были получены, — комитетчики сразу сориентировали своих людей на поиск контейнеров с определенной маркировкой...

Поиски взрывных устройств, начатые уже после полуночи (то есть фактически первого июня), оказались, как и следовало ожидать, безрезультатными — никаких бомб на складах не оказалось. Более того — на бывшей Калининской овощебазе не нашли и никаких контейнеров с водкой, о которых говорил аноним. Эти контейнеры обнаружили во втором адресе, в Московском районе, где пришлось обследовать более десяти помещений.

Этими контейнерами сразу же заинтересовался опер-бэх*, входивший в состав оперативно-следственной группы. Он затребовал у «ночного директора» хра-

---

* Бэхи — сотрудники БХСС; позже аббревиатура была изменена на ОБЭП — отдел по борьбе с экономическими преступлениями.

нилища документацию на партию водки, а документации, естественно, не оказалось... А дальше уже начал работать нормальный механизм оперативно-следственных мероприятий.

ОБЭП Московского района давно уже имел ряд своих вопросов к директору хранилища, некоему господину Бутову: имелись веские основания полагать, что сей достойный гражданин помимо всего прочего использовал складские помещения для операций по разливу нашего родного отечественного машинного масла в пластиковые канистры с фирменными этикетками — вот только взять Бутова с поличным все никак не удавалось, его словно кто-то постоянно предупреждал обо всех готовящихся в отношении его «бизнеса» мероприятиях. А тут вдруг — левая водка...

Опер-бэх просто не мог упустить из рук такой подарок судьбы. Днем первого июня он начал плотно «работать» с господином Бутовым — собственно говоря, кладовщику в разных вариациях задавался один и тот же вопрос: «Откуда водка и где документация на нее?» Бутов в ответ морщился, жаловался на плохую память, потом вдруг вспоминал, что документацию украли, — в общем, нес всякую ахинею... И видно было, что господин Бутов чего-то очень сильно опасается — он никак не мог припомнить, какая же именно организация поставила ему этот чертов «Абсолют» в хранилище... Впрочем, вполне возможно, что Бутов и сумел бы как-то договориться с ОБЭПом Московского района: может быть, и документация на водку «нашлась» бы через денек-другой, но... В разгар задушевной беседы «бэха» с Бутовым в разговор вмешался приехавший руоповский опер Виктор Савельев, работавший в отделе у Никиты Кудасова. Савельев пошептался минут пятнадцать о чем-то с оперком-бэхом в коридоре, а потом зашел в кабинет и сказал Бутову без особых китайских церемоний:

— Вот что, красавец... Ты, похоже, не очень понимаешь, в какое говно влетел с разбегу. Лично меня твое мелкое или крупное воровство интересует мало — я из другого ведомства, мы другими вопросами занимаемся. Так вот — для прояснения ситуации и освежения твоей памяти: двадцать пятого мая в Летнем саду был застрелен Дмитрий Максимович Бурцев, генеральный директор фирмы «ТКК». Той самой фирмы, у которой неизвестные злодеи похитили контейнеры с «Абсолютом» — те, что у тебя на складе всплыли... Бурцева убили из-за этой партии водки. Киллера мы взяли, но он сдох — подстрелили его. А нас, по секрету тебе скажу, имеют сейчас во все щели, чтобы мы заказчика нашли и приземлили — нужен, понимаешь ли, положительный пример полного и красивого раскрытия заказного убийства, а то общественность уж больно сильно возмущается, пресса правоохранительные органы критикует — министры только отфыркиваться успевают... Смекаешь? Очень нужен нашему начальству заказчик, чтобы пасти крикливые всем заткнуть. И сдается мне, гражданин хороший Бутов, что ты просто исключительно на роль этого заказчика подходишь. Водку у тебя нашли? У тебя. Значит, ты и Бурцева заказал. Усек? А разные шероховатости мы доработаем. Зато прикинь, какое раскрытие красивое будет! И общественность успокоится... А? Ты чего так расстроился-то, родной мой? Сердечко прихватило? Ничего, в Крестах тоже медпункт есть, которые из сидельцев хорошо себя ведут — им и валидол дают пососать...

Господин Бутов мгновенно оценил все перспективы, которые развернул перед ним грубый и неласковый Витя Савельев. И память у коммерсанта как-то сразу обострилась — можно сказать, полностью восстановилась. В частности, Бутов «вспомнил» и назвал человека, который поставил ему водку на хранение. Просьбу такую высказал некто Говоров Виктор Палыч — известный бизнесмен, меценат и прочая, прочая, прочая.

— Я же не знал, что за этой водярой столько мокрого, — искательно заглядывая в глаза Савельеву, причитал господин Бутов. — Поверьте, я ничего не знал! Я за других отвечать не желаю! Я честный коммерсант, и никогда... Я — никогда... Вы верите мне?

— Разберемся, — хмуро ответил Савельев. — Давай-ка, голубь, для начала твои показания официально оформим.

К вечеру 1 июня у начальника пятнадцатого отдела РУОПа Никиты Кудасова были железобетонные (как он любил выражаться) основания для задержания Антибиотика. Странно, но никакой радости Никита Никитич от этого не испытывал, — даже азарта охотника, настигшего наконец-то дичь, не было. Были сильная усталость и какая-то пустота в душе... Может быть, охота вышла слишком долгой? Или дичь попала на мушку слишком неожиданно? Казалось ведь временами Кудасову, что его противостояние с Антибиотиком будет продолжаться целую вечность... Но, скорее всего, дурное настроение Кудасова было вызвано другими причинами: Никита имел основания предполагать что с его другом журналистом Андреем Серегиным случилась беда. Кудасов гнал от себя черные мысли, но он был опером, который не привык обманывать сам себя... А расклад выходил такой, при котором шансов на выживание у Андрея не было. Почти не было — потому что один сумасшедший шанс есть даже у того, над чьей шеей уже занесен топор палача...

— Народоволец хренов! — выругался Никита Никитич — и только по удивленным взглядам Вадика Резакова и Вити Савельева понял, что выругался вслух. Кудасов вздохнул и сказал, обращаясь к Резакову: — Давай, Вадим Романович, готовь группу из наших ребят и закажи еще группу поддержки из СОБРа... Надо задерживать дедушку нашего... Где он, установили?

Резаков кивнул:

— Да, он у себя, в Репине... Днем выезжал куда-то из города, а сейчас вернулся... У нас готово все, минут через пятнадцать СОБР подтянется.

— Хорошо, — приступнул ладонью по столу Кудасов. — Значит, через двадцать минут выезжаем...

Резаков и Савельев переглянулись — как-то уж очень буднично все происходило, словно не самого Антибиотика они задерживать собирались, а обычного мелкого вымогателя. Впрочем, так оно часто бывает — порой кажется, что долгой и кропотливой работе конца-края не видно, а потом вдруг раз — и вот он, финиш, уже совсем рядом. Хотя — не вдруг, конечно, не вдруг. «Вдруг» — оно только в сказке бывает, когда Серый Волк из кустов выбегает... А в нормально поставленном оперативном процессе случайность играет роль пусть непознанной, но закономерности...

Задержание Антибиотика прошло быстро и без неожиданных сюрпризов, почти как в учебном фильме. Охрана резиденции Говорова в Репине, состоявшая в основном из бывших сотрудников милиции, и не думала сопротивляться.

— Мы что? Мы — ничего... Нам платят — мы охраняем. Мы закон не нарушаем, — твердил опешивший от свалившегося словно снег на голову СОБРа Игорь Царицын, старший охраны и бывший майор ОМОНа.

Самого Антибиотика к моменту начала операции по его задержанию ублажала профессиональным массажем некая Карина Мотылева — между прочим, в недавнем прошлом преподаватель Института физической культуры.

Когда Кудасов прошел в массажный кабинет — Виктор Палыч, нахохлившись, словно воробей, зябко кутался в белый махровый халат с золотым вензелем на нагрудном кармане. Массажистка Карина прикрывала себя простыней, на которой минуту назад лежал ее клиент, — никакой другой одежды на институтской преподавательнице не было.

Кудасов встретился глазами с Антибиотиком, и они долго молчали, глядя друг на друга...

— А на каком, собственно, основании?! — наконец заблажил, словно опомнившись, Виктор Палыч. — Кто позволил, кто пустил, почему?!!

Никита Никитич протянул старику бумагу:

— Вот постановление на обыск, ознакомьтесь... Санкционировано прокурором Дзержинского района.

Антибиотик взял бумажку, начал читать про себя, шевеля губами. Дочитав, он глянул Кудасову в лицо, потом снова опустил глаза к строчкам постановления:

— «Поручить проведение обыска пятнадцатому отделу РУОПа...» Ага... У вас там, по-моему, начальник Никита Никитич такой?

Виктор Палыч прекрасно знал, как выглядит Кудасов, видел его фотографии не единожды, но официально-то они знакомы не были, вот и валял старик «ваньку».

Никита Никитич кивнул сухо:

— Кудасов моя фамилия, я начальник пятнадцатого отдела. Одевайся, Виктор Палыч, поедешь с нами...

Антибиотик заулыбался:

— Очень, очень приятно познакомиться. Давно о вас слышал. Хорошо работаете, говорят. Может быть, чайку?

Кадасов хмыкнул:

— Одевайся, одевайся... После почаевничаем, время будет и на чай, и на разговоры...

Виктор Палыч недоуменно повел головой, снова улыбнулся — бесхитростно так, можно даже сказать, радушно:

— Так ведь одно другому не помеха, почему бы и здесь не поговорить, а? Кариночка нам сейчас чайку заварит, она по-особому умеет, с добавками травяными... А людям вашим, может, кофеечку лучше? Время-то позднее, а они ребята молодые, небось спать уже хотят, кофеек-то как раз и взбодрит...

Кудасов молча смотрел на Антибиотика, и старик принял его молчание за согласие — он резко повернулся к Карине и гаркнул по-хозяйски властно:

— Оденься, лахудра! И — живо кофе сваргань гостям нашим уважаемым!

Карина вздрогнула, торопливо кивнула и шмыгнула в угол кабинета, где, сбросив с себя простыню, начала торопливо одеваться, не обращая внимания на евших глазами ее шикарное тело собровцев. Кудасов кашлянул и скучным голосом нарушил интимность момента:

— Перед проведением обыска предлагаю добровольно выдать оружие, наркотики, боеприпасы...

— Да Господь с вами, Никита Никитич, — махнул рукой Виктор Палыч и искренне рассмеялся. — Отродясь у меня в доме такой ерунды не водилось... Я — честный бизнесмен, вы меня с кем-то путаете... Разрешите мне пару звонков сделать — и вам все объяснят...

— А мне и так все ясно с тобой... — усмехнулся начальник пятнадцатого отдела. — Ты свои объяснения для следователя прибереги, Виктор Палыч.

— Ну зачем вы так сразу, Никита Никитич, — укоризненно протянул Антибиотик. — При чем тут следователь? Давайте с вами вдвоем поговорим, порешаем все, что накопилось...

Кудасов, сохранявший с самого начала выражение спокойного равнодушия на лице, вдруг быстро прикрыл глаза, потому что ему нестерпимо захотелось ударить Говорова с маху кулаком по улыбающейся харе и потом взять старика за горло и давить, пока он не сдохнет...

Через секунду Никита Никитич глаза открыл, скользнул прежним равнодушным взглядом по Антибиотику:

— Поговорим, поговорим... Ты пока память свою освежи.

— А я на нее пока не жалуюсь, — пожал плечами Виктор Палыч, но Кудасов уже повернулся к Вадику Резакову:

— Ладно, Вадим Романыч, проводи обыск. А я — на «базу». Как закончишь, Говорова сразу ко мне...

Резаков кивнул, и Никита Никитич вышел из кабинета, спиной чувствуя ненавидящий взгляд Антибиотика. Оглядываться Кудасов не стал.

В Большой дом на Литейном Виктора Палыча доставили часа через четыре, когда уже занималось утро 2 июня. Впрочем, ночи-то все равно не было — в июне в Питере светло круглые сутки...

Как ни странно, Антибиотик, препровожденный в кабинет, занимаемый 15-м отделом, выглядел просто молодцом — несмотря на бессонную и нервную ночь (в его-то возрасте!), Виктор Палыч был бодр, энергичен и свеж, в отличие от Кудасова, осунувшегося и словно постаревшего на несколько лет за последние двое суток.

Антибиотик гоголем вошел в кабинет и, увидев Кудасова, расцвел, как майская роза:

— Доброе утро, Никита Никитич! Пока не забыл — перво-наперво искренне хочу поблагодарить вас за то, что ваши люди провели все положенные мероприятия у меня в доме исключительно корректно и культурно. Просто молодцы ребята — тактичные, выдержанные, ни малейшего намека на хамство... Я считаю, что во всем этом — ваша личная заслуга, все ведь, в конечном итоге, от руководителя зависит, от того, как он воспитывает своих людей, от того, насколько сам себя уважает... Да! Ну-с, а теперь — я готов ответить на все ваши вопросы, чтобы поскорее урегулировать возникшие недоразумения. Я понимаю — у вас работа сложная, нервная. Кто-то в чем-то и ошибиться может... Но вы-то, Никита Никитич, вы же — умнейший человек! Я, поверьте, всегда радовался, что люди, подобные вам, еще встречаются в наших органах... Уверен, что вы сумеете беспристрастно и объективно во всем разобраться...

Все это Антибиотик выпалил с самого порога, глядя прямо в покрасневшие от хронического недосыпа глаза Кудасова. Никита выслушал монолог Виктора Палыча абсолютно невозмутимо, кивнул, указывая на стул перед своим столом:

— Разберемся, Виктор Палыч, разберемся. Ты присаживайся, располагайся удобнее. А разобраться мы во всем успеем, хоть и не рад ты этому.

— То есть как это не рад? — возмутился Антибиотик, усаживаясь на стул и поддерживая, чтобы не помялись, дорогие светлые брюки. — Я как раз всегда рад органам помочь — и в целом, и конкретным сотрудникам. Вот, я гляжу, кабинетик у вас тесный, неудобный, а такой большой человек, как вы, должен совсем в других условиях работать, чтобы эффективность возрастала... Нет-нет, вы не подумайте чего плохого — я просто, между нами говоря, всегда старался деятельности РУОПа способствовать по закону, только по закону. Может, вы не в курсе, но я спонсировал ремонт некоторых помещений в вашей организации — не напрямую, правда, но все-таки... Слава-то мне не нужна, интересы дела важнее...

Кудасов катнул желваки по скулам и сухо сказал:

— Ну, тем более, раз дело важнее — давай к делу и вернемся... Я думаю, мне не стоит напоминать тебе, что чистосердечное признание смягчает ответственность?

Виктор Палыч округлил глаза:

— Какая ответственность? В чем мне признаваться? В том, что я честный бизнесмен и патриот своей страны и своего города?

Никита Никитич хмыкнул:

— Ну, по поводу твоего бизнеса — об этом отдельный разговор будет — и не со мной, кстати... У следствия есть свои соображения, да и вопросов немало накопилось — по поводу водки «Абсолют», например...

— Водки? — брови Антибиотика недоуменно подпрыгнули вверх, но как-то уж очень театрально. — Да я вообще водкой не интересуюсь, не для моего возраста уже забава. Я больше винцо красное люблю — причем наше, грузинское, а не французско-итальянские компоты. В нашем-то, в грузинском — натуральности больше, там живой солнечный свет... А водка? Даже не знаю, что и сказать... А вы что имели в виду, Никита Никитич, когда об «Абсолюте» спросили?

— Я не спрашивал, — покачал головой Кудасов. — Это следователь тебя спросит, вот ты ему лекцию о культуре потребления алкоголя и прочтешь, а мне не надо... У меня к тебе сейчас один только вопрос — где Андрей Серегин?

Антибиотик сморгнул, дернул головой недоуменно:

— Серегин? А я-то тут при чем? Я вообще не знаю такого...

— Не знаешь? — подался вперед Кудасов, упирая тяжелый взгляд старику в переносицу. Виктор Палыч взгляд выдержал, улыбнулся снисходительно:

— Нет, ну слышал, слышал, конечно. Есть писака такой, газетчик, кажется... Но в глаза я его никогда не видал, чего мне с ним кроить-то, ей-богу...

— Ты Бога оставь в покое, — очень тихо, но жестко сказал Никита. — И запомни: если с головы Андрея хоть один волосок упадет... другой совсем разговор у нас с тобой будет... Понял?

Виктор Палыч откинулся на спинку стула, скривил губы, сощурился:

— А вы мне не угрожайте, Никита Никитич, пустое это... И вообще, грех над старым человеком измываться... Всю ночь спать не давали, теперь угрожаете... Не хотите по-людски говорить — базаров нет! Устал я, пусть меня в камеру отведут, коли я задержанный. А потом пусть следователь все положенные вопросы мне задаст — и я на них отвечу. Вот так.

Антибиотик прикрыл глаза, показывая, что говорить он больше не будет. Кудасов кивнул и сказал Резакову, сидевшему тут же за своим столом:

— Давай, Вадим Романович, отведи его и оформи.

Выходя из кабинета, Виктор Палыч оглянулся на Кудасова и доброжелательно улыбнулся ему. Никита Никитич на улыбку не ответил...

Начальник 15-го отдела питерского РУОПа Никита Кудасов, конечно, не случайно задал Антибиотику вопрос об Андрее Обнорском. Никита имел все основания полагать, что журналист сыграл очень важную роль во всей этой истории с водкой «Абсолют» и серией убийств и покушений, приведших в конце концов к задержанию Виктора Палыча...

Первичная «информация для размышления» появилась у Кудасова еще в середине апреля.

А вышло так... Однажды Виктор Савельев, оперативник из 15-го отдела, просматривал по какой-то своей надобности фототеку и случайно наткнулся на фотографию Екатерины Дмитриевны Званцевой. Витя обладал очень хорошей визуальной памятью — и ему показалось, что он уже где-то видел «вживую» лицо, изображенное на фотографии... Савельев с Екатериной Званцевой никогда не сталкивался,— с женой убитого в июне 1993 года под Лугой бандита Олега Званцева работал когда-то покойный Степа Марков... Но почему, откуда тогда возникло ощущение, что он встречал ее где-то?

Савельева зацепило, он промучился целый день и наконец вспомнил — да, это было 3 ноября 1993 года, в день, когда проводилась «уличная» на Сенной с киллером Кораблевым. Старика тогда снял снайпер, началась отработка жилмассивов, и он, Савельев, проверял одну квартиру на четвертом этаже в доме номер 2 по Московскому проспекту — Виктору почудилось некое движение в окне этой квартиры сразу после того, как Кораблев, ходивший перед магазином «Океан» и ждавший заказчицу, получил пулю.

Правда, «отработка» этой квартиры ничего не дала, потому что там Савельев натолкнулся на известного журналиста Андрея Серегина — голого и с какой-то женщиной... Так вот, лицо Екатерины Званцевой очень напоминало лицо той женщины, которая была в квартире с Серегиным,— она лежала голая на тахте. Детально Савельев ничего проверять тогда не стал, да и некогда было, да и Серегин никаких подозрений не вызывал — поговаривали, что этот журналист был личным другом Директора, так что... Странно, конечно, что он поблизости от места проведения операции оказался, но, с другой стороны, всем известно, что Питер — город маленький, в нем все постоянно друг с другом в самых неожиданных местах пересекаются... Трахался парень с бабой и трахался — не виноват же он, что любовное гнездышко окнами на Сенную выходило...

Андрей попросил тогда не говорить никому про то, что его «застукали» с женщиной. Виктор и в этой просьбе ничего предосудительного не усмотрел, поскольку журналист намекнул, что его пассия — чужая мужняя жена... Так бы и умерла та история в душе Савельева, если бы спустя пять месяцев не наткнулся он на фотографию Екатерины Званцевой...

Витя целый день думал, как ему поступить, но, в конце концов, все-таки подошел к Кудасову и, смущаясь и запинаясь, рассказал ему все. Никита Никитич отнесся к рассказу Савельева очень серьезно, ругать опера не стал, лишь крякнул досадливо:

— Что же ты паспорт у нее не проверил!

— Паспорт? — растерянно переспросил Виктор. — Да она голая совсем на тахте лежала... Какой там паспорт, откуда бы она его вынула... И потом — с ней же Андрей был... Я подумал...

Опер виновато опустил голову, а Кудасов не стал его добивать, попросил лишь установить, кто в настоящее время проживает в той квартире. Савельев хату пробил быстро — доложил через два дня шефу, что коммуналка практически вся расселена, осталась только одна бабка, которая, по словам соседей, еще в конце прошлого года уехала куда-то на Украину — погостить к родственникам.

Никита Никитич хорошо знал Андрея, а потому, конечно, не поверил в случайность его появления в квартире, выходившей окнами на Сенную, — причем находился там журналист как раз во время проведения уличной у «Океана». Если Савельев не ошибся, если с Обнорским действительно была Званцева, то... То все это просто более чем странно...

Кудасов сразу же подумал, что именно Екатерина Званцева могла быть той таинственной заказчицей покушения на Антибиотика, которую так и не удалось взять... Но почему же Обнорский ничего не рассказал? Кудасов понимал, что если Андрей не счел нужным что-то объяснить сразу, то давить на него и спрашивать впрямую бесполезно. Серегин просто отшутится, скажет, что Савельев все перепутал, что опер в тот ноябрьский день не в лицо женщине смотрел, а на ее фигуру, и вообще темновато, мол, в квартире было... А при необходимости Андрей найдет и какую-нибудь красотку, которая скажет, что это она была с журналистом в тот день, — для Обнорского такая обставка не проблема...

И все же Кудасов решил при случае выяснить все подробно — да вот случай все никак не представлялся, Обнорского было никак не поймать, да и у самого начальника 15-го отдела разной суеты и текучки хватало...

А в мае 1994 года в Петербургском порту начали твориться очень странные дела — собственно говоря, Кудасов заинтересовался ситуацией, складывавшейся вокруг фирмы «ТКК» и «водочного контракта», сразу после исчезновения Плейшнера, который все-таки был достаточно заметной фигурой в бандитском мире Питера, а отдел Никиты Никитича как раз и занимался разработками лидеров преступных группировок.

Время шло — интрига вокруг партии шведской водки «Абсолют» постепенно оборачивалась настоящей мясорубкой. Кудасов напрягал все свои «агентурные возможности» и постепенно все больше и больше укреплялся в подозрении, что его приятель Андрей Обнорский может иметь какое-то отношение ко всему происходящему...

Швеция... Никита вспомнил о том, что Серегин в последнее время как-то зачастил в Стокгольм. Андрей, правда, говорил, что его поездки связаны исключительно с журналистскими надобностями — фильм он там какой-то со шведами монтировал... Швеция... А ведь партия водки, из-за которой мочилово в городе пошло, — она тоже из Швеции... А еще в свое время, после смерти старика Кораблева, в одежде убитого был обнаружен некий листочек — план, который киллер набросал непосредственно перед уличной операцией... Вадик Резаков вспомнил, что Кораблев просил у него бумагу и карандаш — хотел почертить что-то «по хозяйству». На схеме отсутствовали какие-либо надписи, только один квадратик был помечен крестом. Кудасов с Резаковым не поленились съездить в Кавголово, к дому старика, и, руководствуясь схемой-планом, обнаружили тайничок, располагавшийся, кстати, за границами участка Кораблева... А в тайнике лежали деньги — и деньги крупные, без малого пятьдесят тысяч долларов там было... Видимо, Кораблев спрятал в тайник полученный за контракт на Антибиотика аванс, собственно, старик так и говорил Кудасову: цена Палыча составляла пятьдесят тысяч долларов до «работы» и столько же — после... Для чего Кораблев нарисовал план расположения тайника, прежде чем идти на уличную у «Океана»? Похоже, старик предугадал свою гибель и не хотел, чтобы доллары попросту сгнили, киллер оставил чертеж, как завещание... Кстати — доллары Кораблева лежали в большом фирменном конверте стокгольмского отделения «Око-Банкен» — еще один шведский след... Не многовато ли стрелок сходилось случайно на этой скандинавской стране? Найденные доллары Кудасов и Резаков оприходовали и сдали, как положено, только шведский конверт Никита, повинуясь какому-то наитию, оставил себе...

В конце мая 1994 года, когда уже был убит Бурцев, когда взяли раненого Туза, — Кудасов несколько раз пытался найти Обнорского и поговорить с ним начистоту, но журналист, казалось, намеренно избегал встреч с начальником 15-го отдела РУОПа.

И вдруг 13 мая, вечером, Андрей неожиданно позвонил Кудасову сам. Обнорский был явно в возбужденном состоянии, он предложил Никите встретиться в одиннадцать вечера для очень важного разговора. При этом Серегин открытым текстом сказал, что располагает важной и «горящей» информацией, касающейся разборок в порту. Кудасов, естественно, встретиться сразу же согласился...

В 23.00 начальник пятнадцатого отдела уже прогуливался вдоль фасада магазина «Океан» — именно в этом месте Серегин предложил встретиться, и это обстоятельство уже не удивляло Никиту, Кудасов был уверен — Андрей решил раскрыть карты, потому и место встречи предложил с намеком на ту уличную, в ходе которой погиб старик Кораблев.

Кудасов ходил перед магазином «Океан», ждал, время от времени поглядывал на часы и думал, думал...

Разборка между бандитами и бывшими комитетчиками вокруг партии «Абсолюта» стала своеобразным детонатором, спровоцировавшим ожесточенную грызню внутри самой империи Антибиотика — агентурная информация, поступавшая к Кудасову из империи, была противоречивой, подчас взаимоисключающей, но Никита, опытный агентурист, почувствовал за сообщениями источников некую фигуру умолчания — агенты не специально скрывали ее, они ее просто не ощущали, не видели со своего уровня... Кто-то явно сознательно спровоцировал драку между крысами, но кто и зачем? Бабуин? Нет... Он не стал бы рисковать и разрабатывать такую сложную и долгую комбинацию, Валера, скорее, мог воспользоваться кем-то уже заваренной бодягой...

Кудасов стиснул зубы — этим ударившим по шарам кием вполне мог быть и Андрей Обнорский, такое предположение вполне укладывалось в психологический портрет журналиста. Но как он сумел? Если, конечно, это все-таки Серегин заварил кашу в порту, а не кто-то другой. Но интуиция подсказывала Никите, что в разборках в порту без участия Андрея все-таки не обошлось...

Именно поэтому Кудасов ждал встречи с Обнорским с таким нетерпением. Никита Никитич прохаживался вдоль магазина «Океан», время от времени посматривая на часы и внимательно оглядывая редких прохожих. Серегин опаздывал уже на двадцать минут, и начальник 15-го отдела почувствовал смутную тревогу. Андрей, конечно, не был таким пунктуальным, как служащие швейцарских банков, но на все встречи старался приходить вовремя, а тем более на те встречи, инициатором которых был он сам... Прошло еще пятнадцать минут — Обнорский по-прежнему не появлялся.

Кудасов выругался сквозь зубы — может быть, у Андрея случилось что-то с его «вездеходом»? Нет, не в этом дело... Если бы у Серегина сломалась «Нива» —

он бы доехал до места встречи на попутной тачке... Так куда же он делся?

Никита дошел до таксофона на углу Сенной и Садовой и набрал номер домашнего телефона Обнорского. Длинные гудки в трубке встревожили Кудасова еще больше... Когда до полуночи осталось всего десять минут, Никита уже не сомневался в том, что Андрей попал в беду... Пятьдесят минут опоздания — не бывает таких опозданий. Серегин ведь не барышня, решившая подразнить незадачливого ухажера... Кудасов сосредоточился и попытался детально воспроизвести в памяти последний разговор с журналистом.

«Так... Андрей сказал, что нужно срочно встретиться и поговорить, — я ответил, что сам давно ищу его... Он хмыкнул и в обычной своей манере заявил, что у дураков мысли сходятся... Я спросил, нельзя ли встречу перенести на утро, — Андрей ответил, что дело срочное, до утра никак не терпит... Голос у него был явно взволнованный... Потом он спросил — слышал ли я что-нибудь про нынешние разборки в порту? Я уточнил, имеет ли он в виду суету вокруг одного водочного контракта. Андрей сказал, что именно обо всей этой кампании и идет речь, и добавил, что сможет рассказать мне кое-что интересное... Я предложил встретиться немедленно — он ответил, что ему предстоит еще одна встреча, короткая, а после нее, в двадцать три ноль-ноль, он будет ждать меня на Сенной у „Океана". Я поинтересовался — почему именно на Сенной, и Андрей объяснил, что так нужно, что нам придется еще зайти в одно место... Зайти в одно место... В какое место мы должны были с ним зайти на Сенной в одиннадцать часов вечера?..»

Никита обвел площадь взглядом, и глаза его непроизвольно остановились на окнах четвертого этажа дома номер 2 по Московскому проспекту... А что, если Обнорский хотел зайти в ту самую квартиру, в которой он находился с похожей на Званцеву женщиной во время проведения уличной с Кораблевым? Может быть, Андрей использует этот адрес в качестве конспиративной квартиры?

Кудасов еще раз взглянул на часы — уже миновала полночь, наступил первый день лета 1994 года... Ждать Обнорского дальше у «Океана» не имело смысла.

Никита решительно зашагал в сторону первого дома на четной стороне Московского проспекта, вспоминая на ходу номер квартиры, которую отрабатывал Савельев...

Войдя в темную, загаженную котами и людьми парадную, Кудасов на всякий случай достал из наплечной кобуры пистолет, а из кармана джинсовой куртки — фонарик.

Подсвечивая себе под ноги, чтобы не споткнуться на разбитых ступеньках, начальник пятнадцатого отдела поднялся на четвертый этаж и остановился у двери, обитой рваным коричневым дерматином. Несколько минут Никита прислушивался, но за дверью было тихо, как в могиле. Кудасов попытался нажать кнопку звонка — но звонок, конечно же, не работал. Тогда Никита тихонько постучал — никакой реакции не последовало.

Кудасов потоптался на месте, оглянулся — он был в подъезде один. Начальник пятнадцатого отдела тихо матюгнулся сквозь зубы и, неожиданно для самого себя, принял решение вскрыть дверь... Никита уважал Закон — иногда, может быть, даже больше, чем этот Закон того заслуживал, все в управлении знали эту его слабость, даже подшучивали над Кудасовым, называя его иногда за глаза буквоедом. А Никита просто очень хорошо знал, каким силам ему приходиться противостоять, — эти силы сразу же использовали бы против него любое, даже незначительное нарушение Закона. Именно поэтому Кудасов всегда очень тщательно «обставлялся» и того же требовал от своих сотрудников...

Наверное, опера из 15-го отдела очень удивились, если бы увидели, как их педантичный шеф без ордера и, в общем, без достаточных на то оснований вскрывает швейцарским офицерским ножом (подаренным ему, кстати, все тем же Обнорским) дверь в частную квартиру, — то есть незаконно проникает в чужое жилище... Кудасов и сам себе удивлялся, но ковырять лезвием ножа хлипкий замок его заставила все растущая тревога о судьбе Андрея...

Наконец замок щелкнул, и дверь открылась. Никита быстро скользнул в прихожую и осторожно прикрыл за собой дверь. Несмотря на белые ночи, в прихожей было темно, потому что окна в ней отсутствовали. Кудасов повел лучом фонарика вдоль коридора: из пяти комнат четыре были заколочены наглухо, а пятая казалась слабо обитаемой, потому что дверь в нее была не заколочена, а всего лишь закрыта на замок... На всякий случай Никита осмотрел туалет, ванную и кухню, отметил, что в ванной висело на гвозде полотенце, а на столе в кухне стояли чашки с недопитым кофе и пепельница, полная окурков. Кудасов ковырнул окурки пальцем — так и есть, «Кэмел». Обнорский курил только эти сигареты... Кудасов вернулся в прихожую, постоял перед запертой дверью, вздохнул и снова достал швейцарский перочинный нож...

Через десять минут он уже методично шмонал комнату, выходившую окном на Сонную площадь.

Удача улыбнулась Кудасову — в покосившемся шкафу у стены под каким-то тряпьем Никита нашел толстую папку. Развязав тесемки, начальник пятнадцатого отдела начал перебирать листки, покрытые убористым почерком. Никита никогда специально почерк Обнорского не изучал, но журналист иногда при нем делал кое-какие пометки в своей записной книжке — Кудасову показалось, что почерк на листах из папки напоминает каракули Серегина... А записи на этих листках были более чем любопытными. Собственно говоря, папка эта представляла из себя настоящее досье на Плейшнера и его бригаду, отдельный раздел посвящался общей обстановке в порту, а дальше начиналось самое интересное — дальше расписывалась детально разводка с партией «Абсолюта»... Нет, имена самого Обнорского или, скажем, Званцевой нигде не упоминались, но создавалось впечатление, что человек, писавший досье, знал слишком много, чтобы быть в этой истории просто сторонним наблюдателем...

Никита оторвался от бумаг, вытер рукой лоб и, зажмурившись, словно от боли, сказал вслух шепотом:

— Ну, бля... Ну, народоволец хренов... Уши тебе оборву, засранец!

Внезапно Кудасов осекся — уши Обнорскому можно будет оторвать только в том случае, если он жив... Да и за что обрывать? За то, что ему, Никите, ничего не сказал? А мог ли он сказать? Ведь он, Кудасов, как-никак должностное лицо... Никита вдруг почувствовал что-то вроде зависти к Андрею: а может, так и надо этих псов давить, у которых все схвачено и закуплено?

Кудасов скрипнул зубами, заставил себя подавить все эмоции, аккуратно сложил листки в папку, вышел из расселенной коммуналки и поехал в управление...

Домашний телефон у Обнорского не отвечал всю ночь, в ходе которой Никита не сомкнул глаз. Днем 1 июня Андрей на работе также не появился — впрочем, в редакции уже привыкли к его неожиданным исчезновениям, поэтому там никто никакой тревоги не выказывал.

А Кудасов нервничал все больше, потому что не знал, что делать: объявить Андрея в официальный розыск он не мог, ведь тогда пришлось бы объяснять мотивы. И если бы потом Серегина нашли — журналисту пришлось бы официально отвечать на очень многие неприятные вопросы, потому что его действия явно выходили за рамки УК. Обнорский получил бы предъяву из целого букета статей. С другой стороны, сидеть сложа руки Никита не мог — он начал спешно напрягать самых ценных своих агентов, пытался выйти хоть на кончик информации о возможном похищении журналиста...

А где-то около четырех часов дня по особому телефону Кудасова (номер которого знали далеко не все) позвонила какая-то женщина. Она рыдала в трубку и умоляла Никиту Никитича спасти Андрея Обнорского, который попал в беду из-за того, что располагал детальной информацией об обстоятельствах похищения у фирмы «ТКК» крупной партии шведской водки «Абсолют».

Не пожелавшая представиться женщина и сама знала очень много подробностей — таких, будто она читала досье, обнаруженное Кудасовым в расселенной коммуналке... Впрочем, звонившая сообщила и кое-что новое. В частности, она рассказала, что у Обнорского вечером 30 мая состоялась неприятная встреча со старшим оперуполномоченным УФСК Аркадием Назаровым — по ее словам, комитетовский майор сам был замешан в проведении водочной сделки. А еще женщина рассказала об угрозе взрыва двух складов, на которых могла храниться похищенная водка... На предложения представиться и встретиться звонившая не прореагировала...

Проверка адреса входящего звонка показала, что женщина звонила не из Петербурга и даже не из России, а из Швеции, из Стокгольма. Кудасов этой информации абсолютно не удивился. Он догадывался, кто ему звонил. Круг замкнулся... Вот только Андрей выпал куда-то за пределы этого круга...

Вечер 1 июня выдался бурным — Никита просто еле успевал переваривать валившуюся на него информацию. Попытки навести осторожные справки о комитетчике Назарове закончились в буквальном смысле убойно: оказалось, что накануне вечером опер ФСК при непонятных обстоятельствах застрелил Диму Караула и Женю Травкина и погиб сам.

А потом Витя Савельев принес известие о показаниях Бутова, и Кудасов понял, что может железобетонно задерживать Антибиотика... Учитывая несомненную причастность старика ко всей кровавой водочной истории, Кудасов рассчитывал через него выйти на след Андрея...

Очутившись ранним утром 2 июня в камере следственного изолятора, Антибиотик некоторое время находился в состоянии полной прострации.

«Как же так? Столько денег ушло мусорам, прокурорам этим яйцеголовым — и все сипом пердячим в воздух ушло? Меня, Виктора Палыча Говорова, какой-то упертый руоповец приводит в КПЗ, как крадунца мелкого?! А ведь говорил, говорил я много раз этому долбоебу Генококу Петровичу — угомони Кудасова, угомони... Как чувствовал... Сам виноват, дожать надо было... Прав был Иваныч — с этим Никиткой вопрос только кардинально решить можно, его тупые мозги только на пулю и среагируют... Знать бы, что так все обернется... Гена-мудила уже червей кормит, я в хате закрытый... На кого ты руку поднял, Директор херов?! Ты еще сто раз об этом пожалеешь, падла, я тебя сгною, сгною мусорскими же руками, бля буду, землю жрать стану, а сгною тебя, Никитушка, чтоб я пидором стал... Ты, сучонок краснопузый, еще увидишь, что

делают деньги, ох увидишь, тварь цветная... Я всю му-
сорню по второму разу закуплю, а покоя тебе не дам,
гнида запогонная... Только бы выйти, только бы выйти... Ведь все есть, все — и „бабки", и власть, настоящая власть, а не педерастическая, как в Смольном...
Весь Питер по нашим понятиям живет, а ты, Никитушка, не хочешь, самый умный ты у нас, самый
чистенький... Один ты, стало быть, против всех, против народа нашего... Нехорошо это, дорогой Директор,
очень нехорошо... Икнется тебе денек сегодняшний,
так икнется, что кровавой блевотиной подавишься, Никитушка... Мне бы только выйти... А я выйду... Выйду!
Чего там у него против меня имеется? Бурцев... Да, с
этим конторским, конечно, лажа вышла... Какая ж сука
нас с Тузом писала? Да какая б сука ни была — шутил
я. Шутил. Пьяный был... Туз, падла, спалился, как сяв-
ка... Говорят, сдох в больничке у „лепил" на руках...
А если мутят мусора, если жив Туз? Ничего, мы и Туза
побьем козырной шестеркой, дел-то... А козыри я сам
мастить буду... Так что Туз, живой он или мертвый —
это все туфта дешевая... А что еще? Что-то еще должно быть у мусорков в припасе, иначе не нагличали
бы так... Кто-то стукнул, кто-то показания дал... Кто?
Узнаем, все одно узнаем... А узнаем — разберемся...
Был человек и сплыл — мало ли что он раньше сказал... Сказал, а следак его не так понял, и все... Ничего,
мы еще подергаемся... А с тобой, Никитушка... Нет,
нет, родной мой, героев у нас не убивают, героев у
нас обсерают так, чтобы другим „героить" неповадно
было... Так-то вот...»

Антибиотика понемногу отпускало, он вышел из
ступора, расслабился, обмяк, прилег было на шконку,
но тут же снова подскочил: «Ах, бля... Вот где еще
улика мусорам может выставиться... Серегин. Журналист этот херов... И Череп, как назло, с ним в бункере,
меня ждет... Нет, ну Череп-то не дебил, он подождет-
подождет, увидит, что я не еду, начнет в город звонить,
ему кто-нибудь скажет, что меня закрыли — и сразу
же полную приборку сделает... А если не успеет? Ку-
дасов-то ведь не случайно про Андрюшку-выдумщика
спрашивал... Знает что-то, падла гнойная... Вот ведь
блядство-то...»

Виктор Палыч понял, что расслабляться рано, и начал повнимательнее присматриваться к обитателям камеры.

Через пару часов Антибиотик уже сидел рядом с пацаненком лет восемнадцати, увлеченно рассказывавшим, как «посыпалось» его дело. В камеру паренек попал за соучастие в квартирной краже — да только умысел ему навесить не смогли. Пацаненок был еще не битым, потому рассказывал, дурачок, доверчиво и радостно:

— Я, короче, стою в хате, сумка с вещами рядом, а тут хозяйка... И все, пиздец — крик, шум, вонь, лягавка... А меня как осенило. Говорю одно: шел, мол, по лестнице, смотрю — квартира открытая... Дай, думаю, зайду — посмотрю, кто это людям замок сломал... И все, и слопали это... Трое суток своих отдолдонил, и вот она — свободушка...

Антибиотик крутил часа два этого шустреца, пробивал его по-всякому, проверял, не кумовской ли... Но пацанчик казался чистым. Глуповатым он был, это точно, но глупость в данном случае только на руку Виктору Палычу играла... Антибиотик пообещал пареньку, которого звали Саней Костюковым, что возьмет его к себе работать в охранную фирму, — так Саня этот чуть ли не пятки готов был старику лизать.

Охранная фирма — это ж круто, это ж... И форма, и дубленка, и разрешение на ствол... И деньжищ сколько — долларов пятьсот в месяц, не меньше...

Обнадежил Антибиотик мальца и попросил записочку в один адресок доставить. А записка та была самая невинная: «Привет, Кириллыч. Со мной недоразумение вышло, думаю, что ошибка милицейская, но на несколько дней в изолятор я загремел. Ты загляни к Фаине, скажи, чтоб не волновалась, чтоб ждала меня и не блядила, чтобы хату в чистоте блюла. Мне пусть хлебца пришлет, конфеток и еще чего — сама решит. Человека, передавшего письмо, отблагодари по совести. Витя».

Рисковал, конечно, Антибиотик, но не особенно. Даже если малец этот кумовской — все равно мусора ничего из записки не поймут, нет в ней криминала. А время — дорого, нет его почти, времени-то...

Лишь бы Череп известие получил, лишь бы в хате прибрался...

Виктор Палыч, конечно, даже не подозревал, что на момент написания малявы Череп уже никак не мог лично заняться приборкой в хате.

А в бункере вскоре после отъезда оттуда Антибиотика произошли достаточно интересные события...

Обнорского больше не били, не заковывали в наручники — его, наоборот, поили бульоном, какими-то травами, а потом ему даже дали поспать. Грач даже подушку журналисту под голову подложил и оберегал его сон всю ночь, хотя Серегин все равно бы сбежать не смог — куда сбежишь со сломанными ребрами и перебитой ногой? Обнорского даже нужду справлять не выводили, а практически выносили из «бункера». Но Череп любил во всем порядок, и потому велел, чтобы кто-то из его людей постоянно находился при Андрее... Утром 2 июня Грача сменил Пыха, а минут через пятнадцать после «смены караула» в бункер зашел Череп. Бывший комитетчик постоял над лежащим на полу Серегиным, помолчал, разглядывая журналиста, и наконец сказал:

— Ну что, Андрей Викторович... Я надеюсь, вы отдохнули, поднакопили сил, так сказать... Пора за работу приниматься... Ручка и бумага у вас есть — так что давайте, описывайте подробненько: где, когда, при каких обстоятельствах вы познакомились со Званцевой, как пришла в голову идея устроить «разводку» с «Абсолютом», как конкретно осуществляли все на практике... Задача ясна?

Обнорский медленно кивнул, и Череп улыбнулся одними губами:

— Ну и чудесно. Только перед тем, как начнете выписывать подробное эссе, — будьте любезны, напишите-ка мне стокгольмский адрес и телефончик Званцевой... Лады?

Серегин завозился на полу, сел, прошамкал, прерывисто дыша:

— Зачем?.. Ее все равно уже нет по этому адресу... Я же говорил...

Голос Черепа построжал:

— А вот это уже не ваше дело, милейший... Зачем — мы сами знаем, зачем. Ваше дело написать. А наше — проверить достоверность информации... Кстати, хочу вас обрадовать — к вечеру здесь будет доктор, который начнет с вами работать по своей методе, так что рекомендую до его приезда написать побольше... А с медицинской помощью мы и посмотрим, насколько искренне вы решили сотрудничать с нами... Я доступно излагаю? Надеюсь, цирк со внезапными провалами в памяти вы устраивать не будете? Мои хлопцы, знаете ли, не всегда понимают юмор, а если и понимают, то очень по-своему...

Обнорский прикрыл глаза, якобы от внезапно накатившего приступа боли. «Ну, вот и все, — подумал Андрей. — Вот и приехали...»

Давая согласие на «сотрудничество» Антибиотику, Андрей, конечно, просто рассчитывал потянуть время, надеясь неизвестно на что. Отрицать знакомство с Катериной было просто глупо, Обнорский это понял... Палыч не врал — он действительно располагал информацией о контактах между ним, Серегиным, и Званцевой в Стокгольме. Андрей сразу же вспомнил стриженого бычка, который пялился на Катерину вечером третьего января. Не зря все-таки тогда сердце тревогу почуяло...

Серегин понимал хорошо и то, что любая правдивая информация о Катерине, выданная им Черепу, даст возможность начальнику «контрразведки» Антибиотика взять верный след. Казалось бы — что такого, если Андрей назовет номер стокгольмского телефона Кати и ее адрес? Перед последним отъездом из Швеции Обнорский строго-настрого проинструктировал Катерину: при малейшем сбое, при малейших признаках опасности она должна немедленно сменить квартиру. В старом адресе ее уже, конечно, никто не найдет, все это так, но...

Для нормального оперативника и старый адрес даст море зацепок и информации — через него можно будет, например, установить имя, которым Катя пользовалась в Швеции, и тогда искать уже начнут Рахиль Даллет... По старому адресу можно определить банк, через который проходили платежи Рахиль Даллет...

Грамотно отработав соседей, легко устанавливаются марка и номер автомобиля, на котором ездила беглянка... В общем, информации собрать можно много, а собрав, не так сложно будет наметить уже и комплекс конкретных поисковых операций... Это ничего, что искать придется в столице Швеции, — если у тех, кто ищет, с головой все в порядке, конечно... Можно ведь и такую комбинацию провернуть, после которой к поискам Рахиль подключится и неподкупная шведская полиция... А все просто — надо только «сляпать» некое преступление, а «концы» на эту Даллет вывести, и сыскари стокгольмские сами начнут подметки рвать, не поняв, что их «разруливают втемную». Ну а чтобы узнать, где и как эту Даллет возьмут, — надо организовать утечку о «страшном преступлении» в шведскую прессу. Дальше — сиди и жди, наблюдай, как две машины работают. Одна машина ищет, другая — контролирует поиск и читателей информирует. А найдут Рахиль — пока разберутся, пока все проверят... Короче, когда она из камеры-то выйдет — тут ее соотечественники и встретят... И это ведь только один из вариантов системы поиска, а хороший розыскник таких комбинаций с десяток нарожать может... Понимал все это Андрей, а потому знал — никакую истинную информацию Черепу отдавать ни в коем случае нельзя...

Почти всю минувшую ночь Обнорский не спал, а думал. И к тому времени, когда Череп поинтересовался адресом и телефоном Катерины, Андрей уже выработал план — рисковый, отчаянный, но так ведь и его положение было отчаяннее некуда...

Серегин открыл глаза и, постанывая, продиктовал Черепу семизначный телефонный номер, а потом нацарапал на листке бумаги адрес латинскими буквами. Телефонный номер немного отличался (двумя цифрами всего) от номера телефона Ларса Тингсона, а адрес был и вовсе липовым — то есть улица-то такая в Стокгольме, конечно, имелась, но вот Катерина на ней никогда не жила.

Череп кивнул, взял бумажку и, уже выходя из подвала, сказал Обнорскому:

— Работайте, Андрей Викторович. Желаю вам творческих успехов.

Пыха, услышав этот «прикол», заржал, но мгновенно осекся под ледяным взглядом своего шефа...

Когда Череп вышел из подвала, Обнорский положил к себе на колени блокнот, взял ручку и начал старательно писать на первой странице: «Когда я впервые увидел Екатерину Званцеву, я не знал, что она Екатерина, и что Званцева тоже не знал...»

Андрей писал, лишь бы что-то писать, ему нужно было, чтобы Пыха расслабился, чтобы не заметил в действиях пленника чего-нибудь подозрительного. Впрочем, сотрудник «контрразведки» вообще, казалось, не обращал на журналиста никакого внимания — чего за ним смотреть, за полудохлым?

Серегин вдруг дернул ногами и громко застонал, а потом задышал часто-часто. Блокнот упал с колен Обнорского на пол. Пыха недовольно засопел и посмотрел на журналиста:

— Э! Ты че там? Че мумишь? Писатель хуев...

А Серегин выглядел уже и вовсе жалко — стон его перешел в скулеж, Андрей дергался так, будто что-то вошло ему сзади между ребер.

— По-а... По-омоги... помогите... гвоздь... ой, по-а-а... гвоздь...

— Чево?! — искренне удивился Пыха. — Какой гвоздь, ты че? Эй, писатель? Ты че дергаисся-то, а?

Пыха соскочил со своего табурета и вразвалочку направился к Андрею. Подойдя вплотную, он наклонился:

— Какой гвоздь, че ты гонишь?

— Сзади... — скулил журналист, — сзади... По-а...

Пыха наклонился еще больше, а именно этого-то и добивался Серегин. На коротком выдохе Андрей ударил стриженого амбала костяшками пальцев левой руки под кадык. Почти одновременно с этим ударом Обнорский засадил металлическую шариковую ручку Пыхе в горло. Андрей бил изо всей силы, надеясь попасть либо в яремную вену, либо в сонную артерию... Судя по алому цвету крови, фонтаном забившей из горла Пыхи, ручка пробила все-таки сонную артерию... Бандит захрипел и, поливая Обнорского кровью, начал заваливаться вперед, а Андрей качнулся ему навстречу и ударил Пыху лбом в основание носа. Туша, весившая около центнера, рухнула на журналиста, и Серегин едва сам не потерял сознание от дикой боли в сломанных ребрах и отбитых внутренностях.

Те, кто утверждают, что от раны в сонную артерию смерть наступает мгновенно, — ошибаются. Пыха, хрипя и дергаясь, агонизировал несколько минут, показавшихся Обнорскому вечностью...

Когда амбал, наконец, затих, Андрей трясущимися руками, словно слепой, начал обшаривать его тело в поисках оружия. Вытащив из-за ремня брюк убитого пистолет Макарова, Обнорский торопливо снял его с предохранителя и передернул затвор — звякнувший о бетонный пол патрон показал, что необходимости в этой операции не было... Андрей смотрел на пистолет в своей руке и неверяще тряс головой — получилось, все-таки получилось... На реальную возможность побега из «бункера» Обнорский не рассчитывал, но он все равно встал и шагнул к двери. Если кто-то еще не пробовал ходить со сломанной ногой — то, поверьте на слово, и пробовать не стоит...

Закусив губу до крови, Андрей не дошел и даже не доковылял, а скорее допрыгал до двери на целой ноге, приволакивая за собой перебитую... Обнорский, наверное, был в шоке, он вряд ли смог бы объяснить, зачем его понесло за дверь, на ступеньки, которые вели к выходу из бункера. Далеко упрыгать на одной ноге Серегин все равно бы не смог, ему надо было просто запереться в бункере, но Андрей полез наверх. Может быть, нормальный человеческий инстинкт гнал его подальше от тела умершего страшной смертью Пыхи, может быть, Обнорский рассчитывал добраться до телефона в доме.

Серегин не сумел даже до конца преодолеть ступеньки, отделявшие «предбанник» от собственно бункера, — в подвал зашел Череп... Нет, начальника «контрразведки» Антибиотика не встревожил шум в бункере — если бы это было так, то бывший комитетчик не пошел в подвал один и уж, по крайней мере, он бы обязательно извлек оружие из кобуры... Череп просто возвращался к Обнорскому после того, как позвонил своему человеку и дал задание на проверку стокгольмского адреса и телефона... Конечно, бывший подполковник КГБ очень удивился, увидев залитого кровью журналиста с пистолетом в руке. Но ведь Череп был профессионалом — еще не испытав даже всей глубины удивления, он уже автоматически выхватил свой ствол. Для того чтобы достать оружие, сбросить его с предохранителя и выстрелить навскидку, Черепу понадобилось примерно столько же времени, сколько Обнорскому — просто для нажатия на спусковой крючок. Они выстрелили почти одновременно, и оба попали, только начальнику контрразведки повезло меньше — пистолет Пыхи выхаркнул пулю ему прямо в сердце, выстрел же самого Черепа ударил Серегина в левую половину груди, чуть ниже ключицы...

Андрея швырнуло вниз, обратно в бункер, и боль от падения на бетонный пол была намного сильнее боли от пулевого удара. Сознания Обнорский не потерял, наверное, только потому, что за последние сутки он уже немного привык к боли — если к ней, конечно, вообще можно привыкнуть. Что-то бессвязно бормоча, Андрей перевернулся на живот и снова пополз по ступенькам вверх. Добравшись до двери, он увидел лежавшего в «предбаннике» лицом вниз Черепа. Обнорский свел брови (кожу лица неприятно стягивала подсыхающая кровь Пыхи) и словно задумался о чем-то, словно решал что-то важное.

На самом же деле в голове Серегина ни одной целой мысли не было, он впал в полукоматозное состояние... Лишь страшным усилием воли Андрей заставил себя встряхнуться и вернуться к реальности. Тщательно прицелившись, Обнорский выстрелил Черепу в голову. У входа в подвал послышался какой-то шум. Серегин, оскалившись, качнулся назад, в бункер, и навалился на тяжелую стальную дверь...

Эту дверь закрывали редко — надобности не возникало, поэтому металлическая плита реагировала на усилия израненного человека довольно вяло... Но Андрей все же успел завернуть запирающее колесо замка прежде, чем в дверь начали колотить ногами с другой стороны. Обнорский обессиленно опустился на ступеньки и засмеялся — вот только сторонний наблюдатель вряд ли бы идентифицировал его жуткое хриплое перхание с нормальным человеческим смехом. А Серегин действительно смеялся... Раненый и искалеченный, он смеялся потому, что сумел победить. Да бежать было некуда. Да, он сам себя замуровал в бункере. Но при всем при этом Андрей освободился от страха, измучившего его за последние сутки сильнее боли. Обнорского ведь никогда прежде не пытали, и специальные химические препараты, подавляющие волю, к нему не применяли — и Андрей совсем не был уверен в том, что он сумеет все выдержать и не сдать информацию о Катерине... Намного больше физической боли Серегина за минувшие сутки измучил страх собственного предательства.

Второго июня в дежурной части ИВС* ГУВД на свою предпоследнюю перед уходом на пенсию смену заступил старый прапорщик Иван Васильевич Рыжиков. Настроение у Ивана Васильевича было приподнятым, думал он уже об организации отвального банкета — а и то сказать, тридцать лет в органах отбарабанить, это ведь не шутка. Служил, надо сказать, Рыжиков честно, вот и в этот день предлагали дембелю домой пораньше уйти, а он, наоборот, старался выполнить все обязанности с особой тщательностью, чтобы уйти красиво, — в том смысле, как он сам это понимал.

Именно Ивану Васильевичу и выпало оформить выход на волю Сани Костюкова — пацаненка вертлявого, залетевшего в изолятор по квартирной краже да соскочившего с крючка дуриком. Саня освобождению простодушно радовался, а радостью не побрезговал и с Иваном Васильевичем поделиться:

— Все, дед, свобода! Сегодня — пью, завтра — по бабам, а потом — в Ялту. Или в Сочи... Гульну там...

— Это ж на какие деньги-то? — ворчливо поинтересовался Рыжиков, а про себя подумал: «Да, плохо оперки работать стали, раньше-то — поди попробуй откинуться через трое суток, если тебя прямо на хате взяли... А теперь... Демократия — так чего ж не воровать-то... Вот и этот щегол — ишь как радуется...»

Глянул Иван Васильевич в свою тетрадку и припомнил, что просил его звонить по поводу всех освобож-

---

* ИВС — изолятор временного содержания.

дающихся один оперок из 15-го отдела — Вадик Резаков, кучерявый такой, чисто как Анджела Дэвис...

В РУОПе-то — известное дело, свои темы, свои секреты... Не иначе, «дорогу» хотят кому-то из изолятора перекрыть. Рыжиков за тридцать лет работы навидался столько всяких разных тем и комбинаций, что уже ничему не удивлялся. Знал Иван Васильевич, что именно таких, как вот этот придурковатый Санек, могут гораздо более серьезные люди в своих интересах использовать.

Пригляделся Рыжиков к огольцу повнимательнее и даже усмехнулся внутренне — точно ведь, тащит пацаненок что-то, конем работает, ишь как в полу куртешки своей вцепился...

Иван Васильевич не торопясь охлопал Костюкова — вроде как лениво и формально ошмонал, а на самом-то деле — ущупал старший прапорщик клочок бумаги за подкладкой куртки пацана. Впрочем, извлекать спрятанную «малявку» Рыжиков не стал — вернулся к столу, начал перебирать какие-то листки, а потом огорошил Саню:

— Ты погоди радоваться-то. Костюков твоя фамилия? Ну вот. Подъедут сейчас из розыска, опознавать будут...

— Ты че, дед?! — опешил Костюков. — Да мне же на волю пора! Какое, блин, опознание, а?

— Пора, пора... — ворчливо откликнулся Рыжиков. — Сталина на вас нет, на засранцев... А про опознание — я не знаю. Говорят, похож ты на одного, который неделю назад бабеху одну ссильничал...

Саня даже задохнулся от негодования, но Рыжиков не стал обращать на него никакого внимания. Через полчаса примерно в дежурку прибежал взмыленный Резаков — он пошептался о чем-то с Иваном Васильевичем, а затем вконец обалделого Саню переодели в чей-то пиджак, нацепили зачем-то очки на нос и куда-то повели, потом он долго сидел в неуютной пустой комнате, куда позже привели еще четырех парней, — и всех их оглядела какая-то коза-посекуха, сказавшая в результате:

— Нет, среди этих людей его нет...

— Конечно, нет, — радостно бормотал Саня, когда его вели обратно в дежурку. — Вот люди... Лишь бы подлянку какую сделать, хоть и напоследок...

Костюков, конечно, даже не подумал, что весь спектакль с опознанием был разыгран только для того, чтобы Вадим Резаков смог ознакомиться с содержанием записки Антибиотика, а потом положить ее обратно.

И играли спектакль до тех пор, пока Кудасов, регулировавший вопрос с контролированием Костюкова, не позвонил Вадику в ИВС и не дал отмашку:

— Все, Вадим Романыч, запускай нашего Берлагу*...

Саня, выйдя из изолятора «на свободу с чистой совестью», повел себя грамотно — он оглядывался и озирался, проверяя, нет ли за ним хвоста. И немало позабавил этим «наружку». Саня, видимо, имел представление о «наружном наблюдении» только по кинобоевикам, а потому с чистой душой отправился он на Лиговский проспект, где посетил Валентина Ивановича Григорьева — скромного бухгалтера АОЗТ «Русское поле», которого лишь очень немногие люди знали как Иваныча, человека, лично приближенного к самому Антибиотику.

Иваныч, получив маляву от «брошенного в застенок» босса, сильно встревожился, начал звонить куда-то в Новгородскую область... Разговор, когда бухгалтер дозвонился, вышел совсем коротким, Григорьев занервничал еще больше и через некоторое время вышел из офиса, сел в свою скромную «шестерку» и куда-то поехал.

Дальнейший контроль показал, что ехать Иваныч, судя по всему, собрался именно туда, куда и звонил, — то есть в глухую деревеньку, расположенную на границе между Ленинградской и Новгородской областями...

Кудасов, которому доложили, как развивается ситуация, принял решение: контроль продолжить и усилить на случай непредвиденных ситуаций группу поддержки.

Таким образом, за «шестеркой» Иваныча по шоссе вскоре двигался (на приличном расстоянии, конечно) целый караван машин, державших между собой хорошую дистанцию, — Никита отправил на «усиление»

_____

* Берлага — персонаж романа Ильфа и Петрова «Золотой теленок».

чуть ли не половину своего отдела, а потом не выдержал и сорвался с «базы» сам...

Выскочив из Большого дома, Кудасов подбежал к вишневой «девятке», ожидавшей его на Шпалерной улице, и скомандовал водителю пятнадцатого отдела Алексею Семенову:

— Гони, Леша... Гони к выезду из города на Новгород.

— Понял, — откинулся Леша и нажал на газ. Глянув на измученное лицо начальника, Семенов захотел его как-то отвлечь от мрачных мыслей и сказал: — Никита Никитич, гляньте... Интересная какая штука получается — вот мы сейчас к Смольному собору едем, а кажется, что он от нас удаляется...

— А? — встрепенулся Кудасов и присмотрелся. — Да, действительно. Никогда не замечал... Странно.

Леша оживился:

— А мне это Витя Савельев показал, мы с ним ехали как-то, вот он и обратил внимание... Мистика прямо...

— Да, — кивнул Кудасов. — Интересно...

А про себя Никита подумал, что точно такой же эффект бывает и в его работе. Иногда кажется, что чем больше делаешь, тем дальше и дальше становится цель, а потом вдруг — раз, и вот она уже прямо перед тобой, только руку протянуть осталось...

Дальше Кудасов молчал почти всю дорогу, лишь время от времени он выходил на радиосвязь со своими людьми из группы поддержки.

Но когда Иванычу оставалось доехать до «бункера» всего километров двадцать, случилось непредвиденное.

Машину, в которой ехал Виктор Савельев, вдруг подрезал и сбросил в кювет большой красный джип, летевший по шоссе по направлению к Петербургу. По счастью, экипаж Савельева, оказавшийся на тот момент первой машиной за «шестеркой» Иваныча, не пострадал, но из преследования они выбыли, потому что в других автомобилях мест не было и подобрать ребят не смогли. Никита, выслушав доклад Савельева по рации, лишь скрипнул зубами, пообещал, что заберет Витю сам, и начал отдавать необходимые распоряжения для того, чтобы попытаться задержать загадочный красный джип. Интуиция подсказывала Кудасову, что «шестерку» Савельева сбросили с шоссе не случайно, и надо сказать, абсолютно права была интуиция Никиты.

В скрывшемся красном джипе сидел Грач, оставшийся после гибели Черепа и Пыхи за «старшего» в бывшем доме писателя Алексея Рожникова...

Расклад такой получился: когда Грач и Чум прибежали на звуки выстрелов в подвал и увидели там мертвого Черепа и медленно закрывающуюся дверь «бункера» — они, хоть и не были великими аналитиками, но довольно быстро ситуацию расчухали. По всему выходило, что писарчук, падла, умудрился каким-то образом сделать Пыху и взять у него ствол. Дальше «писателю» повезло меньше: он пытался бежать, но нарвался на Черепа — загасил его, понял, что по-тихому соскочить не удалось, и закрылся в бункере. Грач с Чумом сгоряча попинали дверь, даже пальнули в нее пару раз в сердцах, — но ясное дело, стальная плита как стояла мертво, так и продолжала стоять.

В доме, кроме Грача и Чума, находились еще двое быков — совсем отмороженных и не богатых мозгами. Братаны побились немного с дверью и вскоре осознали, что помочь им в их проблеме может либо взрывчатка, либо автоген. Автогена в доме не было, да и пользоваться им никто не умел. Имелись, правда, несколько гранат-эргэдэшек — но опять-таки никто из «великолепной четверки» в подрывном деле не разбирался... Гранаты, конечно, можно было попытаться взорвать в связке, но что это даст? Бог его знает, какая должна быть мощность взрыва, чтобы эту чертову дверь вышибить... А если при взрыве этот малахольный писарчук скорытится? Во будет кино! Приедет Антибиотик (боевики Черепа не знали, что Виктор Палыч уже лишен возможности свободно перемещаться в пространстве) — и что ему докладывать? Так, мол, и так — имеем трех покойничков: Черепа, значит, Пыху и «писателя». Вот старик обрадуется-то... Молотки, скажет, пацаны, все вы тут клево устроили... И ведь Палычу не объяснишь, что лопухнулись Пыха и сам Череп, — у Антибиотика разговор короткий, с мертвых не спросишь, а вот с живых...

Поняв весь ужас положения, Грач, на которого, как на «старшего», с надеждой смотрели трое остальных членов «коллектива», сильно затосковал.

Он попытался даже вступить с Обнорским в диалог — через переговорное устройство, установленное по обе стороны двери «бункера». Грач то пугал «писателя» муками жуткими, на которые тот сам себя обрек, то, наоборот, сулил разные поблажки, если журналюга все-таки одумается и откроет дверь. Грач предлагал Серегину и бухалово, и ширево, и даже бабу на отсос обещал организовать, клялся «честным пацанским словом», что лично будет ходатайствовать за Андрея перед Антибиотиком, что объяснит старику все путем — мол, Череп с Пыхой сами виноватыми были... Уговоры не подействовали. Этот гнус писучий, видать, считал, что терять ему нечего (правильно, в общем-то, считал), посылал Грача вместе с его пацанским словом на три известных буквы и вдобавок, тварь, рекомендовал позвонить в милицию и сдаться — мол, зачтется при разборе...

Предложение о капитуляции Грач с братками восприняли нервно — они побесились у стальной двери еще с полчаса, а потом Чуму неожиданно в голову пришла дельная мысль: писарчук мусорков хочет? Надо сделать ему мусорков — пусть откроет на предъявленную ксиву.

В деревне жил участковый — старший лейтенант Тарасов, которого давным-давно на всякий случай прикупили с потрохами, чтобы не путался под ногами, не стучал да и вообще для порядку... Членом «коллектива» Тарасов, конечно, не был, но водки в него было влито за годы «аренды» дома писателя Рожникова немерено, да и какой-никакой денежкой служивого баловали... Чум предложил напрячь Тарасова — пусть отрабатывает мусор «капиталовложения». Грач за эту идею уцепился, побежал к участковому и чисто конкретно объяснил, что от него требовалось. Тарасов, конечно, поупирался, но быстро скис, потому что Грач доходчиво растолковал ему, какие перспективы возникнут в случае отказа от сотрудничества. Тарасову налили стакан для храбрости и куражу, выждали часок и запустили в подвал...

И ведь почти получилось все — участковый представился, показал в глазок двери свою ксиву, сказал, что бандиты задержаны. Грач даже по искаженному переговоркой голосу журналиста понял, что тот заколебался... Но умным очень этот «писатель» оказался — стал вопросы разные Тарасову задавать, тот растерялся, начал мычать что-то невнятное и оглядываться на притаившихся сзади братков... Само собой, журналюга въехал в тему, обозвал Тарасова сукой, сволочью, пидором гнойным и еще многими совсем паскудными словами, а напоследок проклял и пообещал даже из могилы участкового достать... А потом «писатель» затих — то ли притомился, то ли отключился, то ли вовсе сдох от злобы своей.

Тарасов что-то очень уж застремался, разнюнился, пришлось его водярой до полной отключки накачивать и домой к жене бесчувственно волочь... Время шло, братва грустила все сильнее. Антибиотик к бункеру не подъезжал, ситуация оставалась патовой, и Грач уже собирался с мыслями и прикидывал, кому бы позвонить в Питер, чтобы во всем покаяться... Нет, о звонке в мусарню он и не думал — козе понятно. Грач хотел связаться с кем-нибудь из «старших»... Но вот беда — все люди Черепа замыкались-то только на него и прямых выходов на других авторитетов не имели, такой порядок сам покойный начальник «контрразведки» в свое время установил.

И тут позвонил из Питера Иваныч, его Грач знал, хотя что значит — знал? Солдат тоже полковника знает... Иваныч затребовал Черепа к трубке. Грач объяснил, что с Черепом — большие проблемы, да и не только с Черепом, а вообще... Подробностей Иваныч слушать не стал, встревожился сильно, оборвал Грача и сказал, что подъедет вскорости. Поинтересовался, правда, нет ли шухера вокруг дома, на что Грач ему искренне ответил, что в самом доме лажи много, но вокруг — все тихо и спокойно...

Поджидая Иваныча, Грач все отчетливее понимал, какие предъявы будут сделаны ему лично, и все больше хотел соскочить куда-нибудь — вот только повода для бегства не было... А попадать Иванычу, дядьке суровому, под горячую руку очень не хотелось. Этот Ива-

ныч — он кое в чем даже пострашнее Антибиотика...
Нет, совсем отрываться и соскакивать с концами Грач
не задумывал — все равно найдут и шкуру снимут.
Парню просто хотелось отсидеться где-нибудь под бла-
говидным предлогом до тех пор, пока не отгремят первые громы, не отсверкают первые молнии и не остынет
первый гнев...

Предлог для бегства Грачу подсказал сам Иваныч:
подъезжая к деревне, он связался с бункером (по
рации, а не по телефону) и сказал, что за ним какая-
то тачка мутная почти с самого Питера тащится...
Иваныч всегда отличался осторожностью и подозрительностью. Грач, чьи умственные способности обо-
стрились в кризисной ситуации до крайности, тут же
смекнул, что к чему, ответил, что насчет «тачки» все
понял, что меры будут приняты... А дальше он прыгнул в джип, бросив свою команду, и рванул Иванычу
навстречу — чтобы отсечь ту мутную тачку. Возвращаться в дом Грач не собирался — потом ведь можно
будет сказать, что он, выполняя команду «старшего»,
нарвался на гаишников, пришлось спасаться бегством,
ложиться на дно. А насчет мутной тачки Грач не
очень беспокоился, скорее всего, Иванычу просто показалось что-то, мусора — они бы по-другому действовали, если что...

«Шестерку», в которой ехала группа Вити Савельева, Грач в кювет все же скинул, — а потом ударил по
газам и на сумасшедшей скорости погнал в Питер. Таким образом, когда Иваныч добрался до бункера, его
встретили только Чум и еще два отморозка.

К моменту прибытия в деревню Кудасова, подобрав-
шего на трассе Савельева и еще двух оперативников,
Вадим Резаков уже больше часа скрытно осуществлял
наблюдение за домом писателя Рожникова, во двор которого въехала «шестерка» бухгалтера АОЗТ «Русское
поле». Дом этот стоял чуть в стороне от остальных изб,
его окружал добротный бетонный забор, по периметру
по двору бегали две немецкие овчарки.

— Ну, что там? — тихо спросил Кудасов, подходя
к Резакову и пожимая ему руку. Вадим пожал плечами:

— Да, похоже, змеюшник приличный... Собаки у них там, братаны с оружием... С автоматами я засек двух, может, их там еще человека три-четыре, но не больше... Бухгалтер этот, как приехал — держался по-хозяйски, пистонов за что-то пацанам навтыкал... У них там что-то явно не складывается, какая-то непонятка происходит... Носятся все время туда-сюда, в подвал постоянно забегают...

— В подвал? — переспросил Никита, и Резаков кивнул:

— И в подвал, и из подвала... Прямо как пчелки — то в улей, то из улья!

— Понятно, — Кудасов помолчал немного и задал новый вопрос: — А отсюда никто не отъезжал?

— Нет, — покачал головой Резаков. — Все в хате тусуются.

— Ясно...

Кудасов, хмурясь, думал о чем-то несколько минут, а потом сказал:

— Надо этот гадюшник — того... Осмотреть в деталях... Основания для обыска у нас имеются... Ты, Вадим Романыч, свяжись со следаком, нужно решить вопрос.

— Уже, — откликнулся Вадим. — До следователя мы уже дозвонились, и машина за ним пошла — через полчасика где-нибудь подъедет. Я и СОБР заказал — на всякий случай.

Кудасов кивнул. Когда люди долго работают вместе, а особенно на такой «живой» работе, как оперативная, они вскоре начинают понимать друг друга без слов... Или — перестают понимать друг друга вовсе...

Было уже около одиннадцати вечера, когда Кудасов начал проводить инструктаж с имевшимся в наличии оперсоставом и подтянувшимися бойцами СОБРа:

— Значит, так... Мудрить не будем. Витя и Наташа — вы у нас вечные герои-любовники, стало быть, и здесь — изобразите парочку, сбившуюся с дороги, подойдете к воротам, вступите в разговор, попроситесь переночевать за деньги... Остальные рассредоточиваются вдоль периметра, стараясь не шуметь до последнего. Дальше — по сигналу — пару «дымовух» во двор, и пошли... Главное — взять быков с автоматами...

В группе вспыхнули легкие смешки — мужики начали было подкалывать Савельева и входившую в его группу Наталью Карелину, но, натолкнувшись на ледяное молчание Кудасова, смешки быстро смолкли.

А Никите Никитичу было не до смеха, он думал об Обнорском и хотел только одного, — чтобы Андрей действительно оказался в этом доме и чтобы он еще при этом был живым... «Шестое чувство» подсказывало Кудасову, что журналист действительно где-то рядом, но это же чувство молчало про то, на каком свете находится Серегин...

А Обнорский в этот момент был уже не здесь, но и еще не там, — он медленно угасал, лежа на ступеньках у двери бункера.

Когда Андрей закрыл себя вместе с мертвым Пыхой в каменном мешке, в первые минуты он ощущал прилив энергии и сил, и непонятно откуда надежда робкая появилась на выживание... Обнорский смог даже провести переговоры с Грачом на сильном эмоциональном накале, но потом — потом стало хуже... Обрывками футболки Андрей попытался перевязать свою сквозную рану в груди — она кровоточила не так чтобы очень сильно, но все-таки... В первые часы самоизоляции Серегин осмотрел тщательно свою тюрьму, и настроение его стало стремительно ухудшаться — воды не было, еды не было, средств связи не было, и медикаментов не было тоже... Короче, отсутствовало все то, что было необходимо, чтобы попытаться выжить хотя бы в течение нескольких дней.

Потом у Обнорского вдруг разом заболело все, что только могло болеть, — Андрей и не подозревал, что на свете существует такая боль... Был момент, когда Серегин даже схватился за пистолет, — мелькнула мысль, что одна только пуля сможет прекратить эту чудовищную пытку... Странно, но, наверное, страх смерти смог притупить боль...

Андрей съел таблетку анальгина — ту самую, которую оставил про запас еще со времени сидения в первой тюрьме — в бревенчатом мешке... Одна таблетка, конечно, ничего не решала, но психологически ненадолго стало легче.

Когда боль начала возвращаться снова, Серегину хотелось уже просто выть в голос. Сопротивляясь этой боли, он быстро терял силы, и жизнь вытекала из него, словно жидкость из треснувшей бутылки...

Дошло даже до того, что Серегин обыскал Пыху, надеясь найти в карманах мертвеца какие-нибудь наркотики, — они ведь тоже снимают боль... Но покойный Пыха либо не был наркоманом, либо просто не носил «кайф» с собой.

Еще один прилив надежды Андрей испытал, когда за дверью появился участковый Тарасов, — Серегин ведь почти поверил ему, и только возникшее в памяти лицо Катерины заставило Обнорского проверить милиционера... Поняв, что за дверью стоит либо ряженый, либо ссученный, Андрей чуть не сошел с ума от ненависти, заглушившей на некоторое время боль... Потом он, видимо, потерял сознание, а когда пришел в себя, то даже удивился, — боль почти не чувствовалась, правда, и тело тоже почти не ощущалось... Андрею чудилось, что он лежит не на бетоне, а на песке где-то у моря... Постепенно в его сознании бред начал мешаться с явью: то ему казалось, что мертвый Пыха начинает шевелиться, то слышались какие-то голоса. Счет времени он потерял, но это обстоятельство уже не очень тревожило Серегина... Когда снова случился один из периодов «просветления», Андрей вдруг испугался, что может не выдержать и откроет дверь в беспамятстве. Мысли опять свернули к пистолету и одной-единственной пуле, которая могла бы все прекратить... Боролся сам с собой Обнорский очень долго — несколько минут, пока снова не отключился. Интервалы между его выплываниями из небытия становились все длиннее, а удерживать сознание было все труднее и труднее...

Во время очередного «пробуждения» Андрей вдруг подумал о том, о чем очень долго запрещал себе думать... Спокойно и уже как-то отстраненно он вспомнил, как завязывалась вся эта история с водочным контрактом... Может быть, тогда он все же сделал неправильный выбор? Может быть, не имел он права человеческими жизнями играть? И не воздается ли сейчас ему по делам его? А еще Андрей вспомнил Катю и ее слова про то, что все ее мужчины умирали не своей смертью... Обнорский вздохнул: вот сейчас и он умрет, а Катерина — она ведь потом вовсе не сможет жить нормально.

Серегин почувствовал влагу на своих щеках, понял, что это слезы, успел удивиться и вновь потерял сознание...

Захват бывшего дома бывшего писателя Рожникова прошел быстро и точно по разработанному Кудасовым плану: Савельев и Карелина начали стучать и звонить в ворота, обнимаясь и дурашливо смеясь. К воротам подскочил мрачный Чум, он приоткрыл калитку и неприязненно спросил:

— Че надо?

— Браток! — широко улыбаясь, сказал ему Витя. — Нам бы заночевать... Мы тут попали немножко — тачка сломалась, ночь подошла... Пусти в хату, мы баксами отмаксаем...

— Валите отсюда, на хер! — угрюмо посоветовал парочке Чум, но закрыть калитку уже не успел, — во дворе что-то грохнуло, сверкнула необычайно яркая молния, откуда-то повалил дым и сразу жалобно заскулили собаки... Чум открыл рот от удивления, но и сказать ничего не успел, — Витя сбил его с ног страшным коротким ударом в челюсть.

Через пару минут все было кончено — быков обезоружили, обраслетили и уложили носами в землю. Бухгалтер сдался сам. У него оказалась хорошая реакция — Иваныч громко верещал, что попал в это место по ошибке, что у него все документы в порядке... Между тем дом быстро обыскали, и к Никите, перелистывавшему паспорт Иваныча, подскочил возбужденный Вадим Резаков:

— Никита Никитич, там в подвале еще одна дверь есть, похоже — заперта изнутри. Там кто-то есть!

Кудасов посмотрел на Иваныча и спросил:

— Кто там? Серегин?

— Я не знаю! — затряс головой бухгалтер. — Клянусь, я ничего не знаю!..

Обнорский выплывал из забытья медленно и неохотно, его словно кто-то будил, а Андрею уже не хотелось просыпаться... Серегин открыл глаза и удивился — он увидел у дальней стены бункера Назрулло Ташкорова, Илью Новоселова, Серегу Вихренко, Женю Кондрашова. И еще каких-то знакомых людей... Все они старались что-то крикнуть Андрею, но он не слышал ни звука — ребята шевелили губами, как в немом кино... Обнорский улыбнулся им и пошел было навстречу, но потом вдруг задумался — они же все умерли... Что же они кричат? Что они хотят сказать ему?

И в этот момент вдруг «включился» звук — Серегин услышал из переговорного устройства очень знакомый голос:

— Андрей, Андрей! Если ты там — откликнись! Кто живой есть — отвечайте... Андрей — это я, Кудасов... Андрей, ты меня слышишь?

Обнорский улыбнулся — голос и впрямь был похож на Никитин. Но нет, его не может здесь быть, это все Череп придумал... Нет, Череп же умер... Умер — ну и что? Он мертвый — взял и придумал...

А голос из «переговорки» продолжал надрываться:

— Андрей, Андрей, мы всех взяли, слышишь?!

Серегин вздрогнул и снова посмотрел в сторону дальней стены бункера — там теперь стоял Челищев, который улыбался ему и показывал на дверь, убежденно кивая.

Обнорский застонал и сказал в «переговорку»:

— Пошли вы... Я все равно... не... откро...

За дверью на секунду стало тихо, а потом голос Никиты снова закричал:

— Андрей, это же я, ты в глазок посмотри, в глазок...

А Андрей уже не мог никуда посмотреть, у него перед глазами все дрожало и расплывалось... И все-таки голос Кудасова сделал главное — он разбудил, Андрей снова начал чувствовать боль, а вместе с болью вернулась и способность мыслить.

— Если... ты... Никита... Скажи, где мы с тобой перед Новым годом сидели... Никита — помнит...

После такой длинной фразы Обнорский чуть было не «уснул» снова, но отключиться ему помешал крик из «переговорки»:

— В «Грете»! В «Грете» мы с тобой сидели, на Суворовском... Ну же... Открывай дверь, Андрей!!

Серегин медленно и важно кивнул. Да, действительно. С Никитой они сидели именно в «Грете». Хорошо сидели. Вино пили. Красное вино... Как кровь, красное... Красное, красное, красное...

Андрея снова потянуло в туман, но тут он увидел Катино лицо — ее глаза смотрели на него с надеждой, верой и любовью.

Серегин встрепенулся и пополз к двери... Ему казалось, что он откручивает штурвал запирающего замка быстро, а на самом деле эта операция заняла целых пятнадцать минут... И когда дверь начала открываться — Андрей облегченно улыбнулся и лег на ступеньки как человек, заслуживший отдых после трудной работы.

Его тело мешало открыть дверь, поэтому Кудасову пришлось провозиться еще несколько минут, прежде чем он смог подхватить Обнорского на руки:

— Андрей! Андрюха, ты слышишь, нет? Не умирай, не смей, слышишь! Держись, слышишь, я прошу тебя, держись!..

Но Серегин уже не слышал Кудасова...

Эпилог

Июнь—август 1994 года

Минуло больше двух месяцев с той ночи, когда начальник пятнадцатого отдела РУОПа Никита Кудасов и старший оперуполномоченный Вадим Резаков привезли в клинику военно-полевой хирургии ВМА почти неживого уже Андрея Обнорского... За это время в Питере произошло много событий — и больших, и маленьких.

В Северной Пальмире с невероятной помпой прошли Игры Доброй Воли. Правда, городу они мало что дали, — западные туристы почему-то особого энтузиазма в плане приезда в Петербург не проявили, но зато мэр города везде и всюду говорил о большом успехе. В Петербурге во время Игр было безлюдно и спокойно, поговаривали, что милицейское руководство договорилось с братками, которые, чтобы «гусей не дразнить», дружно разъехались кто куда — кто на Багамы, кто на Канары, кто в Анталию...

Странные и страшные события, развернувшиеся в конце весны вокруг поставки партии водки «Абсолют», стали постепенно забываться — в некоторых кругах даже начали уже «высказывать мнение», что никаких событий-то и не было. А что, собственно, и было-то? Так, несколько уголовных проявлений — и кто сказал, что все они связаны друг с другом?

Правда, видный предприниматель Говоров по-прежнему оставался в тюрьме — но на него работали самые лучшие питерские адвокаты, которые надеялись в скором времени изменить своему клиенту избранную прокуратурой меру пресечения... Антибиотику в изоляторе совсем не нравилось — он начинал понемногу утрачивать контроль над своей «империей», которой временно управлял от его имени Валера Ледогоров... Сидел Виктор Палыч с относительным комфортом, но очень многое его все же раздражало, — например, «вертухаи», которые с тупым упорством отбирали у Антибиотика телефонные трубки сотовой связи, неизвестно как попадавшие в камеру...

Отвык Виктор Палыч от тюремной жизни, чего там говорить. А уж о зоне Антибиотику думалось и вовсе с тоской, потому что боялся он — предъявят ему в лагере многолетнее нарушение воровских понятий... Страшился этого Виктор Палыч не без оснований — однажды нашел он у себя в камере непонятно откуда взявшийся листок со стихами, после прочтения которых старика просто затрясло. А стихи эти были простыми и незатейливыми:

> Из года в год, из века в век —
> Стремился к счастью человек
> И счастье строил разными путями.
> Один — пахал, другой — писал,
> А вор, конечно, воровал.
> Но честь свою жигана соблюдал...
> А если вор, как господин, весь навороченный
> И ездит в «мерседесе»?
> А если вор уж не крадет, а лишь аферами живет?
> Неужто это воровские интересы?
> На сходе говорят — призвать к ответу
> Того, кто в кайф живет, как буржуа,
> Кто разменял — ну, как разменную монету —
> Честь и достоинство российского вора...

Подписи под этими корявыми виршами не было, но Антибиотику все равно очень плохо спалось ночью, потому что догадывался он, откуда ветер дует... У многих, очень многих бывших собратьев по воровскому клану на Витьку-Антибиотика зуб имелся. И даже те из них, которые сами не раз нарушали «понятия» — даже они, воспользовавшись ситуацией, помогли бы устроить в лагере воровской суд над стариком.

Понимая все это, Виктор Палыч бросил все свои финансовые ресурсы на святое дело собственного освобождения...

И результаты, надо сказать, не замедлили проявиться. В середине июня в тюремном госпитале неожиданно скончался уже оправившийся было от ранения киллер по кличке Туз. В медицинском заключении было сказано, что Николай Захарович Симоненко умер от острой сердечной недостаточности. А ведь Туз, надо сказать, никогда раньше на сердце не жаловался... В июле в результате ведомственного бардака и неразберихи на несколько дней остался без милицейской охраны особо ценный свидетель по «делу Антибиотика» коммерсант Бутов. Потом, правда, недоразумение разрешилось, но Бутов почему-то все равно изменил свои показания: он вдруг заявил следователю, что из личных мотивов оклеветал бизнесмена Говорова, который никогда не просил его, Бутова, взять на хранение партию водки «Абсолют».

Уголовное дело в отношении Антибиотика еще не «развалилось», но уже начало «потрескивать»...

Аркадия Сергеевича Назарова, Женю Травкина и Диму-Караула, погибших 30 мая, похоронили в один день, но на разных кладбищах. Проводы в последний путь майора ФСК были гораздо более скромными, чем бандитские похороны... Результаты служебного расследования обстоятельств смерти майора Назарова разглашению не подлежали — но, кстати, пенсию семье Аркадия Сергеевича все же назначили.

К удивлению многих, фирма «ТКК» после всего произошедшего не прекратила своего существования, — правда, в ней несколько изменился состав учредителей. В конце июня это предприятие возглавил некий господин Редькин — бывший чиновник мэрии, еще раньше служивший в КГБ. В рекордно короткие сроки фирма встала на ноги и даже смогла возместить убытки Косте Олафсону, зарекшемуся иметь дела с российскими бизнесменами — и зря, кстати, зарекшемуся. Господин Редькин, между прочим, вскоре после своего ухода из мэрии на пост руководителя «ТКК» воплотил в жизнь новую классную тему, по которой в Россию можно было протаскивать товар большими партиями.

Дело обставлено так: фирма везет груз и на таможне «сдается». Груз уходит в конфискат, который быстро реализуется уже готовому покупателю — по смешным ценам. Стоит ли объяснять, что сдавшаяся фирма и покупатель конфиската действуют заодно? Важен результат — груз законно попадает в Россию, где и реализуется. И никаких тебе диких акцизных сборов и таможенных платежей...

Иваныча, задержанного в доме писателя Рожникова, пришлось вскоре выпустить, — следствие ничего не смогло ему предъявить. Зато трех быков, взятых в том же доме, упаковали в Кресты плотно.

Заместитель начальника РУОПа полковник Лейкин начал очень часто встречаться с Вадиком Пучиком, Даниил Серафимович расценивал Вадика как очень ценного источника информации. Полковник, наверное, был одним из немногих людей в Питере, кто доверял Пучику...

Сотрудников пятнадцатого отдела неожиданно осыпали благодарностями, грамотами и ценными подарками. Вадиму Резакову предложили перейти из РУОПа в ГУВД — на руководящую работу, но оперативник от этого предложения отказался.

Никите Кудасову досрочно присвоили звание подполковника милиции — начальника 15-го отдела вообще вдруг стали очень ценить, его постоянно посылали в ответственные командировки в Москву, вызывали для консультаций в мэрию... Никите Никитичу иногда казалось, что его нежно и безжалостно «душат в объятиях», не давая заниматься конкретной работой...

Журналист Андрей Серегин выжил, к удивлению многоопытных врачей Военно-медицинской академии, один из которых даже начал писать по истории его болезни научную работу. Кстати, вся история с похищением Андрея особо сильного резонанса не получила. Серегин очень долго не приходил в сознание, а когда все-таки очнулся, выяснилось, что журналист ничего не помнит, у него образовался полный провал в памяти с вечера 30 мая... Врачи объясняли такую амнезию характером полученных Обнорским травм.

Быки, взятые в доме писателя Рожникова, тоже никакой ясности в историю с похищением не внесли; все они утверждали, что появились в деревне только после того, как Серегин уже заперся в бункере.

Позже в журналистские круги был запущен слух, что с Обнорским таким экстравагантным образом сводил счеты какой-то ревнивый муж... Версия эта, прямо скажем, особой проработанностью не отличалась — но тем не менее многие в нее поверили, тем более что на очередном брифинге в ГУВД генерал Локтионов на вопрос о «деле Серегина» ответил загадочно, но многозначительно:

— Да, Серегин... Хм... Серегин. Я, по понятным причинам, уважаемые господа журналисты, всего не могу вам рассказать, — мы еще разбираемся... И разберемся — будьте уверены... Но вообще-то ваш коллега... М-да... Я бы сказал так — не стоит искать романтизм и героизм там, где их нет и в помине. Некоторые ваши коллеги, господа, играют, играют — и заигрываются... А потом бегут к нам же с криками о помощи... М-да... Писать — в том числе о таких серьезных вещах, как преступность и борьба с преступностью — надо тщательно и профессионально, опираясь на тех самых сотрудников милиции, которых вы, господа, так часто незаслуженно шельмуете гуртом, чохом, под одну гребенку — всех... И нормальных, то есть настоящих журналистов — их много... Но есть такие, которым не правда важна, а сенсация, даже если они сами ее и сочинили.., Стоит ли удивляться, что у таких... гм... журналистов рано или поздно возникают сначала какие-то непонятные отношения с бандитским миром, а потом эти отношения перерастают в конфликты...

Из этого ответа генерала, всю жизнь прослужившего в ГАИ и в пожарных частях, никто из журналистов ничего не понял; вполне вероятно, что генерал и сам имел о «деле Серегина» информацию весьма смутную... Но в принципе у коллег Андрея сложилось впечатление, что Обнорский сам в «чем-то таком замешан». Именно поэтому данный конкретный случай «нападения на представителя прессы» совсем не «раскручивался» питерскими средствами массовой информации, которым не чужды были понятия «корпоративной солидарности» и «чести мундира»...

Седьмого августа 1994 года подполковник Кудасов зашел в клинику военно-полевой хирургии, чтобы навестить Андрея Серегина. Нет, Никита, конечно, много раз забегал к другу и раньше, но поговорить нормально не удавалось — сначала Обнорский находился в коме, потом был слишком слаб для разговоров, затем самого Кудасова в командировку отправили.

В палате журналиста не оказалось, кто-то подсказал Никите, что Серегин пошел прогуляться. Кудасов нашел Андрея в академическом садике — журналист сидел на лавочке, смотрел на колыхавшуюся листву деревьев и о чем-то сосредоточенно думал...

— Не помешаю? — поинтересовался подполковник, присаживаясь рядом с Обнорским. Серегин улыбнулся, стараясь не разжимать губ, чтобы не показывать беззубый рот, неловко обнял Никиту:

— Привет, старик... Спасибо, что заскочил... Очень рад тебя видеть...

Несколько минут они поговорили ни о чем, а потом Кудасов спросил:

— Тебя, говорят, выписывают скоро... Какие жизненные планы? Вернешься в свою газету?

Андрей пожал плечами:

— Не знаю, честно говоря... Не уверен, что смогу работать, как раньше. Слишком я много нового и интересного узнал за последнее время... Понимаешь, иногда лишние знания могут мешать нормальной работе криминального репортера — все время начинаешь сомневаться в том, что пишешь...

— Понимаю, — усмехнулся Никита. — Чего ж непонятного.

Андрей искоса глянул на Кудасова и продолжил преувеличенно бодро:

— Подлечиться еще надо, зубы, вот, вставить... Хочу этим вопросом в Швеции заняться, тем более что мы там с Ларсом книгу собирались писать о «русской мафии». Вот, как раз будет на что гонорар потратить.

— Ага, — сказал Никита. — С Ларсом, значит?

— Да, — кивнул Обнорский. — Помнишь, я тебе рассказывал об этом шведе, мы еще с ним фильм снимали...

— Конечно, конечно, — подтвердил Кудасов. — Как не помнить... Слушай, Андрей, я все хотел тебя спросить: у тебя с ней серьезно или... как?

Серегин окаменел лицом, а потом выдавил из себя:

— С кем с «ней»?

— С Катей, с кем же еще, — хмыкнул подполковник и перевел взгляд на слегка колыхавшиеся от ветра ветви деревьев — шелест листьев успокаивал и расслаблял.

— С какой Катей? — упавшим голосом спросил наконец Обнорский, и Кудасов ответил ему укоризненным взглядом.

Никита не стал рассказывать Андрею, что некая не желавшая представляться русскоязычная гражданка из Швеции буквально оборвала ему в свое время телефон на работе, справляясь о журналисте Серегине. Кудасов, как мог, ее успокаивал, догадываясь, с кем именно говорит, но не называл клинику, в которой лежал Обнорский. Потом звонки прекратились: Катя, видимо, пошла по другому пути и узнала все либо через коллег Андрея, либо еще как-то — в конце концов, она располагала достаточными материальными ресурсами для успешного установления местонахождения раненого. А в том, что ее поиски завершились успехом, Никита смог однажды убедиться лично. Он как-то раз, в конце июня, когда Андрей уже пришел в себя, хотел навестить Обнорского, но у входа в клинику заметил женщину с очень красивым и очень знакомым лицом. На этом лице странным образом сочетались радость и страдание... В тот день Никита не стал заходить в палату к Андрею...

(А Катерина действительно приезжала в Петербург — ей необходимо было удостовериться, что Обнорский жив, потому она и пошла на довольно большой риск. Серегин был еще очень слаб, увидев Катю, он, конечно, очень обрадовался, но потом тут же изругал ее за приезд и успокоился только тогда, когда она на следующий день позвонила ему уже из Стокгольма. Она вообще стала звонить очень часто — Катя ведь подарила Андрею радиотелефон, чтобы он всегда, так сказать, «был на связи»...)

— Ну, что молчишь-то, народоволец? — поинтересовался Кудасов, когда пауза слишком затянулась. — Снова амнезия? Я же тебя спрашиваю: серьезно у тебя с ней или нет?

Андрей с усилием сглотнул и сказал:

— Серьезно.

А потом Обнорский протянул Никите свои сведенные вместе руки.

— Ты чего? — не понял Кудасов.

— Как? — пожал плечами Андрей. — Раз ты все знаешь... Надевай браслеты...

Никита долго моргал, глядя на протянутые руки, а затем покачал головой и с некоторым даже восхищением в голосе сказал:

— Ну, ты и мудак... Нет, таких мудаков — можно даже не искать, таких просто нет больше... Если бы не твое болезненное состояние, дал бы я тебе по роже...

Андрей медленно опустил протянутые руки, помялся и выдавил из себя:

— Прости... У меня что-то действительно в последнее время с чувством юмора не очень... А как... Как ты догадался?..

— «Догадался»! — фыркнул Кудасов. — Да ты сам с ней засветился в той хате на Сенной... Витя Савельев заходил к вам, помнишь? А потом — уже спустя несколько месяцев — он начал фототеку просматривать и случайно на лицо одной симпатичной женщины наткнулся... Я, кстати, когда ты на встречу у «Океана» не пришел, заглянул в ту квартирку, нашел там собранное тобой досье... В принципе, концы срастить не так уж сложно было... Тем более что на следующий день мне одна гражданка из Швеции звонила, вся в рыданиях... Идея со звонками о заминированных складах — твоя была?

— Моя, — кивнул Андрей. Никита вздохнул и покачал головой:

— Повезло тебе, народоволец чертов... Если бы водка на каком-то другом складе была... Если бы Туза не взяли... Повезло тебе — круто повезло. Так вообще не бывает, как тебе повезло... Если бы ты знал, как мне хотелось тебе уши оборвать...

Обнорский кашлянул и виновато глянул на Кудасова:

— Никита, ты пойми... Я тебе ничего не говорил, потому что...

— Да ладно, — не дал ему договорить Кудасов. — Не объясняй, все и так понятно... Сам-то Антибиотик к тебе туда, в «бункер», приезжал?

— Приезжал, — опустил голову Андрей. — Только мои показания об этом все равно в суде не прокатят. Любой адвокат легко докажет, что я был в невменяемом состоянии и просто бредил... А других свидетелей нет... Ну, а рассказывать все, как было...

— Это понятно, — кивнул Кудасов. — Это-то как раз понятно...

Они помолчали, думая каждый о своем, а потом Серегин спросил:

— Никита... А как ты думаешь — Антибиотик, он сейчас надолго сел? Или выпустят скоро?

Кудасов грустно улыбнулся и потер пятерней свой мощный стриженый затылок:

— Как тебе сказать... Я же не судья и не следователь. Я — опер... Раньше бы он при таких раскладах сидел железно, теперь... Теперь многое изменилось и в обществе — и в правоприменительной системе... Я тебе так скажу: Палыч, конечно, крутыми деньгами ворочает, но и мы не сидим сложа руки... Обставляемся потихоньку... Кое-кто в городе, между нами говоря, очень не заинтересован в том, чтобы старик на волю вышел раньше времени... Понимаешь? Есть «молодые волки», которые уже начали разные самостоятельные дела делать... Все империи когда-нибудь разваливаются... Даже если Антибиотик хотя бы год в тюрьме отсидит, а потом его выпустят, — он уже не жилец. Уберут его сразу — он ведь уже только мешать будет, причем почти всем. Понимаешь, он лишним в раскладе окажется, люди-то, которые на воле были, — они успеют во вкус хозяйствования войти. Жизнь только наладится-устаканится — и тут, прикинь, старый хозяин объявится, которого уже никто не ждет... В их мире все строго и быстро делается, а Антибиотик сам это прекрасно понимает, оттого и бесится...

Серегин вздохнул и хмыкнул:

— В их мире... Знаешь, мне иногда кажется, что у нас по всей стране теперь, в том числе и в государственном аппарате, все делается — быстро и строго...

Никита ничего ему не ответил. Помолчав немного, Кудасов задал вопрос:

— Ну, а... с ней? Как думаете-то? Она — там, ты — здесь... Или ты тоже туда с концами собрался?

— Нет, — затряс головой Серегин. — Мое место здесь, в России... Это моя страна, я ее никому оставлять не собираюсь... А насчет Катерины... Ой, Никита... Сложно все... Я и сам, по-честному говоря, не знаю, как все сложится... Одно дело — «фронтовая любовь», другое — когда серьезные отношения начинаются... Все ты правильно сказал — она там, я здесь, ей сюда пока хода нет и долго еще не будет... С другой стороны, она — миллионерша, а я... Сам знаешь... Да и характеры у нас у обоих — дай Боже... Но она мне снится все время...

Кудасов медленно наклонил голову:

— Миллионерша... Пока у нее эти деньги — ой, чует мое сердце, приключения не закончатся... До больших денег всегда много охотников найдется, тем более до денег темных...

— Кто бы это ей объяснил... — Андрей махнул рукой и вдруг улыбнулся какой-то мысли и покачал головой.

— Ты что? — не понял Кудасов.

Андрей посмотрел ему в глаза:

— Да так... Знаешь, о чем я подумал? Какая всё-таки жуткая и живучая тварь этот Палыч, если только совместными титаническими усилиями бандитки-миллионерши, шизанутого журналиста и отмороженного опера его в тюрьму забить удалось... И скольким людям за это пришлось на тот свет уйти... Мне по ночам в палате плохо спится — я часто про это думаю.

— Переживаешь? — спросил Никита, и Обнорский молча кивнул. — Ты особо-то не переживай, не терзай себя, — Кудасов положил Андрею руку на плечо. — В этой истории все покойники сами свой выбор сделали.

Обнорский отвел глаза:

— Все? А Милка Карасева? Она же...

Серегин не договорил, оборвал сам себя взмахом руки. Кудасов покачал головой:

— Выбор все делают сами... Даже те, которые не хотят себе в этом признаться... Так что не рви сердце. Я не говорю — забудь, но сердце не рви. Выводы сделай на будущее... Жизнь впереди еще долгая... Мы же с тобой еще и не такие старые — у нас, можно сказать, все самое интересное еще только начинается...

Обнорский достал из кармана рубашки пачку «Кэмела», вынул сигарету, закурил. Поймав удивленный взгляд Никиты, Андрей торопливо пояснил:

— Мне уже можно, только понемножку... Слушай, а знаешь, какая у меня задумка есть? Давай мы вместе книгу напишем про всю эту историю с Антибиотиком, про тебя, про меня, про Катю, про Адвокатов — ну, про всех... Представляешь, что может получиться?..

— Представляю, — поперхнулся воздухом Кудасов. — Ты что, с ума сошел?

— Нет, — досадливо сморщился Серегин, — ты не понял... Я же не говорю, что писать все нужно именно так, как в реальной жизни происходило... У нас книжка будет художественная, такая, чтобы людям ее читать интересно было. Понимаешь? Имена изменим — тебя, например, назовем Николаем, Антибиотика — Витамином... Сюжетные линии — перекрутим, что-то добавим, что-то убавим... Важно, чтобы суть настоящая осталась... То есть у нас будет не тот Петербург, в котором мы живем, а немножко другой, но нормальный читатель все равно все понять сможет... Даже если мы что-то присочиним — неважно, главное, чтобы правда в книге была... Тогда ее и потом интересно читать будет, когда все это блядство, что вокруг творится, закончится.

Никита задумчиво почесал в затылке, глянул на Андрея:

— А ты думаешь, что все это блядство скоро закончится?

Обнорский усмехнулся:

— Скоро не скоро, а закончится обязательно... Ну, не скоты же мы полные, чтоб жить вот так-то... Люди понемногу просыпаться начнут, отходить от угара. А чтобы процесс быстрее пошел — вот для этого и надо книги писать. Только условие одно должно быть — пишем честно... А?

Кудасов еще поскреб в затылке и махнул рукой:

— Чувствую, втягиваешь ты меня в очередную авантюру... Ладно, где наша не пропадала... Нет, идея-то на самом деле классная... Только работы будет... Это ж нам сколько лет понадобится? Нам же любой сюжетный поворот придется скрупулезно выверять и взвешивать — чтобы, с одной стороны, правдиво было, а с другой... Ну, ты понял... Кстати — писать будешь ты. Я на себя могу взять разработку комбинаций, мне это ближе... Нет, но работать-то сколько придется? Ты хоть понимаешь, какую каторгу выдумываешь?

— Ничего, — улыбнулся Обнорский, глядя на загоревшееся лицо друга. — Лиха беда начало... Зато хоть душу отведем... Лично мне очень многое рассказать хочется... И о себе, и о тебе, и вообще... И потом —

чем мы рискуем? Если наша книга получится скучной и неинтересной — ее не напечатают, и никто ничего не узнает...

— Как это не напечатают?! — возмутился Кудасов. — Почему это не напечатают?! Напечатают, и еще фильм потом снимут! Почему это у двух толковых мужиков не должна книжка получиться — если они к этому делу с душой? Да к тому же если один из этих двух — журналист? Все у нас получится, даже не сомневайся... Только ты эту идею обмозгуй как следует. Ну и вылечись до конца... В Швецию съезди — зубы там вставь и... другие вопросы реши... А с сентября и начать можно будет потихоньку... Годится? Ну вот и замечательно...

Кудасов взглянул на часы и заторопился:

— Все, Андрей, поправляйся, набирайся сил, а я побежал...

Они обнялись. Никита встал со скамейки и быстро зашагал по аллее. Кудасову предстоял еще долгий и трудный день — у него как раз намечалась одна интересная «реализация».

Журналист долго смотрел оперу вслед, а потом закрыл глаза и слегка улыбнулся. Идея, высказанная Кудасову, не была экспромтом, — книгу Андрей задумал написать давно, только в одиночку ему все было никак не решиться на это рискованное предприятие... А вдвоем-то... Да они с Никитой вдвоем — горы свернут... Ну и что, что никогда раньше писать книги не пробовали? Мало ли кто чего раньше никогда не пробовал... Нет, получится книга. Должна получиться...

Из состояния задумчивости Обнорского вывела трель звонка радиотелефона. Андрей вынул трубку из кармана, нажал на кнопку приема:

— Да?.. Да, я, конечно, кто же еще... Здравствуй, моя ненаглядная... Как там Стокгольм, стоит еще?.. Я? Нормально... То есть как — чем занимаюсь? Естественно, только одним — мечтаю о тебе, лапушка ты моя зеленоглазая... Не веришь? Кстати — зря... И знаешь, почему? Потому что в словах моих ни капли лжи, а одна только истинная правда...

Петербург — Ялта — Карловы Вары

Содержание

Издательство «Олма-Пресс» и

«Издательский Дом „Нева“» представляют книги А. Константинова о судьбе Андрея Обнорского-Серегина:

«Адвокат»
«Судья»
«Журналист»
«Вор»
«Сочинитель»
«Выдумщик»
«Арестант»
«Специалист»
«Ультиматум губернатору Петербурга»
«Агентство „Золотая пуля“».

Андрей Константинов

ВЫДУМЩИК

Ответственные за выпуск
Л. Б. Лаврова, Я. Ю. Матвеева

Корректор
Е. В. Ампелогова

Верстка
А. Н. Соколова

Лицензия ИД № 02040 от 13.06.00
Лицензия ИД № 05480 от 30.07.01

Подписано в печать 18.01.02.
Формат 84 × 108¹/₃₂. Печать офсетная. Бумага газетная.
Гарнитура «Балтика». Усл. печ. л. 21,84.
Изд. № 01-3043-РП. Доп. тираж 5000 экз. Заказ № 3010.

«Издательский Дом „НЕВА“»
199155, Санкт-Петербург, Одоевского, 29

Издательство «ОЛМА-ПРЕСС»
129075, Москва, Звездный бульвар, 23

Отпечатано с готовых диапозитивов
в полиграфической фирме «КРАСНЫЙ ПРОЛЕТАРИЙ»
103473, Москва, Краснопролетарская, 16

PRINTED IN RUSSIA
DISTRIBUTED BY N & N INTERNATIONAL